La grande histoire des Français sous l'occupation

La grande histoire des Français sous l'occupation
1939-1945

Plan général

1

LE PEUPLE DU DÉSASTRE

2

QUARANTE MILLIONS DE PÉTAINISTES

3

LES BEAUX JOURS DES COLLABOS

4

LE PEUPLE RÉVEILLÉ

5

LES PERSÉCUTIONS ET LES HAINES

6

EUX ET NOUS

7

LA GUERRE CIVILE

8

LE DUR ÉTÉ DE LA LIBERTÉ

DU MÊME AUTEUR

Histoire :

La grande histoire des Français sous l'occupation :
1. Le peuple du désastre, 1939-1940 (Robert Laffont).
2. Quarante millions de pétainistes, juin 1940-juin 1941 (Robert Laffont).
3. Les beaux jours des collabos, juin 1941-juin 1942 (Robert Laffont).
4. Le peuple réveillé, juin 1940-avril 1942 (Robert Laffont).

La vie des Français sous l'occupation (Fayard).
Le 18 juin 1940 (Fayard).
Pétain avant Vichy (Fayard)

Romans :

Une fille de Tel-Aviv (Del Duca).
Le ghetto de la victoire (Grasset)

Reportages :

Israël... Israël (Domat).
Croix sur l'Indochine (Domat).
Le monde de long en large (Domat).
J'ai vu vivre Israël (Fayard).

Critique littéraire :

Louis Emié (Seghers)
(en collaboration avec Albert Loranquin).

Albums :

Quatre ans d'histoire de France (Hachette).
Aquitaine (Réalités, Hachette).

HENRI AMOUROUX

La grande histoire des Français sous l'occupation.

I

Le peuple du désastre

1939-1940

ÉDITIONS ROBERT LAFFONT
PARIS

ISBN 2-221-00130-3 (édition complète)
ISBN 2-221-00143-5 (vol. 1)

SOMMAIRE

Cette époque ?

Encore cette époque !

Oui, cette époque dont nous sommes tous sortis différents, qui influence toujours notre vie quotidienne et l'image que la France donne au monde puisqu'elle a émergé du grand tumulte de 40, marquée dans son corps et son âme, atteinte de nombreuses fractures sentimentales, ayant, hélas ! ajouté à d'anciens motifs de disputes et de haines de nouveaux thèmes de querelle.

Cette époque, oui, puisqu'il n'est pas possible, que l'on ait vingt ans ou soixante, de comprendre 1976 sans connaître 1940 et la suite. Les suites.

Après le 10 mai 1940, plus rien ne sera pareil en effet. Jamais.

Une révolution a soufflé, bouleversant les mœurs, les idées reçues et les hiérarchies établies. Des hommes, qui se croyaient promis à l'éternité politique, sont engloutis ; d'autres hommes, voués à l'obscurité de la bourgeoisie laborieuse ou du prolétariat soumis, jaillissent au premier rang. Et parfois y restent.

Presque tous ceux qui, depuis août 1944, parlent, écrivent, administrent, gouvernent, ont encore leurs racines dans ces années fascinantes et troubles.

Oui, cette époque. Et la décrire, comme j'en ai toujours éprouvé le désir, en faisant du peuple l'acteur principal, mais non unique, du drame.

En juin 1940, le triomphe mélancolique de Philippe Pétain est impossible sans le désarroi, la dépolitisation, l'immense fatigue d'un peuple lancé dans une guerre mal préparée et qu'il avait perdue, avant même d'avoir eu le temps d'apprendre à la faire.

En 1944, le triomphe de Charles de Gaulle est impossible sans l'accord intime d'un peuple transformé, ayant brisé, pour un moment, les structures sociales et politiques conventionnelles, au bénéfice d'une passion commune qui aura des lendemains contradictoires.

Entre 1940 et 1944, entre Pétain et de Gaulle, non pas, comme on pourrait le croire, dix peuples différents, mais le même peuple évoluant, après la plus effroyable défaite de son histoire, au gré des victoires et des défaites des autres : Allemands, Anglais, Russes, Américains, et des passions qu'elles font naître dans un pays défiguré par l'occupation, passions qui jetteront les uns dans la collaboration, les autres dans la résistance, tous dans la guerre civile.

C'est cette évolution que je souhaite rendre sensible. Lente, parfois invisible, à l'image de ces rivières souterraines, cachées mais actives, dont l'apparition ne surprend que ceux qui, ne voyant rien, s'obstinent à croire qu'il n'y a rien, elle explique bien des comportements et doit permettre de tempérer les jugements abrupts qui opposent « blanc » et « noir », « bons » et « méchants », « résistance » et « collaboration » (ou le contraire), alors qu'il faut parler d'hommes et de femmes, hésitants, partagés, mobiles, avançant, quatre ans durant, sur un chemin qui, rarement, fut droit, uni, facile.

Lorsque Robert Laffont m'a demandé d'écrire, en huit volumes, qui n'épouseront pas obligatoirement la chronologie, mais s'attarderont sur tel thème ou tel moment essentiel, « La grande histoire des Français sous l'Occupation », j'ai accepté d'enthousiasme tout en mesurant l'ampleur et la difficulté d'une œuvre qu'il faut mener sur le double plan de l'événement historique et des réactions qu'il provoquait chez des millions de Français, acteurs et témoins.

Mais l'entreprise est passionnante...

L'histoire pourrait débuter lorsque les Français, sous l'impitoyable soleil de juin 1940, subissent une défaite assez rapide, assez humiliante, assez totale pour n'être plus, sur toutes les routes, militaires et civils confondus, que le peuple du désastre. Elle commence, en vérité, quelques mois plus tôt, car il n'existe pas de grands drames sans causes profondes...

Bordeaux-Paris 1975 1976.

A la fin de l'ouvrage, on trouvera, avec l'habituelle bibliographie, une chronologie ainsi que des notes sur l'évolution des prix et sur la composition d'une division de l'armée française.

PREMIÈRE PARTIE

LES FRANÇAIS DE 39

Il y a des temps où il est impossible de bien faire.

RETZ.

Quarante et un millions.
Qui ne s'aiment pas.

Hommes, femmes, paysans, citadins, riches et pauvres profondément divisés, farouchement opposés — comme si la France avait vocation d'être coupée en deux — alors que, devant les périls qui montent, qu'ils discernent, qu'ils dénoncent mais dont ils sous-estiment l'importance, l'unanimité nationale serait plus que jamais nécessaire.

Divisés sur tout. Et d'abord sur la politique intérieure.

Se disputant, se déchirant, se haïssant, s'affrontant, rouges et blancs, moscoutaires et Croix-de-Feu, lecteurs de *L'Huma* et lecteurs de *L'Action française,* militants à casquette et anciens combattants à béret, Faucons-Rouges et scouts de France, avec une violence verbale, génératrice parfois de violences physiques, qui trouve son inspiration dans toutes ces guerres civiles dont a souffert la France.

Plus de 16907 grèves affectant soudain, en 1936, deux millions et demi de travailleurs ; 32 députés communistes dans le département de la Seine ; les vainqueurs quittant les banlieues où ils se cantonnaient jadis pour défiler le poing levé dans les avenues à bourgeois ; un juif, pour la première fois, président du Conseil ; de fabuleuses augmentations de salaires, dont de non moins fabuleuses augmentations de prix, bien vite, annihileront l'effet et plus encore, peut-être, les loisirs, reconnus d'utilité publique, recevant la consécration d'un sous-secrétariat d'État ; autant de traumatismes auxquels la bourgeoisie française n'était nullement préparée et dont elle mettra longtemps à guérir.

Dont elle ne sera certainement pas guérie en 1939.

Pas guérie en 1940 lorsqu'elle ira chercher des remèdes dans la pharmacopée de la Révolution nationale.

Pour les uns, tout un ordre avait paru s'écrouler en 1936 sans que, pour les autres, un nouvel ordre surgisse des ruines, puisque le Front populaire devait être rapidement victime de ses promesses, de ses erreurs de gestion économique, du siècle, enfin, qui allait à contre courant du rousseauisme de Léon Blum, si bien que, deux ans plus tard, il ne restera, à tort, de l'expérience, que le souvenir de grands espoirs déçus.

L'historien Marc Bloch, qui sera fusillé par les Allemands en 1944, a décrit, avec beaucoup de talent et une assez grande impartialité, ces deux cortèges qui ne se mélangeront que pour se déchirer, dont la rivalité se poursuivra encore sous l'occupation, si bien qu'il n'est pas concevable d'évoquer 1940-1944 en ignorant ces mois cruciaux de 1936, qui se trouveront en filigrane de tant de jugements et de tant d'actes.

« Dans ces foules au poing levé, exigeantes, un peu hargneuses et dont la violence traduisait une grande candeur, les plus charitables [des bourgeois] gémissaient de chercher désormais en vain le « bon pauvre » déférent des romans de Madame de Ségur. Les valeurs d'ordre, de docile bonhomie, de hiérarchie sociale complaisamment acceptée, auxquelles toute leur éducation avait formé des âmes naturellement peu amies des nouveautés, paraissaient prêtes à être balayées ; et, avec elles, peut-être, quelque chose d'assurément beaucoup plus précieux : un peu de ce sens national qui, sans que le riche s'en doute toujours assez, réclame des humbles une dose d'abnégation bien plus considérable que chez leurs maîtres [1]. »

On avait alors frôlé la guerre civile, cette guerre civile avec chars, avions, mitrailleuses dont l'Espagne offrait le modèle tout à la fois effrayant et fascinant ; cette guerre civile à laquelle les partis politiques français jouaient parfois timidement un après-midi ou deux, lorsque leurs militants leur échappaient ; cette guerre civile dont les politiciens brandissaient toujours la menace avec, dans la voix, une grande sincérité professionnelle.

M. ALBERT SARRAUT, *ancien président du Conseil, le 7 juillet 1936* [2]. — Il est facile, lorsque les événements sont passés (*très bien ! à gauche*) de considérer ces responsabilités comme une chose légère ; mais quand on tient dans ses mains l'autorité...

M. le comte de BLOIS. — On agit ! (*Exclamations à gauche.*)

M. HENRI LAUDIER. — Et on fait couler le sang.

M. ALBERT SARRAUT. — Nous allons en parler, Monsieur de Blois, de l'action et nous allons parler du courage de ceux qui n'ont rien dit au moment où les usines étaient occupées et qui prennent, plus tard, une attitude victorieuse (*applaudissements à gauche*)... Fallait-il

---

1. Marc BLOCH, *L'Étrange Défaite.*
2. Lors d'une séance de la Chambre des Députés où la droite mit en cause la faiblesse d'Albert Sarraut, président du Conseil au moment des succès du Front populaire.

employer la force, avec toutes les responsabilités que M. de Blois croit résoudre en disant « on agit » ?

M. le comte de BLOIS. — Mais oui, je demande la parole.

M. ALBERT SARRAUT. — ... Et cela sans se préoccuper de savoir si l'action ce n'est pas, dans certains cas, un torrent de sang, un commencement de guerre civile (*applaudissements à gauche*). Je sais que, d'un certain côté, on aurait aimé cette action, parce qu'on entendait déjà, dans une partie de l'opinion, l'espérance incluse dans ce propos, que c'est ainsi qu'avaient commencé, dans d'autres pays, des redressements de régime d'autorité. »

Encore quatre ans et l'on verra que toute une partie de la France, celle dont la défaite et le procès de Riom légitiment, en apparence, les rancœurs et les fureurs, n'a pas oublié les grandes peurs de mai et juin 1936 lorsque, sur les usines occupées, flottait le drapeau rouge des revendications plus encore que de la révolution, les colères et les sarcasmes de 37, lorsque l'Exposition n'en finissait pas d'être cet immense chantier en panne, les terreurs de toujours lorsque l'affrontement des ligues patriotiques et des masses populaires pouvait laisser croire que le pays s'avançait sur le chemin qu'avant lui, avait emprunté l'Espagne

Un journaliste marche dans le XVe arrondissement. Il va d'usine occupée en usine occupée. Les ouvriers le font entrer sous des verrières basses sous lesquelles on gèle en hiver, on étouffe en été. Il partage la gamelle des grévistes, traverse des vestiaires sordides, empuantis par des lieux d'aisance sans chasse d'eau, examine des fiches de salaires (2 à 3 F l'heure pour les femmes, 4,50 F à 6 F pour les hommes) et, sur son carnet, note rapidement les doléances, ces doléances qui, bout à bout, donneront une bonne image de la France révoltée.

— Vous voulez écrire ? dit un ouvrier à Emmanuel Berl[3], écrivez ! Je gagne 6,25 F de l'heure. J'ai une femme qui ne peut pas travailler, deux enfants à la maison, je ne peux pas arriver à les élever. Si les autres peuvent, je voudrais qu'ils me disent comment.

— Je suis un privilégié, déclare un autre. Je gagne 4,50 F de l'heure et en plus ma femme travaille dans la couture 22-28 heures par

3. Son reportage paraîtra dans *Marianne* le 24 juin 1936

semaine. Il arrive que je me fasse des semaines de 200 francs et ma femme des semaines de 70 francs. Seulement, nous avons des charges, mon père qui est trop vieux, mes beaux-parents qu'il nous faut aider parce que la boîte où ils travaillaient a fermé. Pourtant, j'aimerais avoir un enfant, j'y pense beaucoup. Comment faire ? Ma femme ne pourrait plus travailler et je n'arrive pas à les nourrir tous. Vous savez, en banlieue, dans les pavillons comme le nôtre, les murs sont de carton et chacun entend ce qui se passe chez les voisins. Au début du mois, j'entends le mien qui joue avec son enfant. Alors, j'ai le cœur un peu gros, j'hésite. A la fin du mois, j'entends les disputes, la mauvaise humeur, les gifles et je me dis que j'ai eu raison de me retenir. Pourtant, j'aimerais bien avoir un gosse. »

Emmanuel Berl affirme n'avoir jamais entendu « parler [des] patrons avec la moindre hargne ». Pour lui, la crise est due à la misère de populations entassées dans des logements sordides, au cœur de banlieues insalubres, au chômage qui touche le patron avec l'ouvrier, aux bas salaires obligatoires et presque à la fatalité.

Du Front populaire, des journées de grève de mai et juin 36, il donne une description presque idyllique. Portés par la rumeur, comme le pollen est porté par le vent, des mots d'ordre volent d'usine en usine et, parce que le ciel est d'un bleu tendre, la grève se transforme, dans les locaux occupés et protégés par les travailleurs, en fête villageoise avec accordéon, repas pris en commun, histoires de jadis à la veillée près des machines silencieuses.

A la description de Berl, qui ne voit que les victimes, répondra celle des patrons qui ne voient que les agitateurs.

Lorsqu'ils en auront l'occasion — et, avec Vichy, le procès de Riom la leur fournira —, ils se défouleront, évoquant non seulement 1936, mais encore cette journée du 30 novembre 1938 où le Parti communiste et la C.G.T. organiseront partout des grèves qui échoueront et marqueront en somme la fin du Front populaire[4]. Les décrivant pour les enquêteurs de Riom ou bien ouvrant, à cette occasion leurs

---

4. La grève du 30 novembre déclenchée par le Parti communiste et certains leaders d'une C.G.T., alors politiquement divisée, avait pour but officiel de protester contre les amendements apportés à la législation de 1936, notamment dans le domaine des heures supplémentaires, pour but officieux de mettre en cause la politique de Munich. L'échec économique du Front populaire, cause de désenchantement profond, fut pour beaucoup dans l'échec d'un mouvement peu suivi par des masses ouvrières qui ne croyaient plus aux promesses de jadis

dossiers, voici comment certains patrons voient leurs ouvriers et ceux qui les représentent.

Robert M..., 27 ans, rue Verlaine à Clermont-Ferrand : « Ancien ouvrier des établissements Michelin, congédié en 1936, M... n'exerce plus aucun métier. Militant communiste, gréviculteur appointé, il remplit les fonctions de secrétaire du Syndicat des produits chimiques. »

Et voici B..., 30 ans : « Ex-garçon de café, [qui] s'est fait une situation confortable comme secrétaire du Syndicat du personnel hôtelier. » Et V... qui s'est prétendu, le 30 novembre 1938, lors des événements de Clermont-Ferrand, « commissaire du peuple » et qui a répliqué au brigadier de police Fradier, qui lui intimait l'ordre de circuler :

— Ici, je suis plus que vous. Je vous connais et je vous aurai avant quinze jours, tête de boche.

Ce qui lui vaut six mois de prison.

Dans les usines travaillant pour l'armement, chaque demande d'embauche donne lieu à l'établissement d'une fiche de renseignements où la politique a sa part.

Pour le même ouvrier, Eugène X..., né en 1898, candidat en 1934 et 1937 à un poste de manœuvre à l'atelier militaire de Roanne, voici deux fiches totalement contradictoires et qui permettent de mieux comprendre comment la victoire électorale du Front populaire a (provisoirement) modifié la position des directions.

	Décembre 1934	*Septembre 1937*
Probité	Douteuse (ancien failli)	Bonne
Moralité	Mauvaise	Bonne
Sobriété	Intempérant	Est sobre
Fréquentations	Mauvaises	Bonnes
Honorabilité	Mauvaise	Bonne
Degré de confiance à accorder	Aucun	Toute confiance peut lui être accordée.
Avis du chef du service de contre-espionnage de Roanne	A ne pas employer	A employer sous réserve de surveillance spéciale.

En 1938 la situation est une fois encore modifiée.

Dans ce même atelier de Roanne où, le 30 novembre 1938, quatre ateliers sur seize ont observé totalement le mot d'ordre de grève lancé par la C.G.T., tandis que les autres s'arrêtaient entre quinze minutes et deux heures, la direction réclame l'exclusion définitive de sept ouvriers.

Pour trois d'entre eux les motifs sont les suivants[5]. M..., matricule 533, est responsable du journal *Le Travailleur de l'Arsenal,* « qui publie des articles de politique générale et ne cesse d'attaquer de façon désagréable les cadres de l'arsenal ». Le 30 novembre 1938, précise la lettre d'accusation, « il n'a pas répondu quand il lui a été demandé pourquoi il ne travaillait pas ».

G..., matricule 1657, est « un propagandiste acharné, tant pour le parti communiste que pour le syndicat unitaire ». Autre grief : il vend « des journaux révolutionnaires dans les rues de la ville en dehors des heures de travail ». Enfin, le 30 novembre, « il a été surpris dans un autre atelier que le sien[6] ».

Quant à Marcel Thevenoux, matricule 1656, dont le cas sera évoqué jusqu'au procès de Riom, par l'avocat général Laquin qui reprochera vivement à Jacomet, secrétaire général honoraire du Ministère de la Guerre, sa trop grande faiblesse envers les ouvriers[7], on lui fait grief d'avoir tenté de débaucher le personnel d'un atelier voisin du sien. Certes, « il ne commet pas d'actes permettant de le classer nettement dans le clan des indisciplinés, mais n'en est que plus dangereux parce

---

5. Ces documents inédits, en ma possession, prouvent que les demandes d'exclusion, transmises au ministère de la Guerre, ne reposent que sur des raisons politiques.

6. Dans une lettre (assez piteuse) au ministre pour demander sa réintégration, G... expliquera que, « poussé par la curiosité — ce qu'il regrette -, il s'était permis de regarder dans l'atelier mitoyen à celui [auquel il] était affecté ». Trois des sept meneurs seront exclus définitivement le 14 décembre 1938 par le directeur des fabrications d'armement qui, quelques jours plus tard, reviendra cependant sur cette décision (à la suite de pressions politiques), en leur permettant de demander leur réintégration dans d'autres établissements que ceux de Roanne.

7. Lors du procès, Jacomet tirera de ses dossiers une lettre en date du 9 septembre 1941 de Thevenoux, alors interné administrativement, lettre dans laquelle Thevenoux remerciait « la direction et la maîtrise » d'une somme de 400 francs qui lui avait été octroyée, en plus de son salaire, en raison de « ses efforts pour la Défense nationale ». La lettre étant, par ailleurs, pleine de « bons sentiments », Jacomet pourra s'écrier : « Est-ce que c'est là le langage d'une forte tête ? »

que, tout en encourageant les autres à l'indiscipline, [il] échappe personnellement aux sanctions ».

Ces sanctions qui ne sont pas légères. Voici, avec les motifs, celles qui ont été encourues, de 1931 à 1938, par Albert Jean-Baptiste M..., ajusteur de précision à l'atelier de construction de Roanne[8].

		Sanctions
1931	Deux retards de moins de 15 minutes.	Exclusion temporaire d'une demi-journée.
1932	10 retards de une à 15 minutes.	Exclusion temporaire d'une demi-journée.
	6 retards d'une heure.	Perd six heures.
1933	14 retards de moins de 15 minutes.	Avertissement et exclusion temporaire d'une journée.
	6 retards d'une heure.	Perd six heures.
1934	11 retards de moins de 15 minutes.	Exclusion temporaire d'une journée et demie.
	6 retards d'une heure.	Perd six heures et exclusion temporaire d'une demi-journée.
	12 février 1934.	Permission sans solde.
	Grève 1er mai.	Avertissement.
	Absent sans motif de la séance Z (défense contre les gaz).	Exclusion temporaire pour une demi-journée.
	Absent sans motif de la séance Z.	Exclusion temporaire pour huit heures.
1935	9 retards de moins de 15 minutes.	Avertissement et une demi-journée d'exclusion temporaire.
	6 retards d'une heure.	Perd six heures et une journée d'exclusion temporaire.
1936	11 retards de moins de 15 minutes.	Une journée d'exclusion temporaire.
	5 retards d'une heure.	Perd une heure.
	Retard collectif (grève d'une heure).	Perd une heure.
1937	8 retards de moins de 15 minutes.	Avertissement.
	4 retards d'une heure.	Perd quatre heures.
1938	7 retards de moins de 15 minutes.	Avertissement.
	5 retards d'une heure.	Perd une heure.

8. Document inédit.

Querelles sociales, querelles de classe, querelles religieuses, querelles raciales également. L'antisémitisme nazi ayant fait de la France une terre d'asile pour des milliers de juifs venus d'Allemagne, d'Autriche, de Tchécoslovaquie, comment les passions antisémites, toujours vives même lorsqu'elles couvent, ne se seraient-elles pas brusquement réveillées ? Ils sont des milliers les Français qui, avec le journaliste Rebatet, pensent « qu'une seule forme d'action politique [serait] capable de nous tirer d'affaire : enrôler deux cent mille gaillards, chômeurs, communistes, gamins casse-cou, leur coller un uniforme, des caporaux, des pistolets mitrailleurs, avoir l'appui d'un certain nombre d'officiers, fusiller quelques milliers de juifs et de maçons, en déporter autant [9] ».

Ils sont des milliers qu'exaspère une politique de naturalisation, qui atteint son sommet en 1939, avec le chiffre de 73 059.

Ils sont des milliers à nourrir leurs passions des arguments et des insultes trouvés dans *Gringoire,* et surtout dans *Je suis partout,* hebdomadaire aux objectifs critiquables mais de qualité journalistique certaine. Gaxotte, Thierry Maulnier, Rebatet, Brasillach, Cousteau, Laubreaux, quelques autres encore refont ainsi, chaque semaine, un monde délivré des républicains, des maçons et des juifs [10]. Surtout des juifs.

Si *Je suis partout,* dont l'influence est grande chez tous ceux qui

---

9. REBATET, *Les Décombres.*

10. *Je suis partout* avait été fondé le 29 novembre 1930 par Arthème Fayard qui, le Front populaire au pouvoir, décida en mai 1936 la disparition de l'hebdomadaire. Celui-ci fut alors repris par sa rédaction qui amputa ses salaires pour permettre à l'hebdomadaire de survivre. Une société anonyme au capital de 25 000 francs, dont Georges Lang, André Nicolas et Charles Lesca se partagèrent les actions, fut fondée dans les jours qui suivirent.

« *Je suis partout,* écrira Lucien Rebatet dans *Les Décombres,* devait sa seconde naissance à un sursaut vraiment fasciste : volonté de s'affranchir du capital peureux et dégoûtant, volonté d'une collaboration étroite dans des idées absolument communes et le même esprit d'enthousiasme et de jeunesse. C'était certainement le seul journal de France qui fût sans directeurs, sans fonds appréciables, sans la moindre servitude, conduit et possédé par la petite bande qui l'écrivait. »

On trouvera de nombreux détails sur *Je suis partout* dans la très sérieuse étude de Pierre-Marie Dioudonnat qui, à mon avis, n'insiste pas suffisamment sur la part prise par l'hebdomadaire dans le développement de l'antisémitisme en France.

auront bientôt, à Vichy, des postes de direction, consacre aux juifs deux de ses numéros spéciaux — 15 avril 1938, 17 février 1939 — qu'il faudra réimprimer tant leur succès aura été vif, il n'est pas de semaine en effet sans manifestation antisémite par le biais d'un article, d'un écho, d'un dessin.

Déjà apparaissent ces chiffres que l'on trouvera sur les tableaux de l'exposition « Le Juif et la France » organisée sour l'occupation, à l'instigation des Allemands, au palais Berlitz.

D'après *Je suis partout,* les juifs sont passés de 46663 en 1808 à 180000 en 1914 et 400000 en 1939. Défaut majeur : « Ils professent tous, à quelques exceptions près, des opinions d'extrême gauche. »

Les villes « contaminées » sont nombreuses : Paris, bien sûr, mais aussi Strasbourg, Lyon, Orléans, « où le député, le maire, le général et le procureur de la République sont juifs ». Les quartiers « envahis » sont indiqués avec précision. Avenue Foch, à Paris, quarante-huit familles juives pour quatre-vingt-dix-huit immeubles ; avenue Victor-Hugo, cent dix pour cent trente-neuf immeubles. Les professions « colonisées » sont recensées : la fourrure, le cinéma, le barreau, la médecine, la confection, la banque.

Pour lutter contre l'invasion, Rebatet réclame un *numerus clausus* et Brasillach demande que l'on « retire la qualité de citoyen à tout juif, demi-juif, quart de juif ». « C'est une mesure simple, ajoute-t-il, juste et qui n'a rien d'offensant... »

Brasillach se croit d'autant mieux fondé à exiger que les juifs soient privés de la nationalité française qu'il voit en eux, et en ceux qui les soutiennent, ou, plus simplement, ne veulent pas s'associer aux persécutions, des fauteurs et des profiteurs de guerre. Alors que le monde vient de sortir de la crise de Munich, le numéro de *Je suis partout* du 7 octobre 1938 constitue un véritable festival de haine et un appel au pogrom. Sous le titre « En prison le parti de la guerre », des dizaines d'hommes politiques et de journalistes, israélites ou non, sont désignés à la vindicte publique, le mot « juif » dispensant souvent d'en dire plus long sur la nature de leurs crimes !

Parmi les ministres, *Je suis partout* s'acharne sur « Georges Mandel, juif (complot permanent contre la France et la paix) », Georges Mandel, diffamé, injurié, dont le journal réclame la comparution en

Haute Cour[11] et qui, ministre de l'Intérieur en juin 40, se vengera non seulement en faisant perquisitionner dans les locaux de *Je suis partout* mais également en ordonnant l'arrestation de deux des responsables de l'hebdomadaire.

Avec Mandel, Paul Reynaud « complice des Soviets », Jean Zay « juif », Champetier de Ribes, Queuille, etc.

Parmi les parlementaires et hommes politiques pour lesquels l'hebdomadaire réclame la prison, « les 73 députés communistes et particulièrement : Marcel Gitton[12], « délégué des Soviets »; Pierre Cot, « traître [qui] a livré aux Soviets et à l'Espagne rouge les armements de la Patrie, destructeur de l'aviation française, agent de liaison des Soviets à Prague » ; Léon Blum, « juif (malgré les alibis qu'il a essayé de se ménager devant l'imminence du péril) » ; Lebas, Moutet, Vincent Auriol, Dormoy — S.F.I.O. — « défenseurs des motions bellicistes dans leur parti », Grunbach, Lazurick, Lussy, Jules Moch, « juifs ».

Parmi les journalistes, « Schumann, juif, cousin de Léon Blum, l'un des principaux reporters de l'agence Havas », Louis Joxe, Pierre Brossolette, toute la rédaction de *L'Humanité ;* la rédaction « juive » du *Populaire ;* Aragon à *Ce soir ;* à *Paris-Soir,* Lazareff et Charles Gombault ; à *L'Ordre,* Buré, Pertinax et Pierre Loewel ; Georges Boris, Albert Bayet, Émile Kahn à *La Lumière ;* à *L'Aube,* Francisque Gay et Georges Bidault ; au *Radio-journal de France,* neuf ou dix personnes ; à Radio-Paris, Pierre Paraf et Kahn ; à Radio-Cité, Félix Lévitan et Jacques Meyer ; au Poste Parisien, Grunebaum et Henri Benazet.

La page s'achève par ces lignes en forme de canular : « M. Henri de Kérillis n'a pas été compris dans cette liste en raison de deux circonstances atténuantes : ses services de guerre, sa débilité mentale »[13].

---

11. « Qui est le chef du parti de la guerre ? Mandel. Qui propage des fausses nouvelles sur l'Italie ? Mandel. Qui veut « régénérer la France » par la guerre ? Mandel. Qui doit être chassé du gouvernement français ? Mandel. Qui doit être traduit en Haute Cour ? Mandel. » *Je suis partout,* 6 janvier 1939.

12. La chose est drôle, puisque l'intéressé, vendu à la police, se retrouvera bientôt aux côtés de Doriot !

13. Homme de droite, député de Paris et directeur de *L'Époque,* mais partisan cependant de l'alliance avec les Soviets, Henri de Kérillis ne cessera de dénoncer les journalistes de *Je suis partout,* s'attirant, en retour, injures et quolibets.

Canular ? On voudrait le croire mais, en réalité, il s'agit bien de clouer au pilori des hommes que les Allemands bientôt pourchasseront. Qu'il n'y ait pas, pour l'instant, lien direct entre la dénonciation et la persécution ne constitue nullement une excuse.

C'est par dizaines enfin que se comptent les dessins antisémites, chargés, au même titre que les articles, de répandre l'image du juif apatride, uniquement soucieux de faire fortune, voguant de pays en pays au gré de ses seuls intérêts, embusqué de toutes les guerres, gros, gras, sale et même, au faîte de la fortune, inspirant la répulsion.

Le 14 janvier 1938, le dessinateur Phil montre ainsi quelques juifs sordides et sournois, à peine débarqués de leur ghetto et se renseignant auprès d'un sergent de ville.

— Le ministère ?

— Lequel ?

— Pas d'importance, nous y serons partout chez nous.

Le 2 septembre 1938 (toujours au moment de la crise tchèque), dans un numéro furieusement anti-interventionniste, qui porte en manchette ce titre « Ils veulent « leur » guerre », Phil représente un juif et un Français :

— Vous en avez de bonnes avec votre Japon, votre Tchécoslovaquie, je suis dans l'infanterie, moi, et vous ?

— Dans les affaires.

Le gouvernement essaie-t-il, par un décret-loi du 21 avril 1939, d'apaiser quelque peu les esprits en interdisant les attaques de presse contre les collectivités religieuses ou sociales et les « habitants »[14] de la France, c'est pour Robert Brasillach l'occasion d'écrire un article craquant d'humour facile mais qui, à l'exception des intéressés, amers et humiliés, fait rire tout Paris.

LA QUESTION SINGE
IL NOUS FAUT ORGANISER
UN « ANTISIMIÉTISME »
DE RAISON ET D'ÉTAT.

---

14. Les peines prévues en cas de diffamation envers un groupe de personnes appartenant, par leurs origines, à une race ou à une religion déterminée étaient punies d'un emprisonnement d'un mois à un an et d'une amende de 500 à 10 000 F Le 27 août 1940, une loi de Vichy abrogea le décret-loi Marchandeau (du nom du ministre de la Justice de 1939).

« Quel tribunal oserait nous condamner si nous dénonçons l'envahissement extraordinaire de Paris et de la France par les singes ?... On va au théâtre ? La salle est remplie de singes... Dans l'autobus, dans le métro ? Des singes... En province, dans les marchés, les foires, des stands entiers sont occupés par des singes, avec un grand fracas de casseroles en soldes et d'étoffes prises à des faillites... Les guenons qui les accompagnent ont chapardé des fourrures, des colliers de perles, et elles minaudent d'une manière presque humaine... Ce que nous appellerons l'antisimiétisme (veuillez bien lire, je vous prie) devient, chaque jour, une nécessité plus urgente... [15] »

L'antisémitisme recrute aisément parmi les anciens combattants. Ils ont entre quarante et soixante ans. L'âge des amertumes, des souvenirs que l'on remâche, lorsque, de tous les « coups durs », de tous les morts, de tous les sacrifices, il ne reste que des images heureuses ou nobles ternies par un méprisable présent.

Bientôt on ne pourra expliquer la France de Vichy sans étudier le phénomène anciens combattants. Ces hommes qui occupent, moralement autant que physiquement, des places importantes dans tous les secteurs de la vie économique, administrative, régionale ou municipale, qui, pour la plupart, seront présents quand leurs cadets se trouveront dans les camps de prisonniers, et qui demeurent auréolés de toutes leurs victoires, parmi une France humiliée, vont constituer la masse de manœuvre du pétainisme.

En 1938, il existe encore 5 200 000 survivants de la Grande Guerre. Groupés en puissantes associations dont l'Union fédérale qui compte 900 000 membres, modérément de gauche, et l'Union nationale : 800 000 membres, résolument de droite, ils sont de toutes les cérémonies patriotiques. Alors, pour le temps d'une sonnerie aux morts, maires, curés, instituteurs, ouvriers, bourgeois, paysans se retrouvent unis et liés par la communauté des souffrances et des souvenirs.

Avec leurs drapeaux qui, cinq ou six fois l'an, vont de l'église au cimetière ; leurs médailles pieusement conservées, fièrement portées et auxquelles ne s'attache encore aucun sentiment de « braderie » ; leur hostilité fondamentale au régime des partis ; leur rêve d'un gouverne-

---

15 *Je suis partout*, 31 mars 1939

ment de salut public qui remettrait la France à sa place et épargnerait à leurs enfants les horreurs d'une nouvelle guerre ; leur amour pour la discipline, si cette discipline ne dure que quelques heures et toutes ces idées simples qu'ils imaginent avoir ramenées des tranchées, mais qui ne sont dues, bien souvent, qu'au racornissement de l'âge, les plus actifs d'entre eux se tourneront naturellement vers les mouvements d'extrême droite et vers les ligues dont le but avoué est d'abord de lutter « contre les métèques, les profiteurs d'après-guerre, les politicaillons, les politicards au patriotisme douteux, à vénalité presque certaine, les « abandonneurs » intéressés de notre victoire ».

Cette citation est extraite d'un manifeste publié par les Croix-de-Feu, en 1929, deux ans après leur création, mais elle restera valable, à travers les années, pour des hommes qui « ne veulent pas faire de politique » et méprisent, comme ils les méprisaient depuis leurs tranchées, tous ceux qui profitent des souffrances et de la mort des autres pour faire de belles phrases et de gros bénéfices.

La médiocrité morale d'une partie du personnel politique, qui facilitera cette « affaire Stavisky », où se trouvent impliqués des députés radicaux, le ministre Dalimier et de hauts fonctionnaires, déclenche naturellement la colère de la presse de droite contre « les voleurs », « le métèque escroc[16] » et le gouvernement. Le 6 février 1934, des dizaines de milliers d'anciens combattants, sans but politique évident, mais parmi lesquels se trouvent beaucoup d'hommes que leur amour de l'ordre conduira plus tard dans les rangs de la collaboration, se mettent en marche, précédés de leurs drapeaux et de leurs mutilés, davantage pour crier leur mépris que pour renverser le régime.

Mais cette soirée sanglante (il y aura 22 morts et 2200 blessés)[17], agrandissant encore le fossé politique, marquera durablement la France en poussant vers l'extrémisme de droite ou de gauche des hommes que la guerre, jadis, avait rassemblés.

Il est bien évident cependant que si, dans les congrès d'anciens

16. Le 7 janvier 1934, sous le titre « A bas les voleurs ! Appel au peuple de Paris », Pujo publie dans *L'Action française* un article qui invite les Parisiens « à se tenir prêts à venir en foule autour du Palais-Bourbon et aux cris de « A bas les voleurs ! » exiger la justice et l'honneur ».

17. Dont 2 morts et 1600 blessés parmi les forces de l'ordre.

combattants, on exalte la Famille, le Travail, la Patrie, si on célèbre l'autorité et la hiérarchie, si on réclame la collaboration entre les classes sociales, ce programme reste aussi vague que généreux.

La doctrine n'est guère plus affirmée chez les Croix-de-Feu, recrutés d'abord parmi les anciens poilus titulaires de citations, puis parmi les anciens combattants et bientôt leurs fils et leurs amis (Volontaires nationaux).

Mais les adhérents retrouvent aisément les gestes de jadis : troupes de choc, groupes de cinq hommes, mobilisables à tout moment et qui s'entraînent d'ailleurs à répondre aux ordres de mobilisation pour protéger des réunions publiques, menacées par les communistes, surveiller les banlieues rouges ou contre-attaquer puisque, le 4 octobre 1936, plus de 60 000 d'entre eux s'opposeront au meeting communiste du Parc des Princes. Il y a des fanfares, des défilés pour les fêtes patriotiques et c'est à l'occasion du 14 juillet 1934, qu'aux côtés du lieutenant-colonel de La Rocque [18], qui dirige le mouvement, paraîtra, pour la première fois, Jean Mermoz, aviateur célèbre, chantre de la discipline et de la mystique du chef, homme assez idéalement beau pour que l'on puisse, sans faire sourire, l'appeler « l'Archange ».

Après la dissolution des Croix-de-Feu (juin 1936), le Parti social français prendra le relais, puisant fondamentalement dans la même clientèle, mais recrutant aussi des centaines de milliers d'anticommunistes bourgeois qui ont été aussi rapidement découragés qu'ils avaient été rapidement conquis par le style populaire, viril et vulgaire de Doriot et par les méthodes du P.P.F., première manière, où recettes communistes et fascistes faisaient bon ménage.

Dans la mesure même où l'Europe est déchirée par deux idéologies contraires, les Français paraissent, en vérité, avoir abdiqué toute personnalité. La France de 39 compte donc des pro-et des anti-italiens, des pro-et des antiallemands, des pro-et des antisoviétiques, des pro-et des antirépublicains espagnols, des pro-et des antifranquistes qui s'injurient et s'opposent au cours de défilés et de meetings dans

18. Très grièvement blessé au Maroc en 1916, de La Rocque a rejoint ensuite le front français pour servir dans l'infanterie. Pendant la Seconde Guerre mondiale, le colonel de La Rocque sera déporté par les Allemands et à son retour de captivité, arrêté par les autorités françaises.

lesquels, faisant passer au second plan les problèmes français, peut-être trop terre à terre, ils prennent l'habitude de se passionner pour des causes étrangères.

Envers les Italiens, les sentiments des Français sont traditionnellement complexes. Ils aiment et méprisent. Aiment de confiance la Rome de Jules César et de Jules II, Venise, Naples, Florence, une culture et une civilisation dont ils s'affirment volontiers les héritiers, mais ils n'estiment guère un peuple léger et versatile, dont le génie militaire pèse de trop peu de poids aux yeux d'hommes qui ne veulent plus que Verdun pour référence.

Depuis que l'Italie s'est donnée au fascisme, elle a toutefois, en France, des admirateurs en nombre grandissant. S'il amuse ou irrite les uns, Mussolini séduit les autres. N'a-t-il pas réussi l'impossible : créer un régime fort, un régime d'ordre et de discipline où les parlementaires et les syndicats sont esclaves du pouvoir, où les puissances d'argent paraissent éliminées et qui n'a cependant aucune des intempérances du nazisme ou du bolchevisme ? Hitler et Staline font peur. Non Mussolini, Latin possédé par le goût du verbe, l'intelligence du geste, le sens des foules et que l'on croit assez subtil pour se placer toujours dans le vent de l'histoire.

On ne peut proclamer, dans la France de 1936 et moins encore dans celle de 1939, son admiration pour Hitler. Pour Mussolini, si, dans la mesure même où, sincèrement ou non, on affirme qu'il peut contribuer à faire barrage aux entreprises excessives du nazisme et où on l'imagine capable de modérer les ambitions de Hitler[19].

Au moment de la guerre contre l'Abyssinie, les clivages apparaissent nettement. Pour les uns, l'Italie se conduit, en Afrique, comme se sont conduites, bien avant elle, la France et l'Angleterre. Pour les autres, Rome menace gravement l'équilibre européen et il faut lui appliquer impitoyablement les sanctions votées par la Société des Nations. La guerre des dictatures et des démocraties fait rage dans l'opinion française. Rebatet, dans *Les Décombres,* écrira que la propagande antifasciste, conduite par l'Angleterre, avait finalement battu la propagande fasciste « sur tous les terrains » et que l'italophilie des

---

19. « Aussi, affirme Henri Massis dans son petit livre *Chefs* qui rassemble ses entretiens avec Mussolini, Salazar et Franco, et quoi qu'il en soit des « étranges morsures du germanisme hitlérien » qu'elle a pu récemment subir, la doctrine de M. Mussolini ne se confondra jamais avec le national-socialisme, dont on la rapprochera injustement. »

italophiles « atteignait son comble au moment où elle devenait sans espoir ». Mais du moins « l'affaire des sanctions » va-t-elle permettre à ceux qui se sentent proches de « l'ordre romain » de se manifester tout au long de l'année 1935 et de prendre des positions qui anticipent souvent sur celles qu'ils prendront à partir de juin 1940.

Gringoire, Candide, Je suis partout, L'Écho de Paris, L'Action française sont à la pointe du combat contre le Négus, ridiculisé, contre la Société des Nations, bafouée, contre l'Angleterre, dénoncée.

« La guerre éthiopienne, écrit Brasillach, commença de faire sortir (les intellectuels) comme des belettes de leurs trous[20]. » Sortir de son trou, pour un intellectuel, cela signifie signer des motions, présider des réunions, écrire des articles. Ils signent, président, écrivent. Ils signent, Fernand de Brinon, Abel Bonnard, Robert Brasillach. Ils écrivent. Drieu La Rochelle : « Eh bien ! oui, probablement je suis fasciste, même sûrement je suis fasciste[21]. »

Le fascisme étant le nom que tous, même s'ils se séparent sur les détails, donnent à l'action. Je suis tenté d'écrire à n'importe quelle action. A l'action pour l'action, exaltante en soi, grande rassembleuse d'hommes, porteuse de messages primaires et faciles à entendre, jouant de la séduction des slogans, des uniformes et des flambeaux, utilisant ces forces que ne libèrent pas l'intelligence et la réflexion, mais le battement des tambours et l'hallucinante clameur des foules.

Le fascisme étant le nom que beaucoup donnent à la jeunesse.

Tandis que d'autres pensent que la jeunesse c'est le communisme.

Personne, ou presque personne, que la démocratie puisse enthousiasmer la jeunesse car ses représentants par leur attitude, leur conduite, leur vocabulaire, incarnent l'immobilisme vaniteux et la passivité cocardière.

Drieu La Rochelle, le 28 octobre 1938 : « Vivre plus vite et plus fort, cela s'appelle aujourd'hui être fasciste. Il y a cent ans, cela s'appelait être libéral, il y a cinquante ans, être socialiste. »

Et, dans le même article de *L'Émancipation nationale*, hebdomadaire P.P.F., cette analyse que la suite des événements démentira, car il n'est pas vrai, comme l'écrit Drieu, que seul le fascisme permettra de lutter efficacement contre le fascisme.

« On parle de réarmement. On parle de fabriquer davantage des

---

20. *Notre avant-guerre.*
21. *Nouvelle Revue Française.*

canons et des avions. Mais, à l'expérience, dès les premiers pas de l'expérience, on s'aperçoit qu'on ne peut pas tenir tête aux pays fascistes en matière de canons et d'avions sans faire du fascisme. »

Ils signent. Ils écrivent. Entraînés par une passion mise au service de leur vérité dans un climat de préguerre civile qu'il est difficile d'imaginer aujourd'hui en un temps où la presse, copieuse en volume, est prudente car menacée par la plus faible baisse de tirage et plus encore par les réactions d'une publicité effarouchée par tout excès politique.

Charles Maurras, à l'instant où les sanctions peuvent dégénérer en guerre des démocraties contre le fascisme : « Ceux qui poussent à la guerre doivent avoir le cou coupé. Comme la guillotine n'est pas à la disposition des bons citoyens ni des citoyens logiques, il reste à dire à ces derniers : Vous avez quelque part un pistolet automatique, un revolver ou même un couteau de cuisine ? Cette arme, quelle qu'elle soit, devra servir contre les assassins de la paix dont vous avez la liste[22]. »

Phrases qui n'ont pas grand mal à séduire beaucoup de Français « nationaux », ceux qui applaudissent Mussolini lorsqu'il apparaît, le menton haut levé, les mains aux hanches, l'air vainqueur, sur les écrans de la capitale ; ceux qui jugent que le Duce a raison de se tailler un empire en Afrique, dénoncent l'hypocrisie britannique, admirent les femmes italiennes qui, non contentes de donner leurs fils, offrent leurs bijoux. Ces sentiments entretenus par une presse qu'il n'est, le plus souvent, pas besoin d'acheter pour convaincre[23], vont durer plus

22. *L'Action française,* 13 octobre 1935. A la suite de cet article, Charles Maurras fut condamné à huit mois de prison, peine qu'il accomplit à la Santé tout en continuant à publier son article quotidien sous le pseudonyme de Pellison.

Brasillach a décrit dans *Notre avant-guerre* la cellule de Maurras.

« On passait plusieurs grilles, on montait un escalier en colimaçon très théâtral, et on arrivait à l'étage des condamnés politiques. Charles Maurras y était seul. Il avait tapissé le mur de sa chambre de photographies de Martigues et de Grèce, d'images, et même on voyait épinglée au mur une caricature de lui-même à la Santé par Jean Effel. La pièce voisine, qui lui servait de réfectoire, était pleine de fleurs. Nous descendîmes dans une cour étroite, ornée de quelques arbres.

« N'est-ce pas que je suis bien ? me dit-il sincèrement. C'est délicieux. » Il me semblait ne voir que les fleurs, les images, les livres amoncelés en tas géants. Pourtant, on venait tous les jours, dans cette prison qui n'était plus un asile, l'entretenir de toute chose et des querelles du monde. »

23 On achète cependant. Max Gallo, dans son livre *Cinquième Colonne,* publie, en inédit, une lettre de Mussolini à son ambassadeur à Paris (septembre 1935), dans laquelle le Duce, qui a commencé sa carrière comme journaliste,

longtemps que le conflit italo-éthiopien. La guerre d'Espagne les exaltera et, jusqu'au bout, une large fraction de l'opinion française s'attachera à mettre ses espoirs dans une Italie fasciste différente de l'Allemagne nazie mais différente également de la France « pourrie » par la démocratie.

Les revendications italiennes, savamment excitées, sur la Corse, Nice, la Savoie, la Tunisie ne décourageront pas la plupart de ces hommes politiques français — Laval, Anatole de Monzie, Frossard — qui veulent, jusqu'au bout conserver leurs illusions. Elles ne décourageront même pas Daladier qui en prendra bien prétexte pour effectuer en Corse, en Tunisie, en Algérie, un déplacement destiné à montrer la force de la France mais, au fil de ses discours patriotiques, ne prononcera *jamais* le nom de l'Italie. La France officielle adopte vis-à-vis de l'Italie fasciste la même politique conciliante que vis-à-vis de l'Espagne franquiste : par crainte de voir ses ennemis se multiplier, elle prodigue les mesures d'apaisement et les bonnes paroles, gardant, une fois la guerre déclarée, les frontières ouvertes, achetant, en Italie, des armes et des matières premières, ne s'inquiétant pas du fait que Rome possède, en France, ses hommes payés en argent ou en compliments.

Ce Marcel Bucard, par exemple, fondateur du Francisme, qui ne cesse d'opposer l'ordre à la liberté, la discipline des sentiments à la fraternité, la hiérarchie des valeurs à l'égalité, la famille à l'individu. Mouvement qui part à la fois en guerre contre la droite et contre la gauche, contre le capitalisme et contre le bolchevisme, contre l'Action française passéiste, les Jeunesses patriotes et les Croix-de-Feu gangrenées par le parlementarisme, qui affuble ses troupes d'un uniforme dont tous les éléments (béret, chemise, cravate, ceinturon baudrier) sont vendus 38,50 F[24], mais qui, après avoir célébré l'ordre italien, prépare ses adhérents à accepter l'ordre allemand.

---

analyse la presse française et ce que l'on peut en attendre au moment où se déclenchera le conflit contre l'Éthiopie.

La lettre s'achève ainsi :

« Parce que — surtout à Paris — tous les psaumes finissent par un gloria, je mets à votre disposition un million de lires qui seront transférées à Paris. Pour ne pas perdre de temps, vous pouvez demander des avances aux banques italiennes de Paris. »

Max Gallo fournit par ailleurs plusieurs exemples de versements italiens à des journalistes ou à des hommes politiques français et belges.

24. En 1934. *Le Franciste*, journal du mouvement, après avoir indiqué que M Louis Creveau se tenait à la disposition des adhérents pour toute commande,

Jusqu'au bout, il en ira ainsi. Jusqu'au bout, c'est-à-dire jusqu'au 10 juin 1940, date à laquelle l'Italie nous déclarera la guerre, il sera loisible d'admirer le fascisme italien et, à travers lui, sans l'avouer, son vigoureux frère cadet, « aux talons de fer », le nazisme. Jusqu'au bout, la presse française recevra l'ordre de ménager l'Italie.

« Les informations relatives aux navires italiens transportant du charbon allemand doivent conserver un caractère objectif. Ne pas préjuger des événements. » Consigne de la censure en date du 6 mars 1940.

« Pas de polémique tendant à opposer le peuple italien à son gouvernement. » Consigne du 4 avril 1940.

« Éviter les ripostes aux attaques de la presse italienne. » Consigne du 16 avril 1940.

« Extrême discrétion sur tout ce qui touche à l'Italie. » Consigne du 10 mai 1940, à 17 heures.

En juin 40, encore, alors qu'il sera trop tard, nous ne désespérerons pas d'amadouer, à l'aide de quelques concessions territoriales en Afrique, le dictateur emporté par ses songes et ses ambitions.

Si l'on peut sans péril admirer Mussolini qui, dans la démesure, garde toujours quelque mesure, il n'en va pas de même pour Hitler. A de très rares exceptions près, les hommages seront donc ambigus, les ralliements déguisés. Alphonse de Châteaubriant, écrivain de talent mais esprit fumeux, constitue l'une de ces exceptions. L'auteur de *Monsieur des Lourdines* (Prix Goncourt en 1911) a rendu visite à Hitler le 13 août 1936. Il en est revenu transformé et conquis. Conquis, comme peut l'être une femme, perdant toute raison, s'exprimant en termes amoureux, physiquement et intellectuellement possédé et assez fortement possédé pour, à son tour, et grâce à son talent littéraire comme à sa force de conviction, influencer d'autres âmes.

Châteaubriant, qui publiera, en 1937, *La Gerbe des forces*, livre

---

ajoute : « Nous ne saurions trop insister sur la nécessité, pour tous les Francistes, d'être toujours en mesure de revêtir la tenue officielle quand leurs chefs en donnent l'ordre. »

témoignage sur son expérience allemande, fondera également pendant l'occupation l'hebdomadaire *La Gerbe* et deviendra l'un des membres les plus actifs du comité central de la Légion des volontaires français contre le bolchevisme. C'est à travers *La Gerbe,* à partir de 1941, lorsque tous les délires pronazis sont, non seulement permis, mais encouragés, que l'on peut mieux comprendre comment a joué ce phénomène de fascination et quelle ampleur il prit alors.

Évoquant, à plusieurs reprises, sa rencontre avec l'Allemagne, célébrant l'anniversaire de son entretien avec Hitler, Alphonse de Châteaubriant emploiera, pendant près de quatre ans, le vocabulaire des mystiques. Dès le mois d'août 1940, il explique aux Français comment il a été foudroyé par l'évidence, non point sur le chemin de Damas, mais sur celui de Berlin. « Parti un jour pour l'Allemagne, poussé par la désespérance dans laquelle me plongeait le drame de la décadence des races occidentales, tout d'un coup m'était apparu là-bas un peuple revivifié de toutes ses détresses et revivifié parce qu'il avait pratiqué collectivement le principe primordial en lequel réside le grand ressort de la restauration de toute vie. L'arbre de la vieille Europe n'était donc pas complètement desséché ni mort puisque, encore, il pouvait donner cette pousse verte ! Alors, j'ai dit à la France, ma patrie : « Réjouis-toi, ta condamnation n'est pas sans recours, puisque cette feuille verte est encore possible et qu'étant possible elle tienne[25]. »

En octobre 1941, il racontera aux Français opprimés, pillés, humiliés, qu'en 1936 le S.S. qui le ramenait à Berlin, à 120 à l'heure, dans une Mercedes du Parti, lui avait dit que faire la révolution c'était d'abord « avoir tué en soi le *schwein,* le cochon », phrase qu'il suce comme un bonbon, banalité qu'il propose comme une vérité, inlassablement, au long d'articles interminables et brumeux, textes qu'il faut presque déchiffrer mot à mot tellement leur auteur, qui se veut le prophète du Prophète, les charge d'allusions et de sous-entendus.

Déjà, en 1937, dans *La Gerbe des forces,* il avait brossé un étonnant portrait de Hitler : « Son corps vibre sans s'évader une seconde du galbe de la tenue ; son mouvement de tête est juvénile, sa nuque est chaude... Je crois que l'analyse physiognomonique de son visage révèle quatre caractères essentiels : par la hauteur particulière de la tempe, un haut idéalisme ; par la construction du nez dur et fouilleur,

25 *La Gerbe*, 15 août 1940.

une très remarquable acuité d'intuition ; par la distance de la narine à l'oreille, une puissance léonine. La quatrième caractéristique est une immense bonté ; il est immensément bon. » Plusieurs années plus tard, le 19 août 1943, évoquant, célébrant plutôt, comme une amante peut le faire, le septième anniversaire de son entretien avec Hitler, Alphonse de Châteaubriant, s'il donne quelques précisions sur l'état du ciel, « un beau matin de brume », sur la demeure du Führer à Berchtesgaden, « cette maison qui tient d'un chalet des hauteurs, du campement scientifique, de la maison du berger, du refuge de la montagne », renonce, cette fois, à toute description physique. Le dieu, enveloppé de nuées, n'a plus ni visage, ni nom, il est LUI[26]. « Je revois et je l'entends, je l'entends, lui. » « J'étais allé vers lui avec un esprit totalement débarrassé de toutes les considérations par lesquelles l'esprit français s'oppose à l'esprit allemand... Je me sentais assez vaste dans mon amour pour prononcer alternativement, sans qu'ils se combattissent dans ma conscience, ces mots brûlants et lumineux : France... Allemagne... Allemagne... France. »

Sans doute lorsque, en 1937, Alphonse de Châteaubriant fit paraître *La Gerbe des forces,* son œuvre fut-elle jugée délirante et excessive par certains lecteurs. Mais il s'en trouvait bon nombre pour estimer que, même en exagérant, en flattant excessivement ses modèles, Châteaubriant, face aux démocraties trop faibles devant les syndicats et les banlieues rouges, décomposées de l'intérieur et ne se servant plus que de mots vidés de toute force, avait raison de faire l'apologie de ces grands Aryens disciplinés qui, au cours de défilés admirablement mis en scène, offraient au monde le spectacle d'une attirante volonté de puissance.

Pour un peuple qui aime le balancement harmonieux des phrases, Alphonse de Châteaubriant n'a-t-il pas d'ailleurs l'efficacité du talent ? En France, « il écrit bien » se confond souvent avec « il pense bien ». On le verra à une époque où les mots feront des ravages.

Henri de Kérillis, l'un des rares hommes de droite à s'être élevé contre Munich et à avoir dénoncé, en Châteaubriant, un homme d'autant plus dangereux qu'il n'était ni vénal, ni corrompu, ni « acheté à la foire d'empoigne par les services de la propagande allemande »,

26. A plusieurs reprises, dans *La Gerbe des forces,* Châteaubriant rattachera Hitler au christianisme. « Les nationaux-socialistes, écrira-t-il, sont le recommencement de l'œuvre de Dieu. »

signale qu'il obtint, avec son livre, dans les milieux estudiantins et intellectuels, « un succès prodigieux ».

Il va même plus loin, classant Weygand au nombre des admirateurs de Châteaubriant.

— Kérillis, avez-vous lu cet admirable livre ? lui aurait demandé le général, un jour où les deux hommes se rencontraient au Cercle interallié.

— Mais ce livre est un de ceux qui versent le poison dans les âmes françaises.

— Vous serez toujours excessif, répliqua Weygand en remettant dans la poche de son veston *La Gerbe des forces,* dont il faut bien dire que la presse de droite avait, presque sans exception, chanté les louanges.

Le même Kérillis, le 16 janvier 1940, au cours d'une séance tumultueuse de la Chambre des Députés, pressé de préciser ses accusations contre les pro-hitlériens, lâchera les noms de Châteaubriant, de Bucard, des journalistes de *Je suis partout* et il dira que bon nombre d'écrivains et de journalistes sont « tenus », ou ont été « tenus », dans un passé récent, par les invitations et les amabilités venues d'Allemagne. Avant l'arrivée de Hitler au pouvoir, on traduisait une moyenne de sept livres français par an ; ce chiffre passe à 20 en 1934, à 37 en 1936, à 62 en 1939. Et les services allemands achetaient même les droits de livres dont ils savaient qu'ils ne seraient jamais traduits mais dont il importait de flatter les auteurs. Thèse soutenue également, le 3 mars 1949, devant la Commission parlementaire d'enquête sur « les événements survenus en France de 1933 à 1945 » par M. Tarbé de Saint-Hardouin, premier secrétaire d'ambassade à Berlin de 1933 à 1935, puis conseiller d'ambassade en 1939, qui expliquera comment certains Français, écrivains, artistes, savants, sportifs étaient pris dans l'engrenage d'une propagande allemande basée sur la flatterie, donc sur une parfaite connaissance des ressorts de l'âme humaine.

« Les gens se montraient rarement surpris de recevoir de telles invitations (en Allemagne). Ils partaient enchantés, en se disant qu'ils étaient invités en raison de leur personnalité. Durant le voyage, ils étaient toujours très bien accueillis, très bien traités. On leur parlait de l'incompréhension terrible de la France à l'égard de l'Allemagne, de la nécessité d'une réconciliation, du fait que les revendications allemandes étaient une chose tout à fait normale. Au bout de quelques jours, ils étaient très sincèrement convaincus et se croyaient obligés, comme ils avaient été très bien reçus, de faire un discours... A partir du moment où ils avaient fait ce voyage, ils avaient noué des relations avec des Allemands qui, eux-mêmes, allaient quelquefois les voir à Paris et qui les réinvitaient l'année suivante. Ainsi, un milieu germanophile s'est créé petit à petit, très habilement et sans que les gens, à l'origine, s'en rendent compte. »

La plupart de ces voyageurs n'avoueront cependant jamais que leur appétit d'ordre, encore excité par les débordements du Front populaire et par les terreurs qu'ils font naître, a trouvé en Allemagne (qu'il s'agisse de l'antisémitisme, des habitations populaires, des parades militaires, des autoroutes) un aliment de choix.

Les plus habiles, il s'agit surtout des journalistes de *Je suis partout,* affirmeront même que l'on peut fort bien haïr les mêmes principes et les mêmes hommes que les nazis sans pour autant adhérer aux thèses nazies. Certes... Remarquons, cependant, qu'il faudra attendre le 5 mai 1939 pour trouver, dans *Je suis partout,* une caricature de Hitler ; que Cousteau donne un compte rendu passionnément élogieux de sa visite à la petite ville d'Erlangen où les Allemands ont installé un musée antimaçonnique ; que Brasillach[27], que l'on a fait monter, à Nuremberg, dans la chambre de Goering pour assister au défilé des S.A. (« Imagine-t-on un service d'ordre prêtant la chambre de M. Chautemps pour voir le défilé du 14 juillet ? »), s'il est plus réservé, s'il dit ne pas comprendre très bien ce « pays étrange », l'Allemagne, et ce petit homme « au visage insignifiant », Adolf Hitler, n'en est pas moins séduit, comme bien d'autres le seront, par la beauté monumentale du spectacle offert par les foules en armes sur lesquelles, dans le silence religieux du stade, flottent des milliers de drapeaux.

De toute l'équipe de *Je suis partout,* c'est Lucien Rebatet qui se montrera ouvertement le plus violent. Ce fils de notaire, qui se vante de n'avoir jamais eu dans les veines « un seul globule de sang démocratique », qui, dès l'âge de vingt ans, aspirait à la dictature, devait naturellement être fasciné par tout ce que l'Allemagne offrait à ses passions. Et d'abord à sa passion antisémite puisque, pour certains

27. Dans un numéro de *La Revue universelle* du 1er octobre 1937.

Français. la qualité première de l'Allemagne c'est d'être officiellement et brutalement antisémite.

A la suite d'un voyage à Vienne, en 1938, à Vienne, « délivrée par Hitler de sa juiverie », Rebatet enverra à la rédaction de *Je suis partout* un article si véhément dans la louange que Cousteau, qui l'a reçu, écrira qu'il s'agit d'une « véritable danse du scalp sur le cadavre des juifs » et demandera qu'on le soumette à Gaxotte avant de l'insérer car, ajoute-t-il, « si intelligents que soient nos fidèles lecteurs, il est des manifestations de cruauté dont ils pourraient être surpris que nous disions qu'elles sont tout simplement admirables ».

Ces reportages passionnés, à une époque où le bruit des mots annonce le bruit des armes, font oublier les nombreux reportages parus dans presque tous les quotidiens français, qui décrivent la ligne Siegfried en construction, les réactions des Autrichiens et des Tchèques occupés, les camps de jeunesse d'où sortent des athlètes qui, à chaque rencontre, mettent à mal les nôtres, en attendant que les soldats...

Font même oublier les articles sur les camps de concentration puisque, à partir du 4 avril 1939, Jean Fontenoy, qui sera tué, en 1945, à Berlin, dans les rangs S.S., décrit, pour les lecteurs du *Journal,* ce camp d'Oranienburg où il a été autorisé à pénétrer. Assez favorable initialement, le ton des articles (il y en aura sept) change au fur et à mesure que Fontenoy, que l'on ne saurait taxer d'anti-hitlérisme, découvre la réalité de cet enfer concentrationnaire où les « seigneurs » S.S. terrorisent leurs 7 500 « esclaves »[28] parmi lesquels se trouvent 1 000 juifs et 1 000 politiques déclarés.

Si, au bénéfice de l'Italie, ou au bénéfice de l'Allemagne, des hommes politiques, des écrivains, des journalistes, « travaillent » quotidiennement ou hebdomadairement l'opinion française, d'autres la travaillent au bénéfice de la Russie soviétique.

Mussolini, Hitler, Staline. C'est donc vers ces dictateurs[29] que les Français regardent et l'on entendra certains d'entre eux affirmer qu'ils préfèrent « obéir à Hitler plutôt qu'à Blum » tandis que d'autres ont

28. « Seigneurs », « esclaves », les mots sont de Fontenoy.
29. Rappelons le succès du livre de Jacques BAINVILLE, *Les Dictateurs*, publié en 1935 aux éditions Denoël.

pour Staline les mots que les croyants réservent à Dieu. C'est à eux, en tout cas, qu'ils demandent des exemples et des leçons.

Pour Staline, les choses d'ailleurs sont plus simples que pour Hitler et que pour Mussolini dont les admirateurs s'avancent plus ou moins pudiquement voilés. Le Parti communiste, qui depuis mai 1936, occupe une place importante sur l'échiquier politique français avec 72 députés là où il en avait 11, 350 000 militants, plus d'un million et demi d'électeurs[30], met au premier plan des héros Staline, au premier rang des nations la Russie soviétique. Pour le Parti la politique française ne se conçoit qu'en fonction des intérêts supérieurs de la Russie. La dépendance est claire, nette, avouée, admise, souhaitée. Le 3 août 1935, intervenant à Moscou, au cours du VIIe congrès de l'Internationale communiste, Maurice Thorez fait allusion à plusieurs reprises à l'instauration en France de cette République « soviétique... qui vaincra sous l'étendard invincible de Marx, d'Engels, de Lénine, de Staline » et, dans le concert de louanges folles qui montent vers le dieu Staline, le Parti communiste français ne ménage jamais l'encens.

Comme rien des horreurs du régime hitlérien ne trouble Châteaubriant, et ces hommes qui se font de leurs passions et de leurs haines une muraille contre la vérité, rien des horreurs du régime stalinien ne peut troubler et atteindre les communistes français, eux aussi réfugiés dans les nuages du mysticisme politique. Au moment des grands procès de Moscou, *L'Humanité* se régale ainsi des accusations jetées au visage des hommes qu'elle louait la veille. Les comptes rendus du procès tiennent, dans le quotidien du parti, des pages entières. Sur commande, on fait hurler à la mort les foules de Paris comme hurlent à la mort les foules de Moscou. En toute ignorance de cause.

DANS LA SALLE WAGRAM COMBLE
LE PEUPLE DE PARIS A RENOUVELÉ
SON ATTACHEMENT A L'UNION SOVIÉTIQUE
DONT LA JUSTICE S'ABAT
SUR LES TRAÎTRES ET LES CRIMINELS

C'est le titre de *L'Humanité* du 12 mars 1938.

Il rend compte de la « joie » de milliers de Parisiens à l'annonce que Vychinski a demandé la peine de mort contre Boukharine, Rykov,

30 Les femmes ne votent pas encore

Yagoda et seize autres accusés, parfaitement innocents des crimes dont Staline les accablait, sinon de tous les crimes.

Ainsi enfermés dans les limites du culte de la personnalité (« Staline a toujours raison », « L'U.R.S.S. ne peut se tromper »), évoluant, comme les fidèles d'une Église primitive, dans la solitude morale et le conformisme, les communistes français, après avoir cru sans preuves à la culpabilité des compagnons de route de Staline, se préparent à croire, sans davantage de preuves et contre toute raison, aux vertus pacifiques du pacte germano-soviétique.

Si la Russie soviétique trouve en France des partisans fervents qui se font gloire d'être ses partisans et sont prêts à approuver ses démarches les plus incompréhensibles ; si l'Allemagne n'a encore, en général, que des alliés sournois qui s'efforcent de ne mettre en vedette que ses réalisations les moins discutables, l'Angleterre est soutenue, chez nous, pour les raisons les plus diverses, par des hommes venus de tous les horizons politiques.

Hommes de droite qui approuvent Chamberlain, responsable de la « victoire » de Munich, hommes de gauche qui placent tous leurs espoirs en Churchill, ce Churchill que *Je suis partout* étrille dès le 30 septembre 1938, avant de le prendre systématiquement à partie pendant toute l'occupation.

Nombreux diplomates, fidèles à l'alliance anglaise, l'œil et l'intelligence fixés sur ce qui se décide à Londres.

Militaires qui, dans tous leurs calculs, font entrer les divisions britanniques mais surtout les navires de la Royal Navy et les avions de la Royal Air Force. Journalistes, aussi sincères parfois que les hommes qui plaident en faveur de Rome, aussi compromis d'autres fois. Snobs enfin pour qui les Anglais représentent, dans tous les domaines, un idéal difficile à atteindre.

Dans le peuple, les sentiments sont plus ambigus. L'Anglais, vu toujours à travers le prisme napoléonien du XIXe siècle, n'a pas la cote d'amour. On le trouve distant, égoïste, amoureux de son confort, ménager de son sang, indifférent à l'opinion des autres et plus encore à leurs préoccupations légitimes, bref peu sympathique.

Et même si l'alliance anglaise est indispensable à la France, on devine que cette alliance ne vaudra qu'autant que seront servis les intérêts britanniques. La position de l'Angleterre, face au réarmement allemand comme face à la guerre italo-éthiopienne où il s'agissait, pour Londres, de protéger les sources du Nil plus que la morale internationale outragée, a été trop vigoureusement dénoncée par une grande partie de la presse française pour qu'il n'en reste pas trace dans l'opinion.

C'est pour tenter de transformer une alliance de raison en alliance de sentiment que le roi et la reine d'Angleterre effectueront donc, à Paris, du 19 au 22 juillet 1938, une visite organisée et orchestrée comme une remarquable opération de « relations publiques ».

Ce sont les Anglais qui ont été demandeurs. Conscients de la fatalité d'un conflit avec l'Allemagne, conscients sans doute, également, de l'audience que trouvent en France les dictateurs, ils ont voulu, d'après les termes mêmes de l'ambassadeur d'Angleterre à Paris, « impressionner Hitler, Mussolini et Cie qui se représentent volontiers les rues de Paris ruisselant de sang ou, en tout cas, fort dangereuses ». La France, de son côté, saisit avec empressement une demande qui lui permettra de montrer que, remise des troubles de 1936, république turbulente mais solide, elle peut marcher de compagnie avec l'une des plus vieilles monarchies du monde et que les deux pays sont capables d'opposer, au nouveau système allemand de valeurs, un modèle fondé sur ces valeurs classiques qu'inspire la démocratie.

Alertée par une presse qui mène très grand tapage autour de l'événement, l'opinion française va se mobiliser d'autant plus facilement qu'elle éprouve, pour rois et reines, la tendresse des peuples régicides.

A lire les journaux, qui déforment quelque peu le sentiment populaire, on a l'impression que les Français sont flattés... à la façon dont devaient être flattés les grands seigneurs auxquels le roi Louis XIV rendait visite après l'embastillement de Fouquet : avec une déférente servilité.

Lorsque *Paris-Soir* titre « Madame Lebrun doit-elle faire la révérence à la reine d'Angleterre ? » cela signifie presque : « La France doit-elle faire la révérence à l'Angleterre ? »

Soleil, drapeaux, musiques, soldats, foules, tous les éléments nécessaires à la confection d'articles hyperboliques sont là.

Fidèles au rendez-vous, le yacht qui amène le couple royal à Boulogne-sur-Mer, le 19 juillet, et qui s'appelle *Enchantress ;* les

13 000 pigeons qui s'envoleront, dans le bruit de 101 coups de canon ; Sacha Guitry, vedette de la soirée artistique qui suivra le dîner officiel à l'Élysée ; les danseuses de l'Opéra ; les artistes de la Comédie-Française ; les soldats, brossés, astiqués, qui défileront à plusieurs reprises pour rappeler que l'alliance, d'abord, a été scellée dans le sang.

Et puis les Parisiens par dizaines de milliers. En rupture de ban avec leurs préjugés. Séduits par George et Elisabeth, eux qui, quelques mois plus tôt, n'avaient d'yeux que pour Edouard et pour Mrs Simpson.

Faute de pouvoir appliquer à des hommes politiques quotidiennement côtoyés et connus « de l'intérieur » ces mots excessifs en République, « amour, grâce, bonté », les journalistes français les multiplient dès lors qu'il s'agit d'évoquer les souverains britanniques.

George VI a une poignée de main « franche, énergique, avec un je ne sais quoi de spontané et de sympathique, [qui] vous met tout de suite en confiance, si modeste que puisse être votre condition sociale »[31]. « Le sourire de la reine, affirme *Paris-Soir,* a assuré le service d'ordre. » Soucieux de montrer que rien, jamais, en France, n'a terni une amitié pourtant traversée de bien des orages, certains journalistes annexent même Jeanne d'Arc.

En boutant les Anglais hors de France, ne leur a-t-elle pas permis... de rester anglais ? Pauvre Jeanne bientôt victime d'autres arrangeurs !

Comme chacun trouve dans cette visite ce qu'il y apporte, tout le monde, en conclusion de ces journées si riches en superlatifs, se déclarera satisfait. Aux deux pôles de l'opinion, *L'Humanité* et *L'Action française* se sont montrées les plus réservées. Mais, comme les deux journaux n'ont nullement critiqué, se contentant de compliments mesurés et de réactions lucides, on peut écrire que rien ne vint troubler une unanimité nationale de trois jours dont on voyait bien qu'elle pourrait se trouver rapidement soumise à l'épreuve de grands périls.

Car, si l'on n'évoque pas directement la menace nazie, dans une presse rivalisant soudain d'élégance de plume et singeant ce qu'elle croit connaître de la presse anglaise, les allusions ne manquent pas.

« Toutes les cloches sonnaient. Le ciel s'en mêlait. Tout jubilait, tressaillait d'allégresse. Bruit charmant, quand le bronze religieux se

31 *L'Illustration*, numéro hors série.

joint aux joies humaines ! Combien cette joie manquait à Rome quand M. Hitler s'est brouillé avec Dieu et a déclaré la guerre au ciel. » Voici les mots que trouve *Paris-Soir* après la réception de Bagatelle. Ceux du *Monde illustré* sont du même consternant conformisme : « Il y a des moments où des millions d'hommes sont étranglés sous le joug cruel de leurs tyrans. Alors, c'est une joyeuse consolation pour un pays libre d'accueillir un autre pays libre. Quand, un peu plus loin, des malheureux suffoquent dans l'asphyxie, quelle douceur de pouvoir, les fenêtres grandes ouvertes, respirer un air pur. »

L'enthousiasme populaire retombera aussi vite que retombent les fusées des feux d'artifice et les musiques de la fête. Les Français, après le départ des souverains britanniques, se remettent à vivre avec une sombre délectation à l'heure espagnole.

Il y a eu parallélisme entre le succès du *Frente popular,* le 16 février, et la victoire du Front populaire, le 3 mai 1936. Il y aura parallélisme dans l'évolution de deux peuples dès l'instant où éclate la rébellion, la France vivant « à froid » la guerre civile dont l'Espagne souffre « à chaud » depuis le 17 juillet 1936.

Au nom de la civilisation catholique, bourgeoise, occidentale, la droite française épouse immédiatement le parti des rebelles et de celui qui, très vite, se révèle leur chef, le général Francisco Franco. Elle tremblera et priera pour les défenseurs de l'Alcazar de Tolède. Les crimes des Rouges seront exploités, les crimes des nationalistes présentés comme le simple exercice d'une justice légitime. L'aide que l'Allemagne et l'Italie apportent, dès le début, à une révolte qui sert leur politique étrangère, est minimisée. L'on cache mal enfin, dans certains milieux, les vœux que l'on forme pour que la révolte franquiste, faisant tache d'huile, inspire un rapide bouleversement de la vie politique française.

A gauche, par contre, la légitimité indiscutable du gouvernement républicain, idéologiquement si proche de celui que préside Léon Blum, favorise toutes les campagnes en faveur d'une aide rapide à Madrid. Aide relativement faible mais dénoncée immédiatement par la droite qui reproche et reprochera avec constance, des années durant, au Front populaire d'avoir désarmé la France au profit du *Frente popular.* Combien d'avions livrés au gouvernement de Madrid ? 70 pour toute l'année 1936 dont 35 chasseurs neufs. Encore faut-il, pour leur faire franchir les Pyrénées, depuis l'aérodrome de Toulouse, utiliser des ruses et des subterfuges, vite découverts par les journaux de droite qui accusent Léon Blum, président du Conseil, Salengro, ministre de l'Intérieur, Pierre Cot, ministre de l'Air, et un inconnu du grand public, un nommé Jean Moulin, son chef de cabinet, de complicité avec les Rouges.

La guerre qui rôde aux frontières, la guerre dont l'on peut contempler les incendies, entendre le tonnerre depuis les villas et les plages d'Hendaye, l'atroce guerre civile espagnole va occuper des années durant les esprits des Français, alimenter leurs conversations, aggraver leurs divisions.

Chaque journal a ses cadavres, ses récits effroyables, offerts à des lecteurs qui réclament moins l'authenticité que le sang et la passion [32].

Chaque clan dénonce les violations de neutralité commises par les hommes de l'autre clan. La gauche, bien renseignée par cheminots et douaniers, affirme que des « chefs factieux » complotent à Biarritz et que des camions d'explosifs ont été envoyés aux insurgés. La droite épie ces bars de Toulouse (le bar Gambetta notamment) où s'élabore l'aide aux républicains, fait le décompte des camions, des mitrailleuses, des avions livrés aux Rouges. Un appareil d'Air Pyrénées (compagnie suspecte, il est vrai) est-il abattu par 6 Heinkel au-dessus du Pays basque, elle se réjouit, affirmant qu'il s'agissait d'un avion espion.

Les meetings répondent aux meetings, mobilisant chaque fois des foules nombreuses qui, pour l'instant, se contentent de l'ivresse du verbe.

Pierre Taittinger, au terme d'une réunion tenue salle Pleyel, propose qu'à travers le monde les partis nationaux se réunissent en une puissante internationale. *L'Écho de Paris* ouvre une souscription qui

32. Les fausses nouvelles seront nombreuses. De tous les côtés. C'est ainsi que l'*Écho de Paris* publiera, le 14 janvier 1937, un document suivant lequel les communistes français auraient imaginé de prendre le pouvoir par la force le 1er mai 1936.

Autre fausse nouvelle : celle du débarquement, en mars 38, de 30 000 à 40 000 Allemands à Cadix, ce qui aurait entraîné, selon Jacques Bardoux, l'envoi de trois divisions françaises en Catalogne républicaine.

permettra d'offrir une épée d'honneur à un général espagnol dont les combats révéleront les talents. L'épée ira à Francisco Franco.

On recueille des dons pour les nationalistes.

On recueille des dons pour les républicains.

Et le Secours populaire organise à plusieurs reprises des caravanes de cinquante camions de quinze tonnes qui apportent de l'autre côté des Pyrénées vivres et médicaments.

Quelques centaines de Français (500 environ) s'engagent dans les rangs nationalistes et combattront dans le *tercio* « Jeanne d'Arc ».

Quelques milliers de Français (10 000 environ)[33] s'engageront et combattront dans les rangs des Brigades internationales.

Le recrutement n'est pas si facile.

Auguste Lecœur a été touché par un camarade du Parti. Le contact a lieu dans une rue de Lens.

— La qualité de beaucoup de volontaires laisse à désirer. Il est urgent d'envoyer là-bas des cadres pour lutter contre la démoralisation semée par les anarchistes et les trotskystes. Toutes les régions du Parti doivent déléguer des militants capables de remplir ce rôle ; des commissaires politiques en quelque sorte. Le Bureau régional te propose de partir avec d'autres camarades du Pas-de-Calais choisis en même temps que toi. Nous te demandons de réfléchir et de passer ce soir au siège pour donner ta réponse.

Il répond :

— C'est tout réfléchi ; je partirai quand vous voudrez.

Mais, le 19 février 1937, ils ne se retrouvent que quatre à battre la semelle sur le quai de la gare de Lens en attendant le train qui doit les conduire à Paris où Benoît Olzansky, mutilé d'une main, ne reçut pas l'autorisation de poursuivre le voyage. Trois donc pour le Pas-de-Calais, trois qui, avec quelques dizaines d'autres, après une allocution de Maurice Thorez, partiront pour Perpignan.

---

33. Le chiffre est difficile à préciser exactement. 20 000 à 25 000, écrira *Le Figaro* pendant la guerre civile, 14 500, dira Jean-Louis Tixier-Vignancour, le 16 mars 1939, devant la Chambre des Députés, 10 000, écrira Thomas, et Delperrie de Bayac en dénombrera 9 000 sur un total de 35 000 volontaires, 15 000 d'entre eux, au maximum, étant présents en même temps en Espagne. Sur le nombre, 10 000, dont 3 000 Français, seront tués au combat, ou mourront des suites de leurs blessures.

C'est à partir de septembre 1936 que les communistes français ont commencé à recruter pour l'Espagne. Ils le font avec méthode et succès puisque la proportion des communistes, dans les rangs des volontaires (40 % au début), ira sans cesse croissant et que, pour le peuple comme pour les journalistes et les hommes politiques, les Brigades internationales seront, trop systématiquement, identifiées au communisme.

Il est vrai que la guerre d'Espagne perd, au fil des mois, ses couleurs de rapide grande aventure qui fascinait un certain nombre d'irréguliers, de clochards, de pochards. C'est une affaire sérieuse, dangereuse, une guerre comme les autres, plus dure que les autres et que l'on ne peut (comme certains l'avaient imaginé) abandonner pour revenir chez soi... fût-ce en permission.

Aussi, au moins au départ de France, les choses sont-elles préparées sérieusement, les volontaires regroupés à Paris et Marseille étant escortés jusqu'à la frontière, munis parfois de faux papiers, souvent de recommandations de prudence bien inutiles puisque la gendarmerie n'intervient jamais malgré la loi du 21 janvier et le décret du 18 février 1938 interdisant les passages, malgré l'exaspération des « nationaux » qui dévoilent les « filières », dénoncent les chauffeurs de taxi et les maires complices, scandalisés moins parce que des Français communistes vont se faire tuer en Espagne[34] que parce qu'ils aident les adversaires de Franco.

Les Brigades internationales seront ainsi, des années durant, au centre de mille et une querelles. Bandits pour les uns, héros pour les autres, les volontaires français, et leur chef le plus voyant, sinon le plus efficace, André Marty[35], deviendront les « vedettes » de séances particulièrement houleuses à la Chambre des Députés.

En mars 1939, la République espagnole est vaincue, près de 250 000 combattants ou mobilisables espagnols ont reflué vers la France accompagnés par 170 000 femmes et enfants misérables. Et par 6 400 ou 9 000, on ne sait exactement, rescapés des Brigades internationales.

---

34. Un curieux argument fut employé : les volontaires des Brigades, morts ou vivants mais absents, affaiblissaient la natalité française...

35. André Marty le « mutin de la mer Noire », l'un des secrétaires de l'Internationale, s'est rendu en août 1936 à Irun. Il reviendra quelques semaines plus tard à Albacète, pour prendre le commandement de tous les volontaires étrangers. Son proconsulat sera riche en drames divers. Delperrie de Bayac en parle avec justesse, semble-t-il, dans son livre consacré aux Brigades.

Ces masses, dont le désarmement a été plus ou moins bien opéré, effrayent beaucoup de Français paisibles qui tremblent aux récits des journaux, à l'annonce que, parmi les réfugiés, se trouve le chef du comité anarchiste d'Olot, responsable de 89 assassinats, celui de Gérone qui, en février, aurait abattu 80 personnes sur une place publique, et le meurtrier de l'évêque de Teruel, et les dynamiteurs de cathédrales et ceux qui ont jeté aux taureaux des victimes sans défense, et ceux qui ont fusillé, pillé, violé, brûlé et dont on se demande, dans dix départements français, s'ils ne vont pas se comporter en occupants.

Sans doute a-t-on ouvert pour eux des camps, notamment dans les Pyrénées-Orientales. Ils sont 70000 dans le camp d'Argelès, 90000 dans celui de Saint-Cyprien, 13000 au Barcarès, 46000 à Arles-sur-Tech et Prats-de-Mollo, vivant le plus souvent dans de terribles conditions d'inconfort ; victimes d'entérocolites, de pneumonies ; pouilleux et galeux. La France peut-elle longtemps héberger ces hommes et ces femmes dont l'entretien coûte 7 millions de francs par jour ? Mais l'Espagne de Franco ne les accueillera que pour les jeter en prison ou les placer devant un peloton d'exécution. Alors, que faut-il faire ?...

Les débats des 10, 14 et 16 mars 1939 à la Chambre des Députés sont parmi les plus violents que l'on puisse imaginer. Celui du 16 mars notamment.

Ce jour-là, Hitler entre à Prague et c'en est fini de la Tchécoslovaquie. Malgré les rappels à la décence du président Herriot (« Messieurs, écoutez donc le bruit du dehors et veuillez en faire moins ici »), les députés français se déchirent, s'insultent, se jettent au visage les fantômes de tous les morts de la guerre civile et, le lendemain, beaucoup plus que de la victoire de Hitler, c'est de l'assaut mené par toute la droite contre Marty que parle le pays entier.

Ils sont là une bonne dizaine — Ybarnegaray, Chiappe, Pinelli, Tixier-Vignancour, Scapini, Vallat, Delaunay, Polimann, Henriot, de Moustier, des Isnards — à harceler André Marty qui se défend plus ou moins mal du crime qu'on lui reproche (avoir fait exécuter l'un de ses camarades, le commandant Delesalle, au lendemain de l'échec de l'attaque de Lopera) et de tous les actes dont Philippe Henriot l'accuse : « avoir fait condamner à mort le Français Pesquet, trois fois blessé à l'attaque de Teruel ; avoir fait jeter au cachot quatorze jeunes Français, avoir fait disparaître Maurice Lahaigt, Bonnet, Lucien Wernier », d'autres encore, cependant que l'hémicycle bouillonne et que volent les injures.

M. ANDRÉ MARTY. — Je voudrais, tout d'abord...

M. JACQUES DU LUART. — Traître !

M. LE PRÉSIDENT. — Je vous rappelle à l'ordre.

M. LOUIS BIÉTRIX. — Au poteau ! A Vincennes !

M. LE PRÉSIDENT. — Je vous rappelle à l'ordre.

....

M. ANDRÉ MARTY. — Alors, messieurs, dans les cinq minutes que je m'accorde, je m'adresse à tous les députés français ; je ne m'adresse pas aux hitlériens. *(Vives interruptions et protestations à droite.)*

Sur de nombreux bancs. — A l'ordre !

M. JEAN-PIERRE PICHON. — Nous ne pouvons pas tolérer cela !

M. LE PRÉSIDENT. — Il n'y a pas d'hitlériens ici. *(Très bien ! très bien !)*

M. ANDRÉ MARTY. — Il est véritablement étonnant que, lorsque l'on parle d'hitlériens, quelques-uns se reconnaissent. *(Nouvelles interruptions et bruit à droite.)*

M. LUCIEN POLIMAN. — Nous n'acceptons pas ces insultes.

M. GEORGES ROULLEAUX-DUGAGE. — Vous protestez, monsieur le président, et vous me rappelez à l'ordre pour le mot « misérable » et vous ne dites rien quand on nous traite d'hitlériens ?

M. LE PRÉSIDENT. — J'ai relevé les paroles inadmissibles de M. Marty.

M. LOUIS BIÉTRIX. — Bourreau de Staline !

M. ANDRÉ MARTY. — Je suis fier d'être un élève de Staline. *(Applaudissements à l'extrême gauche communiste, interruptions à droite et au centre.)*

Messieurs, vous m'avez accusé d'assassinat. Vous avez cité des dépositions. Les seuls témoignages que vous avez donnés émanent d'hommes qui sont des fascistes ou des condamnés de droit commun, des lâches ou des fuyards. *(Vives interruptions à droite, applaudissements à l'extrême gauche communiste.)*

M. LE MARQUIS DE MOUSTIER. — Comme vous !

M. CHARLES DES ISNARDS. — Et vous, vous êtes un traître, condamné pour haute trahison, puis gracié et amnistié ! *(Applaudissements à droite.)*

M. LE PRÉSIDENT. — Je vous rappelle à l'ordre, monsieur des Isnards. Ce débat n'est plus possible si vous ne calmez pas vos passions.

Calmer les passions ! Voilà qui est impossible dans un pays. pendant si longtemps chauffé à blanc et où chacun, à un moment donné. s'est senti espagnol.

Il y a eu Guernica et les prêtres basques, clivage essentiel pour beaucoup de catholiques qui, à la suite de Charles du Bos, de Maritain, de Bernanos, de Mauriac, basculent dans le camp des antifranquistes.

Il y a eu les massacres des prêtres et des religieuses par les anarchistes qui inspirèrent à Paul Claudel sa grande ode « Aux martyrs espagnols ».

Il y a eu les défilés communistes précédés de banderoles réclamant « des fusils, des mitrailleuses, des avions pour l'Espagne », les quêtes à la sortie des usines, les meetings où des combattants du front viennent porter témoignage et ranimer les énergies.

Il y a eu ces numéros de *Je suis partout* où, comble de raffinement, non seulement les éditoriaux, les échos, les dessins humoristiques mais encore les mots croisés étaient entièrement consacrés à l'Espagne. « Exhumées par les Rouges ». Horizontalement. En dix lettres. Carmélites, bien sûr[36].

Il y a eu la longue bataille pour ou contre la reconnaissance de Franco.

Les communistes se déchaînent, en effet, à l'idée que la France puisse un jour reconnaître le gouvernement de celui qui, pour la majorité des Français, depuis longtemps n'est plus un « rebelle » ; ils nient l'importance des défaites républicaines et iront même jusqu'à écrire (le texte est d'Aragon), le jour où le gouvernement se décidera à envoyer Léon Bérard en Espagne, que cette reconnaissance « consacre la déchéance de notre pays aux yeux du monde... Maintenant, la France pourra être assaillie, volée, mutilée... Elle n'aura que la monnaie de sa pièce ».

Violences et excès qui répondent aux violences et aux excès de la droite, aux articles qui réclament l'abandon de toute aide à l'Espagne républicaine et la reconnaissance immédiate de Franco, aux pétitions (*Je suis partout* publie le texte d'une lettre à adresser au Président de la République), aux interventions à la Chambre des Députés et au Sénat, aux pressions politiques qui traduisent les réactions de cette partie de l'opinion pour qui la victoire de Franco est devenue *sa* victoire.

---

36. Numéro du 10 juin 1938.

C'est entre 1934 et 1939, à l'épreuve de l'affaire Stavisky, du 6 février, des grèves de 36, mais aussi de la guerre d'Espagne que se forgent les sentiments les passions et les haines qui se donneront libre cours de 1940 à 1944.

Certains avaient prévu combien seraient graves, pour la France et pour les Français, les conséquences de la guerre d'Espagne lorsque tous ces ferments de guerre civile feraient lever la pâte humaine.

A gauche comme à droite.

Léon Blum, dans *Le Populaire* du 25 février 1939, écrit ceci qui est prémonitoire : « La grande saignée des Rouges, ce ne serait pas si mal en France... Je jurerais que, sur les bancs de la réaction, cette pensée traversait certains cerveaux. Je ne crois pas, en toute sincérité, que mes impressions soient forcées. »

Tixier-Vignancour, à la fin de la séance du 16 mars 1939, s'adresse personnellement à Marty. « Monsieur Marty, je ne vous avais jamais entendu. Je vous reconnais une certaine véhémence, une certaine force dans votre éloquence... Lorsque vous me regardiez... j'ai vu, dans vos yeux, une flamme de violence et de brutalité qui ne trompait pas. Mais, lorsque vous profériez à l'adresse des députés qui siègent sur ces bancs [la droite] toutes ces injures, permettez-moi de vous dire que, si fort, si véhément, si violent que vous soyez, vous trouverez dans ce pays des gens pour vous briser. ».

2

LA VIE QUOTIDIENNE

Quarante et un millions de Français.

Beaucoup plus de femmes (21 390 000) que d'hommes (19 804 000) car la nation n'a jamais pu réparer les sacrifices de 14-18.

Près de 22 millions de citadins et, le chiffre aura son importance pendant l'occupation, 20 millions de ruraux, soit plus de 47 % de la population totale.

Face aux 80 millions d'Allemands, 41 millions de Français qui ne rattraperont jamais le retard démographique. Ils ne font plus d'enfants. En 1938, pour 612 248 naissances, il y a eu 647 498 décès [1]. Si le malthusianisme français l'emporte, en 1965, la population ne sera plus que de 38 millions. De 34 millions en 1985 [2]. Les spécialistes l'affirment avec de si bonnes raisons que, sur le thème de la dénatalité, gouvernement et journaux mèneront bientôt vigoureusement campagne. Moins de Français, cela veut dire moins de soldats, moins de contribuables et, finalement, malgré la légende qui s'attache à l'enfant unique, moins de bonheur.

On cherche des remèdes, des idées. Quelles sont les raisons qui peuvent inciter les Françaises d'avant la pilule à mettre au monde ? Les Français à accepter qu'avec la famille augmentent les charges de logement, de nourriture, de scolarité ?

---

1. Il ne faut pas sous-estimer l'influence des « classes creuses ». Entre 1935 et 1938, ont vingt ans ceux qui sont nés entre 1915 et 1918, période de faible natalité et faible nuptialité.

2. En 1965, la population française était de 48 562 000. En 1974, de 52 340 000 ; les pronostics pessimistes n'ont donc pas été vérifiés.

L'hebdomadaire *Je suis partout*, qui fait campagne contre la dénatalité sous le titre « 60 millions de Français, c'est la paix », après avoir écrit que l'initiative appartenait à l'État, poursuit : « On ne fera pas faire des enfants à des gens qui ont déjà du mal à vivre... Il faut qu'un enfant qui naît apporte à la famille un surcroît d'aisance, des avantages fiscaux, matériels, financiers, scolaires. » Prêt de 20 000 francs « à tout jeune ménage qui en fera la demande », réforme de la loi de succession, sursalaire familial « pour que la femme puisse rester à la maison », vacances obligatoires pour les enfants, voilà quelques-unes des idées des journalistes auxquelles les lecteurs interrogés ajoutent la réduction, voire la dispense du service militaire pour les pères de famille, le rétablissement du droit d'aînesse, la transformation de la Loterie nationale en « Loterie de la famille française » dont les bénéfices financeraient le prêt nuptial.

Comme beaucoup d'autres journaux, *Je suis partout* demande, enfin, que soit accrue l'aide aux familles paysannes qui, plus nombreuses que les autres, sont également moins favorisées.

Le Journal qui a cité avec tristesse, le 25 juillet 1939, le cas d'une commune de l'Isère, celle de Vernet-Sainte-Marguerite (700 habitants), où aucun mariage n'a été célébré depuis vingt-deux mois, annonce le lendemain — avec photo à la une —, sous le titre « Un bel exemple », que Mme Dufresnel, née Debeaupuis, 23, avenue des Primevères à Sevran, est, à 29 ans, mère de onze enfants.

La politique en faveur de la natalité rencontre d'ailleurs peu d'opposants. Au dernier d'une famille de seize enfants, qui s'est moqué, en mai 1938, de la campagne de *L'Humanité* pour une aide aux familles nombreuses, Pierre Semard réplique que les communistes défendent la famille par doctrine autant que par devoir, et que le communisme n'a jamais « épousé la doctrine fausse et impuissante de Malthus » [3].

Le Code de la famille, qui entrera en vigueur, le 1er avril 1939, en instituant une prime à la naissance de 3 000 francs pour le premier enfant, somme importante à une époque où les salaires mensuels ouvriers évoluent autour de 1 500 francs, ainsi que des allocations mensuelles qui, en région parisienne et pour trois enfants, peuvent atteindre 600 francs, aura une influence certaine sur la natalité.

3. Le Parti communiste réclame notamment une augmentation des allocations familiales, des crèches plus nombreuses, l'échelle mobile des salaires.

Complété par toutes les mesures prises par Vichy, il contribuera au redressement français de l'immédiate après-guerre.

Il semble d'ailleurs qu'un pays, menacé dans son équilibre fondamental, réagisse instinctivement, avant même que les aides financières n'aient été votées, avant que les propagandes n'aient touché les esprits. Jusqu'au mois de juillet 1939, le déficit des naissances est constant par rapport à l'année 1938. A partir de juillet et pour un an, ou presque, la tendance se renverse. D'août 1939 à mai 1940, il y aura ainsi, chaque mois, 1 000, 2 000 voire 4 000 naissances de plus que dans les mois correspondants de 1938 et 1939.

Les enfants qui vont naître, et qui seront les enfants de la guerre, portent témoignage d'une évolution dont sont responsables les drames qui menacent la race davantage, sans doute, que les articles des journalistes et les décisions des hommes politiques.

« Le courrier me fit comprendre qu'à quelque milieu qu'elles appartiennent, riches ou pauvres, sages ou folles, mariées ou non, belles ou laides, ignorantes ou couvertes de diplômes, jeunes plus ou moins, elles ont toutes des intérêts communs : l'amour, l'élégance, la beauté, la santé, les bons petits plats, le confort et le charme du foyer, mari compris. Bref : être heureuse et rendre heureux ceux qu'elles aiment. »

Prenant en charge la page de la femme de *Paris-Soir,* Marcelle Auclair définit ainsi la femme éternelle, celle qui passe dans Homère, dans Shakespeare, dans Corneille mais aussi dans Feydeau, que l'on croit disparue à chaque poussée de féminisme, mot employé paradoxalement par celles qui souhaitent une égalité des sexes, mais qui reparaît toujours, avec ses différences plus fortes que ses identités.

Les femmes de 1939, qui ne sont pas surveillées par les instituts de sondage existent, pour l'historien, moins par elles-mêmes que par le reflet qu'en donnent des hebdomadaires comme *Marie-Claire,* et surtout *Confidences,* dont le tirage additionné représente, en septembre 1939, près de 2 millions d'exemplaires.

L'amour demeure naturellement le thème le plus constant. Dans les titres et les textes, les rédactions font grand usage des mots « amour », « mariage », « bonheur », « mari », « femme »... Elles emploient infiniment moins souvent les mots « plaisir », « amant », « maîtresse » et elles les emploient uniquement dans un sens péjoratif.

Aux femmes malheureuses ou trompées, on conseille TOUJOURS la patience et l'abnégation.

« Mon mari me trompe, écrit Francinette... Le soir, il ne dîne jamais avec moi et rentre très tard. Que faire ? »

« Votre sort, répond la journaliste de *Confidences*, qui signe Marie-Madeleine, est malheureusement celui de beaucoup de femmes. Si vous aimez votre mari, continuez à l'accueillir comme vous le faites sans vous départir de votre calme. Vos reproches ne feraient que l'éloigner de son foyer, c'est pourquoi j'insiste pour que vous soyez encore l'épouse dans toute l'acception du mot. Votre mari se lassera de son inconduite et il vous reviendra sûrement. »

« Revenez au foyer », conseille-t-on à celles qui, excédées par une vie quotidienne trop difficile, sont retournées chez leur mère.

« Ne fréquentez plus les hommes mariés quelle que soit la force de passion qui vous entraîne », dit-on à celles qui ont succombé.

« Si je comprends bien votre cas, quand vous avez connu votre ami, il était seul dans votre ville ; aujourd'hui, sa femme est venue le retrouver et cependant vous continuez à vous voir quand même. Avez-vous pensé que vous risquiez de briser un foyer, de faire beaucoup de peine à une femme qui ne le mérite sans doute pas ?... Vous gâchez votre jeunesse et votre avenir, vous compromettez votre réputation et, un jour, vous serez tout étonnée de rester seule, abandonnée de celui à qui vous aurez tout sacrifié. Prenez vite cette décision, même si vous devez en souffrir, ayez le courage de revenir dans le droit chemin[4]. »

Le droit chemin... Pour ne pas être tentées de l'abandonner, les jeunes filles reçoivent le conseil de ne se parfumer et de ne se maquiller que très modérément, d'être discrètes, de ne rire jamais aux éclats, de ne pas chercher à attirer les regards « par une mise trop élégante » et surtout de ne jamais « céder » à leur fiancé.

Jacqueline X... à qui Gérard — mobilisé — vient de demander « d'être à lui », et qui s'est refusée, interroge :

« Que dois-je faire ? Céder aux instances de Gérard que j'aime et qui m'aime, ou attendre le jour lointain et peut-être improbable où je pourrai l'épouser... Lectrices de *Confidences*, aidez-moi à voir clair en moi. Dites-moi si j'ai tort de trop exiger de la vie ou si je dois, au contraire, continuer à refuser tout compromis comme je l'ai fait jusqu'à présent. »

---

4. *Confidences*, 15 décembre 1939.

« Il faut attendre », répondent, à l'unanimité, les lectrices.

« Vous ne devez pas accepter de bâtir votre vie sur un mensonge, et ce pis-aller ne peut vous contenter. »

« Quoi qu'il puisse arriver, vous n'aurez pas à regretter votre fermeté car, pour un bonheur bien court, on se prépare parfois toute une vie d'amertume et de remords. N'oubliez pas, non plus, que de graves conséquences peuvent suivre une minute d'abandon. »

« Si Gérard vous aime autant que vous le croyez, il doit comprendre votre refus et même ne vous en estimer que davantage. C'est un bonheur complet qu'il doit vous offrir. »

« Seul le mariage peut vous donner le bonheur auquel vous aspirez tous les deux. »

Face à l'amour avant le mariage, voilà quelques extraits des lettres envoyées à l'intention de Jacqueline.

Une des lectrices a évoqué « les graves conséquences qui peuvent suivre une minute d'abandon ». A une époque où l'on compte environ 38 000 naissances illégitimes par an,[5] ce qui prouve que bon nombre de Françaises sont cependant sorties du « droit chemin », le courrier porte témoignage de ces « accidents » :

« Lisette avait un fiancé qu'elle aimait de toutes ses forces. Avant qu'il parte (à la guerre), elle a eu la faiblesse de céder à ses avances. Dans quelques mois, elle sera maman. A l'annonce de cette nouvelle, son fiancé s'est mis en colère et a déclaré que ce n'était pas possible. Il refuse catégoriquement de lui venir en aide et surtout de reconnaître l'enfant. Lisette est désemparée... »

On le serait à moins. Et le cas est loin d'être unique.

Bien entendu, pas un mot, dans les journaux féminins de 1939, de contraception non plus que de sexualité.

Dans le courrier adressé au médecin qui conseille les lectrices de *Confidences,* il y a certes de nombreuses questions sur les règles douloureuses, la stérilité, les affections gynécologiques mais, en un an, deux allusions seulement à la vie sexuelle et, par deux fois, le médecin se contente de recommander, sans un mot de commentaire, la lecture d'un livre de Baudry de Saunier intitulé *Le mécanisme sexuel.*

Les problèmes sexuels sont si constamment et si habilement camouflés que des drames familiaux peuvent se produire à l'occasion de révélations sans importance. C'est ainsi que Gilles V. . veut

---

5 Déclarées comme telles.

divorcer de Claire parce qu'à sa petite fille, Michèle, huit ans, qui lui a demandé « Maman, d'où viennent les enfants ? » Claire a répondu que les mamans « gardaient les petits bébés près de leur cœur ». Apprenant, le soir venu, la réponse de sa femme, Gilles a tempêté, affirmé qu'il voulait que sa fille demeure jusqu'à dix-sept ou dix-huit ans dans l'ignorance des problèmes sexuels et qu'elle ne devait pas perdre sa gaieté naturelle en devenant, par la faute d'une science trop rapide des choses de la vie, une petite vieille d'abord, une dévergondée ensuite.

Le problème de « ce qu'il faut dire », et ne pas dire, est de ceux qui divisent encore beaucoup de familles, même politiquement avancées. « Éducation sexuelle. Le mot peut sembler choquant », c'est *Marianne,* hebdomadaire de gauche, qui l'affirme dans son numéro du 15 février 1939 en annonçant une grande enquête qui sera menée « dans un esprit rigoureusement scientifique et éducatif », c'est-à-dire avec infiniment de timidité. Les réponses les plus audacieuses restent ainsi parfaitement conformistes. Jean Zay, par exemple, ministre de l'Éducation nationale du Front populaire, longtemps présenté par la droite comme le corrupteur de la famille française, affirme que « l'école ne peut guère, sans excéder son rôle, qu'aider les parents dans leur tâche, avec leur consentement et sur leur demande, en éclairant prudemment les jeunes esprits qui lui sont confiés ».

Le mariage donc.

La jeune fille qui « se donne » avant les noces est prête « à faire la vie », c'est une « traînée », une « moins que rien », sauf si le garçon, culpabilisé, « répare » en l'épousant. Elles sont rares, en vérité, celles qui imitent Angèle M... Elle a dix-neuf ans et voudrait « préparer une de ces grandes écoles qui maintenant permettent aux femmes d'aborder des carrières intéressantes » ; mais, un soir d'été, alors qu'elle partait faire du camping avec plusieurs camarades, elle s'est égarée en compagnie de Christian. Erreur de parcours volontaire ? Absolument pas.

« Il faisait nuit noire. Christian, fatigué d'avoir conduit, découragé de s'être trompé, décida de passer la nuit dans l'auberge la plus proche. Il y en avait une au prochain village où deux chambres furent mises à notre disposition. Nous mangeâmes gaiement, nous nous mîmes au balcon pour admirer le paysage qui, au clair de lune, était très beau ; enfin, je n'ai pas besoin de donner d'autres détails, mais ce qui devait arriver arriva et, le lendemain, dégrisés et honteux, nous ne savions plus que faire ni que dire. Christian me dit tout de suite qu'il m'épouserait le plus rapidement possible, mais je refusai. »

Elle refuse constamment malgré l'insistance du garçon. Pourquoi devrait-elle abandonner ses études, ses examens, son avenir (une femme mariée ne travaille pas) « juste pour une nuit » ? Une nuit dont elle garde le remords mais dont elle ne peut imaginer qu'elle a ruiné toute sa vie.

Le refus d'Angèle est rarissime dans un monde où le mariage est l'objectif premier de tant de jeunes filles. Ne pourvoit-il pas à tout ? Assurance de vie facile plus que de vie heureuse, il est aussi un remède contre l'ennui.

« Enfin, chère mademoiselle Lucienne, permettez-moi de vous signaler un excellent moyen de vous procurer une source d'occupations fort absorbantes qui vous feront sans doute, et pour longtemps, trouver un normal et vif intérêt dans la vie : mariez-vous. »

Mariage aussi proche que possible des mariages traditionnels, fondé d'abord sur la raison, où les convenances, la fortune, la profession du futur mari jouent toujours un rôle important.

Dans des hebdomadaires qui restent dirigés par des hommes, même si leurs rédactions sont, en majorité, composées de femmes, l'image de la femme demeure, en somme, conforme à celle que les hommes en ont depuis des siècles et que résume fort bien cette phrase d'un article de *Confidences :* « Une honnête femme : celle qui accomplit son devoir immédiat sans broncher, quoi qu'il lui en coûte. »

Sans broncher ! Tout un programme.

Aussi, même si certains écrivains, comme Lucien Romier, annoncent que l'émancipation féminine ne s'arrêtera pas, que la femme ne reviendra pas à son « ancien état », qu'elle ira toujours plus avant dans la recherche de métiers rémunérateurs, donc intellectuellement et physiquement libérateurs, les tentatives d'émancipation par le travail sont souvent mal jugées par les hommes. C'est ainsi qu'un médecin ne veut pas que sa fiancée, médecin également, travaille après le mariage. Elle ne pourrait pas « tenir leur intérieur ». C'est ainsi que Gérard B.. ne conçoit pas qu'une femme « pourvue d'une maison confortable, dont le mari gagne bien sa vie, pût avoir l'idée de travailler au dehors ». C'est ainsi qu'un autre époux déclare à sa femme, qui a exprimé le vœu de devenir décoratrice :

— Crois-tu que tu as fait ton devoir de femme ? Au lieu de rester à la maison, de me donner un enfant, comme l'aurait fait toute femme normale qui eût aimé son mari, tu as préféré décorer un institut de beauté...

Décorer un institut de beauté ! Quelle idée, en effet, pour une femme NORMALE.

Lorsque les lectrices évoquent, cependant, un avenir laborieux, les journaux féminins les encouragent en publiant généralement des interviews de femmes : actrices, aviatrices, avocates, dont on peut tout dire sauf qu'elles sont, alors, « des femmes normales ».

Il n'est donc nullement étonnant que, si 20 % des lectrices de *Marie-Claire* et *Confidences* souhaitent devenir infirmières, ce qui est, en somme, conforme à la vocation féminine ou à l'image que l'on s'en fait, 10 % se disent attirées par l'aviation, après avoir vu d'ailleurs un film consacré à Mme Dupeyron et après avoir lu de nombreux articles sur cette femme, modeste ménagère, épouse paisible, provinciale sans histoire et aviatrice célèbre.

Aux nombreuses jeunes filles qui souhaitent « faire du cinéma », *Confidences,* aussi bien que *Marie-Claire*, déconseillent des expériences qui ne réussissent que rarement. Comme ils déconseillent de venir chercher fortune à Paris : « Vous n'avez à peu près aucune chance d'y trouver un emploi. » Ces mots reviennent souvent et ils sont certainement le reflet de toutes les difficultés que connaît le marché du travail.

Dans un monde où l'amateurisme triomphe encore, les journaux féminins ne cessent de recommander l'étude sérieuse d'un métier au terme de laquelle sera seule acquise l'indispensable qualification.

« Vous voulez être sténo-dactylographe. Qu'on ne s'y trompe pas. Si l'on veut devenir une véritable professionnelle et, par là même restreindre les menaces de chômage qui planent là comme ailleurs, il faut réunir un ensemble d'aptitudes *sérieuses* et se soumettre à une formation rigoureusement technique [6]. »

« Avant de chercher une situation, chère Mademoiselle, il faut d'abord vous mettre en mesure d'occuper un emploi... »

6. *Marie-Claire,* 15 avril 1938.

« Chère Mademoiselle »... bien sûr puisque, le plus souvent, pour lectrices comme pour journalistes, le travail féminin est affaire de célibataire. Systématiquement moins payé que celui de l'homme, il est, *avant tout*, destiné à augmenter les ressources de la famille. Plus de 30 % des femmes interrogées par *Confidences* estiment, en effet, qu'une jeune fille doit remettre la *totalité* de ses gains à ses parents.

Car la vie est dure.

Un dessin dans *Marianne*, hebdomadaire de gauche : Dieu s'adresse au chômeur.

— Tu gagneras ton pain à la sueur de ton front.

— Seigneur, c'est tout ce que je demande.

Au 31 décembre 1938, les chiffres officiels indiquent 405 000 chômeurs dont 105 000 pour Paris. Mais ces chiffres sont naturellement controversés et *Je suis partout*, qui rend, il est vrai, le Front populaire, plus encore que la crise économique mondiale, responsable de tant de malheurs, écrit, sous la plume de G. Gilbert, presque à la même époque, qu'en réalité 1 200 000 Français, dont 600 000 jeunes, sont en chômage. On dénonce déjà « le mal terrible qui ravage notre jeunesse ».

G. Gilbert, après avoir lu une petite annonce demandant « des jeunes gens et des jeunes filles de 16 à 25 ans pour tourner un film », a été effrayé du spectacle des studios encombrés de garçons, de filles « qui venaient là, comme ils auraient répondu à une petite annonce demandant un garçon boucher, un employé de bureau, une dactylo ».

La même question dix fois posée : « C'est dur de trouver du boulot ? » obtient des réponses variables dans la forme, mais toujours identiques dans le fond.

— Je cherche depuis six mois.

— Je cherche depuis un an.

— Rien à faire avant le service militaire et, après, ce sera peut-être aussi difficile.

— Les commerçants ferment boutique ou bien leurs recettes diminuent. Ce sont les jeunes qu'ils remercient en premier.

La situation est pire lorsque c'est une femme qui cherche du travail. Dans son article, G. Gilbert ne fait allusion qu'à des emplois pour celles qui acceptent d'être « bonnes », « domestiques » ou « nou nous » puisque le mot « employées de maison », s'il est inventé, n'est pas encore à la mode.

Nombreuses encore (plus de 600 000 dont près de 200 000 à Paris), les bonnes touchent entre 3 et 400 francs par mois et Claude Deroy trace dans *L'Humanité*[7] un tableau de leurs conditions morales et matérielles de vie qui, influencé par la politique, peint assez exactement cependant cette bourgeoisie française qui a ses jours, ses pauvres, ses idées reçues et ses bonnes.

« L'air comme il faut est une notion bien nette dans l'esprit de ceux qui vous examinent, mais difficile à expliquer clairement. Pour s'en faire une vague idée, il vaut mieux procéder par élimination : par exemple, regarder les gens en face, répondre aux questions sans se troubler et à voix haute, oser tousser ou se moucher, s'asseoir d'aplomb sur sa chaise n'est pas « comme il faut », mais si, en plus, vous avez de la poudre, un chapeau qui ne vous va pas trop mal et des bas de soie (artificielle), si vous n'acquiescez pas à tout ce que dit madame... alors vous produisez un effet déplorable. »

Il y a d'interminables discussions sur les salaires (un sou est un sou, n'est-ce pas ? et le pays vit dans l'ombre des fables de La Fontaine avec leur morale de travaillez-prenez-de-la-peine), sur la tâche à effectuer, sur le nom que portera la bonne, « je vous appellerai Marie, comme toutes les autres », sur le sucre dont la patronne a compté les morceaux, le vin dont, au crayon, elle repère chaque jour la hauteur, sur les jours de sortie, sur qui on peut recevoir et qui on ne peut pas. « Surtout pas d'homme, ma petite. »

Homme-terreur. Homme qui débauche et souille. Qui fait perdre à « la bonne » sa conscience professionnelle, à « la perle » son éclat. Qui la conduit au bal musette, lui donne des idées et peut-être la plus funeste : celle de se syndiquer. Qui lui fait un enfant. Mais lorsque le fautif est l'un des hommes de la maison ? Thérèse V..., une fille qui-ne-sort-pas, qui-ne-court-pas, qui-ne-se-maquille-pas, qui-ne-bavarde-pas, qui-ne-boit-pas, qui-ne-se-fatigue-pas, bref une de ces Bretonnes robustes que l'on ramène de vacances avec ces coquillages où l'on entend la mer, et dont les bourgeoises parisiennes parlent avec un tremblement de fierté dans la voix, comme leurs maris parlent d'un contremaître fidèle et dévoué (mais la race s'en perd), se retrouve enceinte bien que recluse. Le coupable est le fils de la famille, l'un de

7. *L'Humanité* du 17 avril 1938 notamment.

ces nombreux garçons pour qui la bonne constitue l'instrument idéal et gratuit du dépucelage. Que fait l'honorable patronne ? Ce que l'on fait en pareil cas. Elle écrit à la mère de Thérèse V... pour lui indiquer que, malgré sa surveillance, ses observations et sa morale quotidienne, la petite, qu'elle avait juré de protéger, « a fauté » et qu'elle la renvoie dans sa Bretagne natale.

On prendra sur ses gages le prix du billet de retour.

Le logement des bonnes est presque toujours sordide. Comment ne le serait-il pas lorsqu'elles travaillent dans des pièces obscures, hideuses, « couleur de chocolat ou d'œuf chinois, maculées de suie ou de buée, dotées d'étranges catafalques baptisés hottes qui ont pour but d'absorber la fumée, la vapeur, mais qui absorbent en outre la vitalité, le courage, le sens de l'humour, l'appétit, la bonne humeur et la bonne volonté.

« Ces paradis aux carreaux rougeâtres et rongés, aux parois de pénitencier, s'ouvrent sur des puisards. On y accède par des escaliers en vrille, obscurs, glissants, escarpés, on reconnaît leurs fenêtres à ce qu'elles dominent des protubérances noirâtres et grillagées. En langage courant, cela s'appelle la cuisine. »

C'est dans un numéro du *Temps* de janvier 1939, du *Temps*, journal de la haute finance et de la grande bourgeoisie que se trouve ce tableau peu idyllique mais ressemblant, car nul ne s'est inquiété de construire et d'améliorer dans un pays où le blocage des loyers ne constitue qu'un faux progrès social.

Mais tout ne vaut-il pas mieux que le chômage dans une société où le chômage est toujours considéré comme une honte ?

Dans la Seine, les chômeurs perçoivent une indemnité de 12 francs par jour. Ce qui est peu, alors que les prix ne cessent d'augmenter, l'indice, basé sur 34 articles, passant de 611 en 1937 à 755 en février 1939. En juin 1938, un employé de la ville de Paris, en fin de carrière, gagne 11 500 francs par an, un postier, après trois ans de service, 43,50 francs par jour. Dans une grande entreprise de confection de Clermont-Ferrand, la maison Conchon-Quinette, un comptable est passé de 1 100 à 1 400 francs entre avril 1936 et octobre 1940, un chauffeur de 850 à 1 270 francs, une contremaîtresse de 715 à 1 125 ou de 574 à 1 000, suivant l'ancienneté.

Montons dans l'échelle sociale.

A la fin de 1938, un instituteur débutant touche 11 500 francs, un licencié 16 000 francs, un agrégé 26 000 francs[8]. Des indemnités de résidence s'ajoutent au salaire. Elles se montent à 2 200 francs par an pour Paris, 1 400 francs dans les grandes villes, 370 dans le reste de la France, tandis que les indemnités pour charges de famille sont, pour tous les fonctionnaires, de 660 francs par an pour le premier enfant, 960 pour le second, 1980 pour le troisième.

Le magistrat débutant gagne à peine davantage que le licencié ès lettres : 17 000 francs par an. Encore doit-il prévoir, dans ses premières dépenses, une jaquette pour se présenter aux chefs de cours.

L'ingénieur, qui entre dans la vie professionnelle, a droit à 16 600 francs et à quinze jours de congé, qui seront portés à dix-huit lorsqu'il dépassera cinq ans d'ancienneté. Au premier enfant, il touchera 720 francs par an, au second 1 200 francs, au troisième 1 800.

A Saint-Cyr, le professeur d'administration a fait un « amphi » sur l'établissement d'un budget. Avant de quitter l'École, le futur sous-lieutenant devra acheter une grande tenue (2 500 francs), deux képis (800 francs), deux tenues de ville et de travail (1 800 francs), un sabre (250 francs), un casque, une paire de jumelles, une cantine et diverses autres pièces d'équipement qui porteront la facture totale à 9 900 francs, l'État allouant une indemnité de première mise d'équipement qui ne dépasse pas 2 400 francs.

Les ressources du sous-lieutenant célibataire se montent, en décembre 1938, à 18 228 francs par an, après déduction d'une somme de 6 % au titre de la retraite. Toutes les dépenses comptabilisées, le jeune officier disposera de 109 francs par mois pour ses divertissements. C'est peu, même si l'on sait qu'une place de cinéma coûte 4 francs seulement et que, pour ce prix, la plupart des salles offrent la possibilité de voir deux grands films.

Évoquant « la grande misère des professions libérales », le journaliste de *Je suis partout*, qui a mené l'enquête, achève ainsi l'un de ses articles. « Prolétaire, ne crains-tu pas les jalousies des fils de bourgeois ? »

Nous n'en sommes pas encore là. Mais il est vrai que, dans un monde où la médiocrité de vie est assez générale, les distinctions entre

8. Le nombre des étudiants est très inférieur à celui d'aujourd'hui. En 1939, ils sont 78 972 pour la France entière dont 22 470 en droit, 21 339 en lettres, 16 027 en médecine.

les classes se marquent par certains symboles : casquette de l'ouvrier, chapeau du bourgeois, système d'éducation et vocabulaire différents, messe du dimanche, autant et parfois plus que par l'argent.

Les automobiles sont encore relativement peu nombreuses — 2 500 000[9]. Elles demeurent chères. La 15 CV Citroën coûte 31 000 francs, la 10 CV 24 500, la 8 CV 19 500, c'est-à-dire, dans tous les cas, plus que le traitement annuel d'un magistrat, d'un ingénieur, d'un professeur débutant.

Par contre, circulent en France plus de 8 millions de bicyclettes.

Elles coûtent entre 285 et 595 francs et, dans le numéro du 17 juin 1939 de *L'Humanité*, il y a, signe révélateur, sept « pavés » publicitaires en faveur de marchands de bicyclettes. Aucun pour une marque d'auto et, dans le même journal, la maigre rubrique d'annonces classées consacrée aux voitures d'occasion est présentée sous ce titre : « Pourquoi pas une voiture ? »

Le « vélo » sera donc instrument de travail comme de libération. A l'occasion des premiers congés payés, tous les chroniqueurs, tous les dessinateurs, tous les photographes décriront et montreront cyclistes et tandémistes à l'assaut des routes de France et des bonheurs de l'étape.

Pour parler des grands départs de juillet 1939, les journalistes emploient les mots qui, dans moins d'un an, serviront à décrire l'exode. Et, d'ailleurs, sur les mêmes routes, ne trouvera-t-on pas, dans les mêmes voitures aux capots « ferraillants », aux « portières écornées », aux « ailes redressées au marteau », les mêmes familles françaises ?

« Voitures d'enfants repliées sur le pare-chocs, malles d'osier familiales débordant du porte-bagages, valises et cannes à pêche sur le toit...[10] »

Seules les cannes à pêche indiquent que nous sommes encore en paix dans cette description, volontairement misérabiliste, qui fait songer à ces dessins de Dubout, comiques et tristes à la fois, tableaux d'une France désordonnée et veule, peuplée de petits hommes timides, sur lesquels règnent d'énormes femelles dépoitraillées et où rien ne saurait

---

9 En 1974, le nombre des voitures particulières et commerciales s'élevait à 14 500 000

10 *Le Journal*, 31 juillet 1939

marcher sans le secours de tous les « bouts de ficelle » du système D.

Conquête du Front populaire, les congés payés font profiter l'ouvrier de ce qui était un privilège d'oisif, de bourgeois ou de fonctionnaire, mais, comme toutes les nouveautés, ils scandalisent les privilégiés et étonnent ceux-là mêmes qui en profitent et qui voient rompre soudain le rythme de travail auquel, héréditairement, ils étaient habitués.

On reproche tout aux « congés payés ». Et d'abord d'envahir, de salir Trouville, Nice, Monte-Carlo ; d'effaroucher une clientèle de fidèles qui, brutalement, doit partager la plage, la mer, le paysage, le restaurant, l'hôtel, les promenades avec des familles dont la démarche, le vocabulaire, les jugements, amusent un peu et déconcertent beaucoup. Il n'est pas loin le temps où les congés payés seront, avec l'école laïque et les quarante heures, tenus pour responsables de l'immonde défaite. Par ceux qui s'octroyaient des vacances à leur convenance. Par ceux-là mêmes, parfois, qui, prisonniers du passé, gardaient, de ces congés de 38 et de 39, comme un vague remords et un léger complexe de culpabilité.

Le portrait que Lucien Rebatet trace du peuple français, l'affreux portrait des « garces en cheveux », du prolétaire « bien nourri, rouge, frais et dodu dans une chemisette de soie, un pantalon de flanelle, d'étincelants souliers jaunes, qui [célèbre]avec une vanité rigolarde l'ère des vacances à la plage, de la bagnole neuve, de la salle à manger en noyer Lévitan, de la langouste, du gigot et du triple apéritif [11] » est tout entier inspiré par une haine de jeune bourgeois rageur face à des prolétaires qui rompent les rangs de l'ordre et de la hiérarchie établis.

Au moment du procès de Riom, évoquant les routes couvertes de « tacots » et de « vélos », Léon Blum dira qu'il ne regrette nullement d'avoir créé un sous-secrétariat d'État aux Loisirs et, qu'à l'instant du jugement, il pensait à cette phrase d'un homme d'État, lui aussi jeté bas : « Je laisserai un nom qui sera peut-être prononcé avec haine par les spéculateurs, mais qui me vaudra un jour la reconnaissance de ceux dont le lot est le travail. »

En attendant la mise en accusation officielle de « l'esprit de jouissance et de facilité », la découverte des congés payés est prétexte à des manifestations touchantes de naïveté

11 *Les Décombres*

Une carte postale célèbre en ces termes l'événement :

Vive les vacances payées
qui nous donnent la joie et la gaieté.
Quel plaisir de travailler
Quand on pense aux vacances payées.

L'Humanité écrit que les « charmantes tandémistes » ont un unique souci : peuvent-elles pédaler mollets nus ou doivent-elles porter des bas ? Les photos des illustrés montrent, face à la mer, des familles prudentes, les hommes, le pantalon retroussé, les femmes, les jupes serrées entre des cuisses pâles, avançant à petits pas dans huit centimètres d'eau clapotante, surveillant les gosses comme si, de l'horizon, pouvait surgir quelque monstre marin.

Les vacances donnent naissance à une facile poésie d'écriture. Parlant des Auberges de la jeunesse, l'hebdomadaire communiste *Regards* évoque ainsi « une maison sans apparence, grise, coiffée de tuiles, entourée d'un petit jardin, qui sentait bon la coccinelle (!) et le jasmin fleuri ».

Les guinguettes des bords de la Marne font désormais de la publicité. Il y a « La Souris verte », « Aux sept arbres » et surtout « L'Auberge des Oiseaux », au nom évocateur de trilles et de roucoulades. Pour 210 francs par personne (une somme tout de même), les agences de voyage, qui en sont au début du tourisme populaire, offrent « trois jours à Dinard », train, logement et repas compris... La France fait ainsi brusquement l'apprentissage des grandes vacances.

Il existe cependant de nombreux Français pour qui les congés payés demeurent un continent inabordable.

Les miséreux d'abord. Discrets comme à l'habitude. On ne cite jamais que leurs initiales.

A Belleville, voici la famille O... Pour se nourrir, s'habiller, se loger, le père, la mère et les six enfants disposent de 61,60 F par jour. On vient de leur retirer l'assistance médicale gratuite !

A Houilles, les neuf personnes de la famille Le G... sont plus démunies encore : 41,60 F par jour, soit 4,62 F par personne [12]

12. D'après les lettres de lecteurs envoyées à Pierre Sémard pour son enquête sur la misère *L'Humanité*, 24 mai 1938.

Que peut-on faire avec moins de cinq francs par jour lorsque le pain coûte 2,80 F le kilo, le bifteck 13,16 F le kilo, la morue 6,30 F le kilo, le lait 1,65 F le litre, les œufs 11,70 F la douzaine, les pommes de terre 1,22 F le kilo[13] ?

Pour des millions de Français, à qui la publicité ne s'adresse que rarement, et que les organismes de crédit ignorent, les améliorations dans l'habitat, la nourriture, les loisirs sont donc rares et coûteux. On vit à peu près comme on vivait quinze ou trente ans plus tôt et les progrès ne sont encore que de petits pas. On comprend alors l'admiration un peu béate, mais sans jalousie apparente, des visiteurs devant les « mille et une merveilles » (le mot se trouve dans l'hebdomadaire communiste *Regards*) du Salon des arts ménagers.

La chanson du Salon en dit plus long d'ailleurs que toutes les descriptions.

> *Dernièr'ment j'ai visité* (bis)
> *L' salon des arts ménagers* (bis),
> *Et c'est vraiment fantastique*
> *C' qu'il y a d'instruments pratiques.*
> *Tenez ! notamment j'y ai vu*
> *Une machine à laver la vaisselle...*

Si la publicité peut fournir quelques indications intéressantes pour une meilleure intelligence de la vie quotidienne, voici comment se décompose la publicité dans le numéro de *L'Illustration* daté du 11 mars 1939.

Deux pages en faveur des automobiles Delage et Renault ; une page pour l'huile Veedol ; trois pages et demie, dont la dernière page de couverture, vantant des apéritifs ou des digestifs ; entre une page et une demi-page pour les cigarettes Anic, pour Frigidaire, le chauffage Ideal-Classic, les talons et semelles de caoutchouc Wood-Milne, Linguaphone, Sonotone, les aspirateurs Paris-Rhône, les bijoux Burma et la gaine Roussel.

A titre de comparaison, le numéro du 7 mars 1976 de *L'Express* comprend huit textes publicitaires (d'une ou deux pages) pour des marques de téléviseurs ou des chaînes de radio, six en faveur de

---

13. Les revenus des familles citées par Pierre Sémard étant ceux de mai 1938, j'ai choisi la même date de référence pour le prix des denrées alimentaires

séjours de vacances en France ou à l'étranger, cinq pour des organismes de crédit, deux pour des voitures, deux pour des parfums ou des produits de beauté...

Sont également privés de vacances, même si désormais, jusqu'à leur mort, ils sont en vacances de tout, les vieux, ces vieux qui, jadis insérés dans un univers familial solide, ne posaient pas de grands problèmes à la société.

Des manifestations ont beau avoir lieu en mars 1938, à l'appel du Parti communiste, une « adresse » a beau être envoyée aux présidents de la République, de la Chambre, du Sénat :

« Nous qui maintenant ne pouvons plus gagner notre pain ;
Nous dont on ne veut plus nulle part ;
Nous devant qui se ferment les ateliers...
Nous vous supplions, messieurs, de nous accorder une retraite
Une retraite grâce à laquelle le mot « vieux » ne sera pas, dans
Notre beau pays de France, synonyme de mendiant »,

la Chambre des Députés a beau inviter le gouvernement à faire voter, avant la fin de la session de 1938, la « retraite des vieux », de nouveaux débats ont beau avoir lieu le 2 mars 1939, un vote a beau intervenir le 7 mars, au terme duquel les célibataires auraient droit à une retraite de 2200 francs par an, les ménages de 3200 francs, le Sénat repoussera le texte, la guerre le retardera et il faudra attendre Vichy pour que soit accomplie une œuvre de justice.

Pas de vacances pour les pauvres et pour les vieux. Pas de vacances non plus pour les paysans, durement touchés par la guerre de 1914-1918 et qui vivent souvent comme l'on vivait alentour 1900.

Pas d'eau courante à la ferme, parfois pas d'électricité, pas de téléphone, bien sûr, pas de radio, peu de voitures automobiles, mais des carrioles auxquelles l'on attelle le cheval à tout faire. Peu de loisirs à l'exception de ceux qui naissent d'un labeur exceptionnel : grande fête des battages, vendanges, qui s'achèvent souvent en longues beuveries qui ne calment jamais la fatigue des corps, veillées d'hiver où garçons et filles s'épient et font des projets amoureux qui, pour se réaliser, doivent être en harmonie avec les projets familiaux.

Les fermes n'ont généralement aucun confort ; précédées de cours boueuses où courent la volaille et les chiens, occupées par de vieux meubles qui se transmettent de génération en génération et dont la noblesse est souvent gâtée par des adjonctions ou suppressions, toujours par la poussière et la crasse ; mal aérées, les fenêtres étant presque tenues pour un luxe ; gardées des mouches, qu'entretiennent un abondant fumier, par des rubans de glu que les courants d'air font bouger avec leurs cargaisons de bestioles frémissantes, comment retiendraient-elles les jeunes qui reviennent du service militaire, les filles qui entendent l'appel des grandes villes et sont de moins en moins nombreuses à vouloir faire comme leur mère : la soupe dans la cheminée, la lessive au ruisseau et, parfois, les enfants dans les champs ?

Le progrès est si lent qu'il semble que des années-lumière séparent les grandes cités des villages.

— Cette lampe à pétrole, bien installée dans cette suspension, elle est là depuis peu ?

— Je l'ai vu acheter. Il y a quatorze ans, non seize ans.

— Auparavant, on s'éclairait comment ?

— Nous avions une petite lampe à essence, je me rappelle.

— Et auparavant ?

— Nous nous servions d'une chandelle de suif.

— Et auparavant ?

— On avait les pétrelles... Des baguettes de bois, rien plus ; on les trempait dans la résine et on les collait sur le mur, ça brûlait encore assez longtemps, avec un petit bruit, pet ! pet ! pet !

Tout ce qui paraît séduisant à l'observateur venu de la ville, et qui reviendra à la ville [14], est, pour le jeune paysan, cause d'irritation ou de fatigue. De vastes espaces sont abandonnés et la vie se retire pour ne laisser, un peu partout, que des coquilles vides.

Le morcellement des propriétés, l'âge avancé de beaucoup de cultivateurs, le refus ou l'impossibilité de se motoriser (il n'existe que 83 000 tracteurs en 1938), la production qui, sauf pour le vin, ne dépasse pas celle de 1913, tout contribue à faire de la France paysanne

---

14. Il s'agit, ici, de Daniel Halévy. La scène se passe en 1934, mais, en 1939, de nombreuses fermes ne possédaient toujours pas l'électricité.

une France d'autant plus fragile que la littérature officielle, celle des banquets électoraux, des comices agricoles, la décrit comme d'une inépuisable richesse.

Le blocus anglais de juillet 1940, les réquisitions allemandes, la gabegie administrative, l'absence de centaines de milliers de paysans, prisonniers dans les stalags, montreront très vite les limites de ces richesses.

La crise économique de 1934 a touché les paysans comme tous les autres Français. Peut-être les a-t-elle touchés davantage dans la mesure où la stabilité sur laquelle était, de tout temps, fondée leur existence est remise en question par l'évolution des prix d'achat de biens (engrais, machines agricoles) qui leur sont de plus en plus nécessaires, comme par l'évolution de prix de vente de leurs produits, influencés désormais par des causes extérieures et souvent lointaines.

Ils se plaignent donc de l'effondrement de leur pouvoir d'achat. Les 100 kilos de blé, qui équivalaient au prix d'une tonne de charbon en 1913, n'en représentent plus que 500 kilos en 1938, les 100 kilos de blé, grâce auxquels on pouvait acheter 500 kilos de superphosphates, ne permettent plus que d'en acquérir 300. Le rapport entre les prix agricoles et le niveau général des prix est passé de 119,3 en 1932 à 103,6 en 1938 et 99,7 en 1939.

Aussi la campagne, politiquement traditionaliste, infiniment mieux représentée au Sénat [15] qu'à la Chambre des Députés, évolue-t-elle. Les élections de 1936 ont été, pour les partis de gauche, et notamment pour le Parti communiste, une occasion de s'implanter dans un milieu autrefois hostile.

A Ygrande, petite commune de l'Allier, il y a, avant 1936, dix abonnés à *L'Humanité*, cinquante à *La Voix paysanne*, hebdomadaire du Parti, pour 1 335 habitants ; une réunion communiste a rassemblé, venues d'un peu toute la région, six à sept cents personnes et un métayer bourbonnais a même fait partie d'une délégation ouvrière en U.R.S.S. !

L'interdiction du Parti communiste empêchera de connaître les

15. En 1936, sur 306 sénateurs métropolitains, on compte 58 agriculteurs et éleveurs, 5 viticulteurs, 9 ingénieurs agricoles et 1 vétérinaire, soit 24 % de représentants paysans contre 12 % à la Chambre des Députés.

résultats de l'enquête, politique plus que journalistique, menée sur la paysannerie française à l'aide de 600 000 tracts-questionnaires, diffusés notamment par *L'Humanité,* vers le milieu de l'année 1939.

Près de quarante questions — souvent partiales — auraient dû permettre de mieux connaître les paysans français, leurs conditions de vie ; les rapports des ouvriers agricoles avec le patron, leurs « gages » ; la façon dont les « lois sociales accordées par le Front populaire » étaient respectées, le taux de fréquentation de l'école laïque... ce qui aurait permis de déterminer celui de l'école libre.

Entre toutes ces questions, une question qui ne serait plus posée aujourd'hui : « Est-ce qu'il y a des auditeurs de T.S.F. et lesquels ? »

Au 31 décembre 1938, la France ne compte que 5 220 000 récepteurs de T.S.F. Presque tous possédés par des citadins.

Chiffre à retenir à une époque où la radio, ne fonctionnant que par le relais d'une prise de courant, le « poste » n'étant pas le gadget que l'on met dans sa poche, mais un meuble entre les meubles, trônant sur le buffet de la salle à manger ou sur la commode de la chambre, un instrument un peu magique autour duquel on se rassemble comme, jadis, autour du conteur du canton, la T.S.F. va cependant jouer un rôle capital dans notre histoire nationale.

Cette campagne française avec ses villages tous différents, mais à l'ordonnance identique — mairie, église, bistrot, épicerie et, sur la place aux tilleuls, le monument aux morts —, ses chemins creux, parcourus de plus de chevaux que de tracteurs, de troupeaux que de touristes, où les poules se font toujours écraser dans un grand envol de plumes blanches et grises, demeure traversée de drames incompréhensibles aux « gens de la ville » à qui l'administration, le métro, le travail à la chaîne ont fait perdre la mémoire de leurs origines.

Près de La Flèche, vivait la famille Cornuel qui refusait de payer 200 francs d'impôts. Sans doute le percepteur avait-il patienté, envoyé avis sur avis (les Cornuel savent-ils lire ?), mais il faut bien que les choses se règlent. D'ordinaire, elles se règlent par la saisie et la vente des meubles. En janvier 1938, un serrurier et un gendarme sont donc envoyés chez les Cornuel qui, barricadés et tirant à travers leurs volets, ne pouvaient pas les rater et ne les ratèrent pas. Deux morts qu'il fallait venger et que, tout d'abord, l'on vengera en mettant le feu à la ferme, ce qui devait avoir pour résultat de faire sortir les criminels de leur tanière. Ils surgirent, en effet, la mère les vêtements en feu, le fils hurlant des injures et, belles cibles, furent posément abattus par les gendarmes.

Avant la Fumade et les Portal, c'était, en somme, la Fumade. Un drame paysan parmi tant d'autres drames paysans. S'il fit moins de bruit que la tragédie de la famille Portal, c'est que les médias étaient, moins qu'aujourd'hui, exercés à l'exploitation des faits divers.

Tout est loin, cependant, d'être uniformément noir. Les chroniqueurs diront plus tard que l'on dansait sur un volcan mais, c'est un fait, l'on danse, le dernier grand bal mondain étant, comme symboliquement, offert par l'ambassadeur de Pologne Jules Lukasiewicz qui, ce soir, ne sollicite des jolies Françaises que des valses avant, dans moins de deux mois, de solliciter, des généraux français, des avions qui ne viendront jamais.

On danse comme si l'on voulait s'étourdir[16] ! Mais non, on danse parce que la vie est plus forte que la mort, l'espoir plus grand que la peur. Et que nul n'imagine le cours que prendront les événements.

Paris a donc son lot habituel de réceptions et de fêtes.

On fête André Maurois à l'Académie française où, le 22 juin, il succède à René Doumic, les cinquante ans de la tour Eiffel, les trois cents ans de Jean Racine et les cinq cents ans de la cathédrale de Strasbourg. Le grand concours d'élégance automobile voit briller les noms de Delage, de Delahaye, de Renault, de Simca. A Longchamp, pour le Grand Prix, les chroniqueurs notent le chapeau bleu tendre de Mme Albert Lebrun, le chapeau rose de Mme Paul Reynaud, le chapeau vert de la princesse de Broglie, mais, quelques jours plus tard, pour la Grande Nuit de Longchamp, les chapeaux les plus beaux se faneront sous une pluie torrentielle qui gâte longtemps le plaisir de cent mille Parisiens venus assister à vingt spectacles qui se déroulent simultanément et parmi lesquels, comme sur un plateau de friandises, on choisit l'un, puis l'autre, allant sans s'arrêter plus de quelques minutes, de match de boxe en ballet, d'acrobates en diseuses de bonne aventure

16. Maja Destrem appellera cette dernière manifestation mondaine « le bal des aveugles »

Les salles de cinéma sont si fréquentées que le député Piétri [17] peut affirmer : « Je crois que le cinéma l'emporte sur le livre, la T.S.F., sur le journal. Nous sommes en présence d'un mouvement colossal et qui l'emporte comme influence dans l'esprit du public sur tous les autres moyens d'atteindre l'opinion et l'esprit populaire. »

Mais, sur le plan de la propagande des idées françaises, l'arme du cinéma sera peu et mal utilisée. Il faudra attendre le 2 mars 1940 pour apprendre, par *La Cinématographie française*, qu'un certain nombre de documentaires (*La France continue, Moteurs d'avions, Le Communisme*), et quelques longs métrages, parmi lesquels *De Lénine à Hitler*, sont à la disposition des directeurs de salles. Qui les boudent d'ailleurs [18].

En vérité, le cinéma reste, jusqu'à la déclaration de guerre, fidèle à sa vocation qui est de distraire, d'amuser, de faire pleurer et rire des foules de plus en plus nombreuses. Il y aura 220 millions de spectateurs en 1938 dans les salles françaises (175 millions en 1971) et la part du cinéma ne cesse d'augmenter dans les recettes des spectacles parisiens : 62 % en 1937, 69 % en 1938, 72 % en 1939, proportion qui, plus jamais, ne sera atteinte.

A ces 220 millions, on offre des films de qualité qui triomphent également à l'étranger (presque tous en noir d'ailleurs, car le cinéma français ne croit pas à la couleur [19]) : *Mayerling* et *Carnet de bal* battent tous les records d'exclusivité des films étrangers à Londres et New York. L'association américaine National Board of Review of Motion Pictures décerne le titre du meilleur film étranger de l'année à *La Grande Illusion* en 1938, à *Quai des Brumes* en 1939.

Et ce sont ces films qui, en France également, obtiennent le plus grand succès avec *La Bête humaine, Hôtel du Nord, Le jour se lève* et, bien sûr, l'américain *Blanche-Neige,* tandis que, parmi les vedettes,

---

17. En 1937, dans le cadre des discussions du Groupe du cinématographe de la Chambre des Députés.

18. En 1938, est tourné un documentaire intitulé *Sommes-nous défendus ?* qui au lendemain de Munich, s'efforce de rassurer les Français.

19. « La couleur n'est pas un problème pour la France. Ses possibilités actuelles ne permettraient pas un amortissement des frais engagés pour la réalisation de films en couleur. Et la réaction du public français devant les excellents films colorés venus d'Amérique prouve, par leur indifférence, le peu d'intérêt que cette soi-disant révolution a provoqué... »

Interview de M. Rabinovitch, directeur de Ciné-Alliance Production, 24 juin 1938.

Jean Gabin, en 1938 et 1939, l'emporte sur Viviane Romance, Fernandel et Danielle Darrieux.

L'atmosphère de pré-guerre se marque peut-être dans la prédominance des films graves et noirs qui chassent, ou relèguent au second plan, les opérettes, les vaudevilles, elle se marque aussi dans quelques films de « propagande indirecte » faits pour un très large public, exploitant le tricolore et le patriotisme le plus élémentaire, comme ce *Trois de Saint-Cyr* pour lequel le gouvernement accordera le concours de l'armée, comme ce film d'espionnage *Deuxième bureau contre Kommandantur* dont l'on changea au dernier moment — crainte de déplaire aux Allemands ou prudence face à l'avenir — le titre en *Terre d'Angoisse.*

Au théâtre, comme au cinéma, comme dans la vie, Sacha Guitry triomphe.

Il est élu à l'Académie Goncourt, se marie, le 5 juillet 1939, pour la quatrième fois, avec Geneviève de Séreville et obtient que le maire de Fontenay-le-Fleuri vienne, le buste de Marianne sous le bras, jusqu'au château où la cérémonie civile sera célébrée dans la plus stricte intimité, cependant que, le lendemain, la cérémonie religieuse — une première — aura lieu en présence d'un Tout-Paris limité à cent cinq invités, autant que Sacha a signé de pièces.

On joue à l'Atelier *La Terre est ronde,* de Salacrou ; à l'Athénée, *Ondine* de Giraudoux, où triomphent Jouvet et la tendre Madeleine Ozeray ; aux Bouffes-Parisiens, *Les Parents terribles,* de Cocteau ; on prononce des noms qui survivront à l'avant-guerre, ceux de Jules Romains qui publie *La Douceur de Vivre,* de Philippe Hériat, prix Goncourt avec *Les Enfants gâtés,* de Claudel, dont Pitoëff dira à Brasillach : « On regrette quelquefois de ne pas avoir rencontré Homère, ou Shakespeare, de ne pas avoir entendu leur voix. Mais on peut rencontrer Claudel... » de Duhamel, de Daniel-Rops ; des noms d'hommes que la guerre crucifiera : Saint-Exupéry, auteur, en 1939, de *Terre des Hommes;* Drieu la Rochelle, qui écrit avec *Gilles* un roman qu'il aurait pu intituler « Portrait dans un miroir », et Ferdinand Céline ; des noms appelés à devenir célèbres : Sartre, Camus et qui, pour *Le Mur* ou pour *Noces,* ne retiennent encore l'attention que d'un public restreint mais averti.

L'été 1939 c'est, pour l'historien, l'été de la veillée d'armes, des complots contre la paix, des périls et des sourdes inquiétudes. Pour les Français c'est l'été de *Y a d'la joie, bonjour, bonjour les hirondelles* que chante Maurice Chevalier, et dont le refrain sera vite populaire ; l'été de *Sérénade près de Mexico* où triomphe ce Tino Rossi dont tous pensent qu'il a bien du talent, avec sa voix gominée comme sa chevelure, mais qu'il ne passera pas le prochain printemps ; l'été de *Mon village au clair de lune* et surtout l'été de ce *Tout va très bien, madame la marquise,* dans lequel les catastrophes s'enchaînent, s'enchaînent, s'enchaînent sans que les fumées du désastre découragent cette « madame la Marquise » qui pourrait s'appeler « madame la France »...

Parlant de son avant-guerre avec la mélancolie d'un effeuilleur de marguerites, lorsque le dernier pétale a répondu « pas du tout », Robert Brasillach évoque une petite fille à longue tête et cheveux blonds, Svetlana Pitoëff, et il écrit : « Comme tout cela était plein, pour nous, de signification et de songes. »

Oui, la vie continuait comme elle continue toujours. Que l'époque fût historique, on le remarquait cependant par les titres des journaux ; par le rappel de réservistes qui s'appliquaient à se rassurer, et à rassurer les autres, en affirmant que la « mobilisation n'était pas la guerre » et dans les jardins publics, par ces tranchées presque aussi fragiles que des jeux de sable.

Tandis qu'avec les brugnons et les raisins mûrissaient les événements pour les grandes récoltes de septembre, les Français « jouaient, grandissaient, vieillissaient, ils avaient des maisons, des femmes, des distractions, du travail. Rien de tout cela n'était tout à fait sûr, mais il faut bien profiter de ce qui vient [20] ».

Et se souvenir de ce qui va...

Les manifestations patriotiques appartiennent aussi à l'avant-guerre. Chaque faction politique voulant avoir ses héros qu'elle se refuse à partager, il faudra beaucoup d'efforts à Daladier, officier sorti du rang, pour convaincre les anciens combattants et, avec eux, la masse des Français de célébrer en commun le vingtième anniversaire de la

---

20 Robert BRASILLACH, *Notre avant-guerre.*

victoire Souhaitant associer les villes aux villages, la métropole à l'Empire. les générations aux générations, les responsables feront débuter les manifestations le 1er novembre, jour où, dans chaque chef-lieu. une flamme est allumée devant le monument aux morts. Dans la soirée du 10 novembre, 117 flambeaux, venus de tous les départements. comme de tous les territoires qui, alors, composent l'Empire, sont convoyés jusqu'à Paris où, le lendemain, auront lieu d'émouvantes cérémonies qui visent, non à plagier les parades de Nuremberg, mais à créer un style français dans lequel la rigueur militaire serait tempérée de spontanéité et de souplesse.

Avant de repartir pour leur province, où ils seront accueillis avec les honneurs qui les ont salués au départ, les anciens combattants, porteurs de flambeaux. ont été invités d'ailleurs à un grand banquet servi à Luna Park, au cours duquel le président Lebrun, dont il est impossible de confondre le style avec celui du chancelier Hitler, les a mollement bercés de fortes paroles.

Le samedi 12, depuis les principales avenues qui aboutissent à la place de l'Étoile, 225 athlètes vont escorter enfin cinq porteurs de torches allumées à la Flamme, qui iront ainsi, se relayant d'étape en étape, vers les grands cimetières du front où dorment des milliers de jeunes hommes[21]. Dans chaque ville, mais surtout dans chaque village, la France rurale et la France combattante sont étroitement liées, il y a des cortèges et des discours, des gerbes de fleurs et des silences, puis les porteurs du feu sacré reprennent leur route à travers les douces campagnes endormies.

Ces commémorations, ces gestes religieusement répétés, flamme que l'on allume, éteint, rallume, qui va de la périphérie au centre pour revenir à la périphérie ; ces visites aux grands cimetières ; ces souvenirs attisés ; ces visages rappelés un instant du royaume des morts ; ces drames pour la millième fois peut-être, mais avec la même conviction, racontés ; ces appels de Daladier à l'union, à la solidarité et au service sans équivoque du pays[22], tout a la couleur nostalgique du passé. On

---

21. Royallieu près de Compiègne (88 km de Paris), Saint-Acheul, près d'Amiens (138 km), Châlons-sur-Marne (167 km), Notre-Dame-de-Lorette (190 km) et Douaumont (286 km).

22. « Ceux qui communient dans la même volonté de servir le pays, déclare le président du Conseil, ne peuvent pas se dresser les uns contre les autres. Il ne peut y avoir entre eux que des sentiments de fraternité et d'amour. Je sais que vous [les

demande aux anciens combattants de porter témoignage dans un monde qui, depuis 1914, s'est radicalement transformé.

Aux anciens combattants de préserver le passé. A l'armée de garantir le présent. Dans cette France qui se rapproche chaque jour de la guerre, va avoir lieu, en 1939, le défilé militaire le plus imposant depuis celui du 14 juillet 1919. Un an plus tôt, la France avait célébré le vingtième anniversaire de la Victoire, aujourd'hui elle fête les cent cinquante ans de la Révolution française.

On a prévu pour la circonstance de grandes manifestations populaires qui, en six jours, doivent faire revivre, des États généraux à Valmy, les grands moments de la Révolution française. Mais la politique s'est très vite emparée de l'événement : la droite a brocardé la commémoration « d'un événement sanglant », les communistes ont fait défiler, le 25 juin, au stade Buffalo, après le char de « La Marseillaise », celui de l'U.R.S.S. et celui de « L'Histoire du parti communiste [bolchevik] d'Union soviétique »[23]. Le Gouvernement, enfin, par peur de « manifestations à poings levés et drapeaux rouges » a minimisé les cérémonies se contentant de demander aux acteurs de la Comédie-Française d'interpréter, dans le cadre protégé de Versailles, le rôle tumultueux des Grands Ancêtres.

Il y a bien eu, dans la journée du 14 juillet, une manifestation qui, des dictatures, a le style sans la foi : drapeau vivant de 50000 enfants des écoles place de l'Hôtel de Ville ; musiques militaires en nombre ; discours patriotiques, prononcés sous des trombes d'eau qui en gâchent quelque peu le pathétique ; serments d'un métallurgiste lorrain, d'un soyeux lyonnais, d'un vigneron angevin, d'un marabout sénégalais, d'un notable tunisien et, venu de l'Océan, du commandant du paquebot *Normandie*, qui visent à donner comme une image sonore de la France impériale, mais le « clou » de la journée fut et restera le défilé militaire de la matinée.

---

anciens combattants] comprenez la nécessité de ce resserrement de l'unité française. La fraternité française qui vous unit est l'exemple le plus haut de cette union des cœurs. Vous pouvez être dans cette grande tâche les initiateurs et les guides du pays. »

23. Claude Morgan a affirmé, pour la circonstance : « C'est l'esprit de Saint-Just qui anime aujourd'hui notre camarade Staline. »

Défilé formidable. Bien fait pour frapper les imaginations.

Défilé dérisoire.

Formidable par les masses rassemblées. le matériel, la propagande facilement orchestrée autour d'un événement rassurant et trompeur.

Dérisoire si l'on connaît (mais qui connaît ?) la force exacte de l'armée allemande. Dérisoire pour nous qui n'ignorons pas ce qui se passera dans moins d'un an et comment seront dispersées ces troupes, détruites ces escadrilles et le peu d'hommes qui, à Londres comme à Vichy, devant de Gaulle et devant Pétain, défileront le 14 juillet 1940.

Puisque nous sommes encore aux jours dits heureux du trompe-l'œil, les journaux chauffent l'enthousiasme populaire avec mille détails sans véritable importance.

Comme la Fête nationale tombe un vendredi, le cardinal Verdier relève les fidèles de l'obligation de faire maigre et l'on commente, avec un respect laïque de bon aloi, cette décision qui paraît, à certains catholiques, infiniment trop audacieuse.

Les reporters additionnent les drapeaux : il y en aura 16 000 sur les Champs-Élysées, mais Belleville, Montrouge, La Chapelle pavoisent également, ce qui n'est pas sans intérêt dans la Ville, pendant des années, déchirée entre le rouge et le tricolore. Les fenêtres sur le parcours du défilé se loueront 500 francs, mais les caisses à savon vaudront 20 francs et les arbres de l'avenue, s'ils ne coûtent pas un sou de location, ne sont accessibles qu'aux sportifs. Il y aura des trains spéciaux et l'on ne compte plus ceux qui campent dès la soirée sur les trottoirs de l'avenue, jouant aux cartes, saucissonnant, buvant, bavardant lentement avant que le sommeil les gagne, pour les immobiliser, fanatiques de la première place, à l'endroit où ils pourront le mieux voir, admirer, tandis que, derrière eux, les badauds lève-tard devront se contenter de l'œil du périscope pour découvrir la tourelle d'un char ou deviner la croupe blonde des chevaux.

Et puis il y a les Anglais. Quatre compagnies de grenadiers appartenant aux Grenadier Guards, aux Cold-Stream Guards, aux Scotch Guards, aux Irish Guards, chouchous dont tous les journaux décrivent l'uniforme étrange et coloré, peu fait pour la boue des batailles d'aujourd'hui. Pour eux, on a mis les « petits plats dans les grands ». Ils ont droit au cinéma gratuit. A des menus spéciaux qui leur donneront peut-être envie de revenir ! Aux applaudissements de la foule. Aux premières pages des journaux qui, de cette petite troupe, font presque une armée. N'en sont-ils pas les ambassadeurs ?

Le Journal ouvre son numéro du 14 juillet sur ce titre que beaucoup de Parisiens ont dû se faire traduire :

A HEARTY WELCOME
TO OUR BRITISH FRIENDS

et la phrase couronne un dessin en couleur dans lequel deux gosses agitent drapeaux français et anglais.

Lorsque ont défilé en grondant les trois escadrilles de bombardement et les deux escadrilles de chasseurs envoyés également par l'Angleterre, et les trois cents Bloch, Liore-Olivier, Breguet, Morane, qui représentent cette aviation française dont quelques journaux et parlementaires disent du mal, mais dont la présence, dans le ciel trouble, rassure, soudain, une foule ignorante, alors l'infanterie et les blindés s'avancent.

Passent les Anglais en tunique écarlate ou pantalons noirs, coule le fleuve des Indochinois, des Algériens, des Marocains, des Sénégalais venus de très loin défendre une patrie dont nul ne doute encore qu'elle soit la leur, et arrive de l'horizon, fermé par l'Arc de Triomphe ruisselant de drapeaux, la lente marée des légionnaires, et la « biffe » et les artilleurs avec le 75, roi de toutes les batailles d'hier, et la cavalerie dont l'élégance donne une fausse idée d'invincibilité, et les blindés enfin, cent chars lourds, accueillis par le silence respectueux d'une foule qui n'imaginait pas que notre force était si forte.

Allons, les journaux du lendemain, avec leurs pleines pages de récits, auront légitimement prétexte à hisser le pavois des superlatifs. Ils n'y manqueront pas. « Jamais, sans doute, nous n'avions vu, en France, une armée motorisée aussi nombreuse dans un défilé... La foule est muette et admirative, on a l'impression d'une force irrésistible. »

Irrésistible... Laissons le mot trompeur vibrer longuement dans la sensibilité populaire. Irré-sis-ti-ble...

Les troupes qui ont défilé viennent comme se prendre ensuite au piège de la place de la Concorde où la foule énorme, prisonnière d'elle-même, ne bougeant plus que par ondes puissantes et molles qui ont emporté lentement tous les barrages, les enveloppe, les presse dans un désordre joyeux et confiant.

Comment toute cette force française pourrait-elle se dissiper en quelques jours de printemps ? Être battue, dispersée, humiliée ?

A qui l'affirmerait, la foule répondrait sans doute par un rire énorme, à sa mesure de foule.

N'a-t-elle pas vu les avions ?

N'a-t-elle pas entendu le grondement des chars ?

N'a-t-elle pas touché, crié, applaudi ?

Et cru ?

modifier ou faire modifier l'instrument politique, économique et militaire sur lequel repose la force du pays.

Député de Paris, membre de la commission de l'Armée, Fernand Laurent rédige, en novembre 1938, c'est-à-dire après Munich et après la mobilisation partielle de 750 000 réservistes et de 25 000 officiers, provoquée par les événements de Tchécoslovaquie et qui s'est déroulée dans de détestables conditions [1], un rapport de cinquante-sept pages consacré tout entier aux déficiences de notre armée de terre.

Qu'a-t-il vu ? Sur la ligne Maginot, des casemates privées de canons de 37 et de 47, des troupes manquant d'instruments d'observation et de mesure pour les mitrailleuses modernes et les mortiers de 81. A l'intérieur du territoire, des régiments scandaleusement démunis.

C'est ainsi qu'au 162e régiment d'infanterie, mis sur pied par le centre de mobilisation de Mamers, les neuf chenillettes de ravitaillement en munitions prévues n'existent pas. On les a remplacées par neuf camionnettes, incapables de rendre les mêmes services dans un paysage que les obus et les mines auront bouleversé. Toujours au 162e, presque aucun matériel antigaz : ni klaxons pour donner l'alerte, ni salopettes, ni bourgerons pour l'habillement des équipes de désinfection. Alors que la dotation de la division allemande correspond à vingt-quatre canons de 37 mm par régiment, le 162e n'a que six canons de 25 sur les neuf prévus. Et c'est pire lorsque l'on se penche sur l'équipement des hommes. Les soldats du malheureux régiment ne possèdent en effet AUCUNE des 2 980 couvertures et toiles de tente nécessaires, ce qui arrache à Fernand Laurent cette exclamation : « Je ne crois pas que, depuis un siècle, aucun régiment de l'armée française ait connu pareil dénuement. Qu'on ne vienne pas nous parler des complexités de l'armement moderne, des difficultés de la mécanisation ! »

Élargissant son intervention aux problèmes généraux de la défense, il affirme que notre artillerie contre avions peut seulement atteindre

1. Dans une note au président Daladier, le général Colson indique, de son côté, que la « presse » des opérations a été telle que, dans la XXe région, des membres du personnel des centres mobilisateurs sont morts de fatigue ou ont été internés. Le commandant du centre 202 s'est suicidé... Le service d'ordre fait défaut alors que de nombreux réservistes se présentent en état d'ivresse... L'habillement est quelquefois fort défectueux. Les cadres de réserve arrivent sans uniforme, les stocks sont déficitaires... Dans la mise en route des unités, les itinéraires ont été mal étudiés... les horaires ne sont pas respectés et la vitesse des convois oscille entre 3 et 21 km/h, etc.

les appareils évoluant à moins de 6000 mètres, alors que les avions modernes ont des plafonds de 8000 à 11000 mètres. Carence qui n'est pas nouvelle. Elle date « de plus de dix ans », précise le député de Paris, qui rend compte également de l'état des fabrications dans quelques-unes des usines françaises. Au Havre, d'où est sorti un excellent canon antiaérien Schneider de 90 mm pour la Marine, tout est bloqué par les lenteurs de la Direction des fabrications d'armement.

A l'usine de Saint-Priest, dans l'Isère, dont la vocation est de fabriquer des masques à gaz, *pas un seul* masque à gaz n'est en fabrication au 8 mars 1938 parce que la toile huilée fait défaut comme fait défaut le laiton, indispensable à la fabrication des cartouches, dans les Ateliers mécaniques de Normandie, spécialistes des cartouches de 7 et 25 mm.

Dans l'atelier de montage de chars et chenillettes d'Issy-les-Moulineaux, la production en chars R 35 et R 31, qui était de 4,26 par jour ouvrable, est tombée à 2,4 au cours du dernier semestre de 1937. En septembre, octobre et novembre 1936, Issy-les-Moulineaux a « sorti » 211 chars. En juillet, août et septembre 1937, 57,5 seulement[2].

L'aviation française est dotée d'un canon mais, d'octobre 1936 à avril 1938, affirme Fernand Laurent, les bureaux se gênant et se jalousant, nous restons sans munitions et, au mois d'octobre 1938, qui aurait pu être un mois de guerre, chacun de nos chasseurs ne dispose que de 1000 obus de 20 mm... des munitions pour deux jours de conflit !

Autre document révélateur : la lettre que le sénateur Paul Bénazet, président de la commission sénatoriale de l'Air, membre de la commission de l'Armée et de la sous-commission de contrôle des Finances du Sénat, écrit, le 15 novembre 1937, au général Gamelin.

« Mon cher Général et ami,

« Je suis de plus en plus préoccupé des faiblesses évidentes de notre Défense nationale.

2. Les usines d'État ne fermant pas leurs portes au mois d'août, la comparaison est valable. Par ailleurs, à Issy-les-Moulineaux, la baisse de production des chars sera infiniment plus importante que celle des chenillettes.

« Rentré à Paris, après un séjour dans l'Indre, je vais dans le plus bref délai demander au Gouvernement de « reconsidérer » toutes les questions concernant notre organisation défensive et offensive.

« J'ai la conviction que, si on ne vous donne pas, à vous, Général en chef, ce dont vous avez besoin pour défendre le pays, nous courons le risque d'une tragique catastrophe. Il est inadmissible que, connaissant, grâce au 2e bureau, l'effort allemand et italien, vous n'ayez pas à votre disposition immédiate, et sous votre autorité directe, la recherche et la mise au point des moyens de parer à la menace.

« En ce qui concerne le danger aérien, j'ai recueilli ces jours-ci encore des renseignements provenant d'officiers d'artillerie faisant partie de la D.C.A. Ce qu'ils m'ont dit est angoissant. Ils n'ont à leur disposition qu'un matériel suranné. Ils utilisent des projectiles inefficaces au-dessus de 6000 mètres. L'un d'eux m'a dit : « Notre organisation est purement théorique. On nous donne un matériel absurde, qui nécessite de trop nombreux servants. Pour une seule pièce, d'ailleurs inefficace, j'ai quatorze hommes ! »

« Un Ministre croit avoir fait quelque chose en pareille matière lorsqu'il peut produire un état où se trouvent dénombrés des pièces d'artillerie et un nombreux personnel. Cela ne peut tromper que des hommes ne connaissant rien aux réalités de la guerre.

« Ma conclusion, c'est que le Service des recherches, études et inventions, nettement distinct du Service de l'organisation et du contrôle des fabrications, doit être placé, avec tous les moyens d'action nécessaires, sous l'autorité immédiate de l'État-major général, afin qu'ayant la responsabilité suprême vous ayez aussi en contrepartie les moyens d'y faire face, sans retards injustifiés et sans complications administratives paralysantes.

« J'ai donc l'intention de proposer au Sénat et au Gouvernement cette réforme profonde dans la structure de notre organisation de Défense nationale... »

La « réforme profonde » ne sera naturellement jamais adoptée[3]. Gamelin était d'ailleurs sans illusions.

---

3. Témoignant, dans le cadre du procès de Riom, le général Héring se plaindra de ce que le Secrétariat général du ministère de la Guerre se soit, en matière d'armement, « arrogé des pouvoirs de direction, d'abord administratifs et finalement de commandement »

Il dira à Bénazet

— C'est certainement ce qu'il faudrait faire, mais je doute que vous puissiez l'obtenir du président Daladier.

Bénazet, demandera alors à Gamelin d'offrir sa démission, ce qui aurait au moins le mérite d'alerter le pays sur le mauvais état de son armement. Mais, dans la paix, le général se montrera tel qu'il sera dans la guerre : hésitant et velléitaire.

Lettre infiniment plus terrible et plus angoissante, celle du général Vuillemin à Guy La Chambre, ministre de l'Air, le 15 janvier 1938.

Initialement, elle devait être adressée à Pierre Cot, mais la chute, puis le replâtrage du cabinet Chautemps ont fait modifier le nom du destinataire sans que rien soit changé au fond et à la forme.

Membre du Conseil supérieur de l'Air, commandant le premier corps aérien, héros de la guerre 14-18 où, à bord d'avions d'observation et de bombardement, il abattra dix appareils ennemis, que dit Vuillemin de cette aviation de bombardement dont il a la responsabilité et qui nous fera si cruellement défaut en mai et juin 40?

Qu'elle n'existe pas. Que, sous les mots et les chiffres, il n'y a pratiquement RIEN.

« Aucune expédition de jour, par beau temps, n'est possible sans risquer des pertes considérables.

« Les expéditions de nuit ne pourraient être effectuées que sur des objectifs facilement repérables, pas trop sérieusement défendus et seulement par une partie de notre aviation, le Bloch 210 étant absolument inapte, parce qu'il se voit la nuit aussi bien que le jour (pots d'échappement).

« Les expéditions par temps nuageux ne pourront guère se faire qu'en été, et encore, en prenant de grandes précautions, faute d'instruments et systèmes divers indispensables (dégivreurs, sondeurs acoustiques, etc. ».

Vuillemin poursuit en affirmant que les programmes de matériel ont été établis sans le consulter, que le seul plan d'équipement de l'armée de l'Air qui lui ait été communiqué, à la fin de 1936, ne lui donne pas satisfaction, que le découragement des cadres, mal payés, mal logés, peu considérés, n'ayant même pas la possibilité de voler[4], est intense.

Voici sa terrible conclusion : « La situation est extrêmement grave.

4. A l'époque où Vuillemin écrit sa lettre, les Bloch 210 sont interdits de vol depuis plus de quatre mois.

Nous ne savons pas ce que l'avenir nous réserve. Mais je suis bien convaincu que, si un conflit éclatait cette année, l'aviation française serait écrasée en quelques jours. »

Vingt-huit mois encore, vingt-huit mois seulement et le pronostic de Vuillemin se révélera exact et l'aviation française sera effectivement « écrasée en quelques jours ».

De son côté, André Maroselli, sénateur de la Haute-Saône, lieutenant-colonel de réserve de l'armée de l'Air, dresse, dès le mois d'avril 1939, à l'intention de Daladier, un véritable réquisitoire contre Guy La Chambre, que les critiques ont épargné cependant le plus souvent[5] et que ceux qui l'ont connu dépeignent comme un ministre actif, brouillon ou trop pressé sans doute, mais honnête, énergique, pénétré de l'ampleur de sa tâche.

Qu'écrit Maroselli au président du Conseil le 17 avril 1939 ?

En substance que tous les chiffres fournis par Guy La Chambre sont faux, qu'en février il n'est pas sorti de nos usines 200 avions comme

---

5. Voici, en date du 17 octobre 1940, au moment du procès de Riom, où Guy La Chambre se trouve parmi les accusés, le témoignage de l'inspecteur général Goux, directeur technique et industriel au secrétariat d'État à l'Aviation.

« Le soussigné a travaillé très étroitement et très continûment avec M. Guy La Chambre pendant près de quinze mois (juin 1938 à septembre 1939). Il n'a pas toujours goûté les méthodes de travail de ce ministre et, en particulier, il a pu regretter que, dans son impatience à voir arriver les résultats que réclamait la situation, M. Guy La Chambre ait trop souvent évoqué à son propre cabinet des problèmes techniques qu'il était impossible d'y résoudre ; que M. Guy La Chambre ait une tendance, d'ailleurs explicable, à faire trop facilement crédit à des promesses irréalisables ; qu'il ait enfin, par la multiplication de ses interventions directes ou indirectes, finalement abaissé l'autorité du directeur technique et industriel responsable devant celles de son propre cabinet technique et surtout devant celles du président des sociétés nationales.

« Ceci dit, le soussigné doit déclarer qu'il a toujours trouvé M. Guy La Chambre animé du seul souci, et continuellement animé de ce souci, d'accroître la puissance de l'armée de l'Air, et que toute son action a été guidée par la volonté constante d'y appliquer tous moyens dont il disposait malgré les difficultés de tous ordres, techniques, industrielles, financières, parlementaires, etc. auxquelles il se heurtait. »

Voici également le jugement de M. Caquot, directeur des constructions aériennes au ministère de l'Air : « Je tiens à redire en terminant que, si j'ai différé souvent d'opinions avec le ministre de l'Air, M. Guy La Chambre, je l'ai toujours vu travaillant avec une constance totale pour le bien du pays, avec beaucoup plus d'énergie que beaucoup d'hommes politiques, avec un désintéressement total. Il était le seul homme d'action au milieu de fonctionnaires » (10 octobre 1940).

le ministre l'avait indiqué, mais seulement 71 dont 44 avions de guerre utilisables ; en mars, 73, dont 35 utilisables puisque beaucoup d'appareils ne sont pas pourvus d'hélices, ce qui retarde leur envoi en escadrille [6]

Affirmant qu'un nombre « considérable d'appareils par suite de réparations, de carences diverses, serait incapable de prendre l'air dès l'ouverture d'un conflit », il propose au président du Conseil, s'il désire en être convaincu, de se rendre clandestinement sur un terrain d'où il donnerait l'ordre aux formations d'effectuer, dans l'heure, des simulacres d'opérations de guerre. A plusieurs reprises, il reviendra sur cette idée qui, jamais, ne sera retenue.

Il écrit que nous n'avons pas — et c'est tristement vrai — « une seule escadrille d'avions de bombardement modernes ».

Qu'en Allemagne, une usine, construite en huit mois, fabrique un avion par jour, c'est-à-dire presque autant que l'ensemble des usines françaises.

Il proteste violemment parce que la commission de l'Air du Sénat a, le 11 octobre 1939, voté une motion de félicitations au ministre alors qu'un blâme s'imposerait ainsi que des sanctions à l'égard de services responsables d'une situation, selon lui, « catastrophique ».

Il dit, il écrit, il répète [7] que tout va mal, que les états hebdomadaires de sorties d'avions sont truqués [8], que nos avions de bombardement Bloch 210 et 131 sont largement surclassés, que partout règne la gabegie, le mensonge et que la désorganisation est la règle.

De toutes les querelles nées de la guerre, la querelle sur le nombre des avions en présence au cours de la bataille de France sera l'une des

---

6. Daladier répondra le 20 avril que, si, pour les Potez 63, la production d'hélices à pas variable n'a pas suivi la production des cellules, le retard est en voie d'être rattrapé.

7. Lettres à Daladier en date du 24 avril 1939, du 9 janvier 1940, très longue lettre qui restera sans réponse, lettre à Bénazet, président de la commission de l'Air du Sénat le 12 octobre 1939, etc.

8. « On multiplie les statistiques, on compte les avions qui sortent de telle ou telle usine en oubliant que ces appareils ne sont pas encore équipés. On dresse des états hebdomadaires puis des états mensuels, ceux-ci n'étant jamais la somme de ceux-là. Tous ces jeux d'une arithmétique tendancieuse, aux fins inavouables, n'empêchent pas la réalité d'être ce qu'elle est : j'accorde aux statisticiens habiles qu'il est « sorti » autant d'avions qu'ils le prétendent ; mais je retiens quant à moi le nombre d'avions utilisables (et seulement ce nombre) que l'on peut à cette heure mettre en ligne, qui sont, à cette heure, à la disposition de nos pilotes. »

plus vives et des plus riches en rebondissements. Qu'il s'agisse des militaires et surtout des hommes politiques (Pierre Cot, Guy La Chambre, Daladier, Blum), tous vont s'employer à brouiller les pistes, confondre les chiffres, rendre les comparaisons difficiles sinon impossibles, étendant, sur une période où leur responsabilité est engagée, un voile si épais que, trente-six ans après la défaite, nul ne peut dire avec exactitude, même après avoir beaucoup lu, surtout après avoir beaucoup lu, combien nous avons opposé d'avions à l'aviation allemande triomphante.

Comment l'historien pourrait-il démêler d'ailleurs le vrai du faux, lorsque les mêmes hommes se contredisent et, à quelques années de distance, modifient, pour améliorer leur statue politique, le rapport des forces ?

Voici Pierre Cot, ministre de l'Air de juin 1936 à janvier 1938, responsable à ce titre, non certes de toutes nos carences comme voudra le faire croire une presse de droite acharnée à sa perte, mais de choix et de décisions qui pèseront lourd, en mai 1940, sur le cours de la bataille.

Que dit-il pour sa défense ?

Le 1er août 1947, devant la Commission d'Enquête parlementaire sur les événements survenus en France de 1933 à 1945, il s'explique très longuement, mais son témoignage peut aisément et loyalement se résumer.

En qualité, affirme-t-il, nous étions les égaux des Allemands. « Par contre, en quantité, nous étions [en juin 40] très inférieurs. Quelle était la mesure de notre infériorité ? En gros, cette mesure peut s'exprimer par le rapport de 1 à 3,5 ou peut-être 4, mais je crois que la vérité est plus proche de 1 à 3,5 que de 1 à 4[9]. »

9 Pierre Cot donne, dans la suite de son exposé, des chiffres basés sur l'examen de documents français, anglais et allemands, d'où il ressort que les forces en présence étaient les suivantes.

	France	*Allemagne*
Avions de première ligne	2200	8000
Total des avions « armés et équipés », c'est-à-dire avions en ligne et en réserve, mais utilisables pour des missions de guerre	3500	14000
Total des avions militaires, non compris les avions d'école	6000	17000

soit un rapport moyen de 1 à 3,6

On remarquera cependant que le rapport en ce qui concerne les « avions armés et équipés » (ceux qui comptent) est, lui, de 1 à 4

Retenons 1 à 3,5. Les années passent. En 1971, écrivant pour l'excellente revue *Icare* un texte apologétique, Pierre Cot indique immédiatement que le premier chapitre de son étude portera sur « la prétendue infériorité numérique et qualitative des avions dont l'Armée de l'Air disposait en mai-juin 1940 » et, au terme d'une réflexion de plusieurs pages, dont il va chercher les éléments chiffrés partout ailleurs que dans ses dossiers, il conclut *non plus à une infériorité mais à une légère supériorité de l'aviation franco-britannique le 10 mai 40 et* dans *les jours qui suivent,* puisqu'il écrit exactement ceci, qui paraîtra monstrueux à tous ceux qui ont vécu mai 1940 : « Si l'on considère le rapport des forces aériennes au cours de la campagne de France envisagée dans son ensemble, on s'aperçoit que la « légère supériorité numérique » n'était pas du côté des Allemands, mais du côté des Alliés. »

Le rapport de 1 français à 3,5 allemands cité en 1947, c'est-à-dire presque au sortir de la guerre, alors que sont proches encore les souvenirs, se transforme donc, vingt-quatre ans plus tard, en égalité de forces. Les anciens combattants de mai et juin 40 n'apprendront pas sans surprise qu'il y avait, dans le ciel, autant et même plus d'avions franco-anglais que d'allemands, les pilotes que leurs appareils étaient supérieurs aux appareils allemands et que, les hommes politiques ayant fait tout leur devoir, la responsabilité de la défaite reposait sur un haut commandement timoré et des exécutants mal employés.

Il est vrai que, lorsqu'il évoquait en 1947 le rapport de 1 à 3,5, Pierre Cot ne faisait allusion qu'aux seules forces aériennes françaises. L'appoint anglais a-t-il pu rétablir l'équilibre ?

On parle assez peu, en France, de l'aviation britannique alors que les pertes de la Royal Air Force en hommes (1 526 tués, blessés et disparus) et en avions (959) ont été légèrement supérieures aux nôtres, alors que, le 14 mai, l'aviation de bombardement britannique verra disparaître 56 % de ses effectifs engagés (35 avions sur 60) lors des bombardements effectués au-dessus des ponts de Sedan, pourcentage qui ne fut jamais dépassé de toute la guerre [10], que la chasse anglaise revendique 940 victoires, les bombardiers 3 968 tonnes de bombes lancées sur les objectifs ennemis, soit plus du double du tonnage largué, dans le même temps, par les Français.

---

10 Pour l'aviation de bombardement britannique.

Il est exact que les Anglais nous ont considérablement aidés, mais ils n'ont nullement rétabli l'équilibre.

Icare, dans l'un de ces numéros consacrés à la guerre 1939-1945, qui font autorité, écrit que la Luftwaffe a engagé le 10 mai, contre nos troupes, les Luftflotten 2 et 3 comprenant 1120 bombardiers, 384 bombardiers en piqué, 1264 chasseurs, 591 avions de renseignement et 600 appareils à usage divers.

Sur ces 3959 avions, 3500 ont participé effectivement à la bataille.

Du côté français, 637 chasseurs, 260 bombardiers dont 121 modernes, 489 appareils de renseignement dont 281 modernes.

Les Anglais ont, le 10 mai, sur le sol français, 416 appareils dont 92 chasseurs et 192 bombardiers.

Comme l'on ne peut valablement retenir l'aide apportée par les aviations belge (78 chasseurs, 40 bombardiers) et hollandaise (63 chasseurs, 8 bombardiers) qui auront pratiquement disparu après vingt-quatre heures de bataille, 729 chasseurs français et anglais devront faire face à 1264 chasseurs allemands, 452 bombardiers, en comptant, chez nous, les poussifs, les traînards, les sacrifiés, à 1504 bombardiers allemands.

Donc, nous nous trouvons, le 10 mai, à 1 contre 1,7 pour la chasse, à 1 contre 3,3 pour le bombardement.

Statistiques naturellement de jour en jour mouvantes, fluctuant avec les péripéties du combat, principalement du fait des Anglais qui, lors de la bataille de Dunkerque, feront un important effort, leur aviation de chasse, basée en Angleterre, effectuant par exemple, plus de 220 sorties, le 26 mai, au-dessus de la ville attaquée [11].

Mais, le 5 juin, il n'y aura plus, malgré les incessants appels à l'aide de Reynaud et de Weygand, qui supplient les Anglais de jeter toutes leurs forces aériennes dans la bataille, que 28 chasseurs et 70 bombardiers britanniques sur le sol français.

Ce jour-là, il n'existe plus que 532 chasseurs franco-britanniques dont 410 disponibles, 410 bombardiers alliés dont 238 seulement dis-

---

11. Précarité des statistiques alliées. Le 30 mai, il y a, en France, 35 avions de chasse (sur 650 possédés par l'Angleterre) et 40 avions de bombardement (sur 286). Dans les jours qui suivent, ces chiffres augmenteront à la suite des protestations de Reynaud et de Weygand. Au 12 juin, il reste en France 5 escadrilles de chasse anglaises et 6 de bombardement. L'effectif *théorique* de chaque escadrille est de 16 appareils

ponibles. En admettant que les Allemands n'aient pas recomplété totalement leurs formations, qu'ils n'aient plus, sur leurs aérodromes, que 1 300 bombardiers, y compris les appareils de bombardement en piqué, et 1 100 chasseurs [12], les chiffres sont toujours contre nous. 1 chasseur allié pour 2 allemands. 1 bombardier pour 3 [13].

Et puis finissons-en avec les statistiques. Indispensables. Encombrantes.

Il est très vrai qu'à partir de janvier 1940, où nous « sortons » 313 avions contre 35 un an plus tôt, un effort intense de production doit être porté au crédit de nos usines. Il est très vrai que les achats en Amérique, effectués non sans retards, on le verra, à la suite de la mauvaise volonté de patrons français, commençaient à porter fruits puisque, sur les 4 350 avions modernes, pris en compte de mars 1938 à juin 1940, 542, soit 12,5 %, étaient américains. Il est très vrai qu'au moment de l'armistice nous avions une flotte aérienne égale à celle du 10 mai 1940.

Mais les statistiques ne disent jamais qu'une part de la vérité. Elles ne sont qu'encre sur papier. Les chiffres qui paraissent remarquables, et d'excellent augure, perdent de leur valeur dans la vérité de la bataille lorsque la France entière est balayée par le vent du désordre et de la peur. Alors, on construit bien des avions, mais ils ne sont pas acheminés en direction du front. Les pilotes doivent remonter toujours sur les mêmes machines épuisées. Ils guettent en vain leurs remplaçants, ceux qui leur permettraient de souffler un peu. Avec leurs mécaniciens, ils doivent, sous la pression adverse, se déplacer, presque de jour en jour, sur des terrains mal équipés, mal défendus et parfois même manquant d'essence — comme à Avallon —, ce qui permet aux équipages de se reposer enfin.

Que disent les pilotes, c'est-à-dire les utilisateurs, plus qualifiés pour

---

12. Ce sont, à peu de chose près, les chiffres du 25 juin 1940.

13. D'un côté comme de l'autre, je ne décompte pas les avions momentanément indisponibles faute d'en connaître le nombre exact dans le camp allemand. Il est vraisemblable que la proportion des appareils indisponibles était moins grande dans le camp allemand. Par ailleurs, il ne faut pas oublier que de nombreux bombardiers français étaient absolument inutilisables, car d'un modèle trop ancien

parler que les hommes qui, depuis leurs bureaux, alignent des statistiques satisfaisantes ?

Que le Messerschmitt 109 et 110 a, en vitesse horizontale, une supériorité de 100 kilomètres-heure sur le Morane 406.

Que le Messerschmitt est armé de deux mitrailleuses synchronisées et de deux canons d'aile, alimentés à raison de mille cartouches par mitrailleuse, de cent obus par canon, alors que les mitrailleuses du Morane ne disposent que de 300 cartouches, son canon que de 60 obus.

Déficiences qui permettront, le 23 mai, au commandant Arnoux de répliquer au ministre de l'Air Laurent Eynac[14], qui vient de lui demander ce qu'il pense des avions français :

— Nos avions ?... Ils font de nous d'excellents pigeons, monsieur le ministre.

Arnoux, l'un des plus prestigieux pilotes français, chasseur de 1916, titulaire de nombreux records, ayant toujours refusé des tâches administratives, pour vivre et se battre en escadrille, sera descendu, le 6 juin, près d'Angivillers.

Excellent pigeon...

Le maire du village qui recueillit le corps affreusement mutilé, réussit à obtenir que le menuisier, pressé de fuir, comme des millions d'autres Français, différât son départ pour assembler, pendant la nuit, un cercueil en chêne.

Les pilotes disent aussi qu'il n'est pas rare de voir 9 Curtiss engagés contre 60 bombardiers et 80 ou 90 chasseurs allemands.

Qu'il est exact qu'en mai et juin les usines ont beaucoup travaillé mais que l'intégration d'avions modernes, en plein combat, a posé des problèmes considérables, que certains pilotes devaient livrer combat *dès* leur premier vol sur Dewoitine 520, avion de grande qualité mais n'ayant pas terminé ses maladies de jeunesse.

Qu'enfin un avion « sorti » sur le papier n'est pas pour autant un avion prêt au combat. Lorsque, au mois de juin 1940, le sous-lieutenant Henri Dietrich va chercher un appareil à Cazaux, il en découvre effectivement un nombre imposant et on lui dit avec « une indifférence amusée » :

— Choisissez... Si vous en trouvez un qui vous plaise et qui soit en état, prenez-le.

---

14. Laurent Eynac a succédé à Guy La Chambre le 21 mars 1940.

Après inspection, Henri Dietrich découvrira que les mitrailleuses sont toutes dépourvues de percuteurs et que les radios ne sont pas en état de marche.

En vérité, le débat est avant tout politique.

Le 1er août 1947, devant la Commission parlementaire d'enquête, M. Pierre Cot déclare : « J'ai rendu hommage, il y a quelques instants, à la valeur du personnel combattant. Je n'étendrai certainement pas cet hommage au commandement, du moins à tout le commandement.

« D'après les comptes rendus officiels, pendant les mois de mai et de juin 1940, les pertes de l'aviation française ont été les suivantes. Pour le matériel, 757 avions, dont 306 seulement perdus en combat, 229 détruits par l'ennemi sur nos terrains et 222 détruits par accidents. Pour le personnel, 117 tués, dont 59 officiers ; 180 blessés, dont 79 officiers ; 371 disparus dont 149 officiers. Si vous comparez ces chiffres à ceux des avions et des combattants de l'Armée de l'Air, et notamment à ceux des officiers (active et réserve) de l'Armée de l'Air, vous éprouverez un sentiment pénible. Pourquoi n'avoir pas utilisé davantage nos forces aériennes ? Est-ce parce que les hommes ne voulaient plus se battre ? Vous savez bien que non ; leur courage était à la hauteur des circonstances. Mais la valeur du haut commandement français ne l'était pas. »

Texte important dans la mesure où il laisse entendre que les pertes des officiers français ont été moindres que celles des sous-officiers, où il met en cause la responsabilité du haut commandement de l'aviation et où, pour sa démonstration, l'ancien ministre de l'Air commet une confusion difficilement admissible.

M. Pierre Cot cite, en effet, des chiffres de morts, de blessés et d'avions perdus comme s'il s'agissait du *total* des pertes de toute l'aviation française, alors qu'il s'agit des pertes de la chasse seule. A ceux qui l'entendent le 1er août 1947, comme à ceux qui le liront plus tard, il laisse croire que 668 aviateurs « seulement » ont été tués, blessés ou ont été portés disparus, que nous n'avons perdu « que » 757 appareils alors que, de septembre 1939 jusqu'à l'armistice, le total des pertes en hommes est de 1 493, soit 30 % des effectifs engagés, le total des pertes en avions de 1 200 à 1 300[15].

15. Pertes en hommes : tués, 776 ; blessés, 537 ; disparus, 180. Entre le 1er septembre 1939 et le 10 mai 1940, les pertes ont été très faibles.

Du 1er septembre 1939 au 10 juin 1940, les pertes en matériel ont été les

Que veut-il prouver ? Que les avions ont été mal et insuffisamment employés ? Sans doute et, sur ce point, il a en partie raison, bien qu'il soit démagogique de laisser croire qu'un bombardier, un avion de chasse de 1940 puissent, en temps de guerre, être confiés à n'importe quel pilote, de laisser ignorer que le matériel moderne, pour servir et être utilisé, a besoin d'un important environnement humain.

Mais surtout que le Front populaire, rendu responsable par Vichy, et non seulement par Vichy, de la funeste impréparation française n'est nullement coupable.

Il le dit d'ailleurs le 1er août 1947. « L'armée de l'Air et l'aviation française [n'ont] donc pas été, comme certains l'ont prétendu, minées et démoralisées depuis le Front populaire et par le Front populaire. »

Voilà le problème posé. Et non seulement pour l'aviation.

Combien de mois de retard les grèves, les occupations d'usines de 1936 ont-elles provoqué dans nos fabrications d'armement ? Les estimations varient avec les interlocuteurs.

Entre deux et six mois, écrit Daladier, ministre de la Guerre, le 11 juillet 1936, à Blum, président du Conseil, en précisant également que les travaux de fortification « sont complètement arrêtés dans les secteurs fortifiés de Maubeuge et de Rohrbach ». Huit mois pour les chars lourds, sept pour les chars légers, deux à six mois pour les munitions et les matériels d'artillerie, précise Gamelin le 9 janvier 1937[16]. Non, réplique Léon Blum, qui défend son œuvre dans le cadre du procès de Riom, le « manque à produire » de la révolution politique et sociale de 1936 ne se monte qu'à « deux ou trois douzaines » d'avions démodés et quelques chars.

A l'intention de la même Cour de Riom, le général Georges, qui a commandé en chef nos armées du Nord-Est, a rédigé un rapport de

suivantes : 413 appareils détruits en combat, 234 par bombardements, 245 par accidents, certains de ces accidents étant naturellement imputables à des actes de guerre, soit un total de 892. Après le 10 juin, la plupart des archives font défaut, mais l'on estime que 300 à 400 avions supplémentaires ont été détruits dans les quinze derniers jours de la campagne.

Tous ces chiffres étaient connus en 1941, M. Cot parle en 1947 et il fait nettement allusion aux « comptes rendus officiels ».

16. Dans un cas très précis, celui des établissements Sautter-Harle, les grèves de juin, juillet, septembre et octobre 1936 entraînèrent, d'après les dirigeants, un retard de six mois dans la construction des appareils destinés aux cuirassés *Dunkerque* et *Strasbourg*.

trente-deux pages[17] consacré aux causes de notre défaite. Dans le chapitre III, « Observations sur les fabrications de guerre », après avoir évoqué les lenteurs et erreurs administratives, causes de perturbations et de ralentissement dans la production, il ajoute :

« Enfin et surtout, désordres apportés dans notre industrie de guerre par les événements politiques de 1936-1938 ; nationalisations imprudentes de certaines usines, réduction de la durée du travail, loisirs, luttes violentes entre syndicats patronaux et ouvriers, grèves, travail larvé, etc., désordres se traduisant par une baisse effroyable du rendement, alors qu'au cours de la même période les usines allemandes travaillaient à trois équipes de huit heures par jour ! »

Qu'en est-il exactement ?

Les nationalisations semblent souvent avoir été mal faites.

Il est arrivé ainsi, à plusieurs reprises, qu'*un* seul atelier soit nationalisé à l'intérieur de toute une entreprise. On verra, au cœur des usines Schneider du Creusot, l'atelier de montage des chars nationalisé isolément, ce qui fera subir à la production d'importants retards car, du jour au lendemain, cet atelier se trouvera privé de tout l'outillage dont il bénéficiait lorsqu'il faisait partie d'un ensemble industriel cohérent ainsi que du personnel ouvrier et administratif compétent qui, bien souvent, quittera l'usine nationalisée pour aller s'embaucher chez l'ancien patron.

Cet exemple, même multiplié par cent, ce qui n'est pas le cas, ne suffirait pas à tout expliquer.

Conçues, philosophiquement, pour supprimer des bénéfices de guerre parfois énormes ; industriellement, pour permettre une concentration et une rationalisation des fabrications, les nationalisations vont être freinées par le patronat qui dénonce les spoliations et multiplie les entraves, « utilisées » par les ouvriers qui se sentent désormais mieux protégés contre la perte d'emploi puisque leur renvoi ne peut intervenir, après de longues et complexes formalités, qu'avec l'autorisation du secrétariat général du ministère de la Défense nationale. Elles mettront donc longtemps à produire les bénéfices escomptés dans l'enthousiasme de 1936. D'autant plus longtemps que les entreprises nationalisées ont été remises entre les mains d'ingénieurs militaires, souvent compétents, mais peu au courant des réalités industrielles,

17. En date du 25 septembre 1940.

n'ayant ni la possibilité ni l'envie de perdre leurs habitudes de fonctionnaires paperassiers, obligés d'ailleurs d'en référer avant toute décision — et la plus infime — à leurs supérieurs parisiens.

C'est Courteline. Ou Ubu.

Le directeur de l'usine de masques à gaz de Saint-Priest s'est adressé, comme la loi lui en fait désormais obligation, à la Direction des Forges pour lui demander de passer commande de la toile huilée indispensable à la fabrication des masques. Trois mois plus tard, il recevra une réponse... Elle est négative. Ces messieurs de Paris jugent la commande de trop faible importance pour mériter leurs soins. Que Saint-Priest se débrouille... Trois mois de retard !

L'atelier de fabrication de cartouches de Caen est pratiquement arrêté en septembre 1938, faute de matières premières. Là encore, la direction ne peut agir seule, qu'il s'agisse de l'embauche d'UN manœuvre, de l'établissement du prix de revient des cartouches, de la commande de caisses pour l'emballage des cartouches, caisses qui n'arriveront que six mois après la commande de Paris.

La pyrotechnie de Cormeilles, qui fabrique des bombes incendiaires pour avions, n'a pas pu sortir, à la date du 1er septembre 1938, *une seule* collection complète de ces bombes, composées de six éléments principaux, un des éléments faisant toujours défaut. Et ce n'est pas toujours le même...

Enfin, le 30 octobre 1936, l'industriel Edgar Brandt, qui compte parmi les plus importants fournisseurs de l'armée française, rend visite, deux jours après la décision de nationalisation de son usine, à M. Jacomet, secrétaire général du ministère de la Guerre, pour se mettre à sa disposition. Il ne recevra une demande de *projet* de contrat que le... 27 avril 1937, six mois après l'entretien [18].

Si ceux qui sont dépossédés multiplient les obstacles à la dépossession, de leur côté, les fonctionnaires et hommes politiques agissent avec désinvolture, ignorance, lenteur, mauvaise volonté.

C'est ainsi que le même Brandt adressera à Daladier les 11 et 29 décembre 1936, les 1er, 8, 20, 21 janvier et 9 et 17 février 1937, des lettres qui resteront sans réponse, alors que le chef d'entreprise se trouve en conflit violent avec Jacomet, conflit portant notamment sur le sort de tous les documents des bureaux d'études et d'inventions dont

18 On peut ajouter que son projet de contrat restera sans suite

les nouveaux « propriétaires » usent à leur guise, le plus illégalement, mais non le plus efficacement du monde.

En novembre 1938, Fernand Laurent, cherchant à établir devant la commission de l'Armée les responsabilités de notre impréparation, mettra en accusation les services et leurs méthodes.

« Qu'ont-ils fait [les services du ministère de la Guerre] de ces établissements, après nationalisation ? Ils ont pris, chez Renault, un atelier qui produisait sur la base de plus de 1 000 chars par an ; ils en ont fait tomber la production de près des trois quarts. Ils ont pris, chez Schneider, une usine qui construisait, en 1936, pour la Marine des canons de D.C.A. de 90 ; ils ne peuvent même plus nous promettre pour 1940, les premiers canons du même type qui seront entièrement sortis de leurs mains. »

Voulant tout diriger, tout contrôler, n'ayant ni l'autorité, ni la compétence de ceux qu'ils remplacent brutalement, prenant trop de temps pour s'installer, analyser, puis réglementer alors qu'il leur faudrait d'abord produire et encore produire, les hommes des ministères seront au nombre des grands responsables de la défaite de la France.

On pouvait cependant espérer que les nationalisations, après une longue et délicate période de rodage, aboutiraient à des résultats heureux.

Mais il faudra, à partir du 10 septembre 1938, renoncer à la loi de quarante heures, votée dans l'euphorie de 1936, par des parlementaires qui ne s'étaient apparemment pas inquiétés du rythme de travail de nos concurrents et qui, absolument ignorants de la réalité économique française, croyaient, comme Blum et ses collaborateurs, que la loi aurait peu d'influence sur la production[19].

Or, pendant qu'en juin 1937 le ministre du Travail français annonce avec satisfaction que 90 % des ouvriers bénéficient des quarante heures sans réduction de salaires, les ouvriers allemands, *qui sont deux fois plus nombreux*, travaillent soixante ou soixante-cinq heures.

---

19. Ils croyaient, en effet, que dans les usines françaises, la semaine de travail n'atteignait pas quarante heures ; dans leur esprit il ne s'agissait donc que d'une harmonisation sans importance économique. Or, la semaine de travail était de quarante-quatre à quarante-cinq heures

Peut-être pourrions-nous rattraper notre retard à l'aide des heures supplémentaires ? Elles sont interdites et les syndicats veillent à ce que l'interdiction demeure totale, si bien que Paul Reynaud écrira sans être démenti qu'avant les décrets-lois de novembre 1938, seuls, 3 % des ouvriers « parvenaient à faire des heures supplémentaires ».

La loi sur les quarante heures a-t-elle eu du moins le mérite, puisque c'était l'un de ses buts, de diminuer le chômage ? A peine. On dénombre 426072 chômeurs secourus au 1er janvier 1937, 412386 un an plus tard.

C'est que le chômage, on l'ignorait ou feignait de l'ignorer, ne frapppe pas les spécialistes mais les manœuvres et les ouvriers sans qualification. Réduire le temps de travail en imaginant que les patrons, victimes d'un mauvais climat social et de menaces traumatisantes, multiplieraient les équipes pour multiplier l'embauche était une vue de l'esprit.

En alignant strictement toutes les entreprises sur les médiocres, en pénalisant, comme on le fait si souvent en France, les forts, les entreprenants, les audacieux, on ne pouvait que faire chuter brutalement la production. La France découvre joyeusement la semaine « des deux dimanches », mais, dans les usines qui n'ouvrent plus que cinq jours sur sept, les machines ne tournent plus que huit heures par jour et l'indice de la production tombe de 93,6 en mars 1937 à 88,7 en juin.

Chaque jour qui passe voit ainsi augmenter notre retard par rapport à l'Allemagne nazie.

Sur la table de Daladier, les notes s'accumulent. Les ouvriers des chantiers de Saint-Nazaire ont détourné ceux de Saint-Chamond de faire des heures supplémentaires pour l'achèvement des tourelles du *Strasbourg*[20].

La S.A.G.E.M., qui exécute les matériels légers de 25 antichars, reçoit l'ordre de porter les cadences de 50 à 100 pièces par mois. Après avoir acheté du matériel supplémentaire, elle doit, devant l'obstruction syndicale, renoncer à toute augmentation des cadences de sortie.

Aux établissements Marrel, où l'on traite les blindages de chars d'assaut, chez Jalet à Nantes, chez Outreau, dans cent usines encore, la situation est identique, et les mots pour le dire se ressemblent.

Lettre à Daladier : « En ce qui concerne les travaux de la Défense nationale, nous vous informons que nous sommes dans l'obligation de

20. Janvier 1938.

décliner de nombreuses commandes en raison de l'impossibilité d'exécuter les travaux dans les délais prévus sans heures supplémentaires. Or, le personnel refuse de les faire[21]. »

Rapport à Daladier : « Les retards des principaux navires en chantier sont aujourd'hui de l'ordre d'une année. La durée de construction de l'un de nos torpilleurs est voisine du double de la durée correspondante en Allemagne et en Italie.

« Avec ses moyens normaux, l'industrie nationale est incapable de satisfaire aux besoins de la Défense nationale[22]. »

Tant de retards accumulés, alors que l'Allemagne ne cache plus son jeu et que le triomphe de Munich, loin de les apaiser, a augmenté ses ambitions, conduiront Daladier, président du Conseil, et Paul Reynaud, devenu ministre des Finances le 2 novembre 1938, à répudier, sur presque tous les points, la politique suivie par le Front populaire et notamment dans le domaine des horaires de travail.

Décisions qui n'iront pas sans protestations socialistes contre le plan Daladier-Reynaud, sans manifestations communistes contre les décrets-lois scélérats — mais la grève du 30 novembre sera un échec —, décisions inévitables pour une nation qui ne pouvait plus se mettre aussi stupidement en contradiction avec elle-même, en se déclarant anti-hitlérienne, en acceptant le risque de guerre non seulement contre l'Allemagne, mais également contre l'Italie et l'Espagne fasciste, tout en se privant, avec un entêtement sectaire, des moyens de mener victorieusement le combat.

Mauvaise humeur et parfois mauvaise volonté ouvrière se traduisant par un subtil freinage des cadences ainsi que par le boycott des travailleurs qui font du zèle. Mauvaise humeur et parfois mauvaise volonté patronale.

Nombre de patrons n'aidant que médiocrement à la mobilisation industrielle, attendant tout de l'administration, faisant passer leur

21. Lettre des établissements Jalet, de Nantes.

22. Rapport du 19 juillet 1938 émanant du comité de production L'erreur, non de la loi sur les 40 heures, mais de l'interdiction de tout dépassement horaire semble admise aujourd'hui par de nombreux hommes de gauche On peut se reporter à ce sujet au livre de Colette AUDRY, *Léon Blum ou la politique du juste* p. 143. Alfred Sauvy a fait beaucoup pour l'intelligence de cette grave faute politique, économique et militaire

intérêt de classe — et leur intérêt personnel — avant celui de la nation, mériteront ces mots de « libéraux renégats » que je trouve sous la plume d'un contrôleur général de l'armée.

La mauvaise volonté patronale revêtira, en certaines circonstances, des formes haïssables.

Le plan V, élaboré en 1938, prévoyant la fabrication de 4793 avions[23], que notre industrie se trouvait dans l'incapacité de fournir assez vite pour que le retard avec l'Allemagne fût au moins partiellement comblé, Daladier et Guy La Chambre décidèrent de faire appel à l'industrie américaine. On découvrit alors qu'elle ne se trouvait pas en meilleur état que la nôtre. Mais ses réactions étaient plus rapides, ses possibilités infiniment plus vastes. Avec l'accord du président Roosevelt, qui, la guerre déclarée, devait assouplir à notre profit la législation américaine, la France investit aux États-Unis des sommes importantes dans la construction d'une chaîne de montage de chasseurs Curtiss.

La décision gouvernementale française se heurtera non seulement à une violente et stupide réaction de la commission de l'Aéronautique de la Chambre des Députés, mais également à celle d'hommes comme Paul-Louis Weiler, directeur des usines Gnome et Rhône, qui fera rechercher dans les journaux américains, afin de les distribuer à la presse française, tous les comptes rendus d'accidents arrivés à des Curtiss.

Ces mêmes Curtiss qui, pendant la guerre, équiperont quatre groupes de chasse français, au nombre des victoires obtenues, classés premier, troisième, quatrième et huitième, ayant abattu 216 des 675 appareils revendiqués comme certains par notre chasse, ce qui prouve, à égalité de talent et de courage des pilotes, la qualité des appareils dont quelques Français avaient retardé et compliqué l'acquisition[24].

---

23. En réalité, 1081 avions de chasse, 876 de bombardement, 636 de renseignement et 24 avions pour l'infanterie de l'air, soit 2617 appareils, chiffre porté à 4793 puisque chaque avion en ligne devait pratiquement être doublé par un avion à l'arrière dit « en volant d'unité ».

24. Les groupes en cause sont les G.C. 1/4, 1/5, II/4, II/5, soit 97 appareils sur un total de 393 chasseurs disponibles le 10 mai. Les victoires sont comptabilisées depuis le début du conflit. Sur 153 pilotes de chasse tués après le 10 mai, les quatre groupes équipés de Curtiss en perdirent 24. Rappelons qu'il existait 24 groupes de chasse à deux escadrilles chacun.

A ces accusations d'égoïsme de classe, les patrons répondront en mettant en avant la limitation à 4% des bénéfices pour les industries travaillant pour la défense nationale, tandis que les pertes, affirment certains, « peuvent atteindre 100 % », la cherté du crédit intérieur, la lenteur des règlements, la complexité de la fiscalité, le fait que les commandes de matériel sont passées à des prix très bas, généralement alignés sur ceux que pratiquent des industriels spécialisés, alors que le nombre des fournisseurs de la Défense nationale bondit de 6000 en 1936 à plus de 11000 en 1939.

Les traite-t-on de « profiteurs de guerre », ils citent l'exemple de Clerget, fabricant d'un moteur remarquable, qui, après 1918, ruiné par les lois successives sur les bénéfices de guerre, dut vendre non seulement toutes ses usines mais encore ses bien personnels et, après s'être embauché chez l'un de ses anciens concurrents, se retrouva devoir encore cinq millions à l'État, somme dont il fut exonéré par décision spéciale d'un ministre moins insensible que les autres aux malheurs de la vertu.

Cas unique? Je ne sais. Mais cas assez rare pour être très souvent cité en exemple par des industriels qui ne finiront pas sur la paille! Lors du procès de Riom, quelques hauts fonctionnaires, interrogés dans le cadre de l'instruction, auront le courage de ne pas accabler uniquement les ouvriers suspectés de communisme ou de paresse, mais de mettre également en cause les méthodes patronales.

L'ingénieur en chef hors classe de l'aéronautique Paul Boutiron dira ainsi, au commissaire Raymond Chessel, qui l'interroge le 8 novembre 1940 :

— Qu'importait le coût des fabrications? Nulle concurrence à craindre. L'État était le seul client et le seul bailleur de fonds, mais d'une inépuisable complaisance.

« Quand les crédits étaient épuisés, un avenant au marché relevait dans la mesure nécessaire le prix des avions, moteurs ou matériels commandés. Ce relèvement était même souvent opéré avant le moindre commencement d'exécution.

« C'est ainsi par exemple que le 12 septembre 1939, une lettre de commande, adressée à Monsieur Marcel Bloch, directeur général de la S.N.C.A.S.O., lui commandait 665 avions de bombardement à un prix unitaire de 1450000 francs ; sur son insistance, une lettre rectificative du 31 octobre 1939 en relevait le prix à 1900000 tout en augmentant leur nombre, porté de 665 à 820. Des rectificatifs ultérieurs portaient ces mêmes prix à 2275000 francs, puis à 2465000.

« Dans le même ordre d'idées, le prix d'une commande d'équipements Olaer fut, en moins de 15 jours, et sous la seule pression du fournisseur et de ses appuis, majorée de 50 %. »

La valse des prix est d'autant plus aisée qu'ayant la charge de livrer un matériel entièrement terminé, mais dont la fabrication réclame le travail de nombreux sous-traitants, les responsables de certaines sociétés nationales n'hésitent pas à inciter ces sous-traitants à majorer fortement leurs tarifs. Boutiron cite le cas de jeux d'ailerons pour avions dont, sur les conseils du maître d'œuvre, le fabricant demandait au ministère de l'Air 25000 francs par unité alors que le prix véritable n'aurait jamais dû dépasser 6000 francs.

Conclusion amère de Paul Boutiron, au terme d'une déposition qui ne pouvait que signaler quelques mauvais exemples : « On a l'impression de se trouver en présence d'un monde de profiteurs pour lesquels la guerre « fraîche et joyeuse » a constitué une occasion prématurément terminée de faire fortune. »

A côté du Front populaire, rendu globalement responsable de l'impréparation matérielle et morale de la nation, plusieurs hommes, dans l'exaspération née de la défaite, seront accusés par la presse, les tribunaux ou l'opinion et Daladier, Reynaud, Gamelin seront les plus souvent dénoncés, car ce sont eux qui assument, en 1938, 1939, 1940, les reponsabilités majeures.

Incontestablement patriote — de Monzie note qu'il ne peut dire « notre patrie » sans tremblement de voix —, incontestablement honnête, de vie modeste, débonnaire et soupçonneux, ne faisant pas confiance à son entourage, se chargeant de trop de tâches, Édouard Daladier a la violence soudaine des faibles. Ce provincial, fils d'un boulanger de Carpentras, ce qui constitue comme un brevet de républicanisme, cet agrégé d'histoire, cet ancien fantassin de 14-18, qui commence la guerre comme sergent au 2e régiment de marche du 1er étranger et la termine lieutenant au 83e régiment d'infanterie, mènera toujours une politique prudente et terne, commandée d'ailleurs par la composition de ses ministères, reflets de majorités qui ne toléraient aucune audace.

Ayant déclaré la guerre, il la fera assez mal pour mériter qu'on dise de lui qu'il est tout le contraire de Clemenceau et que son slogan favori doit être « je ne fais pas la guerre ». Qu'attend-il ? Comment espère-t-il conclure victorieusement le conflit ? Nul ne le sait. Et lui-même...

Alfred Sauvy raconte l'avoir entendu déclarer, en comité interministériel, qu'il ne fallait plus employer un seul dollar de nos réserves à des fins non militaires, que les dollars et l'or devaient être entièrement consacrés à l'achat d'avions aux États-Unis, grâce auxquels il espérait pouvoir écraser « la Ruhr sous un déluge de feu qui amènerait l'Allemagne à capituler ». C'est sans doute à la même époque qu'il fit savoir aux Américains qu'il était prêt... à vendre Versailles pour acquérir des avions dont il fixait alors le nombre à 10 000. Chimères... l'Amérique, elle-même, n'ayant pas réussi à freiner par les bombardements les plus monstrueux la production militaire allemande.

Daladier ne se haussera vraiment au-desssus de lui-même qu'au moment du procès de Riom lorsque, d'accusé, il deviendra accusateur, retrouvant, pour démontrer en phrases sèches, à des généraux timides, qu'ils connaissent mal leur métier, un ton d'examinateur mécontent. Le ton qui devait être le sien lorsque, au lycée de Nîmes, l'inspecteur général Gallouedec le notait ainsi : « Il fait preuve d'une autorité impérieuse, qui pourrait n'être pas sans danger, car il faut suivre M. Daladier, partager sa manière de voir, qu'il présente parfois sur une sorte de ton combatif défiant la contradiction... »

M. DALADIER. — Le général Mittelhauser pourrait-il nous dire à combien se monte, d'après la loi des cadres, le nombre des officiers d'active ?

LE GÉNÉRAL. — Si ma mémoire est exacte, à 29 600.

M. DALADIER. — Votre mémoire est exacte. 29 600, c'est bien le chiffre. Ce n'est qu'en 34 qu'on l'avait abaissé à 28 500. Et quel était le chiffre des officiers au printemps 1939 ?

LE GÉNÉRAL. — J'avoue que je ne peux le dire exactement.

M. DALADIER. — 31 500 et, en septembre 39, 37 000... Le général peut-il nous dire combien nous avions de chars en juin 1936 ?

LE GÉNÉRAL. — Je ne me souviens pas.

M. DALADIER. — Ils étaient pourtant faciles à compter ! Nous en avions 34 ! Et, en 39, combien en avions-nous ?

LE GÉNÉRAL. — 3 500.

M. DALADIER. — Pas tout à fait. Ce chiffre n'a été vrai qu'en mai 1940.

Au mieux de sa forme intellectuelle, servi par une excellente mémoire et par une connaissance des dossiers supérieure à celle de ses interlocuteurs, Daladier, après avoir défini le rôle du ministre de la Guerre, qui n'est pas de choisir la doctrine et les prototypes des armes mais d'obtenir les crédits réclamés par l'armée et de veiller à la fabrication des armements, s'efforcera de prouver que tout allait pour le mieux dans le domaine qu'il contrôlait.

On s'engagera ainsi dans d'épuisantes batailles de chiffres sur les chenillettes d'infanterie, les antichars, les mortiers, les fusils, les chars, Daladier affirmant, en conclusion de débats où il aura souvent l'avantage, grâce à sa virtuosité de parlementaire aguerri, qu'en « septembre 1939, sauf quelques exceptions, l'armée française était dotée du matériel moderne qui était prévu par ce qu'on appelle le plan E 1 de mobilisation ».

De même, il affirmera qu'il avait été, depuis 1933, partisan des divisions blindées, il exhibera un ordre de novembre 1936 portant création « d'une division à base de chars » et, rejetant sur le maréchal Pétain, désigné comme le chef des conformistes, la responsabilité de notre paralysie stratégique, se dégagera aisément des fautes dont on a voulu le charger.

Ainsi, lorsqu'ils ne se déroulent pas dans un étouffant climat policier, lorsque les prisonniers ne se font pas les complices des procureurs, les procès politiques tournent-ils souvent à la confusion des accusateurs et à la fausse gloire des accusés.

Au moment de Riom, il est de bonne guerre, pour tous ceux qui s'indignent d'un procès fait en présence de l'occupant, d'acquitter les accusés de toutes les fautes, même de celles qui, indiscutablement, étaient les leurs. Il en ira ainsi pour Daladier.

On ne peut cependant oublier qu'il est resté, de 1925 à mai 1940, trop longtemps ministre de la Guerre (74 mois) pour ne pas avoir une responsabilité majeure dans la mauvaise organisation et l'impréparation de l'armée, qu'en août 1939, président du Conseil, il décida le conflit contre Hitler alors que sa connaissance des dossiers aurait dû l'inciter à davantage de prudence sur le plan militaire, à davantage d'exigences vis-à-vis de nos alliés anglais qui nous pousseront à la guerre sans mettre à notre disposition les moyens de livrer la bataille terrestre et aérienne.

Tout au long de la drôle de guerre enfin, il donnera l'impression de flotter au fil d'événements qu'il se trouvera incapable de maîtriser faute de puissance, de volonté et d'imagination.

L'imagination ne fait pas défaut à Paul Reynaud.

Ni l'intelligence. Ni cette indépendance qui le place toujours en marge de la majorité comme de l'opposition. Il a vu juste souvent avant les autres et il en conçoit un orgueil légitime mais irritant. Trop fier, en effet, d'avoir eu raison pour ne pas le proclamer hautement, l'écrire avec une propension à l'autosatisfaction qui l'incite à améliorer dans chaque déclaration, chaque livre, la statue qu'il entend laisser à l'Histoire et dont il se veut le seul sculpteur et l'unique artisan.

Agressif, têtu, solitaire, n'hésitant nullement à se dresser contre la démagogie en un temps où la démagogie triomphe, il est, contre la droite et la gauche, partisan de la dévaluation en 1934 ; contre la loi de quarante heures en 1936, ce qui irrite la gauche, pour l'alliance avec l'U.R.S.S., ce qui scandalise les conservateurs, pour une politique de prix et de saine gestion, pour les divisions blindées et une accélération de notre effort d'armement.

Mais cet homme qui voit loin et de loin, à l'instant fatal, oublie ou feint d'oublier tout ce qu'il a exactement prévu pour se charger de responsabilités qu'il sera incapable d'assumer jusqu'au bout.

Il a très bien vu que nous ne pouvions à la fois nous réfugier derrière la ligne Maginot et accorder notre protection à tous les petits États d'Europe, qu'il fallait choisir entre une politique défensive totalement égoïste et une politique offensive nécessitant des moyens considérables et une doctrine appropriée. Il a très bien vu que les conditions de la guerre moderne exigeaient la formation de nombreuses divisions cuirassées et il s'est fait, avec ardeur et talent, le défenseur des idées de Charles de Gaulle qui ne compte pas, alors, dans la hiérarchie militaire puisqu'il est lieutenant-colonel, lorsque paraît *Vers l'armée de métier*.

Mais cet homme, qui n'a cessé de dénoncer l'impréparation militaire française, qui, sur le sujet, a publié articles et livres[25] en nombre et qui a multiplié les avertissements et les discours sensés, sera d'avis, dès le 5 octobre 1939, que nous nous jetions en Belgique.

Président du Conseil, il s'agitera — de compagnie avec Churchill dont le pays, du moins, est protégé par son insularité — en faveur d'entreprises dont il doit deviner qu'elles feront sortir Hitler de sa réserve, avant que l'armée française ait été dotée des moyens qui lui

25 Notamment *Le Problème militaire français* en 1937

font toujours défaut. C'est qu'ayant vaincu Daladier en dénonçant son inaction, il s'est condamné à l'action. Comment en irait-il autrement alors qu'il ne dispose que d'une ridicule majorité parlementaire, que les radicaux, n'ayant pas oublié l'échec de Daladier, se dressent pour la plupart contre lui [26], que le Parlement du temps de guerre, s'il a semblé abdiquer de sa puissance, n'a rien perdu de sa susceptibilité et se montre un censeur intransigeant ?

Mais Reynaud, homme de vastes projets, se révélera faible et médiocre dans l'action. Parti pour vaincre Hitler, il n'arrivera même pas à se débarrasser du général Gamelin ! Ni à faire l'unité de son ministère où les « mous » et les « durs » s'équilibrent, chaque clan annulant les efforts de l'autre. Lorsque le sort de la France vaincue sera entre ses mains, on le verra s'effondrer brusquement, céder la place au maréchal Pétain et ne partir ni pour Londres ni pour Alger mais en direction d'une frontière espagnole qu'il n'atteindra pas puisque le voyage sera interrompu par cet accident de voiture où Mme de Portes laissera la vie.

Que le drame final ait été quelque peu masqué par les persécutions dont Paul Reynaud sera ensuite victime de la part du maréchal Pétain, qui ne pratiquait que la vertu d'ingratitude envers son ancien président du Conseil, ne change rien à la réalité.

Paul Reynaud qui, par orgueil du pouvoir, s'était ainsi jeté dans des périls qu'il n'avait cessé de décrire et de dénoncer ne sera plus, en juin 1940, qu'un homme ballotté par son entourage autant que par la défaite.

Lors du procès du maréchal Pétain, il perdra le duel qu'il livre depuis longtemps à Weygand. L'ancien général en chef trouve en effet les mots qui crucifient : « Il ne s'agit pas quand on est un chef de « songer » à faire quelque chose. Quand on est un chef, on fait ce qu'on a à faire. »

Encore ignorait-on à l'époque le journal tenu par le familier de Reynaud, le général de Villelume. Publié en janvier 1976 sous le titre *Journal d'une défaite*, il montre Reynaud dépensant, certains jours, plus de temps et plus d'activité pour lutter contre Daladier, son ministre de la Guerre, que pour presser le réarmement français.

---

26. Le radical Vincent Badie lui lance, le 22 mars 1940 : « Votre ministère n'est point le reflet de l'union nationale ; c'est un ministère d'union nationale de confection. »

On ne parlerait pas de la comtesse de Portes si elle ne s'était employée à passer à l'Histoire. Elle est, en effet, de presque toutes les décisions de Paul Reynaud ; qu'elle dicte ou contrarie, c'est un personnage hors du commun des maîtresses royales.

On l'a décrite sans séduction. « Elle avait 43 ans et en paraissait 50. Son visage couvert de taches de rousseur et plutôt ordinaire était animé par des yeux clairs et perçants. Vêtue d'un tailleur quelconque, et d'un chapeau de velours assez provincial, elle n'était remarquable que par le ton décidé et presque agressif de sa voix et par la vigueur de ses mains carrées et nerveuses[27] », mais elle avait au moins cette séduction que donne un caractère intrépide et une volonté dominatrice. Villelume la montre, en cent moments, participant près de Paul Reynaud, à des conversations dans lesquelles le sort du pays est engagé, patronnant le complot contre Daladier, recevant à la place du président du Conseil alité et donnant sur tous et sur tout une opinion sans mesure, mais qui emporte souvent l'adhésion du président du Conseil.

C'est la Clorinde dépeinte par Fabre-Luce dans son *Journal de la France :* « Clorinde commence sa journée par un breakfast avec Scipion. Tout en beurrant ses tartines, elle anime autour de lui le petit monde où elle circule et qu'il n'a pas le temps de fréquenter. Il écoute ses ragots d'un air grave, comme si c'était un rapport de police... Il finit par prendre quelques salons pour la France. Les critiques d'un jeune écrivain ou les réserves d'une dame bien-pensante font passer un nuage sur sa figure et il change des détails de sa politique pour que Clorinde puisse lui apporter la nouvelle d'une appréciation plus favorable... A travers elle (Clorinde), le pouvoir prend un parfum d'indiscrétion et d'injustice tout à fait délicieux. Scipion n'use plus ses journées à régler les contrepoids d'une horloge démocratique, il règne sur un de ces royaumes d'autrefois où des favoris étaient brusquement élevés, puis jetés dans des oubliettes. »

C'est Clorinde et c'est beaucoup plus encore que Clorinde, même s'il existe chez toutes ces femmes du monde, qui gravitent autour des ministres de la IIIe République, comme un coefficient d'interchangeabilité. Car sa volonté est si grande, la volonté de Reynaud si soumise

27 Philippe BARRÈS.

aux volontés des autres, lorsqu'elles se manifestent quotidiennement, que sa puissance devient immense.

On le savait, certes, à travers des témoignages de ministres ou de journalistes, qui l'avaient vue recevant aux côtés de Paul Reynaud, réglant, au moment de l'exode des ministres, la circulation dans le château de Chissay, et qui l'avaient entendue donner bruyamment, et avec un naturel qu'elle puisait dans la certitude de n'être pas contredite, son avis sur la paix et sur la guerre. Mais il s'agissait de témoignages brefs, venant d'hommes agacés d'avoir dû feindre devant cette femme qui, avec les armes de la maîtresse, se comportait en directeur de cabinet.

Depuis que le journal de Villelume a été publié, on voit mieux le rôle joué par Mme de Portes. Il est si grand, s'exerce dans des domaines politiques, diplomatiques, militaires d'une si haute importance, qu'on peut légitimement se demander qui, certains jours, dirigeait la France de M. Paul Reynaud ou de son intrépide amie.

Me recevant en 1963, le général de Gaulle qu'elle avait « exécuté », en juin 1940, en disant à Paul Reynaud, tenté par le projet du repli en Bretagne : « Voulez-vous vous ridiculiser ? Quant à moi, je n'irai pas coucher dans les lits à colonnes des Bretons... il ferait mieux, votre de Gaulle, d'aller contre-attaquer quelque part avec ses chars », l'exécutera à son tour.

— C'était une dinde, me dira-t-il... comme toutes les femmes qui font de la politique.

Au moment de la défaite, toute l'énergie de Mme de Portes se tournera non vers la résistance, mais vers l'abandon. Cette Jeanne d'Arc rêve soudain de mariage et de moutons. Mais « dinde » ou non, Hélène de Portes aura, à l'instant le plus dramatique, joué un rôle, influencé l'événement et, comme elle le souhaitait sans doute, fait un peu l'Histoire dans laquelle elle a aujourd'hui sa place.

Rarement général, avant la bataille, reçut plus d'éloges que Gamelin. En moins de cinq lignes, *News Reviews* de novembre 1939 trouve le moyen de le comparer à Joffre, Foch, Weygand, Fabert, Catinat et Galliéni ! L'hebdomadaire *Vu* écrit qu'il est « un chef énergique préparant minutieusement les opérations, un chef heureux qui ne connut aucun échec. *La Revue des Deux Mondes*, de septembre 1939, trace un portrait que les événements démentiront point par point : « L'intelligence d'un chef consiste à comprendre les conditions nouvelles que le machinisme impose. Le général Gamelin, en ces dernières années, s'est vivement intéressé à tout ce qui est organisation, modification, fortification... Il a le grand mérite d'avoir à la fois la notion du possible et la notion des circonstances et des événements qui peuvent ouvrir des possibilités nouvelles... »

Quelques jours de mai suffiront à démonétiser Gamelin, mais il est bon de rappeler qu'avant l'arrivée au pouvoir de Reynaud, qui dénoncera immédiatement sa mollesse dans l'action, nul ne le critique. Courtois, intelligent, cultivé, prudent, obéissant, ne gênant personne et ne se mettant jamais en travers de ceux qui dirigent, il a toutes les qualités admirées en temps de paix.

La défaite venue, il partira sans bruit. Tant de drames attirent l'attention que le moment est favorable aux évanouissements discrets. Malgré toute la publicité faite autour de lui, il n'a jamais été populaire. Ni impopulaire. Il n'est pas. C'est un homme sans magnétisme, et ce trait, que rapporte Bardoux — son habitude d'inscrire « d'accord », sans davantage choisir, sur tous les rapports qui soumettent deux propositions différentes — est symptomatique d'une absence de caractère qui éclatera dans le malheur.

Il est de cette lignée d'hommes, fabriqués dans les couloirs et pour les couloirs, tirant toute leur gloire de l'événement qui a marqué leur jeunesse ou leur âge mûr, qui ne savent dire « non » à personne, qu'aucune force d'âme n'inspire et dont la lucidité même finit par être inutile. Car, si on trouve sous la plume de Gamelin de nombreux textes pessimistes et clairvoyants, textes dans lesquels il réclame une intensification de l'effort d'armement, affirme « que la France est hors d'état d'attaquer initialement l'Allemagne avec des chances sérieuses de succès[28] », ces prises de position resteront pratiquement sans effet. Lorsqu'il voit juste il ne fait rien pour imposer son jugement et s'incline facilement devant des choix détestables, allant même jusqu'à les faire siens...

Il vit peu au contact des hommes. Dès le début de la guerre, il

28. Lettre à Daladier le 3 décembre 1938.

s'enfermera dans les casemates de Vincennes dans une solitude triste. animée seulement de potins sur l'avancement et la politique parisienne. Pas d'émetteur radio. Pas de télétypes. Peu de vues sur le monde. « Dans sa thébaïde de Vincennes, le général Gamelin, devait écrire plus tard Charles de Gaulle, me fit l'effet d'un savant, combinant en laboratoire les réactions de sa stratégie. »

Au général Georges, qui commande les opérations, et dont le P.C. est installé à La Ferté-sous-Jouarre à cinquante-cinq kilomètres de Paris, il a presque tout délégué, ce qui lui permettra, le moment du désastre venu, de répliquer à Weygand qui lui fait remarquer que *sa* bataille est bien mal engagée : « Vous voulez dire la bataille du général Georges », et aussi, car il ne manque pas de perfidie glacée, d'achever devant la Commission d'enquête parlementaire[29], où il se révèle totalement, un long exposé, fait tout entier pour mettre en valeur les responsabilités et les erreurs de Georges, par ces mots, qui n'ont que les apparences de la courtoisie :

— Je ne vous ai jamais dit que le général Georges ne fût pas un militaire de valeur ; loin de moi cette pensée. Je rends parfaitement justice à toutes ses qualités. Je ne le représente nullement comme un homme ayant commis des fautes évidentes a priori. Certaines erreurs qu'il a pu commettre entrent dans une ambiance. Voilà ce sur quoi je voulais insister.

Il excelle dans l'art de se dérober et plus encore, peut-être, que les hommes politiques, rejette avec virtuosité sur les autres ce qui était de son autorité.

En 1947, il se plaint donc longuement, devant la Commission d'enquête parlementaire, de l'influence nocive du « maréchal » Pétain. Au passage, car le courage civique n'est pas son fort, il fait remarquer aux parlementaires présents qu'il met bien le mot « maréchal » entre guillemets. Alors, Antoine Pinay réplique que Pétain a quitté son poste de vice-président du Conseil supérieur de la Guerre en février 1931, que Weygand lui a succédé et que, lui, Gamelin, a pris la

---

29. Le 16 décembre 1947.

Le 19 mai, à 9 h 45, quelques heures avant d'être remplacé par Weygand, Gamelin se dérobera par une manière de « pirouette » à son devoir de chef militaire, laissant au général Georges (à qui il a donné fort peu d'instructions depuis le début de la bataille) un papier qui débute ainsi : « Sans vouloir intervenir dans la conduite de la bataille en cours, qui relève de l'autorité du commandant en chef sur le front nord-est.. »

direction effective des affaires en 1935. Le délai n'était-il pas suffisant pour que Gamelin s'affranchisse ? L'ancien généralissime répond :

— Mais nous ne pouvions pas mettre en cause le nom même du « maréchal » Pétain. Nous devions demeurer respectueux vis-à-vis de notre ancien chef, non seulement dans les rapports personnels, mais dans toutes les manifestations officielles.

Pinay réplique alors avec bon sens :

— Les Allemands n'ont eu que six ans pour faire une armée et lui donner l'esprit que vous lui avez trouvé lorsque vous vous êtes heurté à elle. Par conséquent, pendant ces huit années, durant lesquelles Pétain était éloigné de la direction du Conseil supérieur de la Guerre, qu'a-t-il été fait ?

GÉNÉRAL GAMELIN. — En Allemagne, il n'y avait pas à changer un état d'esprit pour faire une armée offensive. Le « maréchal » Pétain siégeait non seulement au Comité permanent de la Défense nationale mais au Conseil supérieur de la Guerre, comme au Conseil supérieur de la Défense nationale. Nous avons fait tout ce que nous avons pu pour prendre le contre-pied de sa conception. Mais nous ne pouvions pas nous heurter ouvertement à lui.

M. PINAY. — Sans grand résultat !

GÉNÉRAL GAMELIN. — Nous avons fait ce que nous avons pu.

Accablante défense !

Tout est d'ailleurs sur le même ton. On a envie d'écrire de la « même eau ».

A M. de Barral qui affirme que, le 13 mai, il se trouvait seulement 20 chars sur 80 en état de marche à la 3e division cuirassée, Gamelin se contente de dire :

— Je ne sais pas ce qui s'est passé exactement à la 3e division cuirassée. Mais il m'a été demandé d'en faire remplacer le commandant.

Que sait-il exactement de la bataille perdue l'homme qui était responsable de la conduite de la guerre et sur lequel reposait tout notre avenir ? Si peu. Bien peu.

M. PINAY. — Et la responsabilité de cette dispersion [des chars français], à qui incombe-t-elle ?

GÉNÉRAL GAMELIN. — C'était là une question d'emploi, par chacun, des forces à sa disposition. On donne à un chef subordonné une mission et des moyens.

M. PINAY. — Un nom !

GÉNÉRAL GAMELIN. — Les chars n'ont été groupés, je crois [ce « je crois » est admirable, nous sommes à plus de sept ans de la défaite, Gamelin répond comme s'il n'avait jamais eu le temps de se renseigner] qu'à la Ire armée. Dans toutes les autres armées, du moins à ma connaissance, on a envoyé des bataillons de chars au compte-gouttes, notamment à la IXe Armée.

Il y a eu notamment une contre-attaque de chars en direction de Dinant, mais avec un bataillon. Elle a parfaitement réussi ; mais, d'après ce qui m'a été dit, l'infanterie n'a pas suivi.

M. PINAY. — Je voudrais l'explication de l'anarchie qui a présidé à cela. Vous ne situez pas les responsabilités.

GÉNÉRAL GAMELIN. — Elles commencent à l'échelon armée. A la IIe armée, par exemple, croyez-vous que le général Huntziger ne devait pas grouper tous ses chars, tous les bataillons dont il disposait, en arrière de Sedan ?

M. PINAY. — Mais vous étiez quand même l'autorité supérieure qui coiffait tout cela.

Allons donc ! Depuis quand un général en chef a-t-il la responsabilité des troupes engagées ? Gamelin, qui en temps de paix n'a pas su rassembler les divisions blindées nécessaires et voudrait qu'Huntziger en organisât une en pleine déroute, repousse le calice : « Moi, je ne connaissais les ordres que quand ils étaient donnés. » Et il camoufle sa lâcheté derrière une ombre illustre. « A la bataille, a écrit le maréchal Joffre, la parole passe aux exécutants. »

Pour l'ex-généralissime, la défaite, c'est toujours les autres.

On lui fait remarquer que l'entraînement a été médiocre pendant le long hiver 1939-1940.

— Ce n'est pas ce que nous voulions.

Que les tournées du théâtre aux armées ont été trop nombreuses :

— Certains divertissements sont utiles, mais il ne fallait pas dépasser la mesure… Croyez-vous qu'en 1918 le maréchal Foch se soit occupé de ces questions ?

Foch après Joffre. Quelques minutes plus tard, il évoquera Eisenhower.

A un moment, il aura une question stupéfiante.

Comme M. Louvel, qui commandait, pendant la guerre, une batterie d'artillerie lourde à la IVe armée, se plaint de la lenteur et de la vulnérabilité des convois hippomobiles, le général Gamelin demande

— Et que faisait notre aviation de chasse ?

Aucun de ceux qui dirigent la France ne manque d'intelligence.

Intelligent Gamelin, intelligents Reynaud et Daladier et Herriot, dont la culture et la mémoire font l'admiration de ses contemporains, et Léon Blum et Georges Bonnet et de Monzie et Chautemps et Jean Zay et Albert Lebrun, mais d'une intelligence plus apte à s'exercer dans les couloirs de la Chambre et du Sénat qu'à maîtriser les données d'un conflit mondial et plus habituée à comprendre les problèmes des électeurs que ceux des généraux. Aucun de ceux qui dirigent ne manque d'intelligence. Presque tous, par contre, manquent de volonté et de caractère, fonctions depuis longtemps atrophiées chez des hommes qui ont l'habitude de ne rien brusquer, d'effleurer les difficultés de peur de les faire bouger, de veiller à ce que les actes ne soient que rarement en conformité avec les paroles[30]. L'on songe, alors, au mot de Valéry : « Une trop grande intelligence est plus nuisible qu'utile dans la conduite des affaires... Elle s'accommode mal au désordre des événements. »

En juin 1940, à Londres, Charles de Gaulle sera, physiquement et moralement, un homme seul.

« Si le hasard d'une bataille, c'est-à-dire une cause particulière, a ruiné un État, il y avait une cause générale qui faisait que cet État devait périr par une seule bataille. »

Oubliant Montesquieu, on fouillera les décombres de la défaite à la recherche de catégories sociales ou raciales que l'on puisse charger du fardeau du désastre : instituteurs de l'école sans Dieu, généraux gâteux, juifs, fantassins, aviateurs, officiers premiers fuyards, ouvriers gâtés par les congés payés, patrons sans conscience.

Mais la cause générale ?...

Qu'il suffise de rappeler que nous sommes une nation de 41 millions d'hommes et de femmes, dont plus de 2,5 millions d'étrangers, face à une Allemagne de 80 millions d'habitants. Notre natalité décroît tandis que la population allemande augmente de 400000 personnes chaque année.

En 1939, lorsque les Allemands peuvent mobiliser 485000 hommes,

30. Mandel fait exception, mais son séjour au ministère de l'Intérieur est trop bref pour qu'il porte fruit

la classe 1919 ne représente que 280 000 Français. Pour la classe 1940, les chiffres sont respectivement de 636 000 et 360 000. Au 1er septembre 1939, nous aurons donc 101 divisions (grâce à l'apport colonial) face aux 150 divisions allemandes ; au 10 mai, l'écart se sera creusé : 113 divisions françaises contre 190 allemandes.

Nous travaillons peu sur des machines âgées ; les Allemands produisent beaucoup sur des machines modernes.

Alors que le rapport entre les populations actives est de 1 à 2, la France, au cours des années 1937, 1938, 1939, produit 130 000 tonnes d'aluminium et l'Allemagne 474 000 tonnes, soit un rapport de 1 à 3,6 ; 20 millions de tonnes d'acier contre 68 millions, soit 1 à 3,4 ; 137 millions de tonnes de houille contre 564 millions, soit 1 à 4,2.

A la veille de la guerre, le rapport moyen de l'industrie lourde française, par rapport à l'industrie lourde allemande, est à peu près de 1 à 3,6 ou 3,8. Le nombre des Français engagés dans la production industrielle est de 5 millions, celui des Allemands de 14 millions. En 1938, 42 000 ouvriers français, travaillant 1 680 000 heures par semaine dans l'industrie aéronautique, sont naturellement surclassés par 120 000 Allemands travaillant 6 900 000 heures. A la lecture de ces chiffres, la disproportion entre les deux aviations (1 à 3,5), entre les deux armées, entre les deux nations, s'explique aisément et sans qu'il soit besoin d'invoquer, à gauche ou à droite, les fantômes de complots contre la république ou contre la nation.

On peut citer, je l'ai fait, des exemples plus ou moins pittoresques, plus ou moins scandaleux, de désordre, d'incurie, d'impréparation.

Rappeler que, dans les trois années qui précédèrent la guerre, on réduisit de 20 à 30 % les allocations de munitions pour le tir ; que le directeur du Museum d'histoire naturelle et le ministre de l'Éducation nationale réussirent, en 1936, à empêcher les saint-cyriens d'aller manœuvrer sur un vaste terrain proche de l'École, terrain que le Museum s'empressa, quelques mois plus tard de louer... à un marchand de bestiaux ; que, lorsque l'on voulut inaugurer, à Strasbourg, la casemate du pont de Kehl, au début de l'année 1936, en présence du ministre de la Guerre, le général Maurin, on s'aperçut que le canon n'entrait pas dans son alvéole !

C'est égrener des histoires qui, outre-Rhin, ont sans doute leurs correspondantes, car toutes les administrations se ressemblent. On peut dire, par ailleurs, qu'entre octobre 1939 et mai 1940 des progrès considérables seront faits dans la production, celle des fusils-mitrailleurs ayant augmenté de 420 % ; celle du canon de 25 contre avions de 610 % ; celle des chars B1 *bis* de 358 % mais c'est ne refléter que fort imparfaitement la vérité.

Une augmentation de 610 % pour les canons contre avions, cela signifie, en effet, que nous sommes passés de sept canons par mois en août 1939 à 336 en mai 1940, alors qu'il en faudrait des milliers et que notre carence en D.C.A. permettra à la Luftwaffe d'agir presque en toute impunité.

Une augmentation de 358 % pour les chars B1 *bis*, cela signifie que la moyenne mensuelle, qui était de 10 avant la déclaration de guerre, est de 43 en mai 1940.

En vérité, rien ne répare notre infériorité démographique, cause générale de tous nos malheurs, dès l'instant que nos alliés anglais n'apportent, ni sur terre ni dans les airs, un concours digne du chiffre de leur population comme de leur puissance économique. Le 10 mai 1940, il ne se trouvera que 10 divisions anglaises sur le sol de France. En 1917, il y en avait 40, au début de 1918, 61 contre 105 françaises.

Trop peu de soldats, trop peu d'armes, trop peu de Français.

Et trop peu d'alliés.

Plus encore que le Front populaire, ou que la médiocrité intellectuelle des généraux, qui ne concevront pas la stratégie nécessaire, la cause de nos malheurs est là.

DEUXIÈME PARTIE

LA DRÔLE DE GUERRE

La difficulté d'un gala, en temps de guerre, ce n'est pas de le réussir, le grave est de savoir comment on devra s'habiller pour y assister correctement.

Match, avril 1940.

4

LA CHASSE AUX COMMUNISTES

Dans *Le Journal* du 2 août 1939, Émile Condroyer évoque la guerre de 1914, comme pour donner à ses lecteurs un avant-goût de la guerre qui vient. Et il reconstitue le dernier dimanche de paix. Ce 26 juillet 1914 où les P.T.T. menaçaient de faire grève, où les Folies-Bergère jouaient *Sans culotte... mesdames,* où le Tour de France en était à sa dernière étape et où presque tout, en somme, paraissait réuni pour que ce jour soit un jour comme les autres...

Comment les Français de 1939 vont-ils vivre leur dernier dimanche de paix, ce 27 août, chaud encore de la chaleur des grandes vacances, ces grandes vacances qui, pour beaucoup de travailleurs, sont une invention récente, ces grandes vacances qui ont amené, le 12 et le 13 août, dans toutes les gares une affluence dont on parle encore[1] ?

Les journaux, que l'on se passe souvent de main en main, annoncent tous d'inquiétantes nouvelles. Et, comme au Moyen Age, beaucoup de ceux qui sentent grandir les périls se réfugient dans les églises. Il y a foule à Notre-Dame-des-Victoires, où brûlent des centaines de cierges. Foule, dès 13 heures, au Sacré-Cœur où les prières pour la paix, ordonnées par le cardinal Verdier, ne commenceront, cependant, que deux heures plus tard.

Mais la vie continue.

Beaucoup de barques sur le lac du bois de Boulogne. Des pêcheurs

1. Entre le samedi matin 12 et le dimanche soir 13, on compte 80000 voyageurs à Saint-Lazare, 90000 à Montparnasse, 140000 à la gare de l'Est, 98000 à la gare du Nord.

au bord de la Seine puisque, à travers guerres et révolutions, il existe toujours des pêcheurs parisiens prêts à faire un pied de nez à la tragédie.

On parle encore un peu du vol audacieux de *L'Indifférent,* dans cette salle du Louvre où le tableau de Watteau était si mal gardé. Georges Chocque remporte Paris-Gien. La réunion hippique de Vincennes a été annulée, mais « Bérikil », monté par Duforel, remporte le grand Prix de Deauville. Le soir, l'Opéra-Comique jouera *Mignon,* le Châtelet *Michel Strogoff,* le Concert Mayol *Beautés nues* et le Grand Guignol *Du sang dans les Ténèbres.*

On s'est beaucoup marié dans les jours qui ont précédé. On va beaucoup se marier dans les jours qui suivront puisque la publication des bans sera supprimée, en septembre, si le futur époux peut présenter son ordre de rappel sous les drapeaux. Des amateurs de statistiques, et de records, affirmeront qu'avec les félicitations du maire, un mariage ne dure pas plus de deux minutes. La guerre qui vient précipite la conclusion des fiançailles comme elle incite à des régularisations qui, parfois, ne vont pas sans avantages. C'est ainsi qu'à la mairie d'Ivry se présentent un soldat et sa fiancée... déjà mère de cinq enfants. Voici cinq enfants légitimés et l'heureux époux, en un instant, reculant de dix classes de mobilisation !

15 heures. Aux Tuileries, des promeneurs, en nombre, se massent devant les tréteaux sur lesquels une troupe chante *Les Cloches de Corneville.* Quelques-uns des spectateurs ont fait, de leur journal, un chapeau de papier.

Titres des quotidiens, qui publient le texte d'une lettre dans laquelle Daladier propose à Hitler ses bons offices pour régler pacifiquement le problème de Dantzig : « Efforts pour sauver la paix ».

Guerre ? Pas guerre ? Voici des mois que l'on en débat. Les optimistes se raccrochent à tout. Aux prédictions des astrologues notamment qui, le 28 août encore, dans *Le Journal,* assurent « pas de guerre cet été », les horoscopes de MM. Hitler et Mussolini « laissant percer d'étranges faiblesses ». Les pessimistes, par contre, disent que, dans l'est de la France et en Allemagne, on a observé le passage de nombreux jaseurs de Bohême... comme en 1870, comme en 1914. Ces oiseaux, dont les plumes sont terminées par une sorte de boule de cire rouge sang, ne sont-ils pas touiours annonciateurs de grandes catastrophes ?

Pour ceux qui se détournent d'indices aussi fragiles, voici les premiers sondages. Ils apparaissent, en effet, en France à partir de 1938[2]. Ils n'ont pas encore la précision, la complexité et l'importance des sondages au rythme desquels nous vivons aujourd'hui, mais leur existence n'en est pas moins précieuse pour la connaissance d'une époque où, bientôt, la censure camouflera tout sous un voile d'unanimité nationale.

Au mois de juillet 1939, c'est-à-dire avant la signature du pacte germano-soviétique, 45 % des Français interrogés pensent que « nous aurons la guerre en 1939 ». Ils sont plus nombreux (+ 8 %) qu'en avril. Les optimistes étaient 47 % en avril, ils ne se retrouvent plus que 34 % au mois de juillet. Et 21 % des interviewés (contre 16 % en avril) ne se prononcent pas. Ce sont naturellement les Français et Françaises entre 20 et 30 ans qui se sont montrés les plus pessimistes : 50 % de « oui » pour la guerre.

Après avoir demandé : « Aurons-nous la guerre en 39 ? » les enquêteurs ont posé une autre question : « Si la guerre n'a pas éclaté en octobre, restera-t-il des chances de guerre ? » A 67 % la réponse est « oui ».

C'est parce qu'ils étaient logiques que les Français se montraient pessimistes. N'avaient-ils pas répondu à 76 % que, si « l'Allemagne tent(ait) de s'emparer de la ville libre de Dantzig, nous dev(i)ons l'en empêcher au besoin par la force » ?

Mille signes indiquent que la guerre monte à l'horizon. On prend des précautions de défense passive ; les communications ferroviaires avec l'Allemagne sont interrompues ; les enfants des écoles sont évacués le mercredi 30 août et chacun d'eux doit partir avec un léger trousseau ; les élèves de l'école du Louvre interrompent leurs congés pour aider à mettre à l'abri les chefs-d'œuvre ; on passe au bleu les coupoles de la mosquée de Paris ; les statues sont protégées par une armure de sacs de

2. L'I.F.O.P. est créé en 1938 par Jean Stœtzel. Les premiers sondages réalisés le seront sans esprit et sans espoir de bénéfice. Ils seront publiés par la revue *Sondages,* qui appartient à l'I.F.O P en juin, juillet et août 1939

sable, qui coûtent 5 francs pièce, et les vitraux de la cathédrale de Chartres sont soigneusement démontés.

Est-ce parce que tous les indices concluent à la fatalité de la guerre que le gouvernement en parle si peu, comme l'on parle peu de la mort dans la chambre des agonisants ?

Étrange séance parlementaire que celle du 2 septembre 1939.

Pleine de sous-entendus et de malentendus, de discours avortés, de phrases tout à la fois creuses et lourdes de conséquences.

La guerre s'avance, si bien masquée que beaucoup pourront dire plus tard : « Nous n'avons pas su et nous n'avons pas voulu. »

Daladier, président du Conseil, dans le long discours au cours duquel il annonce la mobilisation générale, prononce onze fois le mot « paix », trois fois le mot « guerre ». Les crédits supplémentaires demandés par le gouvernement le sont pour « faire face aux obligations de la situation internationale » et non pour permettre l'engagement de nos troupes contre celles de Hitler. La chose est bien précisée aux membres de la commission des Finances, dont on apaise ainsi l'inquiétude, mais les parlementaires, qui souhaitent obtenir en séance, du gouvernement, des précisions et peut-être des engagements (Bergery à la Chambre des Députés, Laval au Sénat), sont, soit interdits de parole, soit priés de raccourcir à l'extrême leur intervention. Et les crédits sont votés à l'unanimité, sans débat véritable, par des assemblées à l'image du pays, résignées et silencieuses plus qu'enthousiastes, et dans lesquelles nul ne se désolidarise — pas même les communistes qui votent les crédits comme les autres — d'un gouvernement lui aussi résigné et qui, depuis longtemps, n'est plus maître du jeu international.

Si bien que lorsque la France déclare la guerre à l'Allemagne, vingt-quatre heures plus tard, cette déclaration de guerre intervient sans nouveau débat et sans vote. Elle n'entraîne, de la part des parlementaires, aucune protestation, fût-elle discrète. N'était-elle pas inscrite dans la nature des choses ? Presque personne, cette fois, ne voulait officiellement d'un nouveau Munich.

Depuis l'accord de Munich, les Français en effet ont mauvaise conscience. Un sondage assure bien qu'ils ont été en majorité (57 % contre 37 %) satisfaits de la transaction [3], mais l'occupation totale de la

3. Qui a recueilli une majorité beaucoup plus importante à la Chambre des Députés le 4 octobre 1938 : 533 voix pour, 75 voix (dont 72 communistes) contre.

Tchécoslovaquie, les menaces sur la Pologne, les tartarinades et les exigences italiennes qui portent, elles, sur Nice, sur la Corse, sur la Tunisie, sur la Savoie, tout contribue à décourager ceux qui ont cru que Munich pourrait mettre un point final aux revendications, à renforcer le pessimisme de ceux qui pensent et disent « qu'il faudra bien en finir ».

« En finir », c'est le grand mot d'août 1939.

« Ça ne pouvait pas durer davantage », « Il fallait bien que ça finisse », « Ça devait finir comme ça ». Phrases de résignation partout prononcées, qui témoignent de la longue préparation psychologique du peuple français à l'idée même de la guerre et qui expliquent également le calme avec lequel le drame est accueilli.

Trop de répétitions générales ont, semble-t-il, comme émoussé la puissance d'émotion populaire.

Les mots qui reviennent le plus souvent pour évoquer ces jours d'août et de septembre 1939 sont, en effet, toujours les mêmes.

Anatole de Monzie, ministre des Transports, assiste-t-il, le 27 août, gare de l'Est, au départ des mobilisés, jeunes ouvriers coiffés de leur casquette, petits-bourgeois, artisans encore en bleus de travail, il les trouve résignés (ah ! comme le mot, aussi, revient souvent), sans ivresse de vin ou de cris, et sa réflexion « ce peuple ne se bat que pour ne plus entendre parler de bataille » est d'une remarquable lucidité.

Dans son *Journal*, à plusieurs reprises, le sénateur Jacques Bardoux note, de son côté, le « calme imperturbable », « l'impressionnant silence » de Paris face aux événements. Après s'être patriotiquement, et naïvement, félicité de ce calme, il finira par s'en inquiéter en découvrant qu'il n'est nullement le témoignage d'une mâle assurance mais d'une profonde apathie.

Dans une guerre, où l'on fera, à tout moment, référence à la guerre de 1914, une référence au moins est désormais interdite : celle à l'enthousiasme des premiers jours de 14, aux femmes en fichu, suivant des régiments de pioupious fleuris, aux cris patriotiques, à l'émotion de tout un peuple rassemblé pour servir une même cause.

Il est vrai que l'Alsace et la Lorraine ont été reprises et que l'on peut mesurer exactement aujourd'hui, en morts, en mutilés, en villes détruites, ce que coûte une guerre longue joyeusement commencée par un beau matin d'été.

A cette mélancolie de la population française, correspond une atonie de la population allemande. Les correspondants suisses signalent tous que les Berlinois n'ont manifesté aucun enthousiasme dans les jours qui ont précédé et suivi l'entrée en guerre, que les soldats sont partis sans fleurs et sans encouragements et que, dans les rues sans lumière, une population calme mais morne se hâte, le soir venu, de regagner un domicile où seule la radio contrôlée de Goebbels peut être écoutée sans péril.

Les apparences, cependant, sont parfois trompeuses et l'unanimité de surface des hommes politiques et des journalistes, l'absence de réactions de la population dans les premières heures du conflit ne doivent pas abuser sur les sentiments réels du pays. En attendant les réactions communistes ou pacifistes qui ne tarderont plus, des hommes, de droite ou de gauche, à titre individuel, laissent filtrer leurs plaintes, fût-ce en les confiant provisoirement à leur journal intime.

Voici, par exemple, le journal tenu par Alain Laubreaux. Il sera publié très partiellement dans *Je suis partout* pendant la « drôle de guerre », mais paraîtra en volume pendant l'occupation et sera intégralement reproduit dans l'hebdomadaire à partir du 23 octobre 1943. D'une écriture rapide, violente, ces notes, tracées au hasard de la journée sur un bout de nappe, au dos d'un menu, ces morceaux de papier sont d'une lecture passionnante. Elles parlent pour ceux qui ne parlent pas et reflètent les espoirs et les craintes d'un homme qui, quelles que soient les causes qu'il servira plus tard, exprime alors les sentiments de bon nombre de ses concitoyens.

Alain Laubreaux est de ceux qui souhaitent un nouveau Munich. En vacances en Ariège, lorsque débute le drame, il écoute Daladier à la radio et le voici tenté, lui, le journaliste fasciste, antidémocrate, antiparlementaire, de lui trouver des qualités humaines. N'a-t-il pas lancé un appel qui laisse les portes ouvertes à la paix ? « Remontant » vers Paris, Laubreaux observe un pays calme, presque uniquement passionné par la fermeture soudaine de la chasse. Que l'on préfère tirer des hommes et non des lièvres, voilà qui heurte le bon sens populaire. Laubreaux montre le départ des bergers, petite valise à la main, espadrilles aux pieds, godillots pendus autour du cou, hommes venus de ces villages de montagne que la première guerre déjà a dépeuplés, hommes suivis, jusqu'à la halte de chemin de fer, de la femme et des gosses trottinants.

Il montre les petites villes françaises, d'avant la télévision et presque d'avant la radio, reliées à l'événement par le seul fil des journaux, oscillant de l'optimisme au pessimisme, au gré des informations orales qui ont pour origine le coiffeur, le pharmacien, le cafetier, personnages pour comédie de Giraudoux à qui l'on prête quelque lumière sur les intentions d'Hitler ou bien, encore, le coup de téléphone du grand homme « monté » à Paris : député, sénateur, journaliste. A Cahors, c'est de Monzie qui a téléphoné que la guerre reculait, et en voilà assez pour apaiser les esprits.

A Paris, tout change et, d'abord, l'écriture d'Alain Laubreaux. Son voyage à travers la province française avait comme modéré sa plume mais le voilà revenu au cœur de l'événement, là où se fait l'Histoire, dans les salles de rédaction, au milieu des confrères qu'il aime et de ceux, plus nombreux, qu'il déteste. A Rebatet, qui cherche une manchette pour *Je suis partout*, il propose cette phrase qui paraîtra, en effet, le 30 septembre : « A bas la guerre pour que vive la France. » Chez *Lipp*, où il va souper, il rencontre Darquier, très excité, Darquier, compagnon des luttes antijuives[4], qui se lève en le voyant et s'écrie :

— Eh bien, Alain ! ils nous ont eus.

— Pas encore..., réplique Laubreaux.

— Comment ! Pas encore ? Tout est foutu, mon vieux ! Les juifs ont gagné !

Et il explique qu'il part le lendemain. Et qu'il réclamera de se battre aux avant-postes.

— Je ne te comprends pas, réplique Laubreaux, tu vomis cette guerre, qui est un crime et une ordure et tu veux la faire comme si tu approuvais ceux qui la déchaînent.

Darquier défend sa position. Se battre, c'est prouver que l'on est courageux. S'il tombe, ses amis le vengeront.

4. A la date du 17 juin 1939, de Monzie note qu' « en vertu de la loi du 21 avril, qui punit la propagande antijuive, la police vient de perquisitionner chez Louis Darquier, conseiller municipal de Paris et directeur d'une nouvelle feuille antisémite. Qu'a-t-on trouvé ? Sans doute des quittances de loyer impayées. Louis Darquier, fils de mon ami et prédécesseur à la mairie de Cahors, est le dernier bohème de notre société capitaliste, le plus généreux dans tous les sens de l'épithète.

Darquier avait été condamné alors (27 juillet) à trois mois de prison et 500 F d'amende.

Pendant l'occupation, Darquier de Pellepoix, commissaire aux questions juives, montrera que son antisémitisme n'était pas seulement verbal.

Comme il parle haut et fort, comme il injurie les juifs, comme il y a naturellement foule, l'incident inévitable se produit. Une jeune femme se lève et vient gifler Darquier.

— Tenez ! Voilà de la part des juifs !

La femme est accompagnée. Bagarre générale. Dans laquelle, de façon fort inattendue, Darquier et Laubreaux reçoivent le secours d'un « superbe nègre, magnifiquement saoul » qui crie : « Il a raison ! Mort aux juifs », ce qui arrache cette réflexion à Darquier, la bataille achevée :

— Pour ma dernière soirée d'homme libre, j'aurai vu cela : un nègre prêter main-forte à un combattant du racisme[5].

Manifestation brutale, bruyante et absurde, inhabituelle dans un pays où les hommes sont partis, en apparence, sans grogner pour une guerre aux motifs mal exposés, mal compris, une guerre de lassitude.

On découvre très vite, cependant, qu'à défaut de véritable front sur le Rhin il vient de se créer, à l'intérieur, un front de guerre civile.

Il existe en effet, en France, une masse qui, conduite et inspirée par le Parti communiste, refuse bientôt de se ranger sous les flasques bannières de l'union nationale et dont quelques éléments, parmi les plus déterminés, passeront de la critique verbale, et de la diffusion de tracts, au sabotage.

Avant même le début du conflit, à la suite du pacte signé entre Moscou et Berlin et de l'accueil favorable que lui font les communistes français, la lutte anticommuniste remplace la guerre que nous ne faisons pas aux Allemands.

---

5. Dans les premiers jours de septembre, les notes de Laubreaux exaltent une sombre fureur. Il relève tout ce qui peut exciter sa passion antisémite. Par exemple, dans *La Dépêche* de Toulouse, ce placard de publicité : « Uniformes militaires par spécialiste diplômé chez A. Cohn, rue du Poids-de-l'Huile ». Dans *Le Jour,* cette annonce : « Georges Blum, 63, boulevard Haussmann, continue à acheter tous les bijoux. » « Ce « continue », note-t-il, est à encadrer. »

Il se brouille avec Georges Duhamel qu'il range « avec la canaille » parce qu'il a écrit, dans *Le Figaro,* un article favorable à la guerre ; avec André Beucler, qui occupe un poste au commissariat à l'Information et, pendant quatre semaines, il publie en manchette de *Je suis partout* cette phrase de Daladier : « Français et Françaises, nous faisons cette guerre parce qu'on nous l'a imposée », phrase qu'il charge d'un sens particulier puisque, pour lui, ce sont les juifs et les Anglais qui ont imposé la guerre.

Engagés dans une action politique de grande envergure, dont ils ne devinent pas à quelles contradictions et à quelles démissions morales elle les conduira au fil des années, les magistrats, en effet, ont la main lourde. Ne pouvant ou ne voulant démêler « attitude antifrançaise », « propos défaitistes » ou « communistes » des niaiseries ou vantardises après boire, alertés par une armée de délateurs bénévoles et anonymes qui puisent, dans les dangers courus par la patrie, une excuse à leur lâcheté, ils frappent dur et sec, d'autant plus impitoyables qu'ils ont souvent l'impression de prendre une revanche sur 36 et 38.

Cinq ans de prison *ferme* le 22 novembre 1939 et 1 000 francs d'amende (environ la moitié d'un mois de salaire) à l'électricien Jules S... qui a déclaré à un vieux monsieur :

— Les Russes ont foutrement bien fait d'entrer en Pologne.

Pour une réflexion identique, deux ans de prison ferme... seulement, mais 2 000 francs d'amende à l'ouvrier tôlier Auguste C...

Six mois de prison au camelot Maurice André A... qui s'est écrié, en plein marché de Montrouge en faisant allusion aux mobilisés :

— Ceux qui sont là-haut sont des idiots. Moi je n'irai pas et, celui qui viendra me chercher, je le descendrai, je préfère une balle dans la peau.

Six mois également au communiste, d'origine russe, Entin K..., pour avoir dit que l'armée russe était la plus forte du monde. *Le Populaire*, que la sévérité de la peine scandalise, écrit, le 4 janvier 1940 : « Cela valait tout juste un solide coup de pied dans le train. »

Le plombier Jean-Baptiste S..., qui a laissé ses lumières allumées pendant l'alerte et riposté à ceux qui protestaient : « Vive Hitler, à bas la France », fera huit mois de prison et paiera 1 000 francs d'amende.

Le cri « A bas l'armée » coûte un an de prison au garçon de café Jean M..., celui de « Vive Moscou, vivent les Soviets, le grand soir approche » dix-huit mois au camelot Fernand L... Comme les deux peines sont infligées le même jour (18 septembre) par le même tribunal (4e chambre correctionnelle de la Seine), on peut en conclure justement que la profession de foi communiste est plus sévèrement punie que la profession de foi antimilitariste.

C'est dans la logique de la situation puisque, en quelques jours, le communisme est devenu l'ennemi no 1. Gouvernement et population paraissent davantage affectés, en effet, par la « trahison » soviétique

que par les menaces allemandes. La colère étant à la mesure de la déception, c'est d'abord contre des Français que se produisent ces manifestations, d'un patriotisme primaire, qui, en 1914, s'étaient attaquées aux magasins allemands, ou dont les noms pourraient laisser croire qu'ils appartenaient à des Allemands.

Dès l'annonce du pacte germano-soviétique, des groupes hostiles se forment devant le siège parisien du Parti communiste et devant les locaux des journaux du Parti. Volent, avec les pierres, des injures que, dès le lendemain, la presse bourgeoise répétera avec un évident plaisir : « Au poteau, à Vincennes, les traîtres ! A la caponnière, les Hitlériens ! » La police s'en mêlant, on traque tout ce qui peut rappeler le communisme. Commence une valse d'effigies et de plaques de noms de rues qui, avec les années, prendra des proportions imbéciles, chaque proscription étant prétexte à déménagement de bustes, à modification de noms. Pour l'heure, on bannit Barbusse et Paul Vaillant-Couturier, et Jaurès lui-même. A la mairie d'Aulnoye, les photos de Staline et de Lénine sont enlevées. Devant la mairie de Bezons, on saccage un massif floral représentant une faucille et un marteau.

Imprimeurs et distributeurs de tracts sont vigoureusement pourchassés. On arrête ceux qui diffusent des tracts contre la vie chère, car les communistes relient les problèmes que pose la vie chère à ceux de la guerre, des tracts contre les restrictions alimentaires, si légères encore, contre « la semaine de soixante-dix heures ». Et ceux qui glissent aux premiers permissionnaires des feuilles où l'on peut lire : « Tu as débarqué à Paris et tu as remarqué la jeunesse des gardes mobiles dans les gares et celle des agents de police qui, souvent, sont plus costauds que toi pour défendre leur pays et, partant, leurs privilèges. En temps de paix, tu payes des impôts pour les entretenir ; maintenant, tu te fais casser la gueule pour qu'ils puissent vivre tranquillement à l'arrière [6]. »

On arrête donc, dès la fin du mois d'août. Alexandre M..., ostréiculteur en Charente-Inférieure, qui a été surpris en train de

---

6. Au mois d'octobre et de novembre 1939, le sénateur Bardoux parle d'incidents qui se seraient produits dans les chambrées du 121e R.I. « et dans les granges du Jura ». Il évoque aussi la création de cellules dans l'armée et le 2 novembre ajoute que, selon le député de la Seine, Pinelli, « des officiers ont été assassinés ». Les renseignements de Jacques Bardoux sont assez souvent suspects, car hâtivement recueillis et mal contrôlés.

lacérer les affiches de mobilisation ; Robert P..., imprimeur à Corbeil, qui invite ses camarades de travail « à faire la révolution » ; Antoine Ch..., secrétaire fédéral, à Nice, des Amis de l'U.R.S.S., chez qui l'on trouve, naturellement, de nombreuses affiches prosoviétiques ; Michel Marty, le frère du député communiste, diffuseur de tracts ; Yves Debever, adjoint au maire d'Aulnoye, Jeanne, son épouse ; Charles Flament, mécanicien à la S.N.C.F., et des centaines d'autres comme ces deux ouvriers de la voie qui, à Meaux, se font prendre sévèrement à partie par les soldats d'un convoi, à qui ils voulaient démontrer les vertus du pacte germano-soviétique.

Mais on aurait tort de croire que la police agit dans l'indifférence populaire. Elle est approuvée, renseignée, aidée. Le pacte germano-soviétique, dont les moins avisés en politique ont compris qu'il rapprochait le danger de guerre, excite l'hostilité des foules contre le seul parti qui ose, fût-ce avec précaution, s'en faire le défenseur.

Fleury, conseiller municipal du XXe et secrétaire des postiers, qui habite porte de Bagnolet, s'étant rendu, lors d'une alerte de septembre, dans l'abri de son quartier, sera condamné par la foule à rester dehors.

— C'est très bien, lui crie-t-on, si vous recevez les bombes de vos amis sur la gueule.

Ce n'est qu'un exemple.

Mieux qu'à travers le récit de manifestations de hargne ou de quelques lynchages, c'est dans les consignes données en novembre 1939 aux jeunesses communistes que l'isolement moral et physique du Parti, condamné à évoluer comme en territoire ennemi, apparaît le plus visiblement.

Il est recommandé, en effet, non seulement de se méfier des « mauvais garçons, des ivrognes, des clochards, des prostituées », dont on veut croire qu'ils ne sont pas la majorité de la nation, mais aussi des socialistes « qui sont, d'après les directives mêmes du traître Blum, au service de la police ». Il faut toujours cacher « ses places et ses méthodes de travail » et les *Cahiers du communisme,* parus en janvier 1940, recommandent de faire la chasse, à l'intérieur du Parti, aux éléments « hésitants, opportunistes et sceptiques ».

Près de quarante ans après sa signature, le pacte germano-soviétique reste encore, pour la majorité des Français, synonyme de scandaleuse duplicité. Il fut, des années durant, pour tous les anticommunistes, un excellent argument de propagande électorale ou journalistique.

En juillet 1946, au moment où, dans un climat qui leur est politiquement favorable, les communistes réclameront l'invalidation d'Édouard Daladier[7], l'ancien président du Conseil répliquera à Florimond Bonte et à Jacques Duclos qui cherchent à l'accabler sous les souvenirs de 1939 :

— Vous n'arriverez pas à faire oublier que Ribbentrop a quitté Moscou décoré de l'ordre de Lénine après que le partage de la Pologne eut été décidé... Vous ne ferez pas oublier que Molotov, le 12 novembre 1940, passait à Berlin la revue de la garde d'Hitler tandis que, déjà, des Français tombaient sous les coups de la Gestapo.

Et il ajoutera, parce qu'il sait que la phrase blesse cruellement et qu'il est difficile au Parti communiste, malgré les morts des années 41-44, de faire oublier la collaboration effective de 1939 et 1940 :

— Ce que vous vouliez c'était la paix d'Hitler... C'était la paix de la trahison.

Sur cette période difficile de leur histoire, les communistes sont peu prolixes. A peine la valeur d'une page sur le pacte lui-même dans les *Mémoires* de Jacques Duclos qui décrit, presque aussi « longuement », la querelle qui, au restaurant Poupounet, de Bagnères-de-Bigorre, l'opposa à l'actrice Hélène Perdrière venue se planter devant lui pour faire le salut hitlérien[8].

Commune à tous les dirigeants du P.C., cette discrétion s'explique aisément.

Les communistes, en effet, ont été initialement bouleversés au même titre que tous les Français. Quelques jours plus tôt, fidèles à la fois à leur conscience et à leurs consignes, ne se trouvaient-ils pas à la pointe du combat contre Hitler ? Or, voici que, le 23 août, Staline, puisqu'il n'y a pas de traité sans toasts, boit à la santé d'Hitler parce

7. L'invalidation fut refusée par 311 voix contre 132.

8. Le repas terminé, Maï Politzer qui, avec son mari, déjeunait en compagnie de Duclos, gifla l'actrice. Sur le pacte lui-même, la conclusion de Duclos tient en trois lignes stupéfiantes si l'on songe que son livre a été écrit en 1968, alors que tout était connu des clauses secrètes de l'accord Hitler-Staline. « Au surplus, on ne saurait trop souligner que ce pacte n'était nullement un traité d'alliance, mais simplement un traité de non-agression »

qu'il sait, dit-il, « combien la nation allemande aime son Führer ». Voici que le pacte germano-soviétique laisse à l'Allemagne les mains libres pour toutes ses entreprises militaires, voici que l'U.R.S.S. s'engage à fournir au Reich les vivres et les matières premières indispensables rendant ainsi, et par avance, presque illusoires toutes les mesures de blocus que prendront les Alliés.

Encore quelques semaines et l'Allemagne et l'U.R.S.S. troqueront des territoires — la Lituanie contre le district de Lublin — comme on troque du bétail, la Gestapo et le N.K.V.D. collaboreront[9] et Staline commettra ce crime, si fort et si justement reproché à la France *vaincue* de Vichy, de livrer aux nazis nombre de réfugiés allemands, communistes ou juifs, mais, en tout cas, également promis à la mort.

De nombreuses clauses du pacte germano-soviétique demeurent naturellement ignorées des Français — communistes compris — en cette fin d'août 1939.

Mais il n'est nul besoin de tout connaître pour être bouleversé. Et, plus que les autres, sont émus beaucoup de ces « nouveaux » communistes, venus au parti dans l'enthousiasme des succès de 1936 et qui ont pris au sérieux les déclarations jusqu'au-boutistes, « cocardières », et aussi farouchement propolonaises qu'anti-hitlériennes, de juillet et août 1939[10].

Si nous savons aujourd'hui que le pacte germano-soviétique est le fruit d'une longue méditation, d'une savante préparation, qu'il a d'abord été voulu par Staline mais qu'Hitler a rapidement saisi l'occasion qui lui était offerte d'éviter la guerre sur deux fronts, les

---

9. « Les deux parties ne toléreront, dans leurs territoires, aucune agitation polonaise affectant les territoires de l'autre partie. Elles supprimeront dans leurs territoires tout commencement d'une telle agitation et s'informeront réciproquement au sujet des mesures appropriées à un tel but. » Protocole secret entre Molotov et Ribbentrop.

10. Voici pour juillet et les premiers jours d'août 1939 quelques citations. On en trouvera beaucoup d'autres dans le livre d'A. Rossi, *Les Communistes français pendant la drôle de guerre,* essentiel sur le sujet : « Une nouvelle capitulation devant Hitler à propos de Dantzig aurait de terribles lendemains », Jacques Duclos. « La Pologne est en état de légitime défense », *Humanité.* « La Pologne sera-t-elle trahie », *Humanité.* « Alerte ! On veut encore trahir la France en sacrifiant la Pologne », *Humanité.* « La Pologne n'est pas seule en cause. Si la Grande-Bretagne et la France ont garanti l'intégrité territoriale de la Pologne, c'est parce qu'elles considèrent que cette intégrité est un élément essentiel de la sécurité française et de la sécurité britannique », Gabriel Péri.

Français n'ont rien soupçonné d'une négociation secrète remarquablement camouflée.

Le pacte aura donc le même effet qu'un coup de tonnerre dans le ciel des vacances [11].

« Coup de tonnerre. » C'est le mot d'ailleurs qui reviendra le plus souvent dans les conversations, les journaux, les livres.

Aragon, dans son roman *Les Communistes,* parlera, lui, « de la tempête qui semblait s'être déchaînée sur le pays », « de la consternation, [de]la peur [qui] s'abattaient sur la plupart des gens ».

La surprise est la même pour tous. Pour l'homme de la rue mais également pour les dirigeants français qui n'ont, apparemment, prêté aucune attention aux avertissements venus de notre ambassade de Berlin, aux légers indices grâce auxquels quelques observateurs subtils découvraient que les relations germano-soviétiques étaient en pleine évolution [12].

Réveillé par Georges Bonnet, son ministre des Affaires étrangères, dans la nuit du 21 au 22 août, Édouard Daladier, président du Conseil et ministre de la Guerre, croit donc — il le dit à Bonnet — « à une blague de journalistes ».

N'avons-nous pas, à Moscou, une mission militaire dirigée par le général Doumenc qui, en accord avec la mission anglaise de l'amiral Drax, s'efforce, depuis plusieurs jours, de trouver un terrain d'entente avec les Soviétiques pour venir en aide aux Polonais menacés par les Allemands ?

Alors comment imaginer pareil retournement des alliances ?

Même si, à Moscou, les conversations traînent en longueur. Même si les Polonais s'obstinent à refuser l'entrée des Russes sur leur territoire, de peur qu'arrivés en alliés ils s'installent en occupants. Position

11. Il y a eu, plusieurs mois avant le pacte, des articles de *Je suis partout* laissant prévoir la chose, mais l'anticommunisme de *Je suis partout* est si systématique qu'ils ne retiennent guère l'attention. Le 5 août, *Le Journal* évoque, de son côté, « la pire des éventualités : celle d'une collusion germano-soviétique dont la Pologne ferait les frais et qui provoquerait l'écroulement de toute la digue orientale. Hypothèse invraisemblable, dira-t-on, étant donné les rapports entre le Reich et l'U.R.S.S. Mais l'histoire ne nous montre-t-elle pas des renversements d'alliance surprenants ? »

12. Celui-ci notamment : à l'occasion du retour en Allemagne de la Légion Kondor, qui a rudement combattu les Rouges en Espagne, Hitler s'abstint de prononcer les mots « communisme », « bolchevisme ». Il s'abstint également de toutes les attaques qui eussent été dans la logique de la situation.

compréhensible, mais qui ne facilite nullement l'organisation d'un front défensif puisque l'Allemagne et l'U.R.S.S. n'ont aucune frontière commune.

Alors, blague de journalistes ?

Pauvres journalistes ! Ils ont été aussi surpris que le président du Conseil. Alertés par une dépêche diffusée de Berlin le 21 août, un peu avant minuit, ils ont vainement tenté d'obtenir quelques éclaircissements, auprès de l'ambassade soviétique, comme de l'agence Tass, sur une information dont ils voyaient qu'elle allait bouleverser le monde.

Le Canard enchaîné du 23 août, dans lequel Pierre Bénard a tiré immédiatement la conclusion logique du pacte en écrivant : « Aujourd'hui M. Ribbentrop est d'accord avec M. Molotov pour en finir avec la Pologne », les montre se précipitant tous au téléphone, faisant Littré 09.46 ou Littré 95.41 et n'obtenant de Tass, comme de l'ambassade, que d'incompréhensibles bredouillements[13].

Dans l'aventure, les journalistes de *L'Humanité* n'ont d'ailleurs pas été mieux traités ou mieux renseignés que les autres. Mais sans doute les Soviétiques de Paris seraient-ils bien en peine d'expliquer un événement dont ils ne savent encore rien que de superficiel.

Quoi qu'il en soit, l'ignorance, plus grande encore, des Français servira les chefs communistes et les aidera à présenter l'histoire à leur guise. Sous leur plume, le geste de Staline, signant avec Hitler, ne sera plus le fruit d'une scrupuleuse préparation, mais le réflexe d'un homme excédé par les marchandages, les « oui mais » franco-anglais, et qui, brutalement, change de partenaire.

Aujourd'hui, alors que tout est depuis longtemps connu des fautes des Français et surtout des Britanniques, à qui l'alliance soviétique paraissait « contre nature » ; des fortes réticences polonaises mais aussi du mécanisme par lequel, dès le 18 juillet, les Soviétiques entamèrent le processus qui devait les conduire à la signature du pacte avec l'Allemagne[14], les communistes français n'ont pas modifié leur position. Accusant encore Daladier et « son complice » Chamberlain

---

13. Branchés sur l'ambassade, nos services secrets ont enregistré la surprise et la stupéfaction des diplomates soviétiques.

14. Pour défendre efficacement la Pologne, il était indispensable que France, Angleterre et U.R.S.S. se mettent politiquement et militairement d'accord. Le jeu d'Hitler consistera donc à étouffer dans l'œuf tout pacte tripartite susceptible d'entraîner la guerre sur deux fronts.

A Staline, qui souhaitait profiter de l'occasion pour mettre la main sur la

d'être les responsables du pacte, ils présentent toujours les faits de la même façon volontairement sommaire.

Pendant des années, les communistes avaient agi dans l'espoir d'intégrer leur parti révolutionnaire à la communauté nationale. Depuis 1936 ils étaient en passe de réussir. En quelques heures, ils vont perdre le résultat de tant d'efforts.

La France politique et syndicale bouillonne, en effet, d'indignation. Bien souvent, les plus scandalisés sont les fervents d'hier.

Des militants déchirent leur carte. D'autres refusent d'entendre les responsables locaux qui s'efforcent d'expliquer, avec de bien pauvres arguments, que le pacte sert la cause de la paix. Auguste Lecœur a raconté ces reniements avec tristesse.

Il n'est pas possible de comparer les abandons qui interviennent alors à ceux qui se produiront, en 1956, au moment de l'entrée des troupes soviétiques en Hongrie, lorsque 70 000 adhérents environ, sur 350 000, ne reprendront pas leur carte et lorsque plusieurs écrivains s'éloigneront temporairement ou définitivement. Si la désillusion sur les motifs véritables de la politique russe est identique, le trouble des âmes est infiniment plus profond en 1939, car alors, les Français savent qu'ils sont immédiatement et dangereusement concernés.

Des « compagnons de route », Irène et Frédéric Joliot-Curie, Paul Langevin, Albert Bayet, Pierre Cot, sensibles aux réactions populaires, s'éloignent à grand bruit. Ils expriment leur fureur d'avoir été

Finlande et sur les États baltes, il pouvait promettre infiniment plus que les démocraties occidentales.

Les Franco-Britanniques à qui l'on peut reprocher des lenteurs, un manque total de concertation, le peu de prestige de leur mission, arrivée à Moscou le 11 août, furent proprement dupés par les Soviétiques qui, depuis le 18 juillet, avaient informé les Allemands de leur désir d'intensifier les relations économiques germano-soviétiques.

Dans le temps où les délégations militaires françaises et anglaises — d'ailleurs désunies comme l'étaient les gouvernements — s'embourbaient dans de vaines discussions, Hitler, pressant le mouvement, se mit d'accord avec Staline en quelques jours d'août. Il offrait davantage que les Occidentaux, plus scrupuleux, auraient pu offrir. Il offrait surtout à l'U.R.S.S. la moitié de la Pologne que son armée allait conquérir quelques jours plus tard.

Le 25 août, ayant involontairement joué leur rôle dans la tragi-comédie, les généraux et amiraux français et anglais furent congédiés par le maréchal Vorochilov.

trompés — car ils ne reconnaissent pas aisément s'être trompés — dans de longs et violents articles qui influencent toute cette partie de l'opinion qui flirte avec le parti communiste.

Il y a plus grave pour le Parti. Dès le 24 août, la majorité de la C.G.T., se rangeant derrière Edmond Jouhaux et René Belin, s'est prononcée contre le pacte germano-soviétique et de nombreuses unions syndicales, grâce auxquelles les communistes disposaient de locaux, de bases et de fonds, se fermeront peu à peu aux moscoutaires.

Plus grave encore. Les troubles de conscience n'épargnent même pas les fidèles des fidèles, ces parlementaires dont la conduite et le caractère ont été minutieusement étudiés par les instances supérieures du parti, avant qu'ils soient proposés aux suffrages populaires.

On pouvait croire que leur fidélité, éprouvée en tant de circonstances, résisterait à toutes les crises. Elle cède cette fois chez beaucoup, tant est grand le drame de conscience. Et, si ce n'est ni la première ni la dernière crise qui secoue le Parti, c'est, de très loin, la plus importante.

Gustave Saussot — que son nom dessert au moment où il passe à l'Histoire — abandonne le premier. Après avoir demandé à Maurice Thorez qu'une mission d'information soit envoyée auprès de l'ambassade soviétique, et qu'elle insiste sur la nécessité, pour l'U.R.S.S., de défendre la Pologne, le député de la Dordogne tire la conclusion du violent refus de Thorez [15]. Il s'en va le 26 août.

Partent après lui, dans les jours et semaines qui viennent, des hommes qui auront des fortunes diverses.

Le suit immédiatement Loubradou, également député de la Dordogne. Et Jules Fourrier, député de Paris, que les Allemands déporteront plus tard à Buchenwald et Mauthausen, et Brout, de Paris lui aussi, et Gilbert Declercq, du Nord, qui font connaître avec vigueur leurs positions : « Nous restons fidèles à la politique de résistance à l'agresseur et au soutien des démocraties dans la mesure où celles-ci s'opposent aux régimes d'oppression. Nous nous étions toujours élevés contre toute abdication devant l'hitlérisme et son régime. Nous condamnons ceux qui, au mépris des intérêts français, n'ont pas voulu

15. « Nous n'avons pas à nous mêler des affaires extérieures de la Russie. Une telle proposition est une trahison. C'est montrer que nous n'avons pas confiance en Moscou. » Telle est la réplique de Thorez à Saussot.

ou n'ont pas pu se désolidariser de l'orientation nouvelle de la politique stalinienne [16].

Bientôt, ils sont 22 22 parlementaires sur 74 (21 députés, un sénateur) qui vont s'exposer aux violentes critiques de leurs anciens camarades et à leurs accusations de trahison tout en ne rencontrant, chez les parlementaires anticommunistes, qu'un accueil méfiant et soupçonneux.

S'en vont ainsi René Nicod, de l'Ain, qui, avec tout son conseil municipal d'Oyonnax, a désavoué le pacte ; Marcel Capron, de Paris ; Émile Jardon, de l'Allier ; Lucien Raux, du Nord ; Émile Fouchard, de Seine-et-Marne ; Fernand Valat, d'Alès ; Alfred Daul, député de Strasbourg ; Jean-Marie Clamamus, sénateur de la Seine, auxquels s'ajouteront en janvier, après l'agression soviétique contre la Finlande, neuf autres députés, Roger Benenson, Sulpice Dewez, Léon Piginier, Adrien Langumier, André Parsal, Darius Le Corre, Armand Pillot, Maurice Honel, enfin Marcel Gitton, que l'on suspectera d'être, depuis plusieurs années, « tenu » par la police et qui, ayant rejoint Doriot, sera abattu pendant l'occupation.

Vingt-deux parlementaires. Le chiffre est considérable.

C'est le tiers du groupe qui disparaît.

Faute de statistique, on est cependant en droit de penser que, si un tiers des parlementaires abandonne le parti, c'est bien plus du tiers des 300 000 adhérents, bien plus du tiers du million et demi d'électeurs de 1936, qui le quittera entre septembre 1939 et février 1940, l'agression contre la Finlande ayant exaspéré l'anticommunisme chez des foules qui, sentimentalement, prennent toujours le parti de David contre Goliath.

Il y a des départs discrets, comme des évanouissements.

De retentissants, car ils sont le fait d'hommes aimés et respectés de la population.

Lorsque Maurice Maile, maire de Clichy et conseiller général de la Seine, quitte le Parti, il tient à donner publiquement, le 12 décembre, les raisons d'une décision commandée par ce même patriotisme intransigeant qui le poussera à se suicider, en juin 40, lors de l'entrée

16. *Le Petit Parisien*, du 6 octobre 1939.

des Allemands à Paris. Il en ira de même à Concarneau où la démission du maire, Pierre Guegen (qui mourra fusillé avec les autres otages de Châteaubriant), a d'importantes répercussions populaires.

Quant à Vital Glayman, conseiller général de la Seine, mais surtout ancien secrétaire général de *L'Humanité*, et adjoint de Marty dans les rangs des Brigades internationales, il demande que sa déclaration soit insérée au Bulletin municipal officiel.

Comment ne toucherait-elle pas ceux qui, en Espagne, précisément, ont lutté contre les hitlériens avec qui, désormais, Staline fait amitié, ceux qui ont versé leur sang, leur obole, ou, simplement, ont manifesté ? « J'ai la conviction que je trahirais la mémoire de mes camarades de combat, tombés sur la terre d'Espagne dans la lutte contre le fascisme franquiste, mussolinien et hitlérien, si je n'affirmais pas aujourd'hui, de la façon la plus catégorique, mon désaccord total avec une politique qui concourt à un but diamétralement opposé à celui pour lequel ils ont généreusement et héroïquement donné leur vie. »

Les télégrammes de désaveu et les motions contre la politique de Moscou vont, à partir du 23 août, se succéder, émanant de tous les milieux ; de syndicalistes, d'intellectuels, d'ouvriers, de fonctionnaires qui ne comprennent et n'acceptent pas le retournement communiste et qui, avec des arguments différents, en dénoncent le danger, même si, pendant quelques semaines, les communistes s'efforcent de maintenir la fiction de l'unité nationale et de la lutte anti-hitlérienne.

Ne portant nullement atteinte aux exigences de la défense nationale, se levant avec les autres députés, le 2 septembre, pour applaudir Édouard Herriot qui a pourtant dénoncé « ce gouvernement... qui vient de signer, avec le spécialiste même de l'agression, un pacte qui soulève la réprobation de tout homme droit », applaudissant Daladier lorsqu'il monte à la tribune, votant des crédits militaires dont tout le monde sait — même si le mot n'est pas prononcé — qu'il s'agit de crédits pour la guerre, les députés communistes ont *exactement la même attitude* que tous les autres députés français.

Bref, ils sont fidèles au texte approuvé, dès le 25 août, par le groupe parlementaire communiste et dont l'un des passages déclare : « Si Hitler, malgré tout, déclenche la guerre, alors qu'il sache bien qu'il trouvera devant lui le peuple de France uni, les communistes au premier rang, pour défendre la sécurité du pays, la liberté et l'indépendance des peuples »

Et *L'Humanité* du 25 août, que Daladier interdira, et qui ne sera donc jamais diffusée, n'aurait naturellement pas dit autre chose sous la plume de son rédacteur en chef, P.-L. Darnar, qui exprimait, avec son opinion[17], celle du petit groupe des dirigeants — Thorez, Duclos, Cachin — qui devait, pendant quelques jours, s'efforcer (difficile équilibre) de prouver que, si l'U.R.S.S. avait raison, la France n'avait pas tort.

Pendant plusieurs semaines, les communistes français tenteront, comme le demandait Jacques Sadoul, correspondant des *Izvestia* et conseiller juridique de l'ambassade soviétique, de « faire bloc avec le peuple français », pour dissiper le désarroi provoqué par « certaines sottises, certaines erreurs, certains silences »[18].

Marcel Cachin à Léon Blum le 27 août : « Camarade Blum, nous ne nous renierons pas. A cette heure grave, le Parti communiste affirme sa position clairement et loyalement, il affirme que si Hitler déclare la guerre, il trouvera devant lui le peuple de France uni, les communistes au premier rang, pour défendre la sécurité du pays. »

Le même Cachin au même Blum, le 19 septembre, alors que les troupes russes sont entrées en Pologne le 17 et que nul ne peut plus nourrir d'illusions sur le véritable objet du pacte germano-soviétique : « Pour nous, nous entendons juger dans le seul intérêt de la France elle-même... Quant à nous, communistes français, nous sommes attachés à notre pays par des liens solides... Nous ne recevons nos mots d'ordre que du peuple français. »

Le même jour, le P.C. évoque « la bravoure du peuple polonais et l'héroïsme des détachements ouvriers de Varsovie » et parle de « nos soldats [qui] accomplissent leur devoir de gardiens de la sécurité française et de l'indépendance nationale ».

Soldats parmi lesquels se trouvent de nombreux communistes

17. « L'heure est à l'union des Français. Si Hitler a le geste qu'il médite, les communistes français, qui n'ont cessé de proclamer que la paix était indivisible et qui n'ont cessé de préconiser la fermeté contre toute agression fasciste, seront au premier rang des défenseurs de l'indépendance des peuples, de la démocratie et de la France républicaine menacée. Ils représentent — on ne peut pas ne pas en tenir compte — une force humaine, matérielle et morale considérable, prête à remplir ses obligations et à tenir ses engagements. »

Cet article, composé, sera détruit sur le marbre par la police.

18. Citation extraite d'une lettre de Jacques Sadoul en date du 27 septembre 1939

puisque le parti n'a nullement cherché à troubler le processus d'une mobilisation qui désorganise ses structures et disperse ses militants [19]. Parmi les mobilisés des premiers jours, vingt-deux députés dont Maurice Thorez.

A ces prises de position modérées, Daladier réplique par des mesures intransigeantes et immédiates.

Peut-être soupçonne-t-il les communistes de duplicité, peut-être devine-t-il (ou sait-il) qu'ils vont être prochainement remis au pas par Moscou [20]. Peut-être est-il encouragé dans la voie de la répression par les abandons qui se multiplient. Que tant de communistes, soudain, ne croient plus au stalinisme et refusent d'accorder crédit aux paroles presque conformistes du Parti, doit être, pour le président du Conseil, une invite à l'action rapide et rude.

Donc, dès le 25 août, interdiction de toute la presse communiste, de toutes les réunions, interdiction d'innombrables organisations officielles ou satellites, qui iront de la Fédération des jeunesses communistes à l'Union populaire arménienne en passant par l'association touristique populaire de la région parisienne et le Sou du Soldat, arrestations et condamnations des diffuseurs de tracts, suspension de nombreux maires et conseillers municipaux dont beaucoup, en leur âme et conscience, hésitaient sans doute sur le choix à faire mais que les persécutions initiales — manquant leur but — souderont bientôt à leurs dirigeants, à l'image de ce Renaud Jean, député du Lot-et-Garonne, forte et influente personnalité, qui écrira le 22 janvier 1940,

---

19. Moscou, bientôt, reprochera vivement cette négligence au Parti.

20. Pour quelles raisons Staline a-t-il tellement tardé à prévenir les communistes français non point de ses intentions mais de ses volontés (il ne le fera que vers le 27 septembre), les laissant ainsi s'engager dans la voie de la lutte antihitlérienne ? A. Rossi pense que Staline ne voulait pas qu'immédiatement après le pacte, donc avant l'ouverture des hostilités, les partis communistes européens prennent position en faveur d'une paix de compromis, ce qui aurait pu conduire les pays occidentaux, sous la pression de plusieurs secteurs de l'opinion, à accepter les propositions de Mussolini en faveur d'une médiation générale. Or, les avantages que l'U.R.S.S. espérait retirer d'une guerre qu'elle ne ferait pas étaient infiniment plus importants que ceux que la paix aurait pu lui procurer.

C'est une thèse. Ce ne peut être qu'une thèse. En ce domaine, la vérité ne sera jamais connue. Ont également joué le mépris de Staline pour les partis occidentaux et les lenteurs bureaucratiques du système soviétique.

à Daladier : « Sans mon incarcération, en date du 9 octobre, je n'aurais pas cessé une minute, dans les limites de mes capacités, de collaborer à la défense nationale, non par crainte ou manœuvre, pas seulement par discipline, mais parce que telle était ma pensée. »

Mesures qui précèdent ou suivent la dissolution, le 26 septembre, du Parti communiste et « de toute association ou tout groupement de fait qui s'y rattachent ».

Tout cela avec le maximum de bruit et d'éclat.

Il n'y a pas de jours, en effet, sans communiqués de victoire.

Tout est prétexte à donner l'impression d'une fébrile activité au terme de laquelle il ne restera rien du communisme et des communistes.

La saisie de tracts (300 000 rue Haxo, à Paris, le 1er septembre, chez le secrétaire des Amis de l'Union soviétique), les arrestations qui se multiplient, les expulsions d'étrangers (Espagnols surtout) soupçonnés de soutenir les thèses soviétiques, la saisie de journaux et tracts clandestins, les motions, lettres, protestations anticommunistes qui contiennent parfois des dénonciations[21], les 200 perquisitions qui, le 27 septembre, sont, dans la France entière, la suite logique de la dissolution du Parti, tout contribue à créer un « climat » d'unité nationale contre le seul ennemi, pour l'heure, véritablement dénoncé.

Journaux et hommes politiques trouvent d'ailleurs que le gouvernement « n'en fait jamais assez ». S'ils se félicitent de l'action, ils déplorent qu'elle ne soit ni suffisamment violente, ni systématique.

Une seule exception importante dans ce concert anticommuniste.

Plus intelligent et, sans doute, plus sensible que la plupart des parlementaires et journalistes français, Léon Blum dénoncera une politique répressive dont il écrira qu'elle gâte l'idée qu'il se fait de la

21. Par exemple, cette motion du Syndicat des métaux de Lille publiée le 1er septembre 1939 par *Le Petit Parisien :* « La commission administrative du syndicat des métaux représentant la grande majorité des métallurgistes de la région, ayant pris connaissance du tract lancé par les éléments communistes pour tromper l'opinion publique et masquer la trahison du pacte hitléro-bolchevique, ainsi que le reniement du parti communiste, condamne ce pacte et réprouve les signataires du tract, y compris Manguine, membre de la commission administrative des métaux. »

justice, tout en ayant le grave défaut d'enfermer les communistes dans la clandestinité et de les entêter dans le militantisme[22].

Selon lui, on aurait dû laisser le Parti communiste « succomber sous le poids de ses erreurs insensées ». Libre, sauf nécessité absolue de défense nationale, d'écrire et de parler, il aurait pu ainsi étaler au grand jour les preuves d'un asservissement croissant aux thèses soviétiques et Blum ne doute pas qu'une immense partie des militants, scandalisée par un aussi évident cynisme, se soit alors définitivement détournée du parti.

Daladier n'entre pas dans ces subtilités que le peuple n'aurait sans doute pas comprises, que la presse, et plus qu'une autre la presse de droite, aurait dénoncées, contre lesquelles les parlementaires se seraient élevés et qui, à partir du milieu du mois d'octobre, se révéleraient d'ailleurs sans objet tant les positions communistes deviennent abruptes.

Les réactions de Daladier sont d'abord à la mesure de son immense déception, car le pacte germano-soviétique a constitué pour lui plus qu'une surprise, presque une injure personnelle.

Elles font également partie d'un plan politique.

Daladier va s'emparer des sentiments antisoviétiques de la population, les alimenter, les exaspérer, afin que la guerre, commencée dans l'apathie et la résignation, bénéficie du contexte émotionnel qui lui a toujours fait défaut.

Il sera grandement aidé par les communistes.

Accentuant et durcissant toujours leur propagande, acceptant, selon certains, que leurs documents soient parfois édités en Allemagne nazie[23], appelant les soldats à la révolte, les ouvriers au sabotage, se

---

22. On peut, à ce sujet, se reporter aux articles du *Populaire* en date du 27 août (après l'interdiction des journaux et des réunions) et du 27 septembre (au lendemain de l'interdiction du P.C.).

Après la Libération, à l'occasion d'une polémique antisocialiste, les communistes déformeront scandaleusement le sens de ces articles.

23. Les tracts et journaux imprimés arrivent très souvent de Belgique, ce qui ne signifie pas qu'ils aient tous été imprimés en Belgique où le gouvernement a suspendu, depuis le mois de novembre 1939, les publications communistes. Alors l'Allemagne ? C'est très vraisemblable.

A. Rossi rappelle qu'au cours d'un entretien avec Mussolini, le 10 mars 1940,

conformant à des ordres qui, venus de Moscou, ne font que relayer les désirs de Berlin, ils se comporteront de telle manière qu'après leur entrée à Paris les Allemands libéreront plusieurs d'entre eux, enfermés pour « propos défaitistes » et envisageront d'un œil favorable la reparution de *L'Humanité.*

En août 1940, un hebdomadaire, aussi spontanément engagé dans la collaboration que *La Gerbe*, pourra même demander « la libération immédiate de tous ces hommes, communistes ou autres » dont le seul crime « est d'avoir crié bien haut leur dégoût de la guerre et [d'] avoir prédit, dès le début, notre défaite »[24].

Si les communistes ne sont pas les seuls, on le verra, à réclamer la paix immédiate, ils se feront les courtiers les plus actifs de l'offensive de paix allemande, déclenchée avant la fin des opérations de Pologne.

Puisque Français et Anglais n'ont, depuis le début de la drôle de guerre, perdu que quelques centaines de soldats et n'ont subi aucune humiliation, pourquoi les deux pays s'entêteraient-ils dans une guerre désormais sans objet ?

Telle est la thèse allemande, à laquelle Ribbentrop et Molotov donneront forme, dans un communiqué en date du 28 septembre[25].

Ribbentrop dit au Duce, qui a fait allusion à la propagande communiste en France, que « certains de ces journaux sont imprimés en Allemagne ».

Signalons également la note du commissariat à l'Information du 24 février 1940 situant en Allemagne (Zeesen et Warren) deux des trois postes qui rediffusent les émissions de « La Voix de la Paix », le troisième poste se trouvant à Leningrad.

« A Genève, à Bruxelles, écrit Paul Paillole, chef de la section allemande du 2e Bureau, nous observons des contacts entre responsables de services de propagande soviétiques et nazis. » Le colonel Rivet, qui dirige notre contre-espionnage, dira, dans un rapport en date du 20 janvier 1940 : « L'Allemagne trouve dans la propagande soviétique le véhicule complice de son action renouvelée. »

Enfin, s'il n'est pas certain que Thorez, après sa désertion, rejoignit l'U.R.S.S. en passant par l'Allemagne, Jean-Richard Bloch, directeur du journal communiste *Ce soir*, juif de surcroît, emprunta ce chemin singulier en avril 1941, grâce à un sauf-conduit accordé par les autorités hitlériennes dans le cadre du pacte germano-soviétique.

24. *La Gerbe* du 8 août 1940, article signé Jacques Mongé, très hostile à Reynaud, Daladier, Mandel, pour qui l'auteur demande le peloton d'exécution

25. Voici le texte de la déclaration Ribbentrop-Molotov :

« Le gouvernement du Reich et le gouvernement de l'Union soviétique ayant

Le groupe communiste, dissous par Daladier le 26 septembre, s'est immédiatement reconstitué sous le nom de Groupe ouvrier et paysan français (51 adhérents) et c'est ce « nouveau » groupe qui se chargera, en France, de défendre ces propositions qui sont allemandes plus que soviétiques. Son président, Arthur Ramette, son secrétaire, Florimond Bonte, adressent en effet, le 1er octobre, à Édouard Herriot, président de la Chambre des Députés, une lettre qui, même atténuée dans sa forme, puisque, à la demande de certains députés, une phrase favorable à la fraternisation sur le front a été supprimée, sera lourde de conséquences pour le Parti communiste français.

« Monsieur le Président,

« La France va se trouver incessamment en présence de propositions de paix. »

La lettre des deux députés communistes débute ainsi et, dans la perspective de propositions qui ne peuvent émaner *que* du chancelier Hitler (elles viendront en effet le 6 octobre), elle réclame la convocation du Parlement « appelé à délibérer en séance publique sur le problème de la paix »[26].

---

réglé, par un arrangement signé aujourd'hui, définitivement les questions qui découlent de la dissolution de l'État polonais, et ayant ainsi créé une base sûre pour une paix durable en Europe orientale, expriment en commun l'opinion qu'il correspondrait aux intérêts de toutes les nations de mettre fin à l'état de guerre qui existe entre l'Allemagne d'une part, la France et l'Angleterre d'autre part. Les deux gouvernements entreprendront des efforts communs, le cas échéant, d'accord avec d'autres puissances amies, pour parvenir le plus rapidement possible à ce but.

« Si toutefois les efforts des deux gouvernements restaient sans succès, le fait serait alors constaté que l'Angleterre et la France sont responsables de la continuation de la guerre. Dans le cas de cette continuation, les gouvernements d'Allemagne et d'Union soviétique se consulteraient réciproquement sur les mesures nécessaires. »

26. Voici le texte de la lettre d'Arthur Ramette et de Florimond Bonte :

« Monsieur le Président,

« La France va se trouver incessamment en présence de propositions de paix.

« A la seule pensée que la paix prochaine pourrait être possible, une immense espérance soulève le peuple de notre pays qu'angoisse la perspective d'une guerre longue et cruelle, d'une guerre qui ensevelirait les trésors de la culture humaine sous des monceaux de ruines et coûterait la vie à des millions d'hommes, de femmes et d'enfants, confondus dans le massacre. A peine a-t-on parlé de ces propositions de paix, dues aux initiatives diplomatiques de l'U.R.S.S. qu'une presse dirigée a répondu avec ensemble : non !

« Est-il possible que des journalistes, ne détenant aucun mandat de la nation,

Immédiatement rendue publique par les communistes, qui la diffuseront par tous les moyens en leur possession, la lettre de Ramette et de Bonte sera considérée par le gouvernement, et par l'immense majorité de l'opinion, comme un acte d'intelligence avec l'ennemi.

A dater de ce jour, tous les ponts sont rompus.

Ils sont rares en effet, ceux qui ne partagent pas le dégoût exprimé par Léon Blum dans *Le Populaire* du 4 octobre pour « le cynisme et l'hypocrisie » d'un texte dont il dit qu'il révèle une immense servilité, une « omni-obéissance » stupéfiante.

La lettre à Herriot scandalise d'autant plus que l'on imagine (ou qu'elle laisse imaginer) que les communistes français ont été secrètement mis au courant des intentions d'Hitler. Négligeant le fait que, dès le 30 septembre, tous les journaux évoquent la prochaine offensive de paix germano-soviétique, on leur prête un machiavélisme qui passe, cette fois, les bornes du machiavélisme.

---

puissent froidement trancher en faveur de la continuation de la guerre jusqu'au bout ?

« Est-il possible que des propositions de paix puissent être rejetées avant même que d'être connues et sans que la représentation nationale souveraine ait été consultée ?

« Nous ne le pensons pas quant à nous, et nous vous demandons, en tant que président de la Chambre, d'intervenir auprès des pouvoirs publics pour demander :

« 1° Que le Parlement soit appelé à délibérer en séance publique sur le problème de la paix ;

« 2° Que les parlementaires aux armées puissent prendre part aux délibérations sur cette question capitale dont dépend la vie ou la mort de millions de Français.

« Chaque Français veut la paix, car il sent qu'une guerre de longue durée serait terrible pour notre pays et compromettrait à la fois son avenir et ses libertés démocratiques.

« Il faut absolument empêcher qu'on puisse rejeter a priori les propositions de paix et nous conduire, par cela même, à l'aventure et aux pires catastrophes.

« Nous voulons de toutes nos forces une paix juste et durable et nous pensons qu'on peut l'obtenir rapidement, car, en face des fauteurs de guerre impérialistes et de l'Allemagne hitlérienne en proie à des contradictions internes, il y a la puissance de l'Union soviétique qui peut permettre la réalisation d'une politique de sécurité collective susceptible d'assurer la paix et de sauvegarder l'indépendance de la France.

« Voilà pourquoi nous avons conscience de servir les intérêts de notre pays en demandant que les propositions de paix qui vont être faites à la France soient examinées avec la volonté d'établir au plus vite la paix juste, loyable et durable que, du fond de leur cœur, souhaitent tous nos concitoyens.

« Veuillez agréer, etc. »

La lettre à Herriot aura pour résultat immédiat d'accélérer la répression et, il ne se trouve personne pour défendre les communistes qui vivront un dramatique mois d'octobre.

Dans la nuit du 7 au 8, 14 députés du Groupe ouvrier et paysan français sont arrêtés sur mandat du capitaine de Moissac. Quelques jours plus tard, ils seront 39 dans les cellules de la Santé.

Les historiens s'interrogeront longtemps sur la facilité avec laquelle ont été pris des militants en principe rompus aux règles de la clandestinité. Difficulté de vivre au sein d'une population généralement hostile? Embourgeoisement de parlementaires à la vigilance assoupie, d'hommes que la mobilisation a privé de leurs relais, de leurs gardes du corps? Pari sur la fin rapide de la guerre, sur une paix blanche, ou même sur la victoire d'Hitler, qui les verrait sortir de prison, forts d'avoir eu raison avant et contre tout le monde, politiquement mieux placés alors pour les luttes à venir? Toutes les hypothèses ont été envisagées, la troisième étant le plus souvent retenue par ceux aux yeux de qui le parti ne peut ni se trouver privé du concours populaire, ni faire preuve de naïveté et de négligence.

Mais tous les députés communistes n'ont pas été arrêtés, ce qui fait perdre quelque crédit à la thèse de la prison volontairement acceptée, comme un tremplin pour les gloires futures. Jacques Duclos, Péri, Tillon, Monmousseau, Bonte, Ramette, Catelas, Dutilleul ont échappé, ou se sont échappés, sur ordre du secrétariat de l'Internationale, effrayé par les ravages que causent, dans l'appareil dirigeant, les mesures gouvernementales.

Lors des débats parlementaires, débats qui ne s'animent que dans la mesure où l'on évoque la censure... et les communistes, de nombreux députés feront d'ailleurs grief au gouvernement de sa mollesse... ou de sa malchance.

— On me dit qu'il y a 2000 communistes en prison. Bien! Mais les chefs, où sont-ils? Comment, en pleine guerre, ont-ils pu vous échapper? demande Ybarnegaray, le 14 décembre 1939, à Albert Sarraut, ministre de l'Intérieur.

— Vous êtes un excellent ministre de l'Intérieur, ironise Pierre-Étienne Flandin, et vous contrôlez vos services de fort près. Pouvez-vous admettre que les services de la sûreté générale, à un moment où la France était en guerre, aient laissé échapper les chefs du Parti communiste, qui ne sont pas à l'heure actuelle arrêtés?

Et le député René Dommange s'exclame :
— Vous n'avez pas arrêté Thorez, ni Ramette, ni les chefs communistes en fuite. C'est de l'incapacité ou de la complaisance.

Maurice Thorez a pu fuir, en effet, le plus tranquillement du monde, le 3e régiment du génie, cantonné à Chauny. Il joue aux cartes *Aux Amis réunis* lorsque, le 4 octobre, dans la soirée, on vient le prévenir que sa femme est là. Il sort, en chandail et en chaussons, et monte dans une traction avant que conduit Arthur Ramette et où se trouvent Jeannette Vermeersch et Martha Desrumeaux. La frontière belge est à cent kilomètres.

Beaucoup plus tard — en 1975 —, Philippe Robrieux écrira que le secrétaire général du Parti a longuement hésité avant de prendre une décision qui n'avait que les apparences de la spontanéité. Il dira qu'il a fallu multiplier les pressions pour le contraindre à une désertion, qui constituait un reniement de ses discours, de ses cinq années de lutte anti-hitlérienne et presque nationaliste, qui le rejetait, évidemment, de la communauté française et, il le soupçonnait certainement, l'exemple de Salengro n'étant pas si lointain[27], serait exploité des années durant par ses adversaires.

Mais, si Thorez a vécu, selon Robrieux, des heures dramatiques, le Parti ne fait naturellement pas étalage de ses troubles de conscience et le gouvernement exploite au maximum la désertion du chef du Parti communiste que Gérard Lalouette, ex-communiste, secrétaire du

27. Ministre de l'Intérieur de Léon Blum en 1936, Roger Salengro fut violemment attaqué par l'hebdomadaire *Gringoire*. Porté disparu en 1916, soupçonné de désertion, Salengro avait été innocenté par le Conseil de guerre chargé de le juger par contumace. Mais *Gringoire*, reprenant et exploitant une accusation lancée par les communistes du Nord, fut à l'origine d'une violente campagne de presse au terme de laquelle Salengro, épuisé, écœuré, démoralisé également par la mort récente de sa femme, se suicida.

Évoquant la mort de Salengro, Colette Audry écrira : « Est-il admissible qu'un militant ouvrier, député-maire d'une grande ville ouvrière et ministre socialiste, se laisse accabler par quelque calomnie que ce soit de la part de ses ennemis de classe, par une accusation de désertion en particulier ? Imagine-t-on Lénine, non pas même se tuant, mais se torturant pour l'affaire du wagon plombé ? Plus tard, a-t-on vu Maurice Thorez sérieusement ébranlé par les accusations portées contre lui ?... C'est qu'avec Lénine et Thorez nous avons affaire à des hommes qui dénient à leurs ennemis le droit de les juger. »

(*Léon Blum ou la politique du juste.*)

syndicat de la batellerie artisanale, non encore mobilisable, s'offre à remplacer dans l'armée.

Condamné le 25 novembre 1939, par le tribunal militaire de la IIIe Région, à six ans de prison pour désertion en temps de guerre, Thorez sera, le 17 février 1940, déchu de la nationalité française.

Peines qui paraissent d'ailleurs trop légères au rapporteur de « la proposition de résolution tendant à constater la déchéance de certains membres de la Chambre des Députés », le socialiste Georges Barthélemy[28], puisque, le 20 février, il réclame la mort pour Thorez et quelques autres. Et quelle mort !

— Tous sont plus ou moins coupables, mais il y a des chefs, comme Thorez, Catelas et tant d'autres qui devraient être traduits immédiatement devant les tribunaux militaires pour, ensuite, non pas subir le feu d'un peloton d'exécution, ce serait leur faire trop d'honneur, mais être poussés sous le couperet de M. de Paris.

L'attaque est si furieuse qu'elle provoquera parmi des députés, dont plusieurs ont été élus dans l'enthousiasme du Front populaire, avec des voix communistes, ce qu'il est convenu d'appeler des « mouvements divers »[29].

C'est a partir du mois d'octobre, à partir de la lettre à Herriot comme de la désertion de Thorez et de l'arrestation de plusieurs parlementaires que les positions, d'un côté comme de l'autre, iront se durcissant rapidement.

Les rescapés du Parti s'enfoncent alors dans la clandestinité. Ils entreprennent un travail quotidien de démoralisation de la nation en guerre, appellent, non sans succès, au sabotage des armes, dénoncent la guerre contre Hitler qui n'est plus, à leurs yeux, qu'une guerre impérialiste faite au seul profit de l'Angleterre, exploitent toutes les mesures anticommunistes du gouvernement pour tenter de soulever l'opinion, mettent à profit les rapides « prises de paroles » tentées par

---

28. Maire de Puteaux (il a battu André Marty), Georges Barthélemy, furieusement anticommuniste, restera à la tête de la municipalité pendant l'occupation. Il sera tué par deux « inconnus » le 10 juillet 1944.

29. Catelas, député de la Somme, sera guillotiné le 24 septembre 1941, après avoir été arrêté le 16 mai 1941, jugé et condamné à mort par le Tribunal d'État institué par Vichy, le 24 août.

Florimond Bonte, le 30 novembre, et le 16 janvier par Étienne Fajon, dans le cadre de la Chambre des Députés, puis le procès fait, à partir du 20 mars 1940, à trente parlementaires dont les déclarations sont répercutées, malgré le huis clos, par des journaux et des tracts que le pouvoir se révèle incapable de saisir tous.

Quant à Daladier, attaquer les communistes sur le terrain de la défense de la patrie, les rejeter de la communauté nationale, c'est gagner sur plusieurs tableaux.

La vigueur de la répression doit en effet lui apporter non seulement le soutien d'une droite nationaliste qui prend davantage d'intérêt à la guerre contre les Staliniens qu'à la lutte contre les Hitlériens, mais aussi celui des masses populaires tacitement cocardières et chez qui le mot « trahison », mille fois répété, éveille toujours les mêmes réflexes et les mêmes passions. L'anticommunisme constitue également un bouclier efficace contre les attaques parlementaires : Daladier s'en servira à plusieurs reprises et, lorsqu'il tombera, ce sera pour n'avoir pas suffisamment soutenu la Finlande, victime du communisme. L'anticommunisme sert aussi à masquer les déficiences, les retards, les erreurs, bref presque tout ce qui va mal dans le pays ; à défaut de faire la guerre, il permet de faire *une* guerre. Enfin, il contribue à gêner l'action d'un certain nombre de pacifistes qui hésitent à se manifester de peur d'être confondus avec les partisans de Moscou.

Dernier avantage qui n'est certainement pas négligeable aux yeux de Daladier.

Les communistes ne sont pas les seuls, en effet, à dénoncer la guerre, non, comme on peut le faire à l'extrême droite, grâce à des textes assez obscurs pour abuser la censure, mais qui n'éclairent guère les lecteurs, mais par des tracts et des déclarations sans réticences.

Il a toujours existé, en France, des hommes qui, par haine de la guerre, prêchent la fraternisation entre les peuples, dénoncent le « bourrage de crânes » et demandent à leurs concitoyens de ne jamais croire la presse ou la radio [30]. Ils s'opposent souvent aux communistes dont l'attitude, envers la guerre, est affaire de circonstance et de mots d'ordre. Mais ils les rejoignent, au moins en apparence, ou plus

30. Voir notamment les articles de Pierre NAVILLE dans *Lutte ouvrière*, en septembre 1938.

exactement ce sont les communistes qui les rejoignent dans leur hostilité à la guerre, à partir de septembre 1939.

Écrivains, instituteurs, syndicalistes, parlementaires, les pacifistes vont donc diffuser, à partir du 25 septembre, le tract « Paix immédiate » :

« Pas de fleurs aux fusils, pas de chants héroïques, pas de bravos aux départs des militaires. Si l'on nous assure qu'il en est ainsi chez tous les belligérants, la guerre est donc condamnée, dès le premier jour, par la plupart des participants de l'avant et de l'arrière.

« Alors, faisons vite la paix. N'attendons pas qu'elle nous soit offerte par les fauteurs de guerre.

« Le prix de la paix ne sera jamais aussi ruineux que le prix de la guerre. Car on ne construit rien avec la mort ; on peut tout espérer avec la vie.

« Que les armées laissent la parole à la raison, déposent donc les armes ! Que le cœur humain trouve son compte dans une fin très rapide de la guerre.

« Réclamons la paix ! Exigeons la paix ! »

Cent mille exemplaires. Qui feront du bruit comme un million.

Parmi les signataires, qui montreront devant les magistrats infiniment moins de courage, à de rares exceptions près, que les communistes : le député Marcel Déat qui avait affirmé, dans son journal *L'Œuvre,* sa volonté de ne pas mourir, ni faire tuer les Français pour la défense de Dantzig ; l'écrivain Victor Margueritte ; l'écrivain Alain dont on vient de rééditer l'*Échec de la force ;* Germaine Decaris. Et Jean Giono qui, le 5 septembre, a été conduit, à Marseille, devant un colonel chargé d'organiser les services de la propagande.

— Aimeriez-vous entrer au service de la propagande française avec le grade de capitaine ? Vous rédigerez et signerez des tracts pacifistes.

— Avec empressement, mon colonel, mais pouvez-vous me dire dans quel but ?

— Nous les ferons distribuer avec nos avions sur l'Allemagne.

— Volontiers, si vous m'assurez que la même quantité sera distribuée par vos avions sur la France.

Riposte qui devait finalement conduire Giono, quelques jours plus tard, au fort Saint-Jean à Marseille... comme prisonnier.

Il est donc normal qu'il signe le tract « Paix immédiate » comme le signe l'anarchiste Lecoin qui, arrêté une fois encore, fera, lui, un très long séjour en prison. Signent également quatorze syndicalistes dont G. Dumoulin, Giroux, Vigne, Yvonnet et Robert Hagnauer.

Le tract « Paix immédiate » est diffusé à la fin du mois de septembre. C'est à la même époque que certains hommes politiques, de tous horizons, manifestent, dans le privé, une hostilité à la guerre qui puise naturellement ses raisons premières dans la disparition de la Pologne — donc de la cause de la guerre — et dans l'absence totale de combats.

Au gouvernement, tandis que Georges Bonnet, ministre des Affaires étrangères jusqu'au 13 septembre, puis garde des Sceaux, regrette, rejoignant en cela les communistes, que les propositions de paix d'Hitler aient été rejetées sans examen[31], Anatole de Monzie ne désespère pas du succès de « bons offices » italiens qu'il s'emploie, de toutes ses forces, à susciter. Au Sénat, comme à la Chambre, les membres des commissions des Affaires étrangères, et parmi eux Pierre Laval, sont hostiles à la poursuite du conflit ; Flandin, de son côté, dirige un comité de liaison parlementaire, de tendance pacifiste, qui regroupe une quinzaine de députés. Voisinent, pour la circonstance, des hommes de droite comme Montigny, Tixier-Vignancour, Scapini et les socialistes Rives, Chouffet, Froment, Rauzy.

Il n'y a là rien d'étonnant. Les partis ne sont pas des blocs imperméables. Sur Munich, la S.F.I.O., par exemple, après un instant d'unanimité, lorsque Léon Blum avait loué la « noble audace » de Chamberlain volant, à la rencontre d'Hitler, s'était très vite divisée. Tandis que Blum considérait rapidement les accords comme une défaite politique et militaire des démocraties, Paul Faure, dont l'influence était grande dans le parti, les tenait pour un succès et il n'avait cessé de proposer que la France prenne l'initiative d'une conférence d'où devrait sortir une réduction des armements.

Le débat « pour » ou « contre » Munich et, si l'on schématise, « pour » ou « contre » la guerre au fascisme, qui s'était poursuivi de longs mois et avait failli provoquer un éclatement du Parti, devait avoir des prolongements d'autant plus importants qu'au congrès de décembre 1938, la motion Paul Faure, en faveur du désarmement et de la

31. Georges Bonnet, que les communistes dénonceront sans arrêt comme « munichois », écrira qu'en traitant avec Berlin, Moscou, en 1939, avait agi comme la France et l'Angleterre avaient agi à Munich en ne songeant qu'à l'intérêt national.

paix, mais aussi de l'acceptation des accords de Munich, au nom du principe du droit des peuples à disposer d'eux-mêmes, avait recueilli 2 837 mandats contre 4 322 à la motion Léon Blum, tandis que 1 014 délégués se réfugiaient dans l'abstention.

C'est précisément un député « paulfauriste », le maréchal des logis Peschadour, qui écrira, le 28 septembre 1939 (toujours septembre !), à Anatole de Monzie, ministre des Transports, cette lettre qui reflète les inquiétudes d'une bonne partie de l'opinion.

« Aux armées, le 28 septembre 1939.

« Monsieur le ministre,

« ... J'ai pour vous — et croyez-moi ce n'est pas une vaine flatterie — beaucoup d'admiration. Depuis qu'on m'a affirmé que vous aviez farouchement défendu la paix dans le Conseil des ministres du 31 août, mon admiration s'est transformée en affectueuse estime... Je suis mobilisé, comme des millions d'autres. Mais je suis moins à plaindre que d'autres, puisque je suis encore à une vingtaine de kilomètres en arrière du front. S'il y a un front. Mais oui, je dis bien, s'il y a un front, car je me demande si la guerre est commencée... Autre question : à quelles conditions signerions-nous la paix, puisque la guerre, si elle ne se fait pas encore, a tout de même été déclarée ? Veut-on reconstituer la Pologne telle que l'avaient faite les traités de 1919 ? Dans ce cas, qu'attend-on pour déclarer la guerre à la Russie ?... Espère-t-on abattre le régime hitlérien ? Comment ? Par des bombardements à l'aide de tracts ? Le procédé me semble bien puéril... La France, victorieuse ou vaincue, sera une nation perdue si la guerre dure quelques années, on ne peut pas, je le crois, dans une nation aussi peu peuplée que la nôtre, faire une saignée de quelques millions de jeunes hommes, sans que s'effondre cette nation.

« Ma conclusion ? C'est qu'il faut mettre fin au plus vite à la folle et stupide aventure dans laquelle nous nous sommes laissé engager. Il me semble qu'il en est encore temps. C'est mon vœu le plus ardent, comme c'est celui que forment la plupart des « braves bougres » qui m'entourent. »

A cette prise de position sans hypocrisie, Anatole de Monzie, lui aussi, on le sait, partisan d'une paix négociée, répondra par une lettre

5

LE MORAL DES CIVILS

Tout le monde l'a affirmé : les civils seront désormais en première ligne.

Aussi, avant même le déclenchement des hostilités, leur a-t-on appris à creuser convenablement une tranchée dans leur jardin, à reconnaître la signification des brassards qui fleurissent au bras de ces hommes qu'un journaliste dépeint joliment comme vêtus d'une tenue « militaire civile ».

Brassard jaune : défense passive ; bleu et rouge : fonctionnaires de la Préfecture de police de la Seine ; bleu : militaires des régiments régionaux.

On leur explique la conduite à tenir dans le métro en cas d'alerte. Il y a vingt-huit stations refuges dont les plus importantes, « Place des Fêtes », où neuf mille personnes peuvent stationner, et « Maison-Blanche », ont été aménagées contre les gaz de combat. L'électricité coupée, la foule peut alors descendre sur les rails ; mais, dès la première alerte, celle du 4 septembre, un grave accident se produira à la station « Saint-Martin » où Mlle Jeanne Girondia, Mlle Bruchon et Mlle Pierre sont grièvement brûlées, le courant ayant été rétabli par erreur.

Interdiction de sortir avant l'autorisation du chef de station, mais on découvre vite que les chefs de station sont un peu comme des commandants de sous-marins, privés de périscope et de radio. Ils ne savent rien. Ils n'entendent pas les sirènes (il y en a 92 à Paris, 128 en banlieue, auxquelles s'ajoutent 428 avertisseurs de police) et il leur faut envoyer des messagers à la surface pour connaître les événements et leur devoir. Dans quelques-uns des 80 abris publics installés pour recevoir 300 000 personnes ou dans les caves, plus ou moins bien aménagées [1], de certains immeubles, il en va de même au début de la guerre et, pour beaucoup de Parisiens prudents, les premières alertes dureront bien plus longtemps que le temps « réglementaire ».

Recommandations des journaux : garder chez soi une provision d'eau pour quarante-huit heures, la jeter si elle a « mauvais goût » ; avoir dans sa pharmacie coton, gaze, bandes, épingles, ciseaux, alcool de menthe, rhum ou cognac, eau oxygénée, aspirine, huile goménolée pour les brûlures, bicarbonate (22 g par litre d'eau) pour imprégner les linges qui peuvent, au besoin, remplacer les masques à gaz.

Pendant un mois environ, le masque à gaz est l'objet de toutes les sollicitudes. Comme les Français s'attendent au pire, ils n'abandonnent pas cet instrument auquel ils accordent des vertus sans doute excessives. Au marché, au cinéma, à la messe, au restaurant, dans le métro, le masque est présent partout, il excite la verve des caricaturistes, des chansonniers, des journalistes qui s'amusent à décrire les différentes façons de le porter : en carquois, en boîte d'herboriste, comme une sacoche d'encaisseur, mais il est là, fidèle et inutile. Même lorsque l'immense majorité des Français, persuadés que la guerre des gaz n'aura pas lieu, l'abandonnera ostensiblement il fera toujours partie du décor familial et la publicité s'en servira longtemps encore : « Votre masque... et un flacon d'arquebuse de l'Hermitage, cordial énergique. » La mode également : on verra un masque à gaz, modèle très réduit, servir de flacon à parfum.

Bien entendu, dans les premiers jours de guerre, les masques sont utilisés inconsidérément. Comme il a été dit que l'alerte aux gaz serait donnée par des voiturettes de détection, qui lanceraient une seule note brève et aiguë se répétant sur un rythme rapide, il suffit du klaxon d'une voiture de police pour que des milliers de Parisiens se harnachent et, sous le masque, se mettent bientôt à respirer difficilement, à transpirer à grosses gouttes et, après avoir ri quelques secondes de l'allure des autres, à éprouver une grande angoisse.

La guerre, pour les civils aussi, est un difficile apprentissage.

A Paris, la première alerte sonne le 4 septembre, à 3 h 45 du matin.

Habillés hâtivement, des milliers de Parisiens descendent dans les

1. On en a étayé 3 500 pouvant recevoir 150 000 personnes et recensé 46 000.

abris mais, comme ils n'entendent aucun tir de D.C.A., ils sont assez nombreux à remonter rapidement dans la rue ou à se tenir, prudemment, pensent-ils, sur le pas des portes malgré coups de sifflets et conseils des 4412 chefs d'îlots dont beaucoup ne sont pas encore à la hauteur de leurs responsabilités.

Les caves abris, dont les soupiraux ont été hâtivement bouchés pendant les derniers jours de paix, trouveront bientôt leurs poètes, comme elles trouveront leurs illustrateurs et leurs décorateurs.

Colette, dans *Paris-Soir,* évoque son « premier abri » avec les mots qui servent aux écrivains lorsqu'on leur demande de raconter « leur plus beau souvenir de vacances ». « Nous n'entendions que des paroles courtoises, des « Pardon, madame », des « Fais attention à la dernière marche, maman », puis le calme villageois s'établit et le goût français de la conversation reprit ses droits qu'il perd en temps heureux et retrouve maintenant à chaque angoisse unanime. »

Colette signale tous les projets d'amélioration de la petite demeure souterraine dont on s'efforcera de faire une projection, un double du foyer momentanément abandonné. On joue donc à reconstituer ce paradis perdu : il y aura des pliants, des lits de camp, des sacs de couchage, des édredons rouges, des jeux de cartes pour les hommes, des fauteuils pour les femmes âgées qui ont apporté le tricot commencé et du café dans les thermos. « A tant faire, il faut que le temps passe agréablement. » Colette dit avoir entendu maintes fois la réflexion mais, en vérité, tout ne se déroule pas de manière aussi idyllique. On vole dans les abris à une telle cadence que les chefs d'îlots recommandent bientôt à leurs « protégés » de confectionner un sac qui, placé à même les vêtements, contiendra argent et bijoux.

On cambriole les appartements abandonnés et Georges C..., 17 ans, Jules V..., 18 ans, Mohammed ben B..., 38 ans, sont arrêtés, au lendemain de la première alerte, pour avoir pillé un immeuble de la rue Félicie à Asnières. Les vols deviennent si fréquents d'ailleurs que la répression s'intensifie. En février 1940, deux canonniers coloniaux, Paul R... et René L..., du dépôt de Rueil, qui, en octobre, ont mis à sac la cave et la villa de M. Château, industriel à Port-Marly, sont ainsi condamnés à mort.

L'obscurité exigée par la défense passive (encore plus sévère lors des alertes) favorise les amoureux, inspire les poètes puisque Germaine Beaumont assure, à ses lecteurs du *Temps,* que chaque réverbère voilé est « une cinéraire, une lobélie, une centaurée, un delphinium », aide les rôdeurs, détrousseurs, assassins. Aussi lorsque, en novembre, trois policiers seront tués par des voleurs de bicyclettes (exécutés d'ailleurs quelques mois après leur crime), l'inquiétude sera-t-elle grande parmi les femmes seules et les personnes âgées.

Au début du mois de septembre, les alertes nocturnes deviennent si fréquentes que les Parisiens ont pris l'habitude de se coucher de très bonne heure pour être assurés de dormir quelques heures avant l'appel de sirènes déclenchées, à tort et à travers, par le vol d'un seul avion ennemi, par des guetteurs impulsifs, ou même par des plaisantins, puisque trois conscrits pris de boisson feront, le 28 novembre, donner l'alerte à toute la région bordelaise.

Et puis, à quoi bon sortir ? Les lampes de poche, dont le verre doit être obligatoirement teinté en bleu ou en rouge orangé, guident mal les pas. Les cinémas n'ouvriront jusqu'à 22 heures qu'à partir du 14 septembre. Encore faut-il que les spectateurs puissent trouver à 150 mètres de là, au maximum, un abri de dimension convenable...

Bien avant 1938, le gouvernement s'était inquiété de l'évacuation des populations en apparence les plus menacées : celles des régions frontières et celles de la région parisienne [2]. La crise de Munich, en ce domaine comme en quelques autres, avait tenu lieu de répétition générale et on s'était aperçu que les instructions de 1935 et de 1938, qui prévoyaient notamment le repli de la population inutile dans vingt-trois départements [3], ainsi que l'évacuation partielle de Paris, de Lyon

2. En 1918, l'évacuation des paysans de l'Aisne et de la Somme, lors de la seconde offensive allemande, avait été bien préparée et fut bien exécutée.

3. Dans les plans de 1939, les habitants du *Nord* devaient aller dans le Finistère, l'Ille-et-Vilaine, la Manche, les Côtes-du-Nord ; ceux de l'*Aisne* en Mayenne, ceux des *Ardennes* en Vendée et dans les Deux-Sèvres, ceux de la *Meuse* en Charente-Inférieure, ceux de la *Moselle* dans la Vienne et en Charente. ceux de *Meurthe-et-Moselle* en Gironde, ceux du *Bas-Rhin* en Dordogne, Haute-Vienne et dans l'Indre, ceux du *Haut-Rhin* dans le Gers, les Landes, le Lot-et-Garonne, ceux du *Territoire de Belfort* en Corrèze, ceux du *Doubs* dans le Lot et en Tarn-et-Garonne, ceux du *Jura* dans l'Allier, ceux de l'*Ain* dans le Cantal, ceux de *Haute-Savoie* dans le Puy-de-Dôme, ceux de *Savoie* dans la Haute-Loire, ceux des *Basses-Alpes* dans la Lozère, ceux des *Hautes-Alpes* dans l'Ardèche, ceux des *Alpes-Maritimes* dans l'Aude et le Tarn, ceux de *Monaco* dans l'Hérault.

Les évacués de la région parisienne devaient se rendre dans douze départements : Calvados, Cher, Eure, Eure-et-Loir, Loir-et-Cher, Loire-Inférieure, Loiret, Maine-et-Loire, Nièvre, Orne, Sarthe, Yonne.

Le département d'Indre-et-Loire était prévu comme zone de repliement des ministères

et de Marseille, n'allaient pas sans imprécisions ni confusions. Munich et l'évidente menace de guerre permirent sans doute à la plupart des Français de mieux accepter la nécessité d'un éloignement dont l'utilité avait longtemps été niée.

De son côté, le gouvernement avait pu roder un vaste plan qui couvrait pratiquement tous les domaines de la vie quotidienne. Transporter en quelques jours des millions de réfugiés supposait un effort énorme de la S.N.C.F. qui, dans la plupart des cas, avait prévu de multiplier par trois ou quatre [4] le nombre des trains en direction des zones de repliement. Supposait également la mise en place de services de ravitaillement et d'antennes médicales ; la réquisition de logements nombreux ; et, avec les logements, de literie, de vaisselle, de meubles ; l'achat du bétail abandonné par les paysans ; l'enlèvement de toutes les archives : minutes notariales, plans cadastraux, registres de contributions, titres en dépôt dans les banques (76 tonnes pour les seules contributions directes des Ardennes), papiers encombrants mais indispensables à la poursuite de la vie ; le transport, si l'ennemi en laissait le temps, des stocks alimentaires, du gros matériel et de tout ce qui pouvait être utile à l'économie du pays ; la surveillance des logements abandonnés ; l'affectation de crédits importants à des milliers de communes que l'afflux des réfugiés allait surprendre dans leur dénuement rural, enfin un immense effort d'information et d'organisation.

Le 1er septembre, l'Affiche est collée vers 11 h 30 sur les murs de toutes les villes et tous les villages proches de la frontière de l'est.

PRÉFECTURE DU HAUT-RHIN

RÉPUBLIQUE FRANÇAISE

Bureau de la Défense nationale

Conseils à la population

Le repliement de cette commune est ordonné, les habitants doivent suivre scrupuleusement les ordres qui leur sont donnés par la mairie et les

4. C'est ainsi que, pour l'Eure et le Calvados, on avait prévu 30 trains dont seulement 7 réguliers, pour Chartres 37 trains dont 12 réguliers, pour Angers 18 dont 6 réguliers, etc.

chefs de groupe. Ils doivent obligatoirement se rendre au centre de Recueil.

Chaque personne emportera des vêtements chauds, une couverture, un quart, une gamelle, etc. et pour trois jours *de vivres. Le poids des bagages ne doit pas dépasser 30 kilos... Pour les enfants de moins de sept ans, il est de la plus grande importance de coudre à leurs vêtements une étiquette, indiquant leurs nom, prénoms, date de naissance, lieu d'origine et centre de Recueil.*

Dans certains cas, les Alsaciens n'ont pas attendu les ordres pour préparer leurs bagages. La signature du pacte germano-soviétique a constitué pour beaucoup un signal d'alarme. L'annonce de l'entrée des troupes allemandes en Pologne déclenche les derniers préparatifs. Les habitants de Saint-Louis (Haut-Rhin) qui écoutent, le 1er septembre, à 10 heures, devant le café *Philibert,* le discours d'Hitler annonçant que ses armées ont envahi la Pologne, rentrent immédiatement chez eux pour équiper leurs enfants et terminer leurs valises.

Comment faire tenir toute une vie dans trente kilos ? Et dans soixante, ou quatre-vingt-dix ? Il faut se livrer à des choix douloureux. Ne rien oublier tout en étant certain que l'on oubliera mille choses et que le souvenir en reviendra, lancinant, dès que le train de l'évacuation se sera mis en route. Que faire de toutes les photos, des lettres, des souvenirs familiaux, de tous ces liens, invisibles aux indifférents, mais que l'on ne peut couper sans mourir un peu ?

Tout est choix. Tout est choix, donc tout est problème et douleur puisque ce que l'on abandonnera sera plus important que ce que l'on sauvera et qui, de toute façon, ne retrouvera jamais sa place exacte dans un univers désormais étranger. On part donc, munis de sacs à dos plutôt que de valises peu pratiques et lourdes. Les enfants qui portent, cousus sur leurs vêtements, ces grandes étiquettes de tissu faites pour les sauver de l'anonymat, tournent, et crient, et s'agitent, heureux souvent d'une aventure semblable à celles qu'ils ont lues et dont ils ont rêvé. On ferme les compteurs. Et les portes sur des pièces toutes « en ordre ». Comme si un double tour de clefs pouvait protéger du pillage. Des obus. De la guerre. Et des hommes.

Lorsque, quinze jours après l'évacuation de sa famille, Fritz Hassler, qui est mobilisé, revient à Saint-Louis pour quelques heures, il trouve les portes de son appartement forcées. A la fin de septembre, dans les villages proches du front, peu de foyers auront été épargnés malgré les promesses qui ont été faites et qui seront renouvelées par Chautemps, vice-président du Conseil : « Sur ces foyers, notre armée veillera avec une attention et une fermeté de tous les instants. »

A Saint-Louis où, comme ailleurs, l'on a tiré du coffre-fort de la mairie la grande enveloppe aux instructions, on trouve simplement cette indication : « La population se rendra à pied et par tous les moyens à sa disposition à Hausgauen dans les heures de la nuit. » Aucune mention d'une destination finale. On charge dans un camion les archives de la mairie ; le maître peintre Gargoet, accompagné de M. Amengaual, fait le tour de toutes les boulangeries et, au passage, ramasse devant la boucherie Junker un gros panier plein de jambons et, plus loin, des conserves sorties des épiceries. Puisqu'il faut tout abandonner, que tout, soudain, a perdu sa valeur, pourquoi ne pas se montrer généreux ? Phénomène que l'on reverra au moment du grand exode de juin, le détachement subit des biens de ce monde faisant suite, sans transition, à un goût immodéré de la possession.

Il était prévu que la population évacuerait à pied, mais trois rames de wagons vides vont, miraculeusement, pour les malades, les gosses et les vieux, simplifier les choses.

De la rue des Acacias part cependant un important convoi cycliste, tandis que, de la place du Marché, s'ébranlent des charrettes, chargées à refus avec, assises tout en haut des bagages, les vieilles paysannes qui, chapelet en main, prient en silence. Sous la direction du garagiste Sendler, la colonne des voitures automobiles est partie en direction d'Altkirch et, en route, elle abandonnera quelques véhicules trop lourdement chargés qui rejoindront le lendemain.

Minuit. Les trains s'éloignent enfin. Il ne reste plus, dans la petite ville, que les vingt-cinq membres de la Commission de sauvegarde, plusieurs volontaires de la Croix-Rouge, des cheminots et quelques dizaines de réfractaires au départ qui contemplent avec effarement la place de la Gare encombrée de voitures d'enfants, de brouettes, de charrettes, de tout ce qui a servi à transporter les bagages que l'on a entassés dans des wagons d'abord pris d'assaut. Sur la place, aussi, toutes ces bêtes qui rôdent et gémissent, chats et chiens abandonnés au dernier instant parce que les ordres sont formels et que rien n'a pu les fléchir.

Dans l'après-midi, on a enterré Charles Freund, ancien adjoint au maire, décédé la veille. En des temps normaux, il y aurait eu foule pour suivre le cortège. Mais, hommes et femmes, tous sont bien trop occupés à courir les épiceries et les bazars, à plier les couvertures, à faire entrer dans des valises, déjà trop gonflées, un vêtement encore, à trier les papiers de famille, pour assister aux obsèques.

Le mort s'en va, accompagné seulement de deux amis.

La ville s'en va.

Elle se retrouve, le 2 septembre, avec la presque totalité des habitants du Sundgau à Altkirch, où tout le monde campe dans les écoles, les granges, la halle au blé, mais où l'on demeure entre soi, encore.

Ce n'est que dans la matinée et dans l'après-midi du 3 que les 3822 réfugiés de Saint-Louis partiront en direction de Lectoure (Gers). Les plus chanceux en voiture. Les autres dans des wagons où ils sont entassés à cinquante ou soixante, vivant dans une ambiance qu'ils décriront tous comme « infernale », ne débarquant que trois jours plus tard dans une ville qui ne les attend pas puisque, en décembre, bon nombre d'évacués coucheront toujours dans des greniers, sur la paille.

La population de Strasbourg et de sa banlieue — 250000 habitants environ — a été évacuée dans les mêmes conditions de rapidité, mais dans un inconfort moindre, en direction, le plus souvent, de la Dordogne où politiquement et administrativement, Périgueux deviendra un Strasbourg-*bis*, ce qui n'ira d'ailleurs pas sans complications d'amour-propre.

Dans ce département paysan encore ignoré du tourisme, replié sur lui-même, pauvre, laïque, où la générosité n'a à sa disposition que des moyens dérisoires et un vocabulaire pudique, où la vie quotidienne est rude dans des villages plongés plus qu'à demi dans le XIXe siècle, arrivent donc, en quelques jours, près de cent mille citadins et ruraux habitués à une existence très différente. Ils sont fortement encadrés par leurs prêtres et leurs pasteurs, ce qui créera bien des problèmes dans une région aux églises souvent désertées par le peuple. Ils parlent alsacien ou allemand, langues qui, dès les premiers instants, dresseront entre les autochtones et eux les plus hautes barrières.

Au centre d'accueil de la gare de Périgueux, où sont passés en une seule journée 11 000 Alsaciens (il y aura, bien sûr, quelques « erreurs d'acheminement »), les annonces aux réfugiés ont d'abord été faites en français et en alsacien, puis en alsacien et en français, enfin, dans les derniers jours de septembre, en alsacien seulement. *L'Avenir de la Dordogne* donne des communiqués en allemand, tandis que *Les dernières nouvelles de Strasbourg,* qui ont une édition en langue allemande, sont imprimées à Bordeaux sur les presses de *La Petite Gironde.* Chaque dimanche, en la cathédrale Saint-Front, le chanoine Speich, prêche en alsacien et, chaque dimanche également, des émissions catholiques et protestantes ont lieu en alsacien sur Bordeaux-Lafayette et Radio-Toulouse.

Mais ce sont surtout les rencontres dans les rues, dans les magasins, au café, à la poste, dans les bureaux officiels, de deux populations parlant des langues différentes, qui seront occasion de disputes, de scandales et surtout d'incompréhension mutuelle. C'est ainsi que, le 25 avril 1940, depuis Montpon, un anonyme qui signe naturellement « Un Français » dénonce « certains évacués de Strasbourg qui ont cru bon de fêter au foyer municipal l'anniversaire d'Hitler ». Renseignement pris, il n'en est rien et la lettre de dénonciation est basée d'abord sur une erreur d'interprétation.

A plusieurs reprises, dans les rapports, les plaintes, les témoignages, l'accent sera mis sur les difficultés linguistiques. Les enfants, qui n'ont ni l'hypocrisie ni la pudeur de leurs parents, ont d'ailleurs vite fait de trancher : ils appellent « boches » les petits Alsaciens de leur âge, et les querelles de gamins, lorsqu'elles contaminent les adultes, vont parfois jusqu'au drame.

Cinquante et un réfugiés alsaciens prétendent abandonner ainsi, le 11 septembre, le village de Petit-Bersac, près de Périgueux, où ils sont arrivés quelques jours plus tôt. L'inspecteur Babinger et l'inspecteur Kieffer, accompagnés des gardiens de la paix Maurer et Richard, réussiront à les retenir dans les locaux de la gare et à les faire renoncer à leur intention Leurs plaintes sont nombreuses La plus importante, la plus constamment répétée : un homme les a traités de « boches »

Tout s'arrange un peu lorsque Babinger et Kieffer leur expliquent que c'est le « fou » du village qui s'est rendu coupable de cette incartade et que, d'ailleurs, le « fou » a depuis lors abandonné Petit-Bersac.

Les évacués de Petit-Bersac se plaignent également de l'absence de lits et de la mauvaise nourriture.

D'autres protestent contre la saleté de cantonnements où ils logent à vingt ou trente dans un désordre pitoyable.

Frédéric Eccard, ancien sénateur du Bas-Rhin, qui fait, à partir du 24 septembre, une tournée en Dordogne, note qu'à Sorges l'eau est polluée, qu'il y a de la vermine et des courants d'air dans tous les logements ; qu'à Saint-Aulaye il n'y a pas d'eau mais, par contre, « profusion de rats et de souris ». A Brantôme (où, pour 1300 habitants on trouve 800 Strasbourgeois), beaucoup d'évacués couchent sur la paille, et il en va ainsi dans de nombreuses petites villes et de nombreux villages, mal préparés à voir presque doubler, en moins de quarante-huit heures, leur population. Partout on se plaint des W.-C. extérieurs à la maison, des sols de carrelage ou de terre battue.

D'ailleurs, certaines revendications surprennent des paysans de bonne volonté et de bon cœur, mais qui vivent encore comme vivaient leurs ancêtres... et sont heureux. C'est ainsi qu'ils ne comprennent pas pourquoi les Strasbourgeois s'obstinent à réclamer des cuisinières alors que les cheminées, si pratiques, sont là, grandes ouvertes.

Lettre d'un maire du Périgord, le 3 janvier 1940 :

« Faut-il donc se conformer aux circulaires ou donner aux réfugiés tout ce qu'ils demandent ?

« A leur arrivée, on les a installés le plus confortablement possible, maisons en bon état, lits convenables, quelques meubles indispensables : tables, chaises, buffets. Toutes les maisons étaient munies de cheminées, pour faire leur cuisine on ne leur a pas fourni de fourneau, cuisinière, on a fait des crémaillères aux cheminées qui en manquaient et des trépieds pour installer leur marmite sur le feu. Tout allait très bien. Ensuite, vont-ils demander des cuisinières ? Faut-il leur en fournir ? »

Le problème des cuisinières sera évoqué jusqu'à la Chambre des

Députés[5], avec celui du chauffage il est vrai, du payement des indemnités pour pertes de bétail, de l'attribution aux évacués d'un « petit coin de terre » qu'ils pourraient cultiver.

Tout déroute, jusqu'à la nourriture si différente.

Lorsque M. Clergerie, chef de la 2e division de la Préfecture de la Dordogne, M. Imbs, adjoint au maire de Strasbourg, et M. Hincler, conseiller général de Strasbourg, effectuent une tournée, ils notent qu'à Vergt « la principale critique soulevée a été le manque de lait et de beurre » et, sur la place de Razac-sur-l'Isle, ils trouvent un réfugié mécontent qui leur présente les aliments qui lui ont été remis pour son repas du soir.

Ailleurs, et c'est dans les Landes, à Saint-Perdon, des réfugiés se plaindront, dans une longue lettre adressée au secrétaire général du Service des réfugiés, non de la qualité mais de la quantité. « Nous avons bien reçu un pain de 5 kg, une demi-livre de macaroni, trois œufs, une boîte d'un kilo de petits pois et une boîte de sardines, mais vous pouvez bien vous rendre compte que ces cinq choses nous auraient pas suffi en étant quatre personnes pour vivre quatorze jours. » En effet !

En conclusion de son rapport sur sa visite à plusieurs centres de repliement, M. Clergerie notera avec bon sens que les récriminations « sont dues surtout à ce que les pouvoirs publics ont dirigé une population essentiellement urbaine sur un département agricole où les villages sont très dispersés et où les conditions d'habitation sont loin d'atteindre celles de l'Alsace. De plus, les conditions de nourriture sont également différentes. C'est ainsi que le lait dans nos campagnes y est souvent rare et que le beurre est introuvable dans certaines localités. En ce qui concerne l'eau, bien qu'on en dispose partout dans le département, il y a lieu de recourir aux puits et même parfois aux citernes. »

Pour les réfugiés, que les circulaires officielles demandaient d'appeler « évacués », sans d'ailleurs se conformer à la consigne, les

---

5. Au cours de la séance du 7 décembre 1939 par M. Charles Elsaesser. Thomas Seltz, député du Bas-Rhin, a refusé sa voix au gouvernement le 30 novembre. Il veut ainsi protester contre le « désastre de l'évacuation ».

problèmes qui se posent sont naturellement plus dramatiques encore que pour les autres Français.

Il leur faut vivre avec 10 francs par jour et les allocations sont souvent payées avec retard… Encore ces allocations ne vont-elles pas sans exciter la jalousie de familles paysannes où le chef de famille est mobilisé et qui voient des hommes et des femmes, n'ayant ni leur langue ni leurs habitudes, accomplir de très longues stations dans des cafés qui servent de foyers de remplacement et où ils peuvent au moins évoquer leurs villages abandonnés.

On fera donc également grief aux évacués de leur paresse. Ils travailleraient volontiers, mais il n'y a pas de travail pour eux dans des départements paysans aux petites propriétés morcelées. Au mois de mars 1940, on estime que 15 % à peine d'entre eux ont trouvé un emploi et le gouvernement, qui manque de main-d'œuvre pour les usines de guerre, songera à envoyer plusieurs milliers d'Alsaciens dans de grands centres industriels, ce qui sera une nouvelle cause d'éclatement des familles.

Après la défaite de la France, des textes paraîtront, à Colmar notamment, pour s'indigner contre les méfaits de l'évacuation et particulièrement contre la hausse du prix des loyers qui ont constitué, écrit J.-M. Felix, « une honteuse spéculation sur le malheur : 250 francs pour une chambre meublée, 190 francs pour une mansarde avec un lit pour unique mobilier, 800 francs pour un appartement de trois pièces ».

Tout cela est vrai, mais pourquoi ne retenir que le pire ? Pourquoi oublier les dévouements qui permettront à tant d'évacués d'être « absorbés » par des départements parfois très pauvres et d'autant moins préparés à leur rôle que la mobilisation en avait retiré les éléments les plus actifs ? Pourquoi oublier les maisons ouvertes, les provisions partagées, les initiatives privées doublant les initiatives officielles dans un climat affectif que la « drôle de guerre » allait compromettre, puisque la justification de l'évacuation disparaissait avec les jours, mais, pendant les premiers mois, bien réelles ?

Dans quelques départements d'hébergement, au début de 1940, on verra des camions de réparations aller de village en village. Ils transportent des menuisiers, des maçons, des plâtriers et, avec les gars du bâtiment, des fenêtres, des planches, tout ce qu'il faut pour boucher les trous du plafond, réparer les chaises, poser des tablettes qui permettront de ranger la vaisselle et les objets de toilette qui se trouvent très souvent à même le sol. Une femme rêve.

— Peut-être pourrez-vous installer aussi l'électricité ?

Mais, pour un seul département, celui de l'Indre, il y a 600 maisons à restaurer. Alors, il ne peut être question d'électricité. Simplement de ces réparations qui améliorent quelque peu, avec le logement, le moral des habitants. Ces habitants qu'un témoin a vus ainsi, et la description pourrait être celle d'un dessin de Callot : « Une bougie éclairait à peine le centre de la pièce où l'on devinait plutôt qu'on ne voyait les murs sombres entre lesquels vivent neuf personnes : des femmes, des enfants. Ils étaient assis sur un lit. Un permissionnaire, qui avait mal aux dents, se tenait près du fourneau branlant, la tête dans les mains. Lorsque sa femme lui annonça l'arrivée des ouvriers, il releva le front, ses yeux s'agrandirent. Pris de joie, il sortit, vint regarder l'intérieur du camion. C'était bien vrai.

« — On commence ? demanda-t-il[6]. »

Au moment de Noël, 18 000 Alsaciens de 3 à 13 ans et près de 40 000 petits Périgourdins recevront le même cadeau autour des 500 arbres de Noël organisés dans le département par des hommes et des femmes de bonne volonté qui ont voulu réunir enfants et parents pour une journée de fraternité. Et, à Périgueux, beaucoup de réfugiés ne pourront, ce jour-là, retenir leurs larmes en assistant à la projection d'un film tourné, par le service cinématographique des armées, dans Strasbourg déserté, mais effectivement protégé par de nombreuses patrouilles.

Ainsi passent les jours. On se réunit dans ces cafés et ces restaurants du Centre de la France qui s'appellent « Au rendez-vous des Alsaciens », « Au goût d'Alsace », « A la vraie choucroute ». On place son argent à la Banque de Strasbourg ou au Crédit Foncier d'Alsace et de Lorraine. On évoque le pays que l'on voudrait tant revoir et où certains « remontent » en effet. Les enfants courent les bois pour ramasser les champignons et les châtaignes que l'on apprendra à faire cuire sous la cendre. Les adultes commencent à mieux connaître leurs compatriotes et bon nombre d'entre eux. que la défaite et la

6 *Le Journal*, 30 janvier 1940

nazification de l'Alsace cloueront sur place, s'installeront définitivement dans ces régions où tout, d'abord, les avait déconcertés.

Pour les Parisiens évacués, les choses sont infiniment plus simples. Dans la précipitation de septembre, alors que nul, parmi la population, ne pouvait deviner quelle allure prendrait la guerre, ils sont nombreux à avoir quitté la capitale. Avec ou sans ordres.

On a fait partir, dès la fin du mois d'août, plusieurs milliers d'enfants des écoles : 16313 quittent ainsi Paris le 31 août en 27 trains à destination de Dreux, Blois, Orléans, Nantes. Chaque enfant doit avoir dans son trousseau deux chemises de jour, deux chemises de nuit, un manteau, un pull-over, des chaussettes, deux serviettes de table, deux serviettes de toilette, un savon, une brosse à dents, un peigne, une timbale, une couverture de laine et, pour les filles, deux robes.

A Chartres, où sont arrivés non seulement les enfants que l'on attendait : ceux des IIe et VIIe arrondissements, mais encore ceux des XIe, XIIe, XIIIe, XIVe, XIXe, XXe et de dix communes de banlieue, le préfet Jean Moulin et son secrétaire général doivent faire des miracles pour répartir rapidement tout ce monde apeuré et gouailleur. De jeunes instituteurs, de jeunes institutrices, là comme ailleurs, ont reçu mission de coucher, de nourrir, d'instruire plusieurs dizaines d'enfants. Soixante-dix pour André Maldant, 28 ans, qui arrive de l'école de la rue Saint-Maur, à Ingré, dans le Loiret. Avec lui, deux instituteurs, deux institutrices, une femme de service. Mais il faut tout organiser puisque, la première nuit, on la passera sur la dure et qu'avant d'être instituteur il faut faire le menuisier, le charpentier, le couvreur, le cuisinier...

L'évacuation, c'est un peu le jeu de la courte paille. Certains bénéficient de l'hospitalité de vastes châteaux plus ou moins confortables, mais à la toiture solide ; d'autres se retrouvent dans des granges que l'on ne peut atteindre qu'en traversant des cours boueuses et tristes.

Corvées d'eau. Corvées de feuillées. Corvées de bois. Corvées acceptables lorsque le soleil est de la partie. Odieuses sous la pluie ou dans le froid.

— Tu habites là ?

— Voui, dans l'ancienne tuilerie avec ma maman et mes p'tits frères.

« De l'extérieur, cela ressemblait à n'importe quelle grande caserne défraîchie, moins les portes. A l'intérieur, cela tient, en plus grand, de l'étable et du grenier. Dans les étables, on y met des animaux, dans les greniers du grain... Ici, on y avait mis de beaux petits enfants avec leurs mères, dont beaucoup sont enceintes. »

Florise Albert Londres qui a vu cela [7] décrit longuement les femmes et les gosses assis sur le sommier qui constitue tout leur espace vital, les guenilles qui sèchent mal et dont il faudra se vêtir demain, les lavabos infects, les poêles insuffisants et sous-alimentés. Tout existe. Si le pire n'est jamais sûr, il se rencontre assez souvent sur la route des enquêteurs qui vont de campement en campement, de château en usine désaffectée.

On comprend, l'évacuation n'ayant pas trouvé sa justification dans les événements militaires, que de nombreuses familles soient allées très vite rechercher l'enfant parti en septembre.

Le 15 janvier 1940, il y aura cependant encore 520000 réfugiés parisiens dans douze départements d'accueil. Certains d'entre eux transplantés là, contre leur gré, avec leur administration, comme ces agents du ministère des Finances, qui se plaignent des dimensions de l'abbaye de Bourgueil [8] et des courants d'air que supportaient jadis les moines, avec bien d'autres rigueurs.

Les civils étaient prêts en septembre à affronter les dangers de la guerre. Mais, puisque ces dangers ne se manifestent pas, rapidement le réseau de précautions s'assouplit et se détend. Les caves abris perdent de leur clientèle. Les chefs d'îlots, qui se croyaient héroïques, ne sont plus que ridicules. On brave leur sifflet. Les lumières sont très mal occultées et, du ciel, Paris, la nuit, doit être comme une vaste clairière au cœur d'une France obscure.

Au début des hostilités, quelques restaurants parisiens ont cru de « bonne guerre » de vanter la solidité de leurs caves et même d'y installer les dîneurs. La publicité de *L'Abri de Napoléon,* avenue de Friedland, qui célèbre la tranquillité de son restaurant au deuxième

---

7. *Le Journal*, 26 novembre 1939.
8. Indre-et-Loire.

sous-sol, a pu d'abord retenir l'attention des snobs et des inquiets ; au bout de quelques semaines, elle n'intéresse plus personne.

D'ailleurs, après quelques jours, c'est le gouvernement, lui-même, qui prend des mesures pour limiter les alertes excessives. Il informe la population que, compte tenu de « la rapidité de ses réactions », les sirènes ne sonneront plus désormais que lorsque les avions ennemis seront à quinze minutes de vol (et non plus à trente) de la capitale.

Encore quatre mois et, en février 1940, on pourra lire que « les sirènes de Paris et de la région parisienne essaieront leur voix tous les jeudis à midi, comme en temps de paix ».

Comme en temps de paix... C'est le vœu qu'avait formulé la doyenne des Parisiens, Mme Secret, 5, rue Damrémont, qui se plaignait, au début de la guerre, de ne pouvoir dormir tranquille...

C'est dans les deux ou trois premières semaines de septembre que les effets de la mobilisation et de la guerre sont le plus visibles.

Beaucoup de mesures trop strictes gênent la vie quotidienne. Des millions de Français partent aux armées sans être encore remplacés. Des millions de Français abandonnent les grandes villes. Mais, peu à peu, le carcan se desserrera. De l'anormal va surgir une « normale ».

Jour après jour, le métro, dont la plupart des stations avaient été fermées, mais qui fonctionnait sans interruption toute la nuit, rouvre ses grilles. « Hôtel-de-ville », « Les Halles », « Solférino », le 5 septembre, puis vingt-huit stations le 15. Les taxis, qui avaient abandonné Paris pour transporter en province des fournées de familles peureuses[9], reviennent et les chroniqueurs, tendant l'oreille, enregistrent avec satisfaction ces bruits familiers : claquement des portières de taxis devant les gares, roulement des autobus, grondement du métro et piétinement des foules près des entrées désormais surveillées par une police qui guette « les étrangers suspects » et les embusqués.

Avec les stations de métro, rouvrent, mais assez lentement, les portes des bureaux de poste : Paris 36 (XIe), Paris 76 (XIXe), Paris 83 (IXe), Paris 110 (VIe) en janvier seulement, ce qui s'explique par le

9. Au 4 mai 1940, il ne reste que 1 860 000 Parisiens sur 2 900 000, mais la plupart des « manquants » sont mobilisés.

grand nombre des postiers mobilisés (les deux tiers environ), par les problèmes complexes que pose la distribution à des millions de militaires, errants par vocation, de millions de lettres et de colis, ce qui s'explique mais ce que ne comprennent pas les mères, les femmes, les fiancées, exaspérées par la lenteur du courrier comme par les files d'attente dans les bureaux de poste. Ce que comprennent encore moins les soldats.

« Il était impossible au mois de septembre ou d'octobre, écrit Edouard Helsey dans *Le Journal,* de faire un pas dans la zone de l'avant sans entendre les imprécations, protestations, exclamations, malédictions, que provoquait l'absence des lettres. »

En vérité, il ne s'agit pas d'absence totale, mais d'interminables retards.

Quel que soit leur destinataire — général ou deuxième classe —, les lettres, au début du conflit, mettent trois semaines pour parvenir jusqu'au front [10]. Alors qu'en 1914 — toujours les comparaisons — une lettre arrivait en quatre jours, la plupart des hommes mobilisés le 28 août n'ont toujours pas reçu de courrier le 16 septembre, constate un journaliste du *Petit Parisien,* et un honorable parlementaire, M. Mouton, « expose à M. le ministre des Postes que des citoyens français mobilisés n'ont pas, à la date du 15 septembre, reçu de correspondance ».

La crise est si sérieuse, car c'est une véritable crise, que Daladier s'en émeut et, dans un aide-mémoire, destiné à nourrir une lettre à l'intention de Gamelin, écrit le 14 septembre : « Poste aux armées : les critiques sont très vives, action fâcheuse sur le moral. »

Aussi voit-on se multiplier les reportages sur la poste. Ils ont pour mission d'expliquer aux civils comme aux militaires irrités qu'il n'est pas aisé de faire circuler dix millions de lettres par jour, qu'en un mois une seule armée a reçu 37 millions de mandats et en a envoyé 32, que des dizaines de milliers de colis, à l'adresse incomplète, et des centaines de milliers de lettres sont toujours en souffrance, que la guerre avec ses impératifs de secret impose des règles strictes de censure.

Censure. Indispensable, irritante Anastasie qui coupe, tronque,

10 Du côté allemand les choses ne marcheront pas mieux

déforme et surtout empêche, par sa seule présence, les journaux de jouer leur rôle d'intermédiaire entre le public et les pouvoirs.

Le commissariat à l'Information a été créé « sur le papier » le 29 juillet 1939, mais il n'a véritablement vu le jour qu'à 11 heures du matin le 26 août lorsque Jean Giraudoux — le virtuose littéraire le mieux doué de sa génération, mais précieux, élégant, sans vulgarité, l'homme en réalité le moins fait pour diriger un service de propagande qui réclame l'intelligence des foules et non celle des dieux grecs, le sens des formules rudes et simples et non l'art des phrases longues, subtiles et merveilleusement alambiquées [11] — trouve sous une grande enveloppe les noms de ses quatre cents collaborateurs... dont il ne sait rien, qu'il n'a jamais vus et qui ont été choisis par l'armée.

A ses côtés, parallèlement, car il n'y a pas interpénétration entre des services qui devraient être communs, M. Brillouin, directeur général de la Radiodiffusion nationale, M. Martinaud-Deplat, directeur des services de la presse et de la censure, ceux qui seront naturellement le plus souvent en accusation.

Information et censure occupent l'hôtel *Continental,* noble caravansérail où des générations d'hommes d'affaires, d'étrangers importants et de femmes, généralement riches et légitimes, se sont succédé. L'hôtel a abrité, chaque fois qu'elle venait à Paris, l'ex-impératrice Eugénie et il en tire gloire. Mais un hôtel, on le verra bientôt à Vichy, fût-ce un grand hôtel, convient mal aux besoins d'une administration. Ainsi que le dira Ernest Pezet, député de l'Orne, lors de la séance du 23 février, les liaisons « même si elles ne sont pas dangereuses » se font mal, le compartimentage à l'infini des chambres, grandes et petites, des cabinets particuliers, des salles de bains, rend les rapports entre services difficiles. D'ailleurs, la plupart des responsables ne se connaissent pas, les tâches ont été réparties au hasard des compétences supposées et des bonnes volontés, les crédits font défaut ou, plus

11. Certains regretteront ouvertement que nous n'ayons pas un « Goebbels français ».

Voici un exemple du style de propagande de Giraudoux : « Il y a à prendre dans cet univers la place d'une nation qui ne pactisera pas avec le fanatisme national, parce qu'elle y voit un manque d'imagination ; qui se refusera à l'égoïsme économique parce qu'elle y sent une atteinte à la qualité et à sa liberté ; qui n'admettra pas le cloisonnement géographique parce qu'elle y voit une menace au bonheur ; qui serait l'antithèse, l'antidote aussi de ces idoles nationales et qui le serait inconsciemment. » Allocution radiodiffusée du 7 septembre 1939.

exactement, sont si mal distribués que les officiers employés aux centres d'écoute et aux sections étrangères réclament vainement des atlas et des dictionnaires.

C'est dans la chambre qu'habitait Eugénie de Montijo, la plus belle donc, que les censeurs des quotidiens ont été installés. « Ils s'assemblaient, raconte Cardinne-Petit, autour d'une immense table dressée au centre de la pièce, sous le lustre monumental aux cinq cents flammes, avec le matériel volant de l'établissement, et qui servait en des temps plus normaux aux maîtres d'hôtel chargés d'accompagner les repas de noces et les banquets corporatifs. » Ils ont été recrutés dans toutes les corporations intellectuelles ou pseudo-intellectuelles. Il y a là beaucoup de militaires, des inspecteurs des finances, des préfets... et même des journalistes, en petit nombre il est vrai.

Chargés de tous les péchés, accablés par les journalistes, par les hommes politiques, par le public... et par les historiens qui les rendent responsables de la médiocrité de la presse française, leur rôle consiste seulement à signaler, à l'attention des réviseurs, installés dans une pièce voisine, les textes qui leur paraissent devoir entraîner une censure. Les réviseurs, personnages influents dont l'importance est méconnue, le nom ignoré, décident et tranchent en fonction de consignes permanentes et surtout de consignes quotidiennes qui arrivent de tous les horizons politiques et militaires, de la présidence du Conseil, des cabinets ministériels, de l'état-major, si bien que s'accumulant et s'additionnant, elles finissent par entourer la presse de liens multiples dont elle ne cherche même pas, le plus souvent, à se débarrasser. On verra même certains journaux paraître avec des blancs artificiellement créés par une rédaction qui espère faire croire ainsi à ses lecteurs qu'elle sait beaucoup, veut tout dire et a méchamment été empêchée d'accomplir sa mission.

La censure — il faudrait plutôt écrire les censures, car les censeurs départementaux, forts de leur toute-puissance, agissent à leur guise — fait ingratement un travail ingrat. Elle travaille d'ailleurs d'une façon désordonnée et ses réactions sont beaucoup moins guidées par des consignes très vagues (on peut critiquer le gouvernement mais modérément, parler des allocations trop faibles mais pas de la hausse des prix) que par les humeurs ou les antécédents politiques des responsables.

C'est ainsi que l'on censure un article de Louis Marin rappelant que Léon Blum s'était félicité, le 30 juin 1930, de l'évacuation de Mayence par les troupes françaises, mais que l'on accorde le visa à un texte furieux d'un M. Roux-Costadace qui, dans *La Libre Opinion*, s'achève ainsi : « Quel synchronisme singulier nous est maintenant révélé entre les bouleversements du Front populaire présidés par M. Léon Blum et les opérations machiavéliques, chez nous, du fou sanglant qui règne sur l'Allemagne... Soutiendrai-je que M. Léon Blum était l'agent exécuteur de M. Hitler ? Oui, mais sans le savoir... Faut-il fusiller M. Léon Blum ?... »

C'est ainsi que la censure « laisse passer » le texte d'un discours de Mgr Verdier à la séance de rentrée à l'Institut catholique, violemment hostile à « l'influence dissolvante du laïcisme, [presque aussi] redoutable que celle du racisme germanique », mais interdit la parution dans le *Midi socialiste* d'un long article affirmant que les écoles laïques sont trop souvent fermées quand celles des « dames » sont ouvertes, que la jeunesse négligée par la République « est vite prise en tutelle par l'Église, dont les moyens sont immenses » et qu'il est donc urgent de soustraire « des milliers d'enfants à la propagande cléricale ».

Il est vrai que, par goût des compensations, sans doute, on autorise un article où Madeleine Jacob appelle Dieu « le blagueur de là-haut » et que l'on censure une réplique de *La France catholique* protestant contre des propos jugés blasphématoires, comme l'on censure la lettre pastorale de l'archevêque de Chambéry en supprimant cette phrase : « Quelle consolation pour nous de penser que ce qui a pour but final l'extension du règne de Dieu dans les âmes contribue également au service de la patrie. »

En pleine guerre — la guerre sans guerre — pareils textes donnent lieu, le 27 février, à la Chambre des Députés, à un farouche affrontement entre le socialiste Augustin Malroux et Philippe Henriot, Charles des Isnards, Fernand Girault.

Dans cette assemblée, où il n'est presque jamais question d'Hitler, les députés retrouvent avec délice de vieux fantômes. Les injures, déjà dites en des temps plus heureux, les formules déjà employées, les mots grandiloquents, témoins de clivages centenaires, remontent immédiatement à la surface. On entend :

— Il n'y a pas que les laïques qui se font tuer au front !

— Je suis monté à cette tribune pour poser au gouvernement...

— Vous auriez mieux fait de ne pas y monter.

— Quant à vous, vous n'avez pas perdu l'occasion d'y monter pour provoquer l'assassinat de notre ami Salengro !

— Vous êtes un odieux provocateur !

Ouf ! De ce que l'on appelle encore une « joute parlementaire », le pays ne saura naturellement rien, comme il ne saura rien de la consigne donnée, au nom de l'unité nationale, de censurer les attaques trop violentes contre Léon Blum, cible coutumière de beaucoup de journalistes de droite.

On n'en finirait pas de dresser le catalogue des interdits de la censure. Ils témoignent, au gré des exemples, d'une incapacité intellectuelle considérable, d'une timidité confinant à la peur ou d'une absolue médiocrité de jugement.

Comme il existe une consigne recommandant aux censeurs de se montrer vigilants pour tout ce qui concerne les rapports avec l'Espagne et la Grande-Bretagne, on fait sauter, dans un article de *La Bourgogne républicaine*, une allusion au Cid et à « l'Anglais libéral mis à la mode par Voltaire ».

Robert Brasillach, hostile aux méthodes de restauration de Viollet-le-Duc, emploie-t-il les mots de « malfaiteur public », on les gomme, comme, dans un article sur Léon Blum qui comprend cette phrase « M. Léon Blum, pasteur insidieux du parti socialiste », on gomme le mot « insidieux ».

Des anciens combattants veulent-ils organiser, à l'intention des soldats de 40, un service de « marrainage », la censure interdit avec le motif suivant « Provocation au vice » l'entrefilet que voulait faire paraître le périodique *Le Flambeau*.

« Notre camarade Walter, de Mulhouse, nous a écrit pour nous indiquer que sa jeune fille désirerait être marraine d'un de nos camarades aux armées. Nous lui avons aussitôt donné l'adresse d'un de nos légionnaires sans famille.

« Cet exemple mérite d'être suivi. »

Puisqu'il est interdit de fournir des renseignements d'ordre météorologique, *Paris-Soir* du 2 février est contraint d'annoncer que douze personnes « ont dû être hospitalisées à Paris parce qu'elles avaient glissé sur le... qui recouvrait les chaussées ». Le mot « déluge » lui-même est banni dans l'expression « devant moi, le déluge » employée comme légende d'un dessin humoristique représentant Hitler face à la ligne Siegfried noyée sous les pluies d'automne.

L'évêque de Nancy, précisant dans un mandement, les jours maigres, on le censure car il a fait allusion « aux nécessités du ravitaillement ».

Des articles déjà publiés en Angleterre, ceux de Churchill, de Duff Cooper, d'Herbert Samuel, sont interdits de publication ou « caviardés » en France ; le quatrième tome de souvenirs sur Briand publié par Georges Suarez est « suspendu » jusqu'à la fin des hostilités : un texte paru dans *Le Populaire* (il s'agit du commentaire d'une décision du ministère des Anciens combattants) est interdit dans le journal de la Confédération des anciens combattants...

Il est interdit d'évoquer un prochain remaniement ministériel, les buts de guerre de la France, le débarquement de nos troupes en Norvège... S'il est possible, en effet, d'écrire qu'elles se battent en Norvège, on ne peut mentionner par quel moyen elles sont parvenues jusqu'au rivage !

Ce peuple français mal renseigné, cherchant à interpréter les blancs de son journal, à reconstituer, avec une logique toute personnelle, les mots et les phrases censurées, est intoxiqué par une propagande imbécile puisqu'il est entendu que la censure, qui ne peut tout supprimer, laisse passer le cocardier, le naïf ou, plus exactement, le faussement naïf, le mensonge grossier s'il est badigeonné de tricolore, dans l'instant même où elle interdit la critique légitime comme tout ce qui pourrait inciter les Français à prendre conscience de la puissance allemande, donc à mieux se préparer à l'affronter. *Paris-Soir* annonce le 3 septembre : « Hitler a peur qu'on bombarde son nouveau Berlin » ; *Marseille-Matin* écrit le 5 : « Si Dieu nous a imposé cette guerre, c'est parce qu'il a voulu que nous la gagnions », et les mêmes plumes, sans doute, moins d'un an plus tard, affirmeront que la défaite constitue une sanction divine...

On exhibe toute la cohorte des non-mobilisables intrépides : le vétéran de 77 ans qui s'est teint les cheveux avec du cirage dans l'espoir de tromper le Conseil de révision ; le pygmée, inapte au service militaire, qui en ramassant son arc et ses flèches déclare « simplement » à l'auditoire : « Je vais me tuer » ; les volontaires de la mort qui, malgré une jambe perdue, un cœur ou un poumon déficient, répondent à l'appel que vient de lancer Jacques Péricard, héros de 14-18, en faveur d'une légion de mal foutus « incapables d'un effort prolongé dans une tranchée en rase campagne, mais capables de ramasser leurs forces, de frapper un grand coup et de mourir ».

Ce verbiage faussement patriotique[12] ne serait que ridicule s'il ne s'accompagnait d'un dangereux mépris pour l'Allemagne, pour Hitler et pour les soldats nazis, mépris qui n'est pas né avec la guerre, qui a été fabriqué, depuis des années, par des hommes politiques et des journalistes ignorants ou soucieux de faire plier enfin les événements à leurs pronostics sans cesse démentis comme à leurs espoirs sans cesse déçus.

Au moment de l'invasion de la Norvège, le chroniqueur de *Match* montre le président Albert Lebrun, levé à 5 h 45, déjeunant d'une tasse de café et d'une tranche de pain bis, « déjeuner de restriction » précise le journaliste qui s'efforce de faire sentir tout l'héroïsme d'un pareil comportement. En lisant la carte « renseignée », parue dans ce même numéro du 18 avril, on est stupéfait de la façon dont la guerre de Norvège est expliquée aux foules par 19 cartouches dont 16 sont consacrés aux succès des navires anglais, dont 2 annoncent des pertes alliées sans contrepartie et dont un seul parle de combats entre Norvégiens et soldats allemands.

Le 25 avril, les Français apprennent, toujours par *Match,* que, « dans un bureau aux portes consignées, deux hommes, dont les visages ravagés ont frappé de stupeur leur entourage, se sont isolés avec des cartes de géographie et des rapports ». L'un s'appelle Adolphe Hitler, l'autre Hermann Goering. Ils sont « consternés » par l'échec de l'opération de Norvège !...

Mais, lorsque notre défaite en Norvège deviendra pour tous évidente, un grand silence se fera et, très curieusement, dans le numéro de *Match* du 5 mai, celui qui précède une catastrophe infiniment plus grande, *pas un seul titre* n'est consacré à la France dans la rubrique de 788 lignes qui passe traditionnellement en revue les événements de la semaine précédente. Le mot France n'est écrit que quatre fois, le mot Français deux fois, Washington, Madrid, Moscou, Stockholm, Londres, voilà quelles sont les têtes de chapitre et les sujets d'intérêt de journalistes qui, faute de pouvoir faire convenablement leur métier, s'abandonnent aux plus médiocres des improvisations.

12. André Gide refusera en octobre 1939 de parler à la radio pour « n'avoir pas à rougir demain » de ce qu'il aurait dit sur le moment et pour ne pas participer à des « émissions d'oxygène ».

Maladie d'Hitler qui pourrait « abdiquer » en faveur de Goering, famine générale en Allemagne, mauvaise qualité des avions allemands, échec de la guerre sous-marine, moral défaillant de la Wehrmacht à la suite des pertes subies en Pologne, pertes que Giraudoux, lui-même, multiplie par cinq ! Autant de fausses nouvelles exploitées, répétées, enjolivées qui contribueront à faire vivre le peuple français dans l'illusion et expliqueront, en partie, son effondrement moral de juin 40 et la facilité avec laquelle, gavé de mensonges, il accueillera un régime nouveau qui, verbalement du moins, s'affirme hostile aux mensonges[13].

Les journaux renseignent donc assez mal sur le véritable état d'esprit des Français. Il faut, pour bien le connaître, lire les lettres échangées entre les mobilisés et leurs familles, lettres qui évoquent les amours interrompues mais aussi toutes les difficultés de la vie quotidienne lorsque le chef de famille est absent.

La vie n'est pas facile en effet pour des familles qui doivent se débrouiller avec des allocations, versées d'abord irrégulièrement et qui se montent à 12 F par jour et par personne de plus de 16 ans dans la Seine, 8 F dans les communes de plus de 5000 habitants, 7 F dans les autres, alors que le lapin vaut, aux Halles, 8 à 10 F, le colin 8 à 18 F, le beurre 8 à 12 F, le lait 1,80 F le litre[14].

D'ailleurs, les familles de mobilisés se voient souvent refuser les allocations par des commissions de fonctionnaires qui appliquent

---

13. La débilité de la propagande intérieure française n'a d'égale que l'inexistence de notre propagande à l'intention des pays neutres pour laquelle d'ailleurs crédits et talents font également défaut. Parlant à la Chambre des députés le 23 février 1940, dans le cadre d'interpellations sur l'information qui permettent aux parlementaires de se défouler puis de monter, sans péril, à l'assaut de la censure, Marcel Héraud dénonce la radio des copains, la radio du désordre et l'incompétence comme d'autres ont dénoncé la presse insuffisamment armée, ou trop sévèrement censurée, face à la propagande allemande.

Le 27 février, Daladier, excédé par des critiques qui, en n'ayant pas l'air de porter sur l'essentiel, n'en constituent pas moins une entreprise de démolition, promettra à Léon Blum, l'un des leaders de l'attaque, de donner des ordres afin que puisse se manifester, à travers la presse française, « la liberté entière des opinions politiques ». Ces ordres seront certainement obéis. A partir du début du mois de mars, la critique sera plus vive et mieux fondée dans certains journaux, mais ce ne sera jamais qu'une critique de politique intérieure inspirée par l'un ou l'autre des clans qui se disputent le pouvoir. Les généraux et, bien sûr, les combattants restent tabous ; les méthodes militaires également.

14. Tous ces prix sont de septembre 1939.

strictement les textes. Ainsi estime-t-on que les femmes qui gagnent plus de 600 francs par mois ne peuvent, même si elles ont des enfants à charge, recevoir les secours de l'État. Tandis que les femmes de fonctionnaires mobilisés bénéficient du traitement intégral de leur mari...

Ce sont donc les foyers des paysans, des artisans et petits commerçants, des employés de magasins qui souffriront le plus de mesures si mal appliquées que, malgré la censure, *Le Populaire* citera le 10 mai 40 le cas de cette femme de soldat, sans travail, sans allocation, mais avec une enfant à charge, à qui l'on vient de couper l'électricité et qui rechigne à payer les 20 francs de droit de rétablissement. « Vingt francs, c'est deux jours à manger du pain sec, ma fille et moi. »

Lorsqu'il faudra fêter Noël (on a fait la chasse aux jouets « made in Germany »), les vitrines proposent bien entendu des maquettes reproduisant la ligne Maginot, des postes de D.C.A., des canons, des tanks, mais la poupée « qui dit maman » coûte 39 francs, un cheval à bascule 49 francs, la pipe en bruyère, pour le soldat du front, 32 francs avec la blague à tabac.

Combien de familles de mobilisés pourront se rendre dans ces restaurants de luxe où le menu, champagne non compris, coûte 200 ou 250 francs (les deux tiers d'un mois d'allocation), combien pourront acheter une dinde ou un kilo d'oie ? S'il est vrai que les chocolats se sont arrachés et que les confiseurs regrettent de ne s'être qu'insuffisamment approvisionnés, les lettres parlent surtout des terribles difficultés de ravitaillement en charbon [15], de la hausse des prix et, parfois, déjà, du marché noir.

C'est ainsi que le gérant du buffet de la gare d'Angoulême, Marcel B... sera condamné à deux mois de prison pour avoir vendu à une réfugiée le demi-litre de lait 4 francs, soit près de cinq fois le prix normal, qu'Henri V..., débitant à Meaux, devra payer 200 francs d'amende pour avoir facturé 2,50 francs une tasse de café crème, que le gruyère acheté 900 francs les cent kilos au début de la guerre par des commerçants bien avisés vaut, trois mois plus tard, 1 800 à

15 Dans l'Aisne, où la population recevait mensuellement 40 000 tonnes avant la guerre, elle ne disposera que de 15 400 tonnes en décembre, 11 724 en janvier, 5 000 en février. A Jeancourt, on a distribué 16 kilos par habitant du 1er décembre au 13 mars, à Brissay-Choigny 80 kilos pour 100 jours, soit 800 grammes par jour Les bois sont dévastés

2500 francs, que les cent kilos de pommes de terre passent, en quelques semaines, de 80 à 180 francs.

Les lettres disent la difficulté de faire soigner les enfants et les vieux parents dans un pays littéralement « vidé » de ses médecins (accoucheurs compris) au profit d'un « front » où il ne se passe rien. Pour six millions de mobilisés, 18000 médecins, pour 36 millions de civils 10000. Au collège de jeunes filles de Bouffémont, en février 40, neuf médecins militaires, trois pharmaciens, deux officiers d'administration et le personnel correspondant à cet important état-major... toute cette foule ayant pour clientèle deux malades, tandis qu'il existe de nombreux cantons ruraux sans médecin.

Les lettres disent aussi la honte de la soupe populaire distribuée, avec un plat de viande, contre 2,75 francs dans douze hôpitaux et dans les locaux de l'Armée du Salut ; l'exploitation des femmes qui, par tradition, ne connaissent le plus souvent que la couture, si bien que, si les « privilégiées » gagnent 240 francs par semaine à des travaux de couture, la plupart dépassent à peine 150 francs et celles qui tricotent des passe-montagnes — il en sera expédié des centaines de milliers aux soldats du front — moins encore.

Elles disent l'incompréhension face à la paperasserie, aux questions de l'administration, à la gestion des affaires abandonnées par le mari.

N'a-t-on pas exigé, le 4 mai, que soient répertoriés, avant le 15 mai en indiquant le prix d'achat, sur des cahiers à feuilles numérotées, tous les articles en magasin !

— Voilà des anneaux de clés. Il y en a de quatre sous à quatre francs et peut-être cent modèles et diamètres différents. Pour la vente courante, on se contente de 3 ou 4 prix moyens, une cote mal taillée. Va-t-il falloir que je reprenne une à une mes factures, dont certaines sont vieilles de plusieurs mois, pour retrouver le prix de chaque modèle, de chaque diamètre ? Et de même pour les vis, les écrous, les robinets... Ah ! je n'y arriverai jamais...

Oui, pour la plupart des Françaises, dont le mari aux armées « gagne » 0,75 franc s'il est soldat de 2e classe, 0,85 franc s'il est soldat de 1re classe, 1 franc s'il atteint le grade de caporal avec, il est vrai, pour ceux qui se trouvent dans une zone « soumise au tir de l'artillerie » une prime de combat au taux uniforme de 10 francs, commence une vie matériellement difficile, davantage à cause du manque d'argent que des restrictions alimentaires peu à peu imposées.

Le gouvernement a longtemps hésité en effet à ordonner un rationnement qui va à l'encontre des idées reçues et de la propagande officielle. La France n'est-elle pas un pays de cocagne dont les citoyens, à la différence des Allemands, peuvent avoir et les canons et le beurre ? Quelle est d'ailleurs la signification du mot « restriction » dans un pays qui n'a nullement conscience d'être en guerre et où, les jours sans apéritifs[16], les ministres croient avoir accompli leur devoir en buvant... du porto tandis que, sur les Champs-Élysées, on sable le champagne.

Paul Reynaud a bien dit en décembre — il est le seul et on applaudit le ministre des Finances plus par politesse que par conviction — que les Allemands se rationnent et qu'ils ont raison, que toutes ces « histoires » de cartes d'achat pour un œuf, du savon ou un mouchoir qui « paraissent venir d'une autre planète » témoignent d'une farouche volonté de vaincre, qu'il est imbécile d'acheter aux États-Unis,avec de l'or, des lentilles dont la facture équivaut à l'acquisition de cinq avions de combat, de l'échine de porc représentant le prix de vingt avions, on ne l'écoute guère.

Chautemps, vice-président du Conseil, l'écrit d'ailleurs le 26 avril 1940 à Anatole de Monzie. « Est-il bon d'imposer, à titre de traitement moral, un esprit de mortification, de faire une France en deuil, sans activité, sans vie, simplement pour lui donner l'esprit de guerre ? »

Lorsque, en février, les premiers jours « sans viande » sont imposés, on montre immédiatement à la population qu'elle aurait tort de prendre la chose au sérieux. Voici comment se consolent quelques « victimes » célèbres. Georges Mandel, ministre des Colonies, a déjeuné de six huîtres, d'une sole grillée, de nouilles au beurre. Pour dessert, fromage et fruit. Achille Viley, préfet de la Seine, s'est fait servir de la brandade de morue et des pommes de terre à la diable. Quant à Joséphine Baker, son menu comprenait des courgettes, des pieds de poulets et des crêtes de coq, une purée de pommes de terre, de la salade, du fromage et des crêpes au sucre...

**

Au 12 mars 1940, après de très longues tergiversations qui ont porté

16. Le 5 mars 1940, premier jour sans apéritifs, mais peuvent être servis banyuls, muscat, frontignan.

notamment sur le choix des jours sans viande (le vendredi n'a pas été retenu), le tableau des privations est donc le suivant :

— Trois jours par semaine sans pâtisserie ni alcool ;

— Deux jours consécutifs (lundi, mardi) sans viande de charcuterie ;

— Un jour (lundi) sans viande de boucherie hippophagique et de triperie ;

— Trois jours consécutifs (lundi, mardi, mercredi) sans viande de boucherie, mais le mercredi, jour sans viande, les restaurants affichent, par exemple, ris de veau, foie, langues, cervelles, boudin, saucisson, poulets de Bresse, pintades en salmis, andouille, jambon...

Les premiers « sacrifices » ont été présentés ainsi aux lecteurs du *Matin :* « Puisque le bœuf est la principale nourriture de nos soldats, consentons, sans nous plaindre, à ne pas en manger un jour par semaine, *ne serait-ce que pour prouver que la nation est prête à tout* »[17]. La chute est admirable mais de tels « sacrifices » n'ont pas dû inquiéter beaucoup les Allemands qui, en octobre, n'ont droit qu'à 500 grammes de viande et de charcuterie, 100 grammes de graisse et 80 grammes de beurre par semaine. Tous les journaux français consacrent d'ailleurs des articles à la pénurie en Allemagne où, écrit *Je suis partout,* « la bière brune est l'une des rares denrées qui ne manquent pas », et ce ne sera pas l'un des moins grands sujets d'étonnement des Français, en juin 40, que d'être vaincus et occupés par une armée d'adolescents sportifs et nullement amoindris par des années de restrictions.

On a la supériorité que l'on peut. Victorieux sur le front de la triperie, du gros rouge et du camembert, les Français le sont encore dans le domaine de l'habillement.

Alors que chaque Allemand n'a droit qu'à un costume par an et que sur les 100 points de textile accordés à chaque citoyen ou citoyenne il en faut quatre pour une paire de bas, les journaux français publient, deux ou trois fois par mois, de pleines pages publicitaires de la

17. Je souligne volontairement cette fin de phrase. Le 1er mars, *Le Petit Parisien*, annonçant l'interdiction de tout « luxe alimentaire dans les restaurants », écrit : « La mobilisation économique de la nation n'avait pas été jusqu'ici annoncée ; elle se trouve maintenant réalisée »

Samaritaine et il est agréable de se dire qu'en démocratie, au moins on peut acheter à gogo jupes, robes, mouchoirs. gants de toilette. costumes d'homme, chapeaux, chaussures.

Pas de carte textile donc. Pas encore.

Et pas de gazogène Pas encore.

Ou si peu.

Anatole de Monzie, ministre des Transports, est partisan résolu de ce mode de locomotion. Depuis 1938, il se déplace dans une Hotchkiss à gazogène, que lui loue le ministère de l'Agriculture, et les chauffeurs des autres ministères moquent leur collègue qui a eu la malchance de tomber sur pareil fantaisiste.

Alors que nous importons tout notre pétrole, sur 450 000 camions 4 500 seulement sont équipés en gazogène malgré le décret du 19 septembre 1939 prévoyant que les transports à longue distance ne pourront se faire qu'avec des véhicules pouvant marcher au charbon de bois.

Anatole de Monzie, qui constate que l'approvisionnement en carburant ruine nos finances et qui peint volontiers l'avenir en noir [18] (l'avenir lui donnera raison), convoque Louis Renault mais ne réussit que difficilement à ébranler cet homme « qui a la simplicité d'un grand moine en dehors de son couvent ». Tout de même, le constructeur fait un geste. Puisqu'il équipe 1 % de camions en gazogène, on peut aller plus loin...

— Tout compte fait, il n'y aurait pas d'inconvénient à élever ce pourcentage à 10 %. La forêt française doit permettre d'alimenter 45 000 voitures à gazogène.

Que tout redevienne « comme avant ». C'est le vœu de la plupart des Français. La guerre, qui a occupé un moment la première page des journaux, ne s'y maintient plus, au bout du deuxième mois, que par pudeur envers ceux qui ne se battent pas. Encore ne lui accorde-t-on souvent qu'une ou deux colonnes.

Que tout redevienne comme avant pour le faux équilibre moral d'un pays dont nul ne voit que le retour aux chères. belles et bonnes habitudes le désarme.

18. A la date du 27 décembre 1939, insistant sur sa volonté « d'acclimater » le gazogène, de Monzie écrit dans son journal : « Si la guerre tourne trop vite. ou trop mal, je veux tout de même pouvoir exciper des précautions vaines et des appels inécoutés dont j'ai pris la responsabilité. »

Dans le château de la France au bois dormant, les personnages recommencent à vivre et à s'agiter comme autrefois.

Quelques jours à peine après la mobilisation, de Monzie rétablit le Simplon Express. Ce qui signifie que la S.N.C.F. a été assez forte, malgré 110 000 mobilisés, pour digérer le prodigieux effort de la mobilisation (certains jours on a compté 150 trains sur une section de 100 kilomètres) [19] et que la France estime n'avoir rien à craindre sur sa frontière avec l'Italie. Le 2 octobre, le public bénéficie déjà d'un service équivalent aux deux tiers du service normal, tandis que le trafic des marchandises redevient à peu près ce qu'il était avant guerre.

Le 22 novembre, la sous-commission permanente des travaux publics et des moyens de communication de la Chambre des députés, après avoir préconisé la reprise de l'activité des sports d'hiver, s'émeut, oui, s'émeut de la suppression des premières classes dans certains trains et demande la comparution du ministre invité à fournir « plus amples renseignements ».

Quelques jours plus tôt, de Monzie a d'ailleurs écrit à M. Grimaldi pour regretter la désertion dont est victime la Côte d'Azur.

Désertion explicable : les Alpes-Maritimes sont dans la zone des armées et il faut un sauf-conduit pour aller à Nice, à Cannes, à Saint-Tropez qui n'est pas encore tout à fait Saint-Tropez.

Et l'obtention d'un sauf-conduit est chose ardue si l'on en croit l'expérience de ce Lyonnais qui vient de renoncer après onze demandes et neuf heures d'attente.

Mais tout s'arrange le 25 novembre, jour où l'on annonce que l'Ain, la Haute-Savoie, la Savoie, l'Isère, les Hautes-Alpes, les Basses-Alpes, les Alpes-Maritimes, le Var et la Corse ne sont plus dans la zone des armées. On attend à nouveau les Anglais sur la Côte et le personnel hôtelier se reprend à espérer.

Dans les journaux qui annoncent cette bonne nouvelle, on trouve une vigoureuse protestation de M. Hartmann, président de la Cham-

---

19. On a chargé jusqu'à 250 trains militaires en vingt-quatre heures, et 1 500 trains, dans le même temps, ont évacué des civils en grand nombre. Au 14 septembre, sur chacune des lignes Paris-Bordeaux et Paris-Toulouse et vice versa, la S.N.C.F. met en marche un train express de jour et un train express de nuit. Il faut cependant huit heures quinze pour aller à Bordeaux, onze heures vingt pour atteindre Toulouse. Les cheminots travaillent plus de 60 heures par semaine dans le même temps où, par suite de la majoration des impôts, et notamment à cause du prélèvement de 15 % décidé après l'entrée en guerre, leurs salaires diminuent.

bre syndicale des propriétaires de bars et de dancings. Les bals sont interdits. Et pourquoi donc, grands dieux ? La morale y gagne-t-elle ? Non, réplique M. Hartmann, puisque des bals clandestins existent et que nul ne peut les contrôler. Les familles en deuil seront-elles choquées ? Mais il y a si peu de familles en deuil... Le 22 décembre, Daladier annonce qu'au 30 novembre nos pertes en tués étaient de 1 136 pour l'armée de terre, 256 pour la marine, 42 pour l'aviation et, dans les journaux du 23, ce bilan est généralement traité de la même façon que l'accident où viennent de périr trois Parisiens, noyés à la suite de l'effondrement du pont Saint-Louis coupé en deux par une péniche : quatre colonnes pour les 1 434 morts, quatre colonnes pour les trois noyés.

Au 30 novembre 1914, la France en était à 250 000[20] morts, il est vrai. Comment une nation qui avait vécu la Grande guerre, ou qui l'avait connue à travers une littérature d'épouvante, *Le Feu, Les Croix de bois, A l'ouest rien de nouveau,* n'aurait-elle pas été sensible à la différence ?

Alors, oui, pourquoi ne pas danser ? Le gouvernement se range à l'avis de M. Hartmann, d'abord en autorisant le bal des catherinettes, puis, le 6 décembre ; en levant tous les interdits.

Dans ces conditions, il est impossible de supprimer les messes de minuit comme l'on en avait formé le projet. Les églises resteront donc ouvertes jusqu'à 2 heures du matin, de même que les cafés, les restaurants et les dancings. Mais, pour eux, la permission durera toute la semaine.

Les courses « qui font vivre 400 000 personnes », écrit *Candide,* ont également repris. Comme les manifestations sportives, même si l'on recule devant l'organisation des Six Jours, car 20 000 à 25 000 personnes, entassées dans un stade, représenteraient une cible trop tentante pour l'aviation nazie.

L'arrière tient, et mieux, en apparence, qu'à l'autre guerre, où les combats et les deuils jetaient le trouble dans tant de foyers.

Mais, comme à l'autre guerre, lorsque l'on chante, danse et joue, le patriotisme et la charité sont toujours l'excuse des divertissements profanes.

L'action débute en août 1939. La France rappelle ses réservistes et,

20. D'août à la fin de décembre 1914, 300 000 morts.

le jour même de la mobilisation, un constructeur de ces avions qui font si fort défaut à nos armées découvre que la femme qu'il aime, et qu'il croyait originaire de Zurich, est en réalité une perfide espionne allemande.

Cas de conscience, cruel débat entre l'amour et le devoir « Mais rassurons-nous, poursuit le chroniqueur de *L'Illustration*[21], qui rend compte de la pièce de Louis Verneuil, *Fascicule Noir,* interprétée par Victor Francen et Gaby Morlay, le dernier acte nous apprendra que la redoutable Suissesse est, non pas une Allemande, mais tout au contraire une Française sublime, secrètement affiliée au 2e bureau et qui aide à démasquer une bande d'espions, ceux-là authentiques. »

Tout s'arrange donc. Du moins sur les planches des Bouffes Parisiens, l'un des rares théâtres à mettre la guerre en scène puisque, contrairement à ce qui s'est passé à partir de 1915, le patriotisme et les sentiments cocardiers n'inspirent guère les auteurs et ne brûlent pas les planches[22].

Les chansons, elles, s'adaptent aux événements. Fernandel, mobilisé, se retrouvera à Marseille dans cet uniforme qu'il a souvent porté sur l'écran. On voit partout sa photo en « troufion véritable », et il lance *Francine* sur une musique d'Oberfeld. Il s'agit de lutter contre la propagande distillée par Radio-Stuttgart.

Faut pas, faut pas, Francine,
Écouter les racontars
Du plus barbant des barbar's.
Faut pas, faut pas, Francine,
Te laisser embobiner par ses bobards
S'il prend, pour désarmer, sa voix câline,
C'est pour mieux nous tomber d'ssus plus tard !

Quant à Maurice Chevalier, il crée, sur des paroles de Marcel Travers et une musique de Fredo Gordoni, cette bien médiocre *Victoire.*

---

21. *L'Illustration* du 20 janvier 1940.
22. On note cependant, dans le même temps, au Palais-Royal, une *Vénus de l'îlot,* de Pierre Veber. On jouera aussi *Permission de détente,* d'Yves Mirande, *Elvire* de Berstein.

Victoire (bis)
C'est la fille à Madelon,
Victoire (bis)
C'est l' mot d'ordre du colon,
C'est l' cri de toute la nation,
Victoire (bis)
C'est la fille à Madelon.

La popularité de Maurice Chevalier est alors si grande que *Paris-Soir* lui demande de commenter un discours d'Hitler. Le résultat est le suivant : « Il ne s'imposait plus. Il en avalait sa glotte… Il courait après l'effet… Il trébuchait… Ce qui résulte de tout cela c'est que, en termes de café-concert, ce qui lui est arrivé s'appelle « une gadèche » et, au Faubourg Saint-Martin, on dirait d'une vedette qui s'écroulerait d'aussi lamentable manière : Il est pompé. »

Chevalier critique de politique étrangère ?

La confusion des genres n'est jamais une excellente chose.

Tous les journaux annoncent, comme autant de petites victoires, la réouverture des différents théâtres parisiens, de la Comédie-Française, dont l'administrateur général Édouard Bourdet a été mobilisé, du Concert Mayol où, faute d'abris suffisants dans le voisinage, quatre cents personnes seulement sont admises.

Tous les journaux annoncent les manifestations de charité, prétexte, pour les nantis, à faire encore parler d'eux. C'est dans le cadre du « Déjeuner des artistes », qui permet aux comédiens et chanteurs sans travail de manger pour un franc, que Georges Thil se manifeste et crée, du moins il l'affirme, la première chanson de guerre. L'inauguration a lieu le 29 septembre au Bal Tabarin, 36, rue Victor-Massé. Elle a légèrement été retardée par une alerte. Entre les discours et le bœuf bourguignon, le fromage, la compote, Georges Thil lance donc ces vers aussi déplorables d'inspiration que d'écriture :

Désormais pour gagner la victoire
Il faut parler aux Franco-Anglais…
Non, i' n' la gagneront pas,
Demandez à nos p'tits gars,
Le succès leur paraît notoire
Non, non, i' n la gagneront pas

Enfin il y a, un peu partout, des ventes de charité au profit de « nos chers petits soldats », aviateurs ou marins. C'est dans l'une d'elles, au Gaumont-Palace, le 30 décembre, que, deux fois mise aux enchères à l'américaine, une lettre du maréchal Pétain atteindra la somme de 20 000 francs.

Encore un peu de temps et l'on verra, dans la France de Vichy, vendre, pour les prisonniers, cette fois, la canne du Maréchal.

Quoi encore ?

Pour prouver au monde que Paris reste toujours Paris, la mode s'efforce de suivre le communiqué et les événements militaires à condition qu'ils n'aillent pas trop vite car, à partir du 10 mai, il n'y aura plus de mode, mais, sur toutes les routes de France, sales, hirsutes, ridicules, habillées de vêtements que la poussière et les ronces des fossés transforment en loques, des femmes ayant pour seul souci leur salut et celui de leurs enfants.

En attendant le désastre, certaines femmes portent des ceintures avec cette inscription « Mon chéri est en permission », des manteaux qui s'appellent « Tank », « Fausse alerte », « Avant-poste », des blousettes « Offensive », des déshabillés de dentelle que, primitivement, on avait songé à baptiser « No man's land » et qui auront pour nom « Permission de détente ».

Rue Royale, deux volontaires de la défense passive remportent un grand succès. Vêtues de combinaisons bleu marine, de chemisettes d'un bleu plus doux, au bras un brassard d'un jaune violent, le masque enfermé dans une musette du même bleu que celui de la chemisette, elles se promènent avec autorité et sérieux dans l'attente des grandes catastrophes.

La guerre de Finlande a fait naître, à Paris, des « capuchons ronds, en drap, en laine, en tous tissus, mais gonflés d'un capitonnage de fourrure ou de peau de lapin qui déborde sur le front et « bouffe » sur les oreilles, à l'inspiration des lottas laponnes de Finlande ».

Le chroniqueur, ou la chroniqueuse, du *Journal* qui rend compte, en janvier, de cette fantaisie d'actualité poursuit en toute inconscience : « Plaise au ciel que le conflit ne s'étende pas... Ces dames, d'un jour à l'autre, se croiraient obligées d'arborer... des bonichons tuyautés à la hollandaise, des voiles à la turque ou des coiffes bariolées à la roumaine. »

Lorsque la guerre gagnera la Hollande, le temps, vraiment, fera défaut aux élégantes parisiennes.

Pour que le luxe ait bonne conscience et que nul n'éprouve de scrupule, les articles des hebdomadaires poussent à la bonne dépense patriotique. « Que l'argent quand il y en a roule et vivifie commerce et industrie. Que les magasins se remplissent. Que les couturiers travaillent. Que les articles de luxe se vendent. Achetez l'utile et l'inutile »[23]. Et voici le texte qui « légende » une série de photos d'intérieurs modernes : « La guerre, en éloignant tant d'hommes de leur foyer, n'a point tué en eux les rêves de confort, au contraire. Dans le casernement ou la tranchée, ils pensent à la maison qu'ils ont aimée et qui symbolise pour eux la paix, la famille, l'amour... Autant de perspectives qui leur donnent la force d'accomplir leur devoir jusqu'au bout »[24]

On joue sur les situations et sur les mots. Hitler a créé la « guerre éclair », nos alliés britanniques inventeront « la dance-éclair » qui n'est qu'une adaptation de la matchiche.

En avril 1940, quelques jours avant le choc décisif, un gala, bien sûr de charité, à l'Opéra, aboutit à cet ahurissant article de *Match.*

« La difficulté d'un gala, en temps de guerre, ce n'est pas de le réussir, le grave est de savoir comment on devra s'habiller pour y assister correctement. »

Pas de luxe de mauvais goût, donc. Mais pas de laisser-aller, non plus. L'habit serait sans doute excessif mais... « le veston, par contre, ne risque-t-il pas de paraître une sorte d'abandon, une manière de défaitisme vestimentaire ? »

M. Albert Lebrun, président de la République, trancha le problème en décidant, sur le conseil du général Braconnier, qu'il viendrait en jaquette. Quelqu'un ayant objecté que la jaquette était essentiellement un vêtement de jour, tout fut remis en cause et les organisateurs décidèrent « que l'on pourrait assister à la représentation en simple veston, mais qu'on serait reconnaissant à ceux qui viendraient en smoking ». Cet ordre du jour nègre-blanc entraînera des complications. Un monsieur, qui arrivait en veston, vit sortir de la loge où se trouvait sa place un monsieur... en smoking. « Je ne peux entrer dans la salle comme cela », pensa l'homme en veston.

23. Colette YVER dans *Candide* du 25 octobre 1939
24 *L'Illustration*, 20 janvier 1940.

« Une demi-heure après, il était de retour, vêtu d'un impeccable smoking. En entrant, il se heurta au monsieur de la loge qui revenait en veston, parce qu'il n'avait pas voulu choquer les autres par trop de correction.

« On voit par ce simple détail combien la vie des hommes élégants est rendue difficile par les événements[25]. »

Que rien ne soit exagéré, ni excessivement caricatural dans le récit du journaliste de *Match*, en voici la preuve. A la date du 16 avril, le sénateur Bardoux, qui, lui, s'est habillé, note dans son journal « le peu d'élégance des hommes, dont quelques-uns sont en veston ».

A côté de ceux qui s'amusent (« il faut bien que la vie continue »), ceux qui souffrent, pour qui la guerre, même faite à bas bruit, est occasion de difficultés et parfois de drames. J'ai parlé des femmes, voici les paysans et les ouvriers, les paysans surtout, dont le destin occupe une part importante d'une longue lettre écrite, dès le 16 septembre 1939, par Daladier au général Gamelin.

« La cause profonde (du malaise français) est l'inutilité écrasante d'un grand nombre de dispositions prises sans aucun intérêt véritable pour la Défense nationale, mais au détriment de la vie économique du pays...

« J'insiste à nouveau sur la gravité des erreurs commises, explicables pendant la période de mobilisation mais dont la persistance est incompréhensible. Les corps et les services de l'arrière regorgent d'officiers qui n'ont rien à faire. A Melun, quatre officiers sont chargés de censurer six journaux hebdomadaires. Je pourrais citer d'autres faits aussi ridicules. Ils me sont signalés de tous les départements.

« Surtout les récoltes ne sont pas rentrées et les battages non terminés. On ne peut assurer l'arrachage des betteraves et la mise en marche des sucreries et distilleries sans main-d'œuvre. De même, un grand nombre de petites industries ont été réquisitionnées sans qu'on leur ait passé aucune commande. Comment remplacera-t-on les stocks de matière première qui se détériorent tous les jours ? Et comment

25. Ce gala fut également l'occasion de querelles d'artistes. Serge Lifar ne dansa pas, Mlles Chauviré et Darsonval s'étant opposées à ce que Joséphine Baker (qui n'était pas de l'Opéra) paraisse sur scène : elle devait jaillir d'un « colis au soldat » ouvert par Lifar

concevoir qu'il puisse subsister une production nationale sans chevaux, sans camions, sans autocars, sans téléphone, sans une certaine facilité de circulation ? »

Plaintes qui font écho aux plaintes que tous les parlementaires rapportent des circonscriptions rurales.

Il est vrai que, pour remplacer deux chevaux payés par la réquisition 15 000 francs, il faut 38 000 francs[26], que, dans le Nord, les terres ne sont ensemencées qu'à 10 %, à 15 % dans le Pas-de-Calais, à 35 ou 30 % dans l'Aisne.

La question des chevaux est d'ailleurs l'une des plus irritante qui soient pour les paysans qui ont l'impression d'un prodigieux gaspillage.

— La moitié des hommes étaient déjà partis et les moissons à demi achevées, déclare un paysan bourguignon, quand il a fallu conduire nos chevaux à la réquisition. On savait bien qu'il fallait des chevaux pour l'armée, mais on aurait voulu que chacun ait sa chance égale et qu'il n'y ait point de jaloux.

D'autant plus que ces chevaux aimés, indispensables au travail et qui font, sinon partie de la famille, du moins de l'univers du paysan, tout le monde sait qu'ils sont mal soignés, mal nourris[27], plus encore que maltraités et meurent en grand nombre inutilement. Incapables, au bout de quelques mois, de servir aux besoins de la troupe, quatre fois sur dix ils n'arrivent même pas jusqu'aux abattoirs de l'armée. Après avoir cité l'exemple de deux convois où 15 chevaux sur 38 et 22 sur 50 ont péri dans les wagons qui les transportaient, Joseph Aveline, député de l'Orne, pourra dire, le 30 décembre 1939 : « En moins de deux mois, des animaux achetés en général jeunes, en bon état, sont [ainsi] devenus des déchets, des squelettes et cela sans que l'on puisse invoquer les moindres accidents de guerre. »

Mais c'est dans un secteur plus important que les véritables rancœurs se manifestent. Ayant, plus que toute autre catégorie sociale, souffert de la Grande Guerre — il suffit de regarder les monuments aux morts de nos villages pour s'en convaincre —, les paysans ont l'impression que, cette fois encore, ils constitueront la part la plus importante de

---

26. Encore arrive-t-il que les prix fixés par la commission de réquisition soient arbitrairement diminués de 10 à 20 % par l'intendance… qui n'a pas vu les bêtes.

27. Dans certains cantonnements, les chevaux ne reçoivent que 5 ou 6 kilos de nourriture contre 20 ou 25 à la ferme.

l'immense armée des morts. Sans doute seront-ils même plus sévèrement touchés que par le passé, puisque les ruraux, qui représentaient 58,8 % de la population française au recensement de 1911, ne sont plus que 47,6 % dans celui de 1936, et puisque les usines ont besoin d'un nombre infiniment plus grand d'ouvriers qu'en 1914[28].

Quelle peut être la réaction de ce Joseph Lecommandour qui a dix garçons, sept aux armées, les trois autres prêts à partir, face, non certes à la vie que mènent, à Paris, de joyeux fêtards (il n'en connaît rien), mais aux ouvriers mobilisés sur place ? Quelle peut être la réaction de ces villages où, par rapport à 1915, la population a diminué cependant qu'augmentait le nombre des mobilisés[29] ?

Il y a donc hostilité, parfois violente, entre le paysan mobilisé et l'ouvrier « planqué » ou tenu pour planqué, que l'on a vu souvent revenir de l'armée pour retrouver, à l'usine, le travail qu'il faisait hier. Les paysans protestent et leurs représentants parlementaires protestent avec eux, pour eux. Comme Léon Blum a évoqué ces « millions de travailleurs et travailleuses [qui] font leur devoir », la droite manifeste et Joseph Massé, député du Cher, réplique vivement :

— Ceux que vous représentez ne sont pas au front.

Protestation contre les habituelles lenteurs administratives qui retardent encore le règlement des indemnités dues au titre des calamités agricoles pour 1938 alors que l'argent fait défaut au foyer ; protestation contre les réquisitions abusives de bétail ; contre les prix trop bas payés par l'armée qui a vidé certains villages de foin, de paille, de pommes de terre ; contre les permissions agricoles, trop rares ; contre la mobilisation, dans les usines, des agriculteurs des classes 1909 et 1910, libérés par l'armée, et surtout contre les différences de traitement moral et financier entre paysans et fonctionnaires, entre paysans et ouvriers, différences de traitement visibles à la poste du village lorsque la cultivatrice, côtoyant la femme du fonctionnaire, la voit recevoir 5000 francs pour trois mois quand elle-même, pour le même temps, ne touchera que 630 francs.

Paysans mécontents. Ouvriers mécontents. Certes, le plus souvent,

28. Voir chapitre 7, notamment les pages 232 à 236.

29. C'est le cas, par exemple, de Villiers-sur-Loing. Pendant la Première Guerre mondiale, 900 habitants et 100 mobilisés (début 1915). En 1939, 800 habitants et 112 mobilisés.

aucun danger direct ne les menace, mais ils se plaignent des impôts excessifs, de l'augmentation du coût de la vie, des cadences trop rudes, de l'absence de repos. C'est *Je suis partout* (hebdomadaire anticommuniste qui se défend d'être anti-ouvrier) qui, dans son numéro du 8 mars 1940, signalera le courage des ouvriers de l'atelier de vilebrequins des usines Renault, qui ont sacrifié trois dimanches pour produire davantage de pièces pour chars et camions. « Je ne sais pas, écrira le journaliste, si l'on imagine tout à fait ce que représentent 210 heures d'usine que ne viennent couper aucune pause hebdomadaire. »

Ces cadences conduisent souvent à la mise en sommeil des règles de prudence et, à Montceau-les-Mines comme à Saint-Étienne, où les mineurs sont passés hebdomadairement de 38 heures à 54 heures de travail, des catastrophes, faisant respectivement 32 et 36 morts, endeuilleront la mine.

Mais enfin, aussi rude qu'elle puisse paraître, la situation d'affecté spécial reste infiniment plus enviable que celle de mobilisé « quelque part » en Lorraine ou face à la Belgique. Aussi les « embusqués » sont-ils sévèrement dénoncés, s'ils ne sont pas toujours sévèrement traqués. Dans leur guerre quotidienne contre le communisme, les députés de droite ne cessent d'évoquer « l'armée de galopins qui se prélasse à l'arrière ». Cependant que les anciens combattants avec « leurs vieux rubans, leurs vieilles brisques, leur fourragère » tiennent les tranchées[30], les ouvriers renvoyés de leurs unités, grâce à des certificats de complaisance, et les affectés spéciaux, réorganisent, à l'usine, les cellules communistes dissoutes à la mobilisation et par la mobilisation. Affirmation excessive, bien sûr, sans être entièrement fausse.

Quoi qu'il en soit l'annonce, par le gouvernement, qu'au 1er janvier 1940, 13 000 « affectés spéciaux » sans titre ont été débusqués et expédiés aux armées, le procès intenté à un industriel de Haute-Loire, qui avait « planqué » dans son usine ses trois fils et son gendre, n'apaiseront pas une opinion pour qui les sacrifices sont et seront toujours mal répartis.

Et la signature, le 30 mai 40, à l'instigation de Dautry, ministre de l'Armement, et de Pomaret, ministre du Travail, d'une Charte du travail par les représentants patronaux et ouvriers ne mettra pas fin aux conflits d'intérêts et n'effacera pas les souvenirs de 1936.

30. La phrase est d'Ybarnegaray, le 14 décembre 1939.

6

MOURIR POUR HELSINKI ET NON PAS POUR FORBACH

Tout (ou presque tout) peut être dit avec trois mots.

Et avec une chanson.

Trois mots : ceux de Dorgelès, « drôle de guerre ».

Ils sont d'octobre 1939. Dorgelès décrit les hommes, montant sous la pluie jusqu'aux petits postes. Il montre les villages de l'arrière, engorgés de troupes baladeuses et curieuses, de soldats mangeant bien, buvant sec, gavant les chiens errants, se gavant de volailles abandonnées et se croyant parfois, tant la guerre est lointaine, oui, se croyant en vacances. Tout de même, il y a des heurts de patrouilles, de brèves rencontres.

— Ah ! C'est une drôle de guerre, m'explique gaiement mon compagnon (un artilleur). C'est à qui essaiera de prendre son voisin à revers. Une vraie partie de cache-cache. Tous les jours, des combats s'engagent, presque à bout portant. Ils sont tenaces aussi, les verdâtres, et ils ne lâchent pas facilement pied[1].

« Drôle de guerre ! » La paternité du mot sera discutée. Claude Jamet note dans son journal, le 1er octobre : « Drôle de guerre sans hostilités. Il y a des batailles et des combats dans *Paris-Soir,* mais, sur le front, rien... » André Billy utilise l'expression dans ses articles de *L'Œuvre* mais, finalement, Dorgelès restera, sinon inventeur, du moins propriétaire du mot. « Depuis le jour où j'ai publié ici même un article intitulé « C'est une drôle de guerre », le mot a connu une

1. Article publié dans *Gringoire.*

fortune que je ne souhaitais pas, certains lui donnant même un sens qui me paraît choquant [2]. »

Puisque le mot signifie « plaisant » autant que « singulier », beaucoup de Français, en effet, ont retenu la première définition pour parler de cette guerre sans guerre.

Drôle de guerre.

Et drôle d'armée.

Les guerres commençant sous les fleurs et les chansons, on versifiera beaucoup en l'honneur de la guerre naissante.

Entre cent, c'est la chanson de Maurice Chevalier *Et tout ça ça fait d'excellents Français...* qui recueille immédiatement l'adhésion populaire.

Caricature qui colle à la réalité, elle mérite d'être lue très attentivement. Elle a valeur historique. Tout y est, en effet, des divisions politiques, des ridicules et des fatigues d'un peuple que rien n'a moralement et physiquement préparé à la guerre.

Le colonel était d'Action Française,
Le commandant était un modéré,
Le capitaine était pour le diocèse,
Et le lieut'nant boulottait du curé.

Le juteux était un fervent socialiste,
Le sergent un extrémiste convaincu [3],
Le caporal inscrit sur toutes les listes
Et l'deuxième class' au P.M.U.

Le colonel avait de l'albumine,
Le commandant souffrait du gros côlon,
Le capitaine avait bien mauvais'mine
Et le lieut'nant avait des ganglions.

Le juteux avait des coliques néphrétiques,
Le sergent avait le pylore atrophié

---

2. *Gringoire*, 1er février 1940.

3. On remarquera que le mot « communiste » n'est pas écrit. Sans doute « extrémiste » en tient-il lieu.

Le caporal un coryza chronique
Et l'deuxième class' des cors aux pieds.

Et tout ça ça fait d'excellents Français
D'excellents soldats
Qui marchent au pas ;
Ils n'en avaient pas l'habitude...

« Ils n'en avaient pas l'habitude. » Il serait plus juste d'écrire « ils n'en avaient plus l'habitude », car beaucoup des mobilisés d'août et septembre 1939 sont d'anciens combattants de la Grande Guerre.

La mobilisation, au contraire de ce qui s'est passé au moment de Munich, s'est effectuée dans de bonnes conditions et, pas un seul instant, d'ailleurs, l'ennemi ne s'est soucié de la troubler.

Au 1er août 1939, l'armée française d'active compte 875 000 hommes pour l'armée de terre, 50 000 pour l'armée de l'air et 90 000 pour la marine. En deux étapes [4], avant même que la guerre soit déclarée, elle passera à 2 448 000 hommes pour l'armée de terre, 110 000 pour l'armée de l'air, 126 000 pour la marine. La mobilisation générale, décidée le 2 septembre, portera, avec 1 450 000 affectés spéciaux, les effectifs totaux à 6 104 000 d'hommes, dont 4 654 000 soldats [5]. Pour quoi faire ?

Le débat entre ceux qui prétendent que la ligne Siegfried était aussi inviolable pour les Français que la ligne Maginot pour les Allemands et que l'immobilisme était donc la seule « action » possible et ceux qui affirment que nous pouvions enfoncer les positions allemandes, marcher vers Mayence, Coblence, Mannheim et, sinon gagner la guerre en un mois, comme le feront bientôt les Allemands, du moins obliger Hitler à rappeler sur le front ouest la majeure partie de ses troupes engagées en Pologne, ne sera jamais clos. Il est d'ailleurs totalement vain.

Mais du moins peut-on jeter un regard sur les forces adverses. Connaissant leur mission, leur valeur et leurs actes, il est possible de mieux juger, alors, les décisions du commandement français et le

4 Du 21 au 27 août, puis à partir du 27 août.

5. Parmi lesquels 358 000 Nord-Africains, 245 000 coloniaux, 24 000 étrangers. Sur ces masses 4 048 000 hommes sont en Métropole, dont 2 600 000 aux Armées.

comportement de nos troupes, décisions et comportement trop souvent portés par la presse au sublime.

Il est bien évident, en effet, que, lorsque Gamelin, en réponse aux griefs de l'attaché militaire polonais, qui voit son pays s'effondrer sans réactions efficaces de la France, écrit le 10 septembre : « J'ai donc devancé ma promesse de prendre l'offensive avec mes gros le quinzième jour après le premier jour de la mobilisation française », le mot « offensive » n'a pas le même sens pour lui que pour Hitler.

Pour Hitler, l'offensive c'est l'action brutale au petit matin, la destruction des avions ennemis sur leurs aérodromes, la percée lointaine des blindés, l'inquiétude jetée dans les états-majors, le désordre dans les communications, la peur parmi les populations. Un jour de bataille qui en vaut cent. Où l'on doit agir du plus fort au plus faible, toutes les unités de choc engagées vigoureusement, les hommes les meilleurs munis des armes les meilleures, la piétaille ne venant que pour occuper le terrain et rassembler les prisonniers encore mal remis de leur surprise.

L'offensive est un choix. Ayant rassuré ses généraux qui vivent, eux aussi, dans les souvenirs sanglants de Verdun et de la Somme, par quelques mots méprisants pour les généraux et les hommes politiques français, « ce sont de petits vermisseaux », Hitler a donc, pour foncer en Pologne et pour emporter rapidement la décision, totalement dépouillé le front de l'ouest.

A l'est, 62 divisions dont 16 seulement de réserve.

3000 blindés groupés en sept divisions.

Près de 3000 avions.

A l'ouest, des forces presque négligeables et des ordres formels pour que le front reste en sommeil.

Dès le 18 janvier 1939 (la décision date d'assez loin, on le voit), la mission du groupe d'armées C — celui qui fait face à la France — est placée sous le signe de la défensive. Le 31 août et le 3 septembre, les directives d'Hitler se font plus précises. Il faut laisser « nettement » à la France et à l'Angleterre la responsabilité de l'ouverture des hostilités. Interdiction de franchir la frontière franco-allemande sans autorisation expresse du Führer. Tout sacrifier « à l'achèvement victorieux des opérations contre la Pologne [6] ».

---

6. Directive n° 1 pour la conduite de la guerre, 31 août 1939

Dans les jours qui vont suivre le déclenchement des hostilités, les consignes se feront plus restrictives encore, surtout en ce qui concerne la France. Sur mer « rien », si la France ne prend pas l'initiative. Dans les airs, « la règle générale est de ne pas provoquer l'ouverture de la guerre aérienne par des mesures offensives allemandes ». Sur terre, « l'ouverture des hostilités devra être laissée à l'adversaire », ce qui, traduit en langage clair, à l'intention des troupes qui font face à nos troupes devient : « En aucun cas, le premier coup de feu ne doit être tiré du côté allemand. » Et encore : « Des patrouilles adverses qui pénétreraient par erreur sur le territoire allemand doivent être invitées, sans faire usage des armes, à quitter à nouveau le territoire allemand[7]. »

Face à la France, l'Allemagne, au début de septembre 1939, n'aligne donc qu'un milion de soldats. 43 divisions dont 11 seulement d'active. Peu d'aviation. *Aucun blindé.* Dans son journal d'opérations, le général Hadler, chef d'état-major de l'armée de terre, le note d'ailleurs, et sans doute avec quelque inquiétude : « *Artillerie :* France pour aile nord environ 1 600 pièces d''artillerie, en plus des divisions. Allemagne : 300. — De plus, artillerie divisionnaire française plus puissante.

« *Chars de combat :* France, 50 à 60 groupements (en gros 2 500 chars) ; Allemagne, 0. »

Les divisions de réserve allemandes étaient semblables à ces divisions de réserve françaises qui céderont, à Sedan, en mai 40, sous le poids des blindés allemands. Équipées, en partie, de matériel ancien ; commandées par des cadres âgés ; composées de vétérans de la première guerre. A la 216e division d'infanterie allemande il faut renvoyer à l'arrière une soixantaine d'officiers incapables. Les responsables de la 215e, de la 257e, de la 87e, de la 58e D.I. se plaignent du trop grand nombre de quadragénaires aux souvenirs héroïques, mais aux jambes molles. Du manque de munitions : pour trois jours de combat seulement. Du manque de tracteurs et de chenillettes : il y a encore 12 000 chevaux pour 45 000 hommes au 25e corps d'armée et 19 900 pour 78 300 hommes au 24e. Du relâchement de la discipline : ici et là, comme chez les Français d'ailleurs, des maisons abandonnées seront dévastées et on fusillera des pillards.

Bref, les Français ont en face d'eux une armée que son chef, le

---

7 Journal de guerre du XXII C.A.

général Ritter Von Leeb, estime tout juste bonne pour une action de retardement appuyée sur la ligne Siegfried, cette ligne édifiée en réplique à la ligne Maginot, comprenant, en septembre 1939, 23 000 casemates achevées ou en cours de construction, et dont on ne saura jamais quelle était la valeur exacte puisque jamais elle ne fut attaquée.

Si la passivité allemande découle d'un choix — tout l'effort portant sur la Pologne —, la passivité française est le fruit d'une philosophie du moindre effort. Il nous importe peu de savoir que, sur les 150 kilomètres de frontière, entre Rhin et Moselle, il n'existe qu'une dizaine de divisions allemandes sans soutien d'aviation et de faible valeur, qu'il n'y en a que quatre en place sur les 170 kilomètres du Rhin franco-allemand.

Les directives de Gamelin prévoient bien que les Allemands se lanceront, toutes forces réunies, à l'assaut de la Pologne, mais la réplique française, destinée à soulager l'allié accablé, n'est conçue qu'avec d'innombrables précautions. Elle comportera des « actions préliminaires », il faudra « préciser le dispositif qui nous fait face », mettre la main sur des points importants pour la future offensive, n'engager que progressivement nos forces « avec le souci constant d'économiser, non seulement l'infanterie et les chars mais aussi l'artillerie ». « Après chaque opération, il y aurait lieu de reéchelonner en profondeur le dispositif des forces engagées, de manière à ne laisser au contact et dans le champ de bataille immédiat que les éléments indispensables et à reconstituer des réserves... »

Bref, on agit suivant l'esprit des méthodes de 1917. Les chefs allemands ont reçu instruction de « commencer la guerre par des coups puissants et par surprise [susceptibles] de mener à des succès rapides ». « Puissance », « surprise », « rapidité », « succès », aucun de ces mots ne se retrouve dans les textes français, aucune de ces idées dans la pensée de nos généraux et de nos soldats.

Nous reprenons la guerre là où elle a été arrêtée en novembre 1918. Et même quelques mois plus tôt que ces mois de septembre et d'octobre 1918 qui étaient des mois d'offensive et de mouvement.

Nous avions longtemps entretenu avec la Pologne des relations ambiguës. Sentimentales de peuple à peuple : Napoléon, Marie Walewska, Chopin, Balzac et sa comtesse, « Vive la Pologne, monsieur », 1871 et ces colonels polonais qui se font tuer sur les barricades parisiennes, en voilà assez pour la trame romanesque. Sur le plan politique, dans le domaine des relations d'État à État, les choses allaient moins bien, les dirigeants polonais s'étant montrés peu soucieux des règles de la démocratie à l'occidentale, désinvoltes vis-à-vis de leurs alliés français et n'ayant même pas dédaigné, avec la bénédiction allemande, de prendre part au dépeçage de la Tchécoslovaquie.

Mais enfin c'est *pour* la Pologne (même si c'est surtout *contre* l'expansionnisme allemand) que nous sommes entrés en guerre. Et, l'heure de vérité venue, de notre alliée pour la plus grande des batailles modernes, nous ne pouvons célébrer que la cavalerie ! Dans les premiers jours de la guerre, l'hebdomadaire *Vu* publie, en effet, une double page de photos consacrées à la Pologne. Sur ces documents, ni chars ni avions : des fantassins et des cavaliers. Quatre photos sur sept sont consacrées aux cavaliers, ceux-là mêmes qui se sacrifieront courageusement mais inutilement, non, comme on l'a tant écrit, contre les blindés allemands, mais contre leur infanterie d'accompagnement [8].

En quelques jours, la Pologne va sombrer, emportée par une forme de guerre nouvelle, ses défenses disloquées par les grands raids des panzers [9], ses troupes soumises pour leur concentration et leurs opérations au bon vouloir des bombardiers allemands. Cette Pologne dont l'état-major français espérait qu'elle tiendrait plusieurs mois, cette Pologne, forte de deux millions de combattants, qui n'auront même pas le temps de se regrouper tous, disparaît sans que l'opinion française soit alertée. Presque clandestinement en somme. La lecture, la relecture des journaux de l'époque, seuls ou presque seuls alors à « informer » les Français, a quelque chose de tristement fascinant.

Voici, par exemple, les titres de tête du *Petit Parisien* pour le mois de septembre, ceux qui barrent la première page, s'imposent à la

8. La Pologne n'avait pas que des cavaliers. L'armée de terre comprenait 30 divisions d'active, 11 brigades de cavalerie, 12 brigades motorisées. Les réserves groupaient 15 divisions d'infanterie et 5 brigades de cavalerie. L'aviation était forte de 146 bombardiers et 315 chasseurs.

9. La frontière germano-polonaise s'étendait sur 1 600 kilomètres. Les Polonais devaient défendre deux fois plus de terrain que les Français, de Bâle à la mer du Nord.

mémoire, influencent l'opinion. Quand la Pologne s'effondre, que commence le long martyre d'un peuple, que nous perdons, en un tournemain, des alliés sur lesquels nous comptions pour épuiser la force allemande, nous nous gargarisons, on le verra, de la progression de quelques fantassins à l'ouest de Forbach.

Le 2 septembre « La Pologne envahie », le titre occupe bien la pleine page, mais voici pour les jours qui suivent. Le 3, « Union sacrée » ; le 4, « La guerre », ce qui est parfaitement légitime ; le 5, « Communiqués 1 et 2 » ; le 6, « Nos troupes sont partout au contact, au débouché de notre frontière entre Rhin et Moselle » ; le 7, « Avance variable au-delà de la frontière » ; le 8, la Pologne, qui bénéficiait, jusqu'alors, d'un modeste article sur deux colonnes à la une, n'est plus mentionnée en première page ; le 9, elle a droit à une carte infiniment trop optimiste ; le 10, à treize lignes en première page. Il faut attendre le 18 septembre, au lendemain de l'invasion des troupes russes, pour que le malheureux pays obtienne un titre pleine page : « Les Soviets complètent leur trahison... leurs troupes envahissent la Pologne. » Le 21, comme un navire perdu corps et bien, la Pologne disparaît totalement du journal français. Elle va, cependant, refaire péniblement surface. Le 28, sept lignes à la une sous ce titre : « La situation de Varsovie serait désespérée » ; le 29 enfin, les derniers mots sont dits sur ce qui fut la Pologne.

VARSOVIE ACCABLÉE
PAR LE
NOMBRE.

La presse française peut pécher par omission. Elle pèche aussi par mensonge.

Voici le titre sur trois colonnes que *Le Journal* consacre, le 5 septembre, en première page, à la Pologne :

LA CAVALERIE POLONAISE
TRAVERSE LA FRONTIÈRE
DE LA PRUSSE ORIENTALE.
LES ALLEMANDS RECULENT EN DÉSORDRE.
DES BOMBARDIERS POLONAIS AU-DESSUS DE FRANCFORT-SUR-L'ODER.
LES ESCADRILLES ENNEMIES ONT SURVOLÉ VARSOVIE. PLUSIEURS APPAREILS ONT ÉTÉ ABATTUS DONT L'UN EST TOMBÉ EN PLEINE RUE DE LA CAPITALE.

Le 6 septembre, les Français apprennent « qu'une vigoureuse contre-attaque polonaise [se déroule] en direction de la frontière méridionale » et que « trente avions de Varsovie » ont effectué un « audacieux raid sur Berlin » [10].

Or, le 6 septembre, l'état-major allemand estime que cinq divisions polonaises sont totalement anéanties, que toutes les autres (à l'exception d'une dizaine) sont en très mauvais état. En quarante-huit heures, la Pologne a perdu la bataille des frontières, ses transports, ses liaisons téléphoniques, ses postes de commandement ont été totalement désorganisés par la Luftwaffe, elle replie en hâte ses troupes derrière la Vistule, le San, le Narew dans l'espoir que ces lignes d'eau pourront stopper les blindés adverses, et c'est le moment choisi par la presse française pour annoncer d'imaginaires victoires de la cavalerie polonaise.

Il est vrai, puisque nous évoluons dans un monde où la référence historique est fréquente, il est vrai que, le 24 août 1914, sur toute la largeur de sa première page, *Le Matin* avait titré : « Les cosaques à cinq étapes de Berlin ! »

Dans *L'Œuvre,* Geneviève Tabouis multiplie des articles que les événements ridiculiseraient si les lecteurs avaient le sens du ridicule : « Il semble que l'avance allemande [en Pologne] se trouve arrêtée », 8 septembre. Et, le 14 septembre, ceci, qui est littéralement stupéfiant : « L'état-major allemand commencerait à comprendre que la situation est pire qu'à la fin de la dernière guerre. »

Le 14 septembre, *Le Journal,* utilisant cette fois une dépêche de l'agence polonaise Pat, annonce, de son côté, la reprise de Lodz. Comment le sous-titre « Les troupes allemandes se retirent en hâte, laissant un important matériel de guerre » n'autoriserait-il pas tous les espoirs chez des lecteurs ignorants ? Ignorants aussi du fait qu'à partir du 10 le correspondant d'Havas a franchi la frontière polono-roumaine et qu'il n'y a plus guère de liaisons possibles entre la Pologne et le reste du monde.

Comme tous ses confrères, *Le Journal* pratique une politique de titres déséquilibrés. Deux cents mètres occupés, sans vraie bataille, sur le front franco-allemand ont plus d'importance que deux cents kilomètres perdus par nos alliés polonais.

Voici l'exemple du numéro du 10 septembre.

---

10 *Le Journal,* titre 2 colonnes première page

5 colonnes

SUR LE FRONT FRANÇAIS
BRILLANTE ATTAQUE
D'UNE DE NOS DIVISIONS
QUI NOUS ASSURE LA POSSESSION
D'UN IMPORTANT MOUVEMENT DE
TERRAIN.

3 colonnes

BATAILLE
POUR
VARSOVIE.
LE REICH ANNONCE
LA PRISE DE LA VILLE.
MAIS LA POLOGNE
DÉMENT AVEC ÉNERGIE

Et, cette fois, c'est vrai, Varsovie n'est pas conquise. Dans la soirée du 8 septembre, la ville a failli être enlevée par un raid brutal de la 4e division blindée allemande du général Reinhardt, d'où la fausse nouvelle, mais garnison et population ont repoussé les assaillants.

Entre le 8 et le 28 septembre, date de la capitulation, les Allemands renforceront quotidiennement leur dispositif, finissant par jeter dans la bataille sept divisions d'infanterie, cent trente-huit batteries d'artillerie, deux armées aériennes, tandis que de nombreux soldats polonais, par groupes plus ou moins cohérents, épuisés, mal armés, rejoignent leur capitale qu'ils défendront héroïquement sous les obus et les bombes, contre-attaquant jour après jour sans espoir de victoire, mais pour sauver au moins l'honneur.

La résistance de Varsovie aurait pu être exaltée comme elle le méritait. Elle aurait dû être longtemps citée en exemple et servir de symbole. Elle fut ignorée ou sous-estimée. Certes, il n'était pas aisé pour la presse française de savoir ce qui se passait dans la ville en feu. Mais, du moins, pouvait-on en parler plus convenablement que ne le fit, le 11 septembre, le commentateur du *Journal* :« Ne nous hypnotisons pas sur Varsovie. C'est une ville ouverte. Son importance stratégique n'est pas primordiale. Son importance morale est celle que nous voudrons lui donner. Il est possible qu'elle succombe. Mais la question est de constater si, oui ou non, la puissance de l'armée polonaise comme instrument de combat en sera vraiment affectée. Naturellement, non. Moralement, nous croyons connaître assez bien nos alliés pour être assurés que l'ardeur à venger leurs insultes l'emporte en eux sur toutes les traverses du destin. Ils en ont vu d'autres. »

Cette Pologne si vite engloutie, et que la radio française enterre le 18 septembre aux accents des *Préludes* de Chopin joués par Cortot, à peine jette-t-on quelques fleurs sur son cercueil.

Ici et là, de rapides articles évoquent une possible résurrection, notamment à l'occasion de l'installation en France d'un nouveau gouvernement polonais, à l'occasion de la reconstitution d'une petite armée et d'une aviation, mais rien de cela, et pas même les persécutions antisémites que l'on commence à évoquer, n'émeuvent une opinion française engourdie par le mol déroulement de la drôle de guerre. Le sort de la Pologne, victime de sa trop grande confiance dans la valeur des traditions, la brutalité de sa défaite et la manière dont ses armées avaient été, malgré leur héroïsme, dispersées, disloquées, capturées, auraient dû alerter les Français et ceux qui, parmi eux, avaient la responsabilité de la bataille. A de très rares exceptions près, Charles de Gaulle notamment, dans ce rapport du 26 janvier 1940 qu'il adressera vainement aux chefs militaires et politiques, l'exemple ne sera ni médité ni même retenu.

Car nul n'imagine que la Pologne puisse être exemplaire.

Lorsque l'on se donne encore la peine d'en parler dans les états-majors, on trouve mille et une bonnes raisons pour expliquer le désastre polonais, mille et une bonnes raisons pour écarter jusqu'à la possibilité de comparaison. « La France n'est pas la Pologne », cette vaniteuse lapalissade tient lieu de raisonnement.

C'est bon pour l'armée allemande de tirer les leçons de la guerre gagnée et de remplacer systématiquement ses chars de 6 et 9 tonnes par des chars de 16 tonnes, d'améliorer encore le couple blindés-aviation, qui vient pourtant de remporter d'immenses succès, permettant notamment au général Guderian de vaincre et capturer, en quarante-huit heures, des centaines de milliers d'hommes au prix de 150 morts et 700 blessés.

Le récit de nombreux évadés qui, passant par la Roumanie, ont réussi à rejoindre la France, les rapports du général Faurie, chef de la mission militaire française en Pologne, du général Musse, attaché militaire à Varsovie, du général d'aviation Armengaud, qui écrit, à son retour de Pologne, qu'il faut de toute urgence « revoir notre stratégie », de l'ambassadeur Noël qui, au cours de plusieurs rencontres avec Gamelin, insiste sur les techniques originales de l'armée allemande, rien n'éclaire les aveugles, rien n'alerte les sourds.

Si l'on disait aux Français, aux généraux français, que les événements de Pologne ne sont qu'une répétition générale de ce qui va se passer neuf mois plus tard en France, les plus charitables éclateraient de rire. Les autres hausseraient les épaules.

Le 2e bureau, à qui l'on a demandé de faire une synthèse des événements de Pologne, se contentera donc d'un texte semblable à ces motions « nègre-blanc » des fins de congrès radicaux où il s'agissait de ne blesser personne.

« Les procédés de combat employés par l'armée allemande en Pologne répondent à une situation particulière (très grand front, disproportion des forces, absence de frontière fortifiée et continue, supériorité des moyens techniques) ; sur le front occidental, les opérations revêtiront sans doute un autre aspect. Néanmoins, pour de multiples raisons, fidélité traditionnelle du commandement allemand à certains principes stratégiques et tactiques, identité de moyens, réflexes acquis par la troupe, il se peut que, sur quelques parties du front tout au moins, les méthodes de la campagne de Pologne soient de nouveau appliquées. Leur connaissance doit permettre de préparer, en temps utile, les parades appropriées. » Texte stupéfiant, en vérité, pour qui le lit avec attention !

Après avoir implicitement critiqué l'allié vaincu et gravement sous-estimé le vainqueur, le 2e bureau, surestimant les capacités de nos généraux, se couvre grâce à quelques précautions de style. Si les Allemands, par fidélité (un peu sotte) « à certains principes », par « réflexes » de leurs troupes solides mais sans génie, reprennent, ici et là, les formules qui leur ont permis de vaincre rapidement en Pologne, eh bien ! on mettra en œuvre, après étude, les parades appropriées. Un zeste de modernisme dans un océan de classicisme !

En mai, aucune de ces parades n'aura été inventée encore et, pour vaincre Hollandais, Belges, Français et ces Anglais qui se trouvent sur notre sol, les Allemands mettront seulement quelques jours de plus que pour vaincre les Polonais.

Et nous, pendant ce temps, que faisons-nous ?

C'est dans la soirée du 6 septembre que débute notre mini-offensive. Le général Prètelat, qui commande le groupe d'armées n° 2, a bien reçu l'ordre de commencer les actions au-delà de la frontière, mais ces actions doivent être limitées à des reconnaissances et des coups de main.

Dix divisions appartenant à trois armées (IIIe, IVe et V^{e}) se porteront donc au contact de la ligne Siegfried qui, dans le secteur attaqué, se trouve à une dizaine de kilomètres de la frontière. Et comme, au sud de Sarrebruck, existe un grand saillant, il faut d'abord que nous résorbions les poches formées, dans notre territoire, à l'ouest par la forêt de la Warndt, à l'est par la région de Bliès. Il n'y a que peu de résistance allemande. Ce qui ne veut pas dire peu de pertes françaises, car les Allemands ont truffé bois et maisons de mines antichars et antipersonnel qui surprennent nos troupes.

— On entrait dans une maison, racontent les soldats, on voyait un portrait d'Hitler, on l'enlevait, une mine sautait. On enlevait d'une table une poule morte, son cadavre était relié à une mine. Au début, on ne se méfiait pas.

Et, dans le vocabulaire militaire, les mines deviendront « les pièges à cons ». N'est pas pris celui qui fait attention à tout : à la porte ouverte. à la porte fermée. au casque. aux tableaux de famille ou au drapeau souvenir..

Le communiqué français du 9 septembre fera d'ailleurs allusion à ces mines. « La grande forêt de la Warndt, à l'ouest de Forbach, est en majeure partie entre nos mains. Elle a été trouvée remplie de destructions et de pièges de toutes sortes. »

Les premiers communiqués français, lus attentivement par des millions d'épouses, de pères et mères de famille se veulent sobres, précis, mais tout de même évocateurs. Nos attaques sont toujours « brillantes », chaque « mouvement de terrain » conquis est « important » et tous nos progrès sont « sérieux ». Habitude de 14-18 : les adjectifs s'emboîtent admirablement.

N'ayant pour l'heure à parler de rien, les communiqués anglais, de leur côté, parlent de tout. Et, comme ils sont publiés par les journaux français, quelques millions de nos concitoyens apprennent avec plaisir, le 9 septembre, que sur le vapeur *Inn,* qui a été torpillé, on a sauvé non seulement 35 passagers et membres d'équipage, dont une femme, mais encore « deux cages d'oiseaux rares » !

De leur côté, les Allemands se contentent de communiqués précis et légèrement dédaigneux. « 10 septembre. A l'ouest, pour la première fois, des patrouilles françaises ont franchi la frontière allemande et sont entrées en contact avec nos avant-postes placés loin en avant du « rempart de l'ouest ». L'ennemi a abandonné de nombreux tués et blessés. »

Les Allemands, qui voient juste, écrivent, dans leurs rapports, que nos actions sont menées principalement pour les communiqués et pour l'opinion. Ils soulignent le peu d'agressivité de l'infanterie française, sa peur des mines et ajoutent qu'un seul obus « suffit pour faire arrêter l'attaque [11] ». Dans le journal personnel du général Von Leeb, qui commande le groupe d'armées C, celui que nous attaquons, notre offensive, entre le 9 et le 14 septembre, n'a droit qu'à une douzaine de lignes !

La faiblesse de notre assaut est mieux encore illustrée par la faiblesse des pertes allemandes : 1 officier et 35 gardes frontières disparus le 11 septembre ; 7 tués, 21 blessés le 13 ; 6 tués, 15 blessés le 14 ; 6 tués, 23 blessés, 12 disparus le 16.

Pour la période du 3 septembre au 15 octobre, les Allemands vont déclarer — le chiffre est vraisemblable — 196 tués, 356 blessés, 144 disparus. Ils affirmeront, par contre, avoir capturé 689 Français dont 25 officiers. De notre côté, la IVe armée (sur qui a reposé l'essentiel de l'action) compte 98 officiers, 178 sous-officiers et 1 578 soldats hors de combat.

Brutalement, tout s'arrête. Tout, c'est-à-dire l'avance à pas comptés.

Le 12 septembre, au grand soulagement, paraît-il, des membres du Conseil suprême réuni à Abbeville, le général Gamelin décide de stopper les opérations et de camper sur le terrain conquis. Le 30, le sort de la Pologne étant réglé, il propose de replier ses troupes derrière la frontière et la ligne Maginot. Un instant, le général en chef a cru que

11. Message 1143 du groupe d'armées C.

les Allemands, ayant rassemblé des divisions ramenées de l'est, allaient passer à l'attaque. Il a même rédigé une proclamation grandiloquente où, avant l'inévitable allusion à la Marne et à Verdun, il dit à ses soldats : « Servez-vous de vos armes ! » Invitation surprenante adressée à des hommes en guerre depuis un mois déjà.

Mais les Français n'ont à essuyer que de petites attaques locales. Les Allemands s'arrêtent, en effet, dès qu'ils ont atteint la frontière et ils ne nous rendent même pas la monnaie de notre pièce en occupant quelques kilomètres carrés de territoire.

Le 24 octobre, « l'offensive » allemande meurt donc, à son tour. Elle a rempli son but : libérer les lambeaux de territoire occupés. Elle a même obtenu que, pratiquement sans combat, nous abandonnions la ville de Forbach. Épisode peu glorieux (et peu connu) où l'on voit le général Laure, qui commande le 9e corps d'armée, se battre... contre ses chefs directs, les supplier de ne pas évacuer Forbach sans y être contraints par l'ennemi, invoquer « la véritable révolte », « l'amertume », « l'effondrement de la confiance » de ses officiers et de ses soldats. Obtient-il, le 21 octobre, de conserver la ville, l'affaire rebondit quelques jours plus tard, à la suite de la disparition des quinze hommes d'un groupe francs du 125e R.I., puis, le 8 novembre, de la mort du commandant Gillot, chef du 4e bureau de Laure, qui avait monté une opération de représailles. C'en est trop cette fois. L'« affaire », car c'est une « affaire », est portée à la connaissance de Gamelin qui ordonne l'évacuation immédiate de la zone fortifiée de Forbach. Dans son journal[12], Laure n'a plus qu'à écrire avec une ironie amère : « Ainsi se termine cette affaire qui a provoqué tant d'émoi au donjon de Vincennes, poste de commandement où l'on veille sur les opérations de plusieurs millions d'hommes. On n'a pas laissé à un commandant de corps d'armée, ayant sous ses ordres plus de 100 000 combattants, le droit d'en distraire 1 000 pour infliger à l'ennemi une petite revanche qui s'imposait localement et qui lui aurait permis de conserver encore dans ses lignes une ville au nom historique, centre d'une région industrielle. »

Il fallait noter cet incident révélateur de l'état d'esprit d'un haut commandement paralysé et qui, dès octobre 39, prépare les défaites de juin 40.

---

12. Toujours inédit.

Dans les deux camps, désormais, on fera surtout la guerre en paroles. Amplifiée par le haut-parleur, une voix hurle depuis la rive allemande du Rhin :

— Camarades français, sortez de vos trous... Ne transformez pas la France en un vaste champ de bataille. N'écoutez pas la perfide Albion... Vous avez froid dans cette boue.

Ecriteaux et banderoles : « Français n'entrez pas chez nous, nous ne tirerons pas sur vous », « La France aux Français ».

Tentatives de fraternisation. Les Allemands traversent le Rhin pour distribuer des tracts... et le général Garchery donne ordre de tirer... si leurs barques dépassent la MOITIÉ du fleuve !

Billets trouvés dans les maisons que nous occupons le jour et abandonnons la nuit. « Ne vous montrez pas pour que nous n'ayons pas à tirer. » Maisons qui servent également aux échanges : pain ou viande contre tabac. Histoires d'autant plus amplifiées que Radio Stuttgart, chaque jour plus écouté, leur donne crédit.

Soldats et civils se mettent donc à l'écoute d'une radio dont les speakers, Obrecht et peut-être Ferdonnet[13], leur apprennent,

---

13. Né en 1901 à Niort, Paul Ferdonnet « monte » à Paris en 1925, puis part pour Berlin en 1927 où il restera, à l'exception de quelques voyages à Paris, jusqu'en octobre 1943. Depuis Berlin, Ferdonnet devint le correspondant de plusieurs journaux français régionaux. Il écrivit également plusieurs livres (*La Crise tchèque*, *La Guerre juive*), reprenant les thèmes de la propagande hitlérienne.

Resté en Allemagne au moment de la déclaration de guerre, il sera très vite versé dans un service de traductions installé à Berlin, centre de documentation où puisaient les différents services de la propagande allemande.

Il semble que Ferdonnet n'ait pas parlé à Radio-Stuttgart et que son nom ait été accolé abusivement (sans doute à cause de ses prises de position antérieures) à celui d'Obrecht qu'il rencontrera pour la première fois en août 1941.

Quoi qu'il en soit, Ferdonnet et Obrecht seront condamnés à mort par contumace le 6 mars 1940. A l'audience, on décrira Ferdonnet comme un instable, « satisfait de lui-même », comme un bluffeur également. Avant le procès, sa mère, qui habite Niort, écrira à son fils pour lui demander de se rendre à la justice française. Elle affirmera toujours que son fils n'est pas le speaker de Radio-Stuttgart.

Au mois de juillet 1945, Ferdonnet sera jugé par la Cour de justice de Paris

Le président Ledoux lui dira : « Vous n'êtes pas le traître de Stuttgart, possible, mais l'accusation vous répondra que c'est également trahir que de faire le métier qui consiste à rechercher, dans des ouvrages, des textes de propagande, à les traduire, sachant que ces textes seront ultérieurement soit imprimés dans des bulletins, soit radiodiffusés dans le sens de la propagande contre votre pays. »

Le commissaire du gouvernement Raphaël dira, de son côté : « A la suite de

pensent-ils, ce que leur cache la radio française. Albert Lebrun visite-t-il le front (en décembre), la venue du président de la République est saluée, du côté allemand, par *La Marseillaise* et par de longs commentaires. Dans le cas du roi d'Angleterre, les propos se font ironiques. George VI ne s'est-il pas égaré à la recherche d'une division trop bien camouflée sous un nom de fleur ? « Hier le roi d'Angleterre n'a pu mettre la main sur la division Hortensia. Que ne s'est-il adressé à nous ! » Et Radio-Stuttgart d'indiquer l'emplacement d'Hortensia. De même, Stuttgart donne quotidiennement les quantités de poisson débarquées à Boulogne, les noms des prisonniers, le numéro des unités qui vont monter en ligne, le nom des chefs qui les commandent.

Et Radio-Stuttgart annonce qu'un avion français est tombé sur les halles d'Orléans, information naturellement interdite par la censure Le poste allemand indique même le nom de l'aviateur, son grade, son âge, le nombre de ses enfants.

Et Radio-Stuttgart diffuse les obsèques du lieutenant Paul-Louis Deschanel, petit-fils de l'ancien président de la République. Et Radio-Stuttgart souhaite bonne chance à la « Division des Bidons » — ce qui frappe le plus les soldats de la 26e D.I., c'est que le poste allemand connaisse le surnom dont on affuble ces bons buveurs — en l'informant — le 3 mars — qu'elle quittera le camp de Mourmelon dix jours plus tard. Ce qui se réalise.

Et Radio-Stuttgart distille une propagande doucereuse, qui n'est pas sans effet sur ceux à qui elle s'adresse. Amicale envers les Français : ne s'est-on pas suffisamment battu entre 1914 et 1918 ? Le Führer n'a-t-il pas dit qu'il voulait la paix ? Puisque l'Allemagne n'a aucune revendication, pourquoi, enfin, poursuivre une lutte absurde qui profitera seulement aux Anglais. Ah ! les Anglais ! « *Ceterum censeo Carthaginem esse delendam* », « Il faut détruire Carthage-Albion ». Tel est déjà le mot d'ordre de la propagande allemande, qu'elle s'exerce par la radio, par la presse, par les agents qui arrivent des pays neutres.

Aussi bombarde-t-on la France... d'arguments pour la détacher de l'alliance anglaise.

En novembre 1939, l'aviation nazie sème, au-dessus de la région

---

l'instruction et aussi des débats de cette audience, il est à peu près démontré que jamais Ferdonnet n'a parlé à la radio de Stuttgart et qu'il n'est donc pas le traître de Stuttgart de la légende. »

Condamné à mort le 11 juillet 1945, Ferdonnet sera exécuté le 4 août

parisienne, des milliers de petites boîtes de carton, munies de détonateurs et contenant chacune 600 « petits livres rouges » fabriqués à l'aide d'extraits de discours du communiste Molotov, de citations d'écrivains et d'hommes politiques français hostiles à l'Angleterre (nous reverrons cela !), de photos de l'imprenable ligne Siegfried, de photos d'Hitler acclamé par les foules allemandes. Il y a enfin deux dessins propres à frapper les esprits. Deux tas de cadavres d'inégale importance. Sous le plus petit, cette légende : « 480 000 Anglais sont tombés 1914-1918 ». Sous le plus volumineux, ces mots « 1 425 000 Français sont tombés 1914-1918 ». C'est faux, 764 000 Anglais étant morts sur les différents fronts, mais qu'importe, il en restera quelque chose.

Comme il restera quelque chose de ce tract intitulé « Un bain de sang » sur lequel on voit un soldat français et un soldat anglais prêter serment. C'est entendu, ils se jetteront au même instant dans la mare sanglante. A « trois » le Français se précipite tête la première... mais l'Anglais, malin. s'éloigne en riant

En présentant l'Anglais comme un être cruel, désinvolte, hypocrite, occupé de ses intérêts, de son plaisir et de son bien-être, peu courageux d'ailleurs, habitué, à travers sa longue histoire, à gagner toutes les guerres avec le sang et la peau des autres, la propagande allemande opère en terrain d'autant plus favorable que tout semble lui donner raison.

Les Anglais, tout d'abord, sont presque invisibles. Daladier a beau évoquer, le 10 octobre, le grondement « ininterrompu des convois qui conduisent, vers nos frontières, les soldats et les canons de l'armée britannique », il ne se trouve, le 27 septembre, que 152 031 soldats de l'armée de terre, et 9 392 aviateurs, sur notre sol.

D'eux d'ailleurs, tout, ou presque tout, irrite. Que la presse d'abord, alors qu'ils sont si peu nombreux, leur accorde tellement d'importance, faisant souvent la une avec leurs pilotes et leurs marins ; célébrant, comme un exploit, le 15 février 1940, l'une des *premières* patrouilles anglaises, menée par le capitaine Barclay, dont l'unité est venue s'insérer, sur le front nord-est, entre deux divisions françaises ; racontant longuement, dans l'espoir de créer enfin une fraternité d'armes inexistante, comment un « petit Gallois », qui a dû sauter en parachute, a été sauvé par un fantassin français.

On doute tellement de la présence des Anglais qu'une note du grand quartier général devra, au mois de novembre, interdire l'expression « As-tu vu l'Anglais ? » couramment employée dans certaines unités sensibles au slogan : « Les Anglais donnent leurs machines, les Français leurs poitrines. »

Nos soldats apprennent sans plaisir que, « dans un port du nord de la France », les premiers hospitalisés anglais sont des soldats... victimes d'indigestion. Soldats et civils français se moquent de ces militaires qui réclament (a-t-on idée ?) des sels pour les bains, ils jalousent leur solde, leur décontraction et ne comprennent ni leur langue ni leurs mœurs.

— Ces gens-là, écrit le mobilisé Claude Jamet, nous sont plus étrangers, nous semblent plus lointains que les Chinois.

Robert Brasillach, qui, comme tous les officiers français, vient de recevoir une carte d'identité bilingue, écrit à l'un de ses amis : « *My dear, it will be necessary to learn our natural language. I think english*[14]. Je rassemble pour te le dire tout mon pauvre bagage. Car on vient de me donner une carte d'identité d'officier : elle est bilingue ! ! ! Je ne suis pas le seul à avoir été choqué. »

Exploitée par les Allemands, l'anglophobie est exaspérée par certains Français. A droite comme à gauche. Subtilement ou grossièrement. C'est ainsi que, très régulièrement, l'hebdomadaire *Je suis partout* reproduit des dessins extraits de la presse britannique. Quel mal y a-t-il à cela ? Tous ces dessins ne proviennent-ils pas de *The Humorist,* un journal allié ? Oui, mais, bien choisis, surmontés de ce titre : « Les Anglais en guerre vus par leurs journaux », ils ne montrent que des scènes ayant pour héroïnes des « petites femmes françaises ».

Ainsi, les soldats du front, ceux qui ont abandonné leur famille, qui manquent si souvent de nouvelles, peuvent-ils voir un aviateur anglais faisant, au téléphone, son rapport. Derrière lui, sur un divan, une jeune femme qui se repoudre. Légende : « J'ai successivement descendu un Messerchmitt, deux Heinkel, trois Dornier et une demoiselle Leblanc. »

Autre dessin : deux soldats anglais dans un bistrot. En face d'eux,

14. « Mon cher, il devient nécessaire d'apprendre notre langue natale, je veux dire l'anglais. »

une servante désinvolte. « Va falloir abandonner ce café. Son fiancé arrive en permission. »

Et voici un officier britannique furieux, dictant à une secrétaire, provisoirement vertueuse, le début de son rapport : « Contrairement à hier, nos avances ont été repoussées... »

Après la défaite, *Je suis partout* expliquera [15] que son intention avait été de montrer que les Anglais envisageaient la guerre « comme une partie de rigolade et de tutu-panpan avec les Françaises ». Et l'hebdomadaire s'indignera « contre la bande de juifs et de vendus qui avaient résolu de conduire les nôtres à l'abattoir avec un bandeau sur les yeux » en interdisant la reproduction de certains dessins jugés trop scandaleux !

Match ne nourrit certainement pas des intentions aussi noires.

Mais quelle peut être la réaction des combattants français (même s'ils ne se battent guère encore) en présence du dessin de Don publié dans le numéro du 2 mai 1940 ? Devant l'affiche classique « Langues vivantes. Apprenez l'anglais en 30 leçons », une jolie fille. Près d'elle, jeune, élégant, décoré, fumant une cigarette de luxe, bref à l'opposé du Français que les caricaturistes représentent toujours sale et barbu, un officier anglais. Que dit la fille ? « Je voudrais une méthode pour apprendre l'anglais en quarante-huit heures. »

La propagande de *Je suis partout* est masquée, insidieuse. Celle des communistes paraît travailler en parallèle avec la propagande allemande. Les tracts et les articles de *L'Humanité* clandestine reprennent les mêmes thèmes ou, plus exactement, le thème unique sur lequel on brode à volonté : l'Angleterre fait la guerre avec la peau des Français.

Les soldats reçoivent donc, venus de Paris ou des autres grandes villes françaises, envoyés par des camarades d'atelier, parfois par des familles, des textes à peu près semblables à ceux qui sont jetés au-dessus des lignes par les avions allemands.

Chaque prétexte est bon. Les soldats anglais touchent l'équivalent de 30 francs par jour quand les nôtres n'ont droit à 10 francs qu'en première ligne. « Avec la guerre moderne, les avions peuvent semer la mort et la souffrance loin du front. Femmes, mamans, réclamez la

15. Dans son numéro du 7 février 1941. A partir du mois de mai 1941, *Je suis partout* publiera quelques-uns des dessins « censurés par le juif Mandel »

solde de 10 francs par jour pour tous les soldats... Un soldat anglais touche 30 francs par jour. A bas la guerre ! » Et encore : « Les femmes françaises en ont assez d'être sacrifiées à la finance anglaise. » « Chez nous, les hommes de vingt à quarante-neuf ans sont mobilisés ; en Angleterre, on est soldat de vingt à vingt-six ans... et encore. »

La Liaison, journal clandestin édité par des soldats du 223e R.I. [16], écrit que les soldats anglais ont des bains roulants tandis que les Français manquent d'eau pour se débarbouiller, que les Anglais bénéficient d'une bonne nourriture, au contraire des nôtres. *L'Humanité* de novembre 1939 met en scène, à Amiens, soldats anglais et français. Ces derniers ayant dit qu'ils en avaient assez de cette guerre et qu'il fallait en finir pour rentrer au plus vite chez soi, les Anglais répliquèrent qu'on devait tenir trois ans s'il le fallait : « A quoi les poilus français ripostèrent : Commencez par aller au front et après nous en reparlerons. »

La position communiste est donc résolument antianglaise. Dès la mi-octobre 1939, un « Appel au peuple de France », publié d'abord dans le quotidien du Parti communiste belge et reproduit ensuite dans *L'Humanité* clandestine, « adresse un fraternel salut aux élus du peuple, fidèles à la cause du peuple, qui, pour avoir combattu la guerre impérialiste et lutté pour la paix, ont été jetés en prison par le gouvernement de réaction qu'impose à la France la volonté des banquiers de Londres ».

Dans l'interview qu'il donne, après sa désertion, à un collaborateur d'une revue communiste belge, Maurice Thorez n'attaque pas une seule fois Hitler et l'hitlérisme. Mais il se déchaîne contre « l'impérialisme anglais » qui sera systématiquement dénoncé par tous les tracts, tous les textes.

Ce que la propagande communiste dit quotidiennement de Daladier et de Reynaud, « chiens couchants de la City », des Français, « qui ont toujours tiré les marrons du feu pour l'Angleterre », de la France « à la remorque de l'Angleterre », toute la presse de la collaboration l'imprimera bientôt pour le plus grand bénéfice du Reich en lutte, après juin 1940, contre la seule Angleterre. Cette Angleterre dont la conquête eût très vraisemblablement signifié la perte de l'U.R.S.S...

---

16. Il existe, au sein des unités, ou en marge, un certain nombre de petits journaux communistes clandestins. *Ceux de la 31e* (Le Havre), *L'Étoile rouge* (Metz), *Cherbourg naval*, etc.

Ainsi, qu'elle vienne d'Allemagne ou de France, qu'elle soit nazie, fasciste ou communiste, la propagande antianglaise prépare, pendant l'hiver 39-40, ces grandes moissons de haine de l'été 40 qui lèveront après Dunkerque et Mers El-Kébir.

Contre les tracts allemands, contre Radio-Stuttgart, que faisons-nous ?

Rien ou presque rien.

Face à Goebbels, nous n'avons pas un Goebbels, mais simplement le charmant et verbeux Giraudoux et ces fabricants de tracts pompeux et trop longs que nos avions jettent sur la Ruhr.

Sur le front, nous rendons politesse pour politesse. Nos morts sont-ils enterrés avec tous les honneurs de la guerre, nous saisissons l'occasion du repêchage de cinq marins et d'un officier allemands près de Dunkerque pour organiser une majestueuse cérémonie. Sont présents, en effet, les amiraux Platon et Leclerc ; le général Tence, gouverneur de Dunkerque ; le capitaine de frégate Menderson, représentant l'Amirauté britannique ; de nombreux officiers et d'imposantes délégations de soldats et de marins..., soldats et marins qui se demandent peut-être si leurs obsèques attireraient le même concours de hautes personnalités !

Les Allemands ne tirent pas. Nos hommes ont donc ordre de ne pas tirer.

Gamelin reconnaîtra, après la guerre, qu'il avait effectivement interdit d'ouvrir le feu... sauf sur les pancartes de fraternisation. Il aurait souhaité, affirma-t-il, faire des actions « plus sérieuses », mais « on » lui avait fait valoir « que nous aurions des échecs partiels et des pertes et que le résultat serait plus nuisible sur le moral que les avantages cherchés ».

Dans ces conditions, nos soldats se contentent de répondre par des injures, des « ta gueule », « tu nous emmerdes », aux appels des haut-parleurs allemands.

S'ils agissent autrement, ils se font vertement réprimander.

C'est ainsi que, le 9 septembre, les pilotes de trois Morane 406 — lieutenant Lacombe, adjudant Vinchon, sergent-chef Dumoulin —, qui ont aperçu trois appareils ennemis sur le terrain de Sarrebruck, ont le tort de les mitrailler, de descendre un Messerschmitt 109 qui tentait de prendre l'air, de canonner et de faire exploser un hangar où se trouvait sans doute du carburant et des munitions. Le général, commandant la zone d'opérations aériennes, adressera quelques heures plus tard un « blâme sévère » au lieutenant Lacombe, coupable d'avoir attaqué sans ordres.

Le lieutenant de Malet, chef d'un secteur de guet aérien, dans les environs de Vieux-Brisach, qui fait, à l'aide d'un fusil à lunette, des cartons sur les soldats qui se déplacent, à 1 200 mètres de là, entre les casemates de la ligne Siegfried, est, lui aussi, l'objet de blâmes des « grands patrons » de son secteur que ses initiatives irritent.

Si la guerre perdue en Pologne n'a provoqué aucun commentaire sérieux, aucune réflexion du monde militaire, aucun débat politique, si la guerre sur le Rhin ne suscite aucun enthousiasme, il n'en ira pas de même de la guerre de Finlande.

Pendant plus de deux mois, les Français vont se battre, en effet, par Finlandais interposés.

Dans des journaux qui ne peuvent parler ni de la vie chère, ni de cas de méningite cérébro-spinale à Poitiers, ni de la médiocre production des usines d'armement, ni d'une guerre aux frontières puisqu'il n'y a pratiquement pas de guerre et que, dans ce désert, *un* seul avion allemand abattu suffit pour « justifier » un titre en première page, on va des semaines durant, et avec passion, évoquer le conflit russo-finlandais.

Après quelques jours d'attente prudente, les quelques jours nécessaires à vérifier que les Finlandais ne cèdent pas devant les exigences soviétiques[17] et même, miracle, qu'attaqués ils résistent, contre-attaquent, stoppent et battent l'adversaire, la presse française se déchaîne.

Les Finlandais, devenus les héros du monde occidental, font oublier toutes les défaites polonaises. Aucun traité ne nous lie à eux, on les sait, par tradition politique et situation géographique, assez proches des Allemands, ils sont, à l'autre bout de l'Europe, les représentants d'une civilisation qui nous est presque inconnue, qu'importe ! En un instant ils deviennent nos alliés, nos amis, nos frères...

---

17. La Finlande est attaquée le 30 novembre 1939, sans déclaration de guerre, par l'Union Soviétique. Quelques semaines plus tôt, l'U.R.S.S. avait exigé (sans recevoir de réponse favorable) la cession des bases navales et la démilitarisation des plus importantes fortifications finlandaises.

Les idées reçues et les clichés journalistiques déferlent. Que David fasse toucher les épaules à Goliath enthousiasme les Français dont le cœur bat pour ces skieurs mystérieux et vêtus de blanc, habitants d'immenses forêts dont ils connaissent tous les secrets et où ils se déplacent silencieusement, trouvant, dans chaque village, la halte réconfortante du sauna et la rude mais tendre sollicitude des lottas.

L'admiration, l'émotion et la fraternité, que n'avaient pas recueillies les Polonais dont la défaite était intervenue d'ailleurs alors que nous mobilisions et que d'autres problèmes nous occupaient, les Finlandais vont les obtenir d'emblée.

Chaque fois qu'à la Chambre des Députés ou au Sénat un orateur salue la lutte de la Finlande, « MM. les députés se lèvent ». Et, moralement, la France en fait autant.

En quelques jours, la petite guerre franco-allemande sera oubliée au profit de la guerre entre la Finlande et l'U.R.S.S. Nous avons plus de haine au cœur contre les Soviétiques, qui ne s'attaquent nullement à nous, que contre les Allemands qui, de temps à autre, tout de même, tuent quelques pauvres bougres de patrouilleurs français.

Le gouvernement prête la main à cette opération qui, sur le plan de sa politique intérieure violemment anticommuniste, justifie, il ne faut jamais l'oublier, beaucoup de ses actes. Parler, parler longuement de la Finlande, c'est également détourner l'attention de ce qui va mal en France, c'est se tailler à bon compte des succès parlementaires, c'est peut-être — il n'est pas interdit de faire des projets — lancer des neutres dans un conflit dont on ignore toujours sur quel terrain il pourra trouver sa solution.

Il n'est nul besoin d'encourager la presse française. L'anticommunisme, excité par le pacte germano-soviétique, par l'invasion d'une Pologne presque moribonde, par l'attitude des députés communistes, par la désertion de Maurice Thorez et les tracts qui circulent, trouve, dans la guerre nouvelle, un aliment de choix.

Voici un titre du *Petit Parisien* en date du 25 décembre 1939. Titre exemplaire. Tous les éléments susceptibles de provoquer la haine, mais aussi le mépris, sont réunis en effet, et liés par quelques mots d'un romanesque conventionnel.

PRÈS DU CHARNIER GLACÉ
OÙ HURLE LA MEUTE
DES LOUPS POLAIRES

NOTRE ENVOYÉ
SPÉCIAL
INTERROGE
DES PRISONNIERS
RUSSES, HÂVES,
AFFAMÉS, À DEMI
FOUS DE FROID.
ILS NE SAVAIENT MÊME PAS QU'IL Y AVAIT LA GUERRE EN OCCIDENT ET
ILS CROYAIENT AVOIR ÉTÉ ENVOYÉS POUR LIBÉRER LA FINLANDE [18]

Feuilletons *Gringoire,* hebdomadaire de droite. « Quiconque est stalinien est hitlérien », affirme Philippe Henriot le 18 janvier 1940. Dans quelques mois, il sera pro-hitlérien, tout en étant antistalinien !

Et, dans le même numéro, sous la même plume, cette phrase : « Dénoncer l'hitlérisme est fort bien, à la condition qu'on ne nous supplie pas de ménager Moscou, coûte que coûte. »

Suivant sa pente (mais nul peut-être alors n'y prête attention), *Gringoire* multiplie les caricatures antisoviétiques. Dans les huit numéros, qui vont du 1er février au 21 mars 1940, pour seize caricatures anticommunistes, il n'y a que cinq caricatures antinazies. Moins violentes, d'ailleurs.

Déjà, voici que se met en marche la Légion des Volontaires contre le bolchevisme. Bien entendu, elle n'en porte pas le nom, mais l'intention s'y trouve !... *Je suis partout,* publié le 9 février 40, annonce par ce titre pleine page « Vive la Finlande », un article dans lequel Maurras parle de la Russie comme « d'un énorme géant mou », article voisinant avec un texte de Thierry Maulnier sur le thème « cette guerre est notre guerre ».

Le 1er mars enfin, *Je suis partout* informe ses lecteurs que son

---

18. Les Soviétiques avaient, usant d'un subterfuge qui servira souvent, créé un « gouvernement populaire » qui les appellera à l'aide. Pour eux, au début, il n'y a donc pas, juridiquement, guerre contre la Finlande, mais aide à la Finlande.

Les images de Soviétiques misérables et ignorants circulent dès les premiers jours du conflit. *Le Journal* du 16 décembre rapporte qu'un témoin a vu « les hordes pouilleuses, aux bottes galoches à semelles de bois, incapables de se servir des armes mécaniques modernes, mais qui sont en nombre brutal, écrasant ».

Dans *Le Populaire* du 11 janvier un témoin déclare : « J'ai vu les prisonniers russes, je ne puis que les qualifier de bétail humain. Même leurs gradés sont quasi illettrés ».

collaborateur Jean Fontenoy se trouve en Finlande. Volontaire pour l'infanterie, Fontenoy a été affecté à un groupe d'assaut sur skis. « Il manie avec délice, écrit sa femme qui fait part d'une lettre récente, le pistolet mitrailleur[19]. »

Gringoire et *Je suis partout* sont des journaux « engagés ». Voici *L'Illustration,* maître à penser de la moyenne bourgeoisie française. Les thèmes abordés, au long de fréquents et copieux reportages, sont pleins d'enseignement.

Thème de la médiocrité des armées soviétiques. « Qu'a-t-on constaté ? L'incapacité de leur haut commandement, l'ignorance ou la pénurie de leurs techniciens, l'insuffisance de leurs cadres, la médiocre combativité et le mauvais moral de leurs soldats[20]. »

Thème de l'abrutissement, de l'absence de personnalité des soldats. « Un colonel finlandais nous fit entrer dans une pièce où se tenaient des prisonniers, têtes basses comme ces tristes épaves humaines que l'on rencontre parfois dans certains palais de justice de province. Voilà les hommes qui sont censés nous apporter la civilisation, dit-il[21]. »

Thème de l'anticommunisme, justifiant toutes les initiatives. « J'ai rencontré le sous-lieutenant Koskavsta, héros d'une demi-douzaine de batailles, il remplissait les fonctions de pasteur luthérien à Koussama avant de venir combattre sur le front. Un jour, le voyant avancer, pistolet à la main, dans la direction des tranchées russes, je lui ai posé cette question : « Croyez-vous qu'il soit permis à un chrétien, surtout à un pasteur, de se battre, pistolet à la main ? » Il répondit : « Lorsqu'on se trouve en face de ceux qui veulent détruire la patrie, la paix, la religion et la famille, se battre n'est plus ni un problème religieux, ni un problème philosophique : c'est un devoir. »

L'Illustration verse hebdomadairement l'héroïsme au cœur des civils français et même de ces combattants... qui ne se battent pas encore. La Finlande est si loin ! Et les morts sur papier glacé n'impressionnent guère ! D'autant que la plupart des photos montrent des morts communistes... ennemis, suis-je tenté d'écrire. Voici « la main d'une aviatrice russe qui mitraillait femmes et enfants », voici « des soldats russes sans gants par 30 degrés au-dessous de zéro, se rendant à une patrouille finlandaise », voici encore « un soldat de la 44e division

19. Il sera très sérieusement blessé et aura le cerveau gelé.
20. *L'Illustration,* février 1940, numéro hors série.
21. *L'Illustration,* 16 décembre 1939.

russe, peut-être blessé, [qui]est passé du sommeil à la mort et n'est plus qu'un bloc glacé », « des armes et des corps ensevelis sous la neige », « une colonne de chars blindés abandonnés par les Russes dans leur retraite précipitée ».

Conclusion de *L'Illustration,* qui parle beaucoup plus de communisme que de nazisme : « Il y a des guerres qui demeurent dans l'histoire comme des symboles. La guerre civile d'Espagne en fut un. Elle atteste qu'un pays, même le plus dangereusement gangrené par le communisme peut, s'il le veut énergiquement, rejeter le virus. La guerre russo-finlandaise sera un autre symbole. »

Quel symbole ? Eh bien, qu'après avoir « rejeté le virus » communiste (ce que la France doit faire, ce n'est pas écrit mais sous-entendu), on peut le vaincre.

Telle est d'ailleurs l'idée ou l'ambition d'assez nombreux Français qui, dès le début du conflit, refont sans se lasser la carte du monde. Le professeur Rougier, de la faculté de lettres de Besançon, écrit ainsi à Camille Chautemps[22] : « Une occasion unique s'offre aux alliés de liquider la guerre en quelques mois, de rallier unanimement l'opinion américaine et l'opinion des neutres, de forcer l'Italie à se rapprocher de nous, de provoquer peut-être la chute du régime bolcheviste, de liquider enfin le parti communiste à l'intérieur. Cette occasion unique, c'est l'agression de l'U.R.S.S. contre la Finlande et les décisions de la Société des Nations. »

Aussi, lorsque la Finlande devra capituler, on assistera, malgré la censure qui s'est, il est vrai, et sur ordre, quelque peu relâchée, à une véritable explosion de rage dans certains journaux français qui en appellent presque au soulèvement populaire contre la décision du gouvernement d'Helsinki. « Les délégués finlandais ont capitulé... mais le peuple de Finlande ? » titre *Le Journal,* sur huit colonnes le 13 mars. Et, dans les jours qui suivront, les éditoriaux de ce quotidien, à l'unisson de l'opinion parlementaire et de l'opinion publique, seront d'une violence inouïe. La chute de la Pologne avait été un jour comme les autres mais pour *Le Journal* le 13 mars — date de la capitulation finlandaise — est un jour de deuil. Sous le titre « On demande

22. Chautemps transmettra la lettre à Daladier le 20 décembre 1939. Le professeur Rougier jouera un rôle non négligeable à Vichy

des hommes de caractère », « Il s'agit d'avoir vingt ans », paraissent le 17, le 18, des articles qui visent et dénoncent, pour qui sait lire, la politique attentiste menée par Daladier.

C'est qu'avec la chute de la Finlande prennent fin des projets politico-militaires, dignes du Café du Commerce, mais qui avaient fait rêver pendant tout un hiver des messieurs très sérieux.

Jeanneney, président du Sénat, recevant les 8 et 9 décembre Champetier de Ribes, sous-secrétaire d'État aux Affaires étrangères, qui va partir pour Genève où la Société des Nations doit examiner la demande d'exclusion formulée contre l'U.R.S.S., lui dit :

— La conduite de l'U.R.S.S. est indéfendable. Son exclusion s'impose. Les Anglais l'admettent, je pense, comme nous-mêmes. Cela dit, l'exclusion devrait être prononcée sans débat véritable. Mais je vois le danger comme vous : on pourra suggérer d'en faire l'ennemi nº 1, donc de desserrer l'étreinte envers le Reich... Les défaitistes de chez nous vont exiger eux-mêmes qu'on rompe avec l'U.R.S.S., ils réclament déjà cette autre guerre, façon de détourner notre effort de notre frontière... Casse-cou ! Daladier s'est mis en guerre avec les moscoutaires. Il ne l'est pas avec Moscou.

Léon Blum voit encore plus loin en dénonçant justement, dans *Le Populaire,* ceux qui « en viennent presque à concevoir une réconciliation de l'Angleterre, de la France et de l'Allemagne contre Staline » et, à plusieurs reprises, le journal socialiste dira que la Finlande a deux sortes d'amis : ceux qui l'aiment pour elle-même, ceux qui l'aiment par haine de la Russie. Contre ceux-là, Henri de Kérillis, paradoxal homme de droite, après avoir presque absous l'agresseur russe, s'indigne et tonne[23], montrant ceux qui n'avaient pas voulu « mourir pour Dantzig », pressés de « mourir pour Helsinki », ceux qui avaient prouvé que nous ne pourrions affronter, avec succès, une Allemagne de 80 millions d'habitants, sans inquiétude face à 200 millions de Russes, ceux dont toute l'imagination se terrait dans les casemates de la ligne Maginot, développant soudain une stratégie napoléonienne et proposant, grâce à une aviation débile, de porter la destruction et la guerre jusque dans ces champs de pétrole caucasiens dont Moscou, croyait-on, tirait toute sa force.

---

23. Notamment dans son livre, *Français, voici la vérité.*

Il est très vrai que la guerre antihitlérienne s'est rapidement transformée en guerre antibolchevique. Sentimentalement d'abord Mais. du sentiment, on glisse à des projets plus sérieux.

Presque tout le monde y participe. Les journalistes, bien sûr, les anciens combattants de 14, dans les cafés de village, les capitaines mélancoliques sur un front immobile, les hommes politiques qui se disent « qu'il faut faire quelque chose » et les états-majors qui étudient ces plans entre bien d'autres.

Avec le même sérieux.

Avec la même légèreté.

Le 3e bureau n'a-t-il pas préparé, dès le mois de novembre, une carte où l'Allemagne vaincue est découpée en cinq morceaux : Rhénanie, Bavière, Hanovre, Brandebourg, provinces danubiennes ? Alors, pourquoi pas un plan d'attaque contre l'U.R.S.S. ?

C'est autour du 15 décembre que naît l'idée d'une expédition contre le Caucase. Le lieutenant-colonel de Villelume — conseiller militaire du ministre des Affaires étrangères Paul Reynaud — en parle le 16 à Gamelin qui hausse les épaules.

« Je perds mon temps, écrit Villelume, [à] exposer que le G.Q.G. devrait profiter du répit que lui laisse la guerre blanche pour étudier, fût-ce à titre d'exercice, toutes les hypothèses militaires possibles, voir l'attaque de Pékin ou celle du Cap Horn. »

Le travail que Gamelin et ses seconds ne veulent pas encore effectuer, Villelume va l'entreprendre. Son journal est nourri de projets d'occupation du Caucase et de bombardements de Bakou dont il finit par voir, lui aussi, qu'ils sont irréalisables dans l'état misérable de nos forces.

Mais à peine a-t-il abandonné l'idée qu'il y revient d'autant plus volontiers que le gouvernement anglais la fait étudier, dès la fin de l'année, que, le 23 janvier, Darlan envoie à Daladier une note sur deux manœuvres « excentriques possibles », l'une par Narvik et Petsamo, l'autre par la Thrace ou le Caucase. La veille, une note de l'état-major, qui a fini ses bouderies, repoussant toute idée d'attaque directe contre l'Allemagne, ne concluait-elle pas à la nécessité « sauf sur le front nord-est [d'] attaquer partout où nous le pouvons (Finlande, Caucase. Mer Noire) et [d'] ouvrir délibérément les hostilités contre l'U.R.S.S. » ?

On est en plein délire. Puisque les généraux qui haussaient les épaules à la pensée d'attaquer l'U.R.S.S. se sont mis, eux aussi, à chevaucher les chimères, chacun libère son imagination. Le 18 février 1940, Villelume reçoit le général en retraite Chardigny, qui a séjourné longtemps en Russie et propose, à qui veut l'entendre, donc à Daladier, par l'intermédiaire de Villelume, un plan de soulèvement des populations tartares et de bombardement de puits de pétrole de Bakou. Les itinéraires sont prévus. Seuls font défaut les avions !...

Quatre jours plus tard, Daladier reçoit une étude secrète du 3e bureau de l'état-major général où tout est examiné dans le détail : l'attaque des transports de pétrole à destination du Reich qui passent par la mer Noire, mais le rédacteur de l'étude pense que les résultats d'une pareille attaque seront médiocres ; l'occupation des principaux centres de l'industrie pétrolière du Caucase, mais il faudrait la coopération des troupes turques et de l'aviation britannique ; le soulèvement (encore) des populations musulmanes du Caucase, possible... à condition que « la répression russe » soit « dans l'impossibilité de s'exercer » !

On croît rêver.

Comme on croît rêver en lisant une note de la sous-direction Europe du ministère des Affaires étrangères, en date du 26 mars, envisageant (encore !) la destruction des puits de pétrole du Caucase, « destruction qui, ébranlant l'économie de la Russie » aurait pour conséquence de réduire à néant « tous les espoirs de l'Allemagne d'organiser rationnellement à son profit la production russe et aurait, à ce point de vue, une portée capitale sur l'issue de la guerre ».

Comme on croît rêver en prenant connaissance du procès-verbal du Conseil suprême du 28 mars (la Finlande a cessé le combat depuis le 13), au cours duquel Chamberlain et Reynaud, nouveau président du Conseil, porté au pouvoir par l'irritation des parlementaires devant la capitulation finlandaise dont ils font retomber la responsabilité sur Daladier, reviennent longuement sur l'opération Caucase.

A Paul Reynaud, qui affirme, d'après une dépêche de Massigli, notre ambassadeur à Ankara que les Turcs sont « prêts à marcher avec nous » et qu'il faut d'urgence envoyer les bombes d'avion nécessaires, Chamberlain, homme d'hésitation et de repentir, demande cependant s'il ne craint pas que les Russes réagissent violemment. « Sans doute, dit-il, cette déclaration [de guerre] serait populaire en France. Mais ce ne serait pas le cas en Angleterre. »

Reynaud affirme qu'il n'est pas sûr, après tout, que l'attaque envisagée doive entraîner un état de guerre entre la Russie et les alliés.

Étant donné « la psychologie particulière des Russes », on peut même, poursuit-il, se demander si, après avoir reçu le coup, le gouvernement soviétique ne serait pas tenté d'améliorer ses relations avec nous !...

En espérant que les Russes mitraillés, bombardés, pratiqueront le pardon des injures, Chamberlain et Reynaud demandent, en conclusion, à leurs états-majors, d'étudier les chances de réussite de l'opération.

Chimères ? Paroles en l'air ? Daladier, violemment attaqué par les communistes, après la libération, l'affirmera et il niera, avec une mauvaise foi identique à celle de ses accusateurs qui amplifient des projets farfelus, toute intention désagréable vis-à-vis des Soviets.

En vérité ici, comme bien souvent en France, les mots ont tenu lieu d'action. La longue résistance finlandaise ayant fait illusion, les forces russes ne s'étant pas montrées à leur honneur ce qui donne sur le moment raison à tous ceux qui affirmaient, dans l'été de 1939, que nous n'avions aucun intérêt à nous allier à une armée « de moujiks », les esprits ont battu la campagne.

Sujet d'enthousiasme pour le populaire, la Finlande permet aux militaires de jouer au jeu de la grande guerre et aux hommes politiques de se maintenir au pouvoir grâce à une guerre faite par les autres, à un anticommunisme parlementairement payant et à des projets d'autant plus grandioses qu'ils sont inapplicables.

En attendant d'attaquer le Caucase, au moins faut-il aider la Finlande qui appelle au secours.

Tandis que le Touring-Club demande, en février 40, aux Français de donner tous les skis qu'ils possèdent (« il y a urgence », précise l'appel), tandis que l'on tricote à l'intention des petits Finlandais, le gouvernement Daladier, lentement, précautionneusement, moins à l'aise avec les réalités qu'avec les chimères, met en place un médiocre plan d'aide militaire.

Mille et un obstacles s'opposent d'ailleurs à une aide de grande importance. Les glaces bloquent l'accès des ports finnois. La Suède et la Norvège, moralement solidaires de la Finlande, mais justement angoissées par le voisinage de l'Union soviétique et de l'Allemagne, retardent le passage du ravitaillement venu de l'extérieur. Notre infériorité en avions, en antichars, en canons de D.C.A., nous permet-elle enfin de donner beaucoup alors que nous avons si peu et que la mort de cent, mille, dix mille Russes devant Viborg ne soulagera certainement pas le front occidental ?

Sous la pression de l'opinion, des journaux et des parlementaires de droite, et parce qu'il faut agir face aux dictatures dont l'action est la règle, on procède finalement à de petits envois de petits secours.

C'est ainsi que Gamelin qui, le 16 décembre, ne veut expédier aux Finlandais aucun des 150 canons de 105, aucun des canons de D.C.A., aucun des chars qu'ils ont réclamés, finit par céder du terrain face aux exigences de Daladier et de son état-major. Il ne le fait qu'en freinant d'ailleurs de son mieux les départs. Ayant reçu le 8 janvier l'ordre de mettre sur pied une division pour la Finlande, il ne transmettra cet ordre que le 28 aux troupes intéressées...

Tous ces mois de décembre, janvier, février sont occupés d'ailleurs par de sordides et pitoyables marchandages autour de quelques douzaines de canons souhaités par nos clients balkaniques et finlandais. Ils ne demandent pas beaucoup. Nous n'avons presque rien.

Pour les Turcs, dans l'espoir d'une intervention, en faveur de laquelle Weygand plaide le 9 et le 11 décembre au nom de « tous les bénéfices de l'action », nous nous dépouillons donc (au 6 mars 40) de 50 mortiers de 81, de 4 chars R-35, de 100 chars moyens, de 40 canons de 25 de D.C.A., de 190 canons de 25, de 135 canons de 105 court, de 28000 fusils et de quelques dizaines de fusils antichars.

A la Roumanie, nous envoyons un bataillon de chars R-35, 310 mortiers, 200 canons de 75, 132 canons de 105.

A la Finlande, nous avons livré, au 18 janvier, 100 mortiers de 81, 5000 fusils mitrailleurs modèle 1929, 50 antichars de 25, 48 canons de 75, 48 de 155 court, 12 de 105 long, 30 avions de chasse. Doivent partir, dans les jours qui viennent, 12 bombardiers en piqué, 83 Caudron et 46 Kolkhoven[24].

24. A la même date (18 janvier), la Grande-Bretagne a envoyé en Finlande 99 avions dont 24 bombardiers Blenheim, 100000 mines antichars, 100 fusils antichars, 250 obusiers, 18 canons Vickers 40 mm, 12 canons pour l'artillerie de côte, etc. Au 22 mars, la Finlande, d'après Daladier — conseil secret du 19 mars — aurait reçu effectivement dans le domaine du matériel terrestre, 430 canons, 700000 obus, 5000 fusils mitrailleurs ou mitrailleuses, 200000 grenades, 20 millions de cartouches d'infanterie.

C'est la modicité de ces envois qui précipitera la chute de Daladier tandis que notre agitation, nos parlotes, nos projets, qui ne restent pas longtemps secrets, entraîneront Hitler à agir en Norvège.

N'avons-nous pas imaginé, à travers la Finlande, d'atteindre désormais l'Allemagne en la privant de son ravitaillement en minerai de fer suédois et norvégien ? Ainsi, dès le mois de janvier, si la Finlande reste un objet de passion pour les Français qui ne voient pas plus loin qu'Helsinki, elle n'est plus qu'un prétexte pour quelques généraux et politiciens qui croient qu'il nous sera possible, grâce à l'envoi de 16 000 soldats français et de 30 000 britanniques, non seulement de tenir en échec les Soviétiques, mais également de fermer aux Allemands les ports norvégiens.

Au cours du Conseil interallié du 5 février, on décide de « mettre en route » des troupes qui ne pourront quitter la France avant le 15 mars, débarquer avant le 20, agir avant le 1er avril.

Oui, le 1er avril, date ironiquement symbolique, monstrueux poisson d'avril posé aux Finlandais qui, ce jour-là, en seront à faire le total des morts, blessés, évacués des régions cédées aux Soviétiques vainqueurs.

Mais, enfin, comment tout ce remue-ménage, fût-il peu efficace, n'alerterait-il pas la presse qui affirme sans preuves (mais à qui la censure laisse affirmer) « que l'aide des alliés se fait sentir dans tous les domaines », que nous expédions « là-bas » les avions les plus modernes, des armes en grand nombre et tout particulièrement des antichars ?

Toutes ces assurances publiques et privées satisfont également députés et sénateurs. Ils n'en seront que plus profondément irrités à l'annonce de la chute de la Finlande, chute à laquelle rien ne les avait préparés pas plus que rien n'y avait préparé les journaux qui, eux aussi, on l'a vu, manifesteront une émotion coléreuse.

Sur la Pologne vaincue et vaincue trop vite, alors qu'ils avaient, dans leur circonscription, des problèmes de mobilisation, de réquisition de chevaux, d'indemnités aux familles des mobilisés, de logement des réfugiés alsaciens et lorrains, les parlementaires n'avaient versé que des larmes de circonstance. Mais la Finlande, c'est tout autre chose. La Finlande est devenue une cause sacrée. La pierre de touche, également, de notre activité politique, diplomatique et militaire. Le 9 février 1940, au cours d'un comité secret, Daladier avait été secoué, mais il avait fait de si belles promesses, qu'on lui reprochera d'ailleurs bientôt[25], qu'un vote d'unanimité, quelque peu hypocrite, l'avait momentanément sauvé.

Après la fin de la résistance finlandaise, c'est lui qui, prenant les devants, réclame du Sénat un comité secret. La séance aura lieu le 14 mars. On lui reproche tout. Paul-Boncour, Henri Laudier, Marx Dormoy attaquent et le P.S.F. Charles Reibel également qui, une fois de plus, remet sur le tapis l'opération Caucase.

La Russie, explique-t-il, « poussée par une singulière mégalomanie, a motorisé non seulement son armée mais encore son agriculture. Et ce sont là des centaines de milliers de tracteurs qui ont besoin de pétrole. Si donc on parvenait à priver la Russie de pétrole, on en priverait non seulement l'armée aérienne et terrestre de l'Allemagne et de la Russie, mais encore on arrêterait dans une très large mesure la culture russe ».

Mais c'est Pierre Laval qui se taille le plus vif succès. Son discours est d'une remarquable intelligence, d'une habileté extrême. Laval regagne ce jour-là le terrain qu'il avait sans doute perdu au début de la guerre. Que dit-il de sa voix paysanne, lente et traînante ? Que nous avons déclaré la guerre pour préserver les petites nations de l'agression et que nous avons laissé périr la Finlande, que nous n'avons nulle part l'initiative, que nous minimisons dangereusement la force allemande, que nous ne sommes en condition d'obtenir une victoire rapide ni par le blocus, ni par l'offensive contre la ligne Siegfried. Mais il s'évade par une pirouette lorsque, à la fin de son discours, on lui demande :

— Qu'est-ce qu'il faut faire ?

— Qu'est-ce qu'il faut faire ? Si vous étiez M. Lebrun et que vous me chargiez de diriger les affaires de la France, j'aurais avec vous une conversation à ce sujet.

Il revient aux députés d'achever ce qu'ont commencé[26] les séna-

---

25. Lors d'un autre comité secret, celui du 19 mars, à l.a Chambre des Députés, Paul Thellier, entre autres orateurs, fera grief à Daladier de toutes les promesses non tenues.

« Un jour vint où M. le président du Conseil, à cette tribune, au cours d'un comité secret, allant au-devant de nos désirs, nous annonça sa résolution d'apporter aux Finlandais sa collaboration et son soutien

« Dès ce jour-là, pour l'ensemble des membres de cette assemblée, la certitude apparaissait que la Finlande ne serait pas submergée, puisque la France et l'Angleterre allaient être engagées et qu'à compter du moment où elles seraient engagées elles seraient évidemment condamnées à réussir. »

26. L'ordre du jour sera adopté au Sénat par 236 voix contre 0 mais il y a 60 abstentions, ce qui devrait servir de signal d'alarme à Daladier

teurs. Il y a onze interpellateurs au comité secret du 19 mars. Mais, puisque le sort de la Finlande est scellé et que les orateurs sont bien incapables de modifier son destin, les députés évoquent plus encore la guerre à venir, en France, que la guerre perdue en Finlande.

Tout de même, Léon Blum attaque violemment Daladier, lui reproche d'avoir menti sur les chiffres des avions envoyés.

— Il est inexact que 175 avions aient été fournis à la Finlande. A ma connaissance, il en a été fourni 61. Sur ces 61, 12 qui sont des Potez 63 sont partis le 11 mars et étaient encore en Angleterre au moment où la paix a été signée. Sur les 49 qui restent, 19 sont des Kolkhoven et des Caudron sans valeur militaire appréciable.

D'après Blum, et Daladier ne le contredira pas, nous n'avons envoyé aucun avion de bombardement, et beaucoup des canons étaient des canons de 90 et de 155 de Bange, « c'est-à-dire une artillerie admirable en son temps, que la France a construite en 1870 et 1871 ». A ces pièces antiques, quelques accessoires indispensables au réglage du tir faisaient même défaut !

Dans sa réplique à Léon Blum, Daladier ergotera, discutera de la relative valeur militaire des Caudron et des Kolkhoven, mais ne pourra nier les retards dans les expéditions et l'insuffisance des mesures prises en face des promesses inconsidérément faites.

Ce n'est sans doute pas l'essentiel. La plupart des orateurs ont évoqué aussi la façon dont est menée la drôle de guerre par un homme qui, depuis quelques semaines, et sans doute parce qu'il souffre encore des suites d'une chute de cheval, apparaît diminué, peu en forme, accablé par toutes les tâches qu'il s'est attribuées avec une volonté jalouse de les assumer toutes et dans tous les détails.

Les moins hostiles à Daladier, président du Conseil, ministre de la Défense nationale et de la Guerre, ministre des Affaires étrangères, disent qu'il ne peut tout faire. Les opposants, qu'il ne fait plus rien.

Déjà, le 23 février, Ernest Pezet, député de l'Orne, qui ne passe pas pour un excité, a dit « tout haut ce que tous pensent tout bas », c'est-à-dire qu'il y a un problème de la présidence du Conseil, que si Daladier est, pour ses amis, un « surhomme... la nature même chez les surhommes a ses exigences » et que le président du Conseil ne peut trouver le temps de réfléchir, de lire, de comparer, de discuter, de se faire une opinion réfléchie.

l'État-Major général des Forces aériennes où il s'avère indispensable... D'un coup de filet, d'un seul, de Wendel vient de rappeler tous ses ingénieurs à l'usine. »

Sans doute, Mais ne faut-il pas des ingénieurs et des ouvriers à l'arrière pour préparer les armes de l'avant ? Nous vivons toujours sur cent préjugés. Voici l'un des plus graves : pour les Français, la guerre demeure d'abord une guerre d'hommes contre des hommes. A travers les souvenirs de 1914-1918, à travers notre infatigable mémoire des guerres de la Révolution et de l'Empire, nous accordons infiniment moins d'importance aux concentrations d'artillerie, aux assauts des chars, au nombre des avions, au poids des obus et des bombes, qu'à la ruée des fantassins ou à leur résistance héroïque dans les tranchées.

Pour les soldats comme pour les civils, qui n'ont qu'une faible idée de « l'américanisation » de la guerre, lorsque le combattant devient l'utilisateur unique d'armes forgées et entretenues par des dizaines, voire des centaines d'ouvriers ou de techniciens des services, tout homme de trente ans, mobilisé en usine, ne peut être qu'un planqué.

Pour les parlementaires, interprètes du sentiment populaire, il n'en va pas autrement et les sénateurs se feront un plaisir de dire que chez Dewoitine, par exemple, sur 4200 affectés spéciaux, 2200 sont chauffeurs, dactylographes, manutentionnaires.

La ronde de la démagogie, d'ailleurs, continue. Il n'est pas de Séance de la Chambre des Députés et du Sénat où les parlementaires n'arrivent dossiers bourrés de revendications qu'ils déversent sur des ministres effarés.

Qu'il n'y ait, à l'avant, ni batailles ni sacrifices donne à tous les plus grandes audaces. On plaide, comme par le passé, pour les catégories qui fournissent les plus forts bataillons électoraux : paysans, fonctionnaires. On cherche à aligner chacun sur le sort du plus favorisé. Et sans doute tout n'est pas injuste dans ces réclamations. Mais il faudrait bien peu pousser certains hommes politiques des départements ruraux pour leur faire dire que la place de leurs électeurs ne se trouve ni au front ni à l'usine : qu'elle est chez eux, près de la femme et des gosses.

Quant aux généraux d'outre-défaite, avides de se trouver des excuses, après avoir mis en cause l'oisiveté générale, la presse « avec ses récits ridicules », la radio « avec ses commentaires prétentieux », ils évoqueront le mal causé au moral des armées par le départ de trop nombreux affectés spéciaux.

En vérité, notre mobilisation industrielle s'est effectuée dans le plus grand désordre. Il n'y a pas eu d'ailleurs, dans le secteur, mobilisation, mais démobilisation. Alors que toutes nos usines travaillant pour la Défense nationale devraient augmenter considérablement leur production, donc leurs effectifs, elles se vident, passant, dans les premiers jours de septembre 1939, de 1 300 000 hommes à 800 000 ! Le chiffre des étrangers, des coloniaux, des femmes étant resté à peu près stable, celui des ouvriers français, qui était de 1 040 000, est tombé à 560 000.

Louis Renault alerte Daladier par une longue lettre en date du 21 septembre.

Il disposait de 32 000 personnes (non compris les travailleurs des usines d'aviation), il n'en conserve plus que 17 000. Les services de la Mobilisation industrielle s'étaient engagés à lui envoyer plus de 13 000 ouvriers en soixante jours... Seuls 580 se sont présentés cependant que les commandes ont triplé et que, dans les ateliers, où l'on ne travaille que de jour, 6 000 machines-outils resteront inutilisées !

Trop de machines, pas assez d'ouvriers. Le ministère de l'Armement a commandé pour quatre milliards de francs de machines-outils — soit la valeur de SEPT ans de la production française de machines-outils —, mais ces machines, importées à grands frais (des États-Unis notamment), il ne se trouve personne pour les faire tourner.

« Toutes les difficultés qui nous assaillent, écrit Dautry, le 1er janvier 1940, au président Daladier, restent mineures en face du problème de la main-d'œuvre. »

Dautry, c'est l'homme de la main-d'œuvre. Lucide, ferme, grand travailleur, mauvais caractère, ayant démissionné, sous Léon Blum, de son poste de directeur général des Chemins de Fer car il juge dramatique, pour la défense du pays, la loi de quarante heures, ayant accepté de Daladier, depuis le 16 septembre 1939, jour où il est nommé ministre de l'Armement, une tâche presque impossible.

Jusqu'à la défaite, avec ardeur, il s'attachera à réduire la prodigieuse pagaille qui régne dans notre industrie de guerre, comme à faire comprendre aux hommes politiques et aux généraux qu'il vaut mieux avoir des travailleurs en usine que des soldats inoccupés sur un front immobile.

Pagaille. A la Poudrerie de Toulouse, 6 000 hommes attendent toujours, après un mois de présence, des cantonnements et la remise en état d'un outillage inutilisé depuis vingt ans.

Pagaille. A Sevran, les cuisines conservent encore, le 9 mai, pour l'épluchage des carottes un « metteur au point » de moteurs d'avion.

Pagaille. On a requis des civils. Piètre résultat. Au Havre, l'Inspection du Travail ne ramène dans ses filets que cinq professionnels. A Issy, une usine réclame vainement 532 spécialistes. A Guérigny, les renforts devraient être de 1 831 travailleurs. Ils seront de 90.

Pagaille. A Levallois, où l'on fabrique des mitrailleuses, il n'existe qu'un seul ingénieur militaire ; à Tarbes, dans le nouvel atelier, qui abrite pour 150 millions de machines, il n'y a que 30 ouvriers alors qu'il en faudrait trois fois plus ; à Roanne, 30 chefs d'atelier sont nécessaires, on en trouve un ; sur 120 contremaîtres indispensables il en manque 110... et la production qui devrait être de 1 500 000 obus de 75 par jour ne dépasse pas 100 000.

Le contraire serait d'ailleurs surprenant.

Ainsi, en pleine guerre, existe-t-il, par la faute d'une incohérente mobilisation industrielle, des « trous » prodigieux dans notre production destinée aux armées. Nos usines devraient sortir 4 500 obus de 280 chaque mois. En décembre, elles n'en ont produit que 260 ; en janvier 1940, 420 ; en février, 110 ; en mars, 360.

Il n'y a eu, entre septembre 1939 et mars 1940, *aucune* sortie d'obus pour le 220 court (l'état-major en réclame 81 500 par mois), ni pour le 220 long (on en a prévu 10 000 puis 50 000 mensuellement). Pour le 155, canon appelé à jouer le rôle le plus important, la demande est de 1 346 000 obus par mois. En mars, les usines en fournissent 123 000.

Il faudrait au moins 5 millions d'obus de 75 par mois (l'état-major en réclamait sept), on en produira 350 000 en décembre. Des hommes avides de comparaison se rappellent alors que l'on en sortait 1 million en janvier 1915 et que, dans *la seule semaine* du 20 au 27 août 1917 (marquée par la cinquième bataille de Verdun), il en fut tiré près de 3 millions, ce qui signifie que l'on ne peut se contenter de vivre sur les stocks et que les temps calmes sont faits pour prévoir le pire.

Pour la D.C.A., la situation est sans doute encore plus grave. Les canons de 25 en service ne disposent, en avril 1940, que de deux minutes de tir par mois et par arme. La production des cartouches de mitrailleuses de 13,2 correspond, en mars 1940, à 375, soit une moyenne de cinq à six rafales. Sans doute, tous les secteurs ne sont-ils pas également défavorisés, mais on comprend que Dautry soit fondé à écrire à Daladier des lettres pathétiques.

De toute sa force de conviction, il s'efforce d'arracher aux armées ces ouvriers qui ont été mobilisés dès les premiers jours de la guerre, de les ramener dans les usines où ils font cruellement défaut.

Sans doute, si l'on compare, une fois encore, 1918 et 1940, peut-on écrire qu'en juin 1940 nous aurons autant d'hommes devant les machines-outils qu'en novembre 1918 : 1 750 000 contre 1 703 383. Mais c'est oublier que, dans la guerre précédente, les besoins en matériel étaient moins importants; qu'avions, chars, canons étaient d'une construction moins sophistiquée. C'est oublier également que le plus récent programme d'armement, décidé par les autorités civiles et militaires, exigeait, pour son exécution parfaite, la présence de 2 500 000 ouvriers à la fin de l'année 1939, de 3 millions en juin 1940.

On est très loin de compte, on le voit.

Comparant notre situation à celle de l'Allemagne, qui n'a mobilisé que 60 % de ses hommes mobilisables, à celle de l'Angleterre, où il existe toujours 1 400 000 chômeurs et où 1 million d'hommes seulement sont sous les armes, Dautry affirmera, en janvier 1940, à Daladier qu'à la détestable situation présente il n'existe que trois solutions.

Calquer le programme d'armement sur nos possibilités réelles de production, c'est-à-dire limiter nos ambitions et accepter une défaite rendue inévitable par la supériorité quantitative du matériel allemand.

Continuer à vivre comme nous le faisons depuis trois mois : dans l'hypocrisie la plus totale, en retirant un à un, et presque clandestinement, des hommes des armées pour les renvoyer en usine, solution détestable puisqu'elle excite les jalousies et ruine le moral.

Aller droit au cœur du problème, réunir les généraux responsables, leur dire qu'on enlèvera d'un seul mouvement 250 000 soldats, leur expliquer les raisons de ce choix, les mettre au courant et mettre le pays au courant des nécessités de la guerre moderne, agir, en somme, suivant un plan d'ensemble qui lierait le front à l'arrière.

Que Dautry ait raison, les événements de mai le montreront. Alors, nous ne serons pas défaits par des millions de fantassins, mais par une armée de spécialistes : quelques milliers d'aviateurs, quelques dizaines de milliers de tankistes.

Mais, jusqu'au désastre, c'est la solution moyenne qui sera retenue. La plus commode. La plus mauvaise.

Et, lorsque Dautry recevra enfin de l'armée 38 000 ouvriers professionnels, parmi lesquels 18 740 spécialistes de plus de 30 ans, et pères de deux enfants, il ne trouvera, dans la masse, que 128 fraiseurs, 62 régleurs sur machine et 31 aléseurs.

Dautry se lamente.

— C'est par cinquante qu'il faudrait multiplier tous ces chiffres !

Les généraux, eux, se lamentent sur les hommes que les usines enlèvent et sur le mauvais moral de la troupe. Georges : « L'esprit de résolution qui avait animé l'armée de 1914 était fâcheusement atténué. »

Oui, drôle de guerre.

Cependant, la guerre a fait surgir les traditionnels dévouements.

Il y a ceux qui se préoccupent des divertissements des soldats.

Ceux qui s'inquiètent de leur bien-être physique et de leur ravitaillement. Au premier rang, le député Édouard Barthe, personnage influent, bavard et antipathique, qui, au nom de ses électeurs de l'Hérault, mène campagne en faveur du vin et, puisqu'il y a guerre, du vin du soldat.

En juillet 1939, il lance cette phrase burlesque et sonore, mais de bonne valeur électorale, puisque prononcée à Béziers : « Si sonnait l'heure du destin où la nation est appelée à défendre ses traditions, ses libertés, à sauver son honneur, le sang de nos vignes serait « l'huile qui raffermit les muscles des lutteurs ». Dans l'enfer des tranchées, sous la rafale, il donnerait à nos stoïques et indomptés soldats sa flamme généreuse et son enthousiasme. »

Il est l'initiateur du « vin chaud au soldat », dont la première distribution a lieu le 23 novembre à la gare de l'Est, en présence de Queuille, ministre de l'Agriculture, d'Hippolyte Ducos, sous-secrétaire d'État à la Guerre, du général Henry, gouverneur militaire de Paris, des quatre-vingts dames du Club franco-américain des « gourmettes » qui se relaieront par quart et de quelques figurants-soldats qui, lorsque les ministres auront goûté, seront invités à boire à leur tour[2].

A la Chambre des Députés, il se montre infatigable, intervenant à tout propos et hors de propos, battant le rappel des signatures, ne craignant pas le ridicule, puisqu'il va jusqu'à déclarer à propos de wagons-citernes immobilisés près de Narbonne :

2. Barthe dit que, déjà, l'on peut distribuer 5 millions de rations de 14 centilitres et qu'il espère arriver à 50 millions.

— Les anciens combattants le savent et le voient, et ils protestent. Ils ont fait savoir qu'ils n'étaient pas disposés à tolérer qu'on ne mît pas un terme à cette situation.

Le vin arrive trop lentement au front, affirme Barthe.

Celui qui arrive est souvent imbuvable, mêlé de débris et de boue, coupé d'eau, si infâme, poursuit le député de l'Hérault, « que M. Delzangles, député des Basses-Pyrénées, nous a indiqué que, depuis deux mois qu'il combat courageusement à son poste, il n'a pu boire de vin en raison de sa mauvaise qualité[3] ».

Barthe proteste, avec davantage de raison, contre le marché noir qui a fait son apparition dans la zone des armées. Dans la commune de Lagney, par exemple, le vin se vendait 2,75 F à l'arrivée des premières troupes, le lendemain 4 francs et, à la fin de la semaine 5,50 F.

Si trafiqué soit-il, ce vin, les troupes n'en ont pas leur content. La radio avait annoncé « au pays, aux soldats et à leurs familles, que la ration donnée aux troupes en campagne était la ration forte ». Un litre au lieu de 50 centilitres. Or, il n'en est rien et Barthe de s'indigner de tant d'erreurs, sources « de découragement et de mécontentement ». Le problème du vin médiocre, affirme-t-il à la tribune, « est d'ailleurs un des seuls sujets de mécontentement qui puissent exister au front ». Que nos avions volent moins vite que les avions allemands, que nos soldats soient moins bien équipés que ceux d'en face, que nos travaux de défense piétinent a moins d'importance pour ce personnage représentatif, que la qualité du vin !

N'abandonnons pas encore cet important. Le 9 décembre, il s'attaque à une « légende » : celle du bromure dans le vin. Le vin est mauvais, c'est entendu, coupé d'eau à 20 % parfois, mais il ne contient pas de bromure.

— Le bruit, déclare Barthe, en a pris naissance dans une popote. Simple plaisanterie ! Il s'est trouvé renforcé par la nouvelle que le vin destiné à cette popote était analysé par un pharmacien dépourvu d'occupations et à qui on avait persuadé que l'intendance avait ajouté ce calmant. Aujourd'hui, la plupart de nos soldats croient que du bromure a réellement été ajouté à leur vin, afin de leur faire mieux supporter leur solitude momentanée.

« Messieurs, permettez à un pharmacien de vous dire qu'on n'eût jamais disposé de bromure en quantité suffisante pour en mettre dans

3 Chambre des Députés, séance du 30 décembre 1939

le vin destiné à l'armée et que, d'ailleurs, l'opération eût coûté à l'intendance un prix trop élevé.

Il n'empêche. La légende du bromure, répandue également par les communistes, a la vie dure. Les 2es bureaux s'en font l'écho. A Hirson, à la trouée du haut plateau de l'Oise, six femmes de réservistes du 2e R.A.D., qui avaient pu aller voir leurs maris « et passer la nuit avec eux, sont rentrées toutes à Amiens sans qu'aucune d'elles ait trouvé son mari en état de remplir ses devoirs conjugaux ».

D'autres soldats refusent, ici et là, « de partager le lit conjugal de crainte de se voir reprocher une frigidité anormale et d'être taxés d'avoir noué une liaison extra-conjugale ».

La France a toujours été la patrie du bien-boire et du bien-manger. Dès les premiers jours de guerre, les journaux font connaître la ration normale du soldat : pain biscuité 600 grammes, viande 350 grammes, légumes secs ou riz 60 grammes, sel 20 grammes, sucre 32 grammes, café 24 grammes, lard 30 grammes, vin 0,50 l, tabac 15 grammes. A cette ration en nature, il faut ajouter une prime d'ordinaire de 1,87 F par jour dont dispose le commandant de l'unité pour acheter d'autres denrées [4].

Dans les journaux, on décrit longuement les abattoirs, les boulangeries de campagne d'où sortent de « croustillantes boules brunes » dans lesquelles les journalistes affirment qu'ils ne résistent pas « à la tentation de plonger leur couteau ».

Au moment de Noël, tout Paris connaît le menu des soldats de la garnison : hors-d'œuvre, lapin sauté, entrecôte ou poulet, légumes, fromage ou dessert. Toute la France sait que les soldats recevront 120 grammes de jambon, un cigare, une orange et une bouteille de champagne pour quatre. Pour le jour de Noël 1914, les poilus avaient eu droit aux mêmes gâteries augmentées d'une pomme. Et de quelques noix.

Que le « gamelin », gâteau inventé, paraît-il, par le généralissime,

4. Cette somme peut être également affectée à des achats de pain et de viande car, pour éviter les gaspillages, la ration effective de pain n'est que de 600 g, alors que la ration officielle est de 700 g, la ration de viande de 0,350 kg contre 0,400 kg officiellement.

Les tirailleurs sénégalais — nombreux alors dans l'armée française — ont droit à 400 grammes de riz, 400 grammes de pain, 350 grammes de viande, 45 grammes de graisse végétale, 40 grammes de légumes secs ou 300 grammes de pommes de terre, etc.

soit également distribué en ces jours de fête ne choque personne. Comme ne prête pas à ironie l'entrefilet de l'hebdomadaire *Candide* annonçant que le général Georges avait pris la précaution de « faire affecter à son Q.G. un maître coq de grande classe ».

« La bouffe » c'est sacré. L'une des seules erreurs psychologiques de Radio-Stuttgart consiste à annoncer que les Parisiens ne peuvent plus acheter de denrées de première nécessité. Alors, partout, c'est une avalanche de chiffres et de photos. Photo de la criée aux poissons, « marché d'abondance tenu dans une atmosphère de bonne humeur qui n'inspire pas la pitié » ; photos de sacs de café, « destinés à nos poilus » ; photos de milliers de sacs de farine ; photos de bœufs, de veaux, de moutons, pendus à des crocs, armée de cadavres pour une armée de vivants.

Lorsque les familles lisent, dans *Le Petit Parisien,* le reportage aux armées de Sonia Vincent et en viennent au repas : « Madame, mon colonel, messieurs (dit l'officier popotier), je m'excuse de n'avoir à vous offrir que le très médiocre menu d'artilleur en campagne : flageolets en salade, bœuf à la mode, port-salut, confiture, biscuits, fruits et café », elles peuvent légitimement penser qu'au moins, pour les officiers, les choses ne vont pas si mal[5].

Mais, plus que le ravitaillement officiel, plus que l'ordinaire de la roulante, plus que le « rab » et les suppléments achetés dans les villages, où le marché noir s'est installé avec la troupe, comptent les colis familiaux qui ressuscitent une cuisine, des horizons familiers, des visages.

Qui sont également le reflet d'activités reconverties en fonction de la guerre. Il y a le colis Molinard « spécialement conçu pour les militaires » et qui comprend un tube de crème à raser, un tube de pâte dentifrice, deux savons, un flacon d'eau de Cologne ; le colis de « bons bourgognes » ; le colis de chocolat « produit de l'Empire français ». La chartreuse, quant à elle, fait reposer l'essentiel de sa publicité sur le bon goût des officiers anglais qui, dès 1918, la préféraient « à toute autre liqueur ».

Colis attendus, bienvenus.

---

5. « Les popotes des officiers demeurent un des lieux géométriques de la courtoisie et même, à certains égards, de la gastronomie française. On n'a pas assez dit que cette guerre était la guerre des compétences jusque dans les domaines les plus éloignés des hostilités proprement dites ». Pierre BONARDI. *Voilà*, 29 décembre 1939.

Lorsqu'ils arrivent.

En effet, colis et lettres mettent fort longtemps, au début de la guerre, à joindre leurs destinataires[6]. Et, lorsqu'une lettre a vingt-sept jours de retard, il importe peu aux soldats du front d'apprendre qu'un seul bureau militaire a vu passer le nombre des lettres de 32 651 532 en octobre à 95 948 500 en novembre. Ce sont là affaire de fonctionnaires, non de poilus.

Rien ne peut remplacer les lettres, chaleur et vie.

Aussi, lorsque Saint-Granier fait cette forte déclaration, en parlant du Théâtre aux Armées : « Nous faisons œuvre utile, nous ferons reculer le général Ennui », il exagère, car le Théâtre aux Armées ne propose que des programmes médiocres : sketches d'un comique vulgaire, piécettes vieillottes, danses de patronage, qui peuvent distraire un moment, mais dont l'effet retombe généralement avec le rideau.

Ce sont d'ailleurs toujours des spectacles officiels. Au premier rang des spectateurs, les gradés et souvent les autorités civiles du lieu. Parfois même, les autorités religieuses. C'est ainsi que Mgr Ginesty et Mgr Audrain président, le 4 février, à Verdun, une séance au cours de laquelle *Le Tonneau de l'adjudant,* « pièce gaie » précise le programme, succède à un acte ennuyeux de François Coppée.

Il arrive cependant (c'est le cas au 140e régiment d'infanterie alpine) que le Théâtre aux Armées soit prétexte à manifestation d'entraide collective puisque le « boni » du spectacle permet d'envoyer des colis à tous les déshérités du régiment. Ces déshérités qui ont également la possibilité, lorsqu'ils vont en permission, de se réfugier dans l'un des 486 Foyers du soldat existant hors de la zone des armées, à moins qu'ils ne soient invités par leurs marraines de guerre puisque l'institution (où la charité et le sentiment se mêlent en parts difficilement estimables) a retrouvé ses raisons d'être. Mais, par rapport à 1914, l'évolution des mœurs et l'absence de combats sont sans doute cause du moins grand nombre d'offres et de demandes. A partir du 10 mai, la guerre ensuite ira trop vite...

Les journaux du front sont d'une médiocrité encore plus consternante que les programmes du Théâtre aux armées. Il faudra beaucoup de patriotisme pour en acheter la collection 42 800 francs lors d'une vente aux enchères au théâtre de la Madeleine.

---

6. Voir chapitre 5.

Sans doute n'y a-t-il rien à dire mais, ce rien, *Le Bigorneau. L'Anticafard, Le Goujon mobilisé, Le Tireur debout, Le Barbu, Le Percutant, La Jument mécanisée* et autres *Écot du Canon* le disent mal.

L'humour est de quatrième ordre.

Le Goujon mobilisé, publié à Verdun, après avoir signalé la capture d'un espion ajoute... finement : « Il s'agissait simplement d'un ex-pion du collège victime d'une vengeance d'élève ».

L'Écot du Canon, daté du 1er mai 40, offre à ses lecteurs le portrait du « guerrier 1940 » : un troufion armé d'une fourche, une fleur géante à la boutonnière, le pied posé sur un tas de fumier !

Quant au *Barbu* qui se dit « voix officieuse et tortillée d'une bouillie de sapeurs crottés et fourbus d'un type spécial », il publie des caricatures qui ont au moins le mérite de représenter les officiers et certains hommes de l'unité.

Mais, dans son numéro du 18 mai, il ne fait aucune allusion à la bataille en cours. Il en est resté à la guerre de Norvège et offre surtout un long reportage illustré sur les différents types de barbes : la timide, la provocante, la sentimentale, la rageuse, la juvénile, la plantureuse, la jardinière, la pouponarde...

Quel sujet d'importance, quel thème pour articles que la barbe !

Pendant la drôle de guerre, incontestablement, elle « fait » militaire.

Ceux qui se trouvent au front seraient presque tentés d'en réclamer l'exclusivité. Elle est un symbole, presque un signe de ralliement. Elle peut être moyen de conquête : « Vous portez la barbe. Elle le sait et n'en attend qu'avec plus d'impatience votre prochaine permission » (l'hebdomadaire *Voilà,* en date du 10 novembre 1939). Mais, bien entendu, il ne s'agit pas de n'importe quelle barbe. « La barbe 39 est élégante, soignée, bien taillée. C'est un jardin à la française, pas un maquis broussailleux... La barbe ne se porte plus par négligence pour faire pauvre ou miteux, mais par coquetterie, par goût du changement, comme les femmes changent leur coiffure au gré de la mode [7]. »

A peine trouve-t-on, ici et là, dans ces journaux de soldats, quasiment officiels, des protestations contre la lenteur des télégrammes et du courrier, contre les prix excessifs imposés dans les buffets des gares, contre l'inconfort des voitures S.N.C.F. « Pullman-Bestiaux ».

7. *Voilà*. 1er décembre 1939, texte écrit par trois artilleurs.

Pour savoir ce qui fait défaut aux soldats, il est donc préférable de lire des hebdomadaires de diffusion nationale. On verra que beaucoup d'hommes réclament des postes de T.S.F. (Daladier en enverra 20 000 aux armées à la fin de l'année), des instruments de musique, des sacs de couchage car l'hiver 39-40 est particulièrement rude, des jeux de carte, des livres, mais surtout des équipements de football, beaucoup d'équipements de football puisqu'il y a, paraît-il, 500 000 footballeurs, au moins, parmi les mobilisés. Quoi qu'il en soit, en avril, 10 000 ballons ont été envoyés aux armées et un crédit de 3 millions doit permettre l'achat de maillots...

Il arrive aussi que l'on demande aux familles de suppléer aux carences de l'armée puisque des unités manquent de matériel de couchage et de matériel de cuisine. A l'école de pilotage de Bourges, pour prendre la garde, en février 1940, les hommes sont obligés de se passer de l'un à l'autre les ceinturons. Mieux. Ou pire. Quatre mois après la mobilisation, les membres de l'équipage d'un appareil de reconnaissance doivent emprunter à des camarades plus heureux, l'un ses lunettes, l'autre ses chaussons de vol, l'autre encore son gilet. En haut lieu, on n'a pas prévu qu'il ferait si froid. En décembre. A 7 000 mètres.

Écrivant, le 12 octobre, au maréchal Pétain, alors ambassadeur en Espagne, le général Laure lui dit que son armée, si elle a bon moral, est insuffisamment équipée en armement et même en habillement. « Vous aurez de la peine à le croire, puisque, depuis un an, on ne cesse de s'entraîner à la mobilisation, mais nous allons entrer en hiver avec des déficits encore graves en couvertures, en toiles de tente, en culottes et en chaussures, dont nous n'avons qu'une paire par homme. »

Bien entendu, il n'est pas question d'envoyer des ceinturons, ni des lunettes de vol aux mobilisés mais, à partir du mois d'octobre, les colis contiennent, presque tous, des vestes en papier gaufré « qui isolent de l'humidité » affirment les publicités, des cache-nez transformables en « passe-montagne, manchon et même chancelière ».

Les passe-montagnes n'ont d'ailleurs pas grand succès auprès de certains officiers.

Ainsi, le 19 janvier, alors qu'il fait —20 degrés, le lieutenant-colonel commandant la place d'Hirson fait afficher le rapport suivant :

des échelons de réserve : « Alors, pas trop de mal, les gars ? En somme, c'est pas encore la guerre. » irritent et exaspèrent des hommes qui font, pour l'heure, ce qu'on leur demande de faire : veiller dans les casemates de la ligne Maginot et, parfois, sortir prendre l'air « devant la cage du petit canari chanteur que le premier nuage de gaz rendra muet », aménager des blockhaus, creuser des fossés antichars, aider, ici et là, à l'évacuation des Alsaciens et des Lorrains, rentrer le houblon, donner la main aux vendanges, démonter les grues du port de Strasbourg, mille et une tâches qui ne correspondent pas toujours, il est vrai, à l'image que les civils se font de la guerre mais qui n'en ont pas moins leur utilité.

Pour les journaux, la guerre, bien sûr, ce ne peut être un soldat en train de vendanger. On montre donc une mine allemande entourée de panneaux de signalisation ; un Heinkel ou un Messerschmitt abattu, on publie des reportages sur les pigeons voyageurs et sur les chiens de guerre, « fidèles camarades du soldat français » ; la photo d'un soldat trayant une vache... mais une vache allemande, ce qui change tout ; celle de trois fantassins « tout à fait dans la tradition du poilu français » passant, en territoire ennemi, au coin de l'auberge Kessler.

Les mots « territoires occupés », que les Français entendront quatre ans durant, font, avec quelque innocence, leur apparition... sous la plume de nos journalistes. « Un sergent du génie sort d'un abri dissimulé sous les branchages » quelque part, sur le front, « en territoire occupé ».

Reportages également sur la messe en plein air[8] et, lorsqu'il s'agit de la messe de minuit, la cérémonie est prétexte à longs récits. « Il gelait dur. Il fallait monter, monter vers les ruines du vieux manoir de... situé au sommet du rocher le plus escarpé. De là-haut, j'aperçus un paysage de sucre candi. Et c'est dans ce paysage, parmi les hêtres et les sapins... qu'avait été dressé l'autel. Deux photophores entre la pierre sacrée éclairaient l'épitre et l'évangile. Les bottes jaunes et les culottes bleues du prêtre transparaissaient sous l'aube de lin blanc. Nous n'étions qu'une trentaine d'assistants. On ne pouvait chanter si près des lignes... Cette seconde messe fut celle de tous ceux à qui ne sont point accordés le repos et la chaleur du cantonnement... La troisième fut célébrée une heure plus tard ; le jeune lieutenant qui devait la dire

8. Il y a aux armées (dégagés d'obligations militaires) 6000 prêtres catholiques, 100 pasteurs et 20 rabbins. Par ailleurs, 17000 prêtres ont été mobilisés

commande un groupe franc... Quelques levées de terre indiquent seules l'emplacement des cagnas, au fond desquelles, sur des sacs de paille et des couvertures, les soldats sont étendus, essayant de lire à la lueur des lampes fumantes. Dehors, les hommes de garde veillent sous les arbres... A la lumière de trois bougies, on aperçoit un morceau de rocher plat formant une table qui servira d'autel. Sur un autre rocher, une crèche a été confectionnée. Une étable en cailloux, les personnages sont des santons provençaux[9]. »

Les épisodes glorieux existent cependant. Avide de verser l'héroïsme au cœur des citadins, la presse les exploite démesurément mais les excès de plume ne doivent pas faire oublier qu'à l'origine de ces récits il y a toujours d'incontestables traits de courage.

Pendant la drôle de guerre, chaque arme pourra revendiquer son épisode.

Pour l'infanterie, ce sera Forbach, le 8 février 1940.

Tout commence vers 4 heures du matin lorsque trois sections de la 6e demi-brigade de chasseurs se mettent en route pour Forbach, ville, on le sait, abandonnée par les Français, mais que les Allemands n'occupent que par intermittence et où nous revenons pour des patrouilles de corps francs. Tandis que deux sections françaises s'installent en couverture, la troisième section, composée d'hommes du 24e bataillon, commandée par le lieutenant Félix Agnely, que seconde le lieutenant Darnand, va s'établir dans deux immeubles qui bordent la Patte d'Oie de Forbach.

Les Français, qui n'ont pas été repérés, doivent observer et non se battre. Dès que le jour est levé, ils aperçoivent les sentinelles allemandes et des soldats si « décontractés » que certains lisent le journal. Puis arrivent quarante hommes de corvée qui posent un peu partout des pièges. Plusieurs officiers, dont un commandant, qui vont passer une minutieuse inspection. Les Français regardent toujours, notant l'emplacement des pièges et celui des sentinelles.

Ils auraient pu décrocher sans mal, à la nuit, si deux pillards allemands n'avaient, par hasard, pénétré dans l'une des maisons qu'ils occupent. Ils entrent. Montent l'escalier. Derrière eux, doucement, on

9 *Le Petit Parisien*, 28 décembre 1939.

a refermé la porte. Les voilà pris au piège, abattus, dès qu'ils atteignent le premier étage, par le sergent Polverelli.

Dans la garnison allemande alertée par les coups de feu, les S.S., très vite, ont remplacé les hommes du génie qui ne se pressaient pas de donner l'assaut. Les deux immeubles occupés par les Français doivent bientôt être abandonnés. Alors commence, à travers champs et jardins, une épuisante retraite, une retraite qu'évoquera, le 3 octobre 1945, lors du procès de Joseph Darnand, procès qui se terminera, on le sait, par la condamnation à mort de l'ancien chef de la Milice, le R.P. Bruckberger, soldat en 1940 dans le corps franc d'Agnely et de Darnand.

— Ils ont opéré là, en plein jour, une retraite, non pas à un contre dix, mais à un contre cent, une retraite qui a duré plus de cinq heures pour faire quelques kilomètres, et ils ont laissé pas mal de monde sur le terrain.

« Finalement, Darnand a ramené sa demi-patrouille. Agnely a ramené aussi ce qui restait de sa demi-patrouille et ils se sont retrouvés les derniers, Agnely et Darnand, contre un mur. Ils ont fait évacuer tous ceux qui restaient de leurs hommes. Agnely était blessé au poignet. Darnand lui a proposé de le faire sauter avant lui. Agnely a refusé et, comme il était au-dessus de Darnand dans la hiérarchie, il a ordonné à Darnand de sauter, en vertu de son pouvoir de chef. Darnand a fini par sauter, et il a rejoint ses hommes.

« Il a attendu un quart d'heure, il a attendu vingt minutes. Agnely n'est pas rentré. Alors, les hommes de Darnand, qui avaient vu ce visage très dur, ce visage impassible, ont vu pleurer leur chef. Il a dit : « Ils ont tué mon Agnely ! »

« Il a demandé trois volontaires (le sergent Baroni, les chasseurs Adriant et Milot partiront avec lui). Il est parti de nouveau, à l'intérieur des lignes allemandes pour ne pas laisser le cadavre de son camarade d'armes aux mains de l'ennemi. A quatre, ils ont ramené le cadavre d'Agnely, et ils l'ont enseveli quelques jours après. »

Non, pas quelques jours... le lendemain. C'est le 9 février, en effet, que le général Laure préside, dans le petit village de Morsbach, aux obsèques d'Agnely et de quelques-uns de ses camarades [10]. Dans son

10. Dix-sept chasseurs ont été tués. Sept blessés ou faits prisonniers. D'après le récit de Michel Turpin et Albert Maloire (*Le 24ᵉ bataillon de chasseurs*), Darnand aurait pris le commandement immédiatement après la mort d'Agnely. « Les chasseurs étaient alors presque complètement cernés. Un officier S.S. les

journal, cette notation : « Après la messe et au seuil de l'église, j'ai remis la rosette d'officier de la Légion d'honneur et donné l'accolade à la dépouille mortelle d'Agnely, selon le rite traditionnel. Gérodias[11] a prononcé quelques mots d'une haute inspiration, sur un ton très ferme, et les assistants des éléments avancés de la couverture ont été vivement impressionnés par cette pieuse cérémonie. »

Bruckberger, qui avait donné l'absolution à Darnand, ainsi qu'à ses trois chasseurs, avant leur remontée en ligne, Bruckberger, qui devait également donner l'absolution à Darnand, le 10 octobre 1945, quelques secondes avant son exécution, écrivit que ce fait d'armes avait, sauf chez quelques âmes faibles, soulevé l'enthousiasme du corps franc et soudé encore son unité.

Dans une France sevrée de gloire militaire, on fit grand tapage autour de cet exploit. D'autant plus que Darnand, le 14 juillet 1918, grâce à un coup de main d'une audace folle, mené jusqu'à la quatrième ligne allemande, avait capturé assez de prisonniers pour que le haut commandement français soit éclairé sur la prochaine offensive ennemie. Et puisse se mettre en mesure de la briser.

Excellente occasion — personne ne la manquera, ni les actualités cinématographiques, ni les journaux, et la photo de Darnand en couverture de *Match* sera vue par des millions de Français — pour mêler une fois encore le présent au passé, pour relier le « coup de main historique » de 1918 (le mot est de Poincaré) à l'acte de fraternelle bravoure de février 1940.

Sans savoir qu'ainsi on scelle le destin de Darnand.

La marine, elle, a été très vite à l'honneur.

A la fin du mois de novembre, tous les journaux annoncent en effet que trois sous-marins allemands ont été coulés en quatre jours. Parce que la guerre sur mer se prête moins au lyrisme que la guerre aérienne ou que les rencontres de patrouille, ils se contentent de paraphraser le communiqué officieux du 22 novembre annonçant une double victoire du torpilleur *Sirocco* et un succès du bâtiment hydrographe *Amiral Mouchez*, armé pour la chasse aux sous-marins.

---

somma de se rendre. Pour toute réponse, le lieutenant Darnand leur lâcha un mot que, dans une circonstance analogue, avait déjà prononcé le général Cambronne. »

11. Commandant la 29e division d'infanterie.

Communiqué assez emphatique d'ailleurs :

« L'un de nos hydravions de surveillance aperçoit et signale un sous-marin ennemi : le torpilleur de 1 500 tonnes *Sirocco,* en patrouille dans le voisinage, rallie à toute vitesse, mettant le cap sur la bouée lancée par l'hydravion à l'endroit précis où vient de plonger le sous-marin ennemi.

« Avant d'arriver sur la bouée, le torpilleur met en marche son grenadeur, lâche un premier chapelet de grenades sous-marines. Soudain, une clameur monte de l'équipage du torpilleur : sur l'arrière, juste dans le sillage, on voit émerger lentement le sous-marin couché sur son ballast bâbord, il se penche davantage, reste une dizaine de secondes en surface, puis chavire et, d'un seul coup, s'enfonce. Le *Sirocco* vient d'avoir son premier sous-marin. »

Cette « victoire », en date du 15 novembre, valut au *Sirocco* d'être cité à l'ordre de l'armée de mer. Nouvelle citation, le 20 novembre, pour une nouvelle « victoire » sur un sous-marin bombardé d'abord, puis grenadé dans le golfe de Gascogne. A la quatrième explosion, l'armement de la pièce 3 du roof arrière, et l'équipe de grenadage virent nettement l'étrave du sous-marin sortir de l'eau verticalement de cinq ou six mètres, puis disparaître au bout d'une dizaine de secondes. On enregistre donc le succès comme on enregistre celui de l'*Adroit,* comme on enregistrera, plus tard, celui du *Commandant Duboc* et comme, en janvier, l'on attribuera un troisième sous-marin au *Sirocco.*

Or, vraisemblablement, à l'exception de l'*U-53,* coulé sans doute par le *Fantasque,* le 21 février 1940 [12], la marine française, en quarante-neuf attaques, ne détruisit aucun sous-marin allemand. L'enthousiasme des équipages, entraînant l'enthousiasme des communiqués, avait été provoqué par un phénomène que l'on mit quelques semaines avant d'analyser correctement. Plusieurs explosions de grenade à grande profondeur provoquaient en effet, une intumescence, un soulèvement des eaux, qui pouvait d'autant plus laisser

---

12. Le *Fantasque* fut victime de l'abus de citations décernées précédemment. L'Amirauté refusa en effet de reconnaître son succès, succès que l'examen des livres de l'Amirauté allemande rend plausible. Par contre, si le *Sirocco* ne coula aucun sous-marin ennemi, il endommagea fortement soit l'*U-41*, soit l'*U-49* qui dut rentrer en Allemagne où il resta trois mois en réparation.

croire à des esprits, emportés par l'action, qu'ils se trouvaient en présence d'un objet « de forme oblongue, couleur brune, rappelant un ballast de sous-marin chaviré », qu'avant la guerre bien des marins et plusieurs officiers n'avaient jamais assisté à des exercices de grenadage réel à grande profondeur.

Le 24 décembre, l'Amirauté française, à la suite d'expériences systématiques sur les côtes du Maroc, décida que l'annonce des victoires contre les sous-marins ne pourrait désormais avoir lieu qu'au terme de nombreux et sévères contrôles[13].

Le silence se fit donc pour quelques mois sur la marine, seule arme à avoir sérieusement préparé la guerre, seule arme qu'il n'ait guère été possible de critiquer avant le début des hostilités et dont on regrette que l'exemple de bon sens, de travail et d'excellente utilisation des crédits n'ait pas inspiré toutes les autres.

GRAND COMBAT AÉRIEN : 9 AVIONS ALLEMANDS ABATTUS

Le titre se présente ainsi. Dans presque tous les quotidiens du 7 novembre 1939. Aussi important que le titre qui annonçait l'entrée en guerre de la France et de ses alliés. Sur huit colonnes. Et sur trois colonnes, on peut lire :

9 AVIONS DE CHASSE FRANÇAIS
ATTAQUENT
27 AVIONS DE CHASSE ALLEMANDS
DANS CE COMBAT A 1 CONTRE 3
SUR LES 9 APPAREILS ABATTUS
7 SONT TOMBÉS SUR NOTRE TERRITOIRE
TOUS NOS AVIONS
SONT RENTRÉS INDEMNES[14]

---

13. Sur les 785 sous-marins allemands perdus pendant la guerre, seuls 18 ont été détruits par les forces aéro-navales britanniques pendant les dix premiers mois d'hostilités, dont 3 seulement en Atlantique Nord ou à l'entrée de la Manche. Ces contre-performances s'expliquent par le manque d'appareils d'écoute, ou leur mauvaise utilisation au début de la guerre.

14. Titre du *Petit Parisien*, mais presque tous les journaux titrent de façon identique.

Dans la guerre que prépare la drôle de guerre, les avions seront abattus quotidiennement par dizaines, souvent par centaines et l'événement ne tiendra alors que trois lignes dans le communiqué. Mais, depuis novembre 1918, c'est la première fois que les Français obtiennent pareille victoire. Ils exploitent donc largement le fait d'armes du lieutenant Houzé et de ses camarades du groupe II/5.

Les 9 Curtiss sont, au-dessus de la Sarre, en mission de protection d'un Potez 63 lorsque 27 Messerschmitt 109 les attaquent.

Au terme d'un combat furieux de vingt minutes fait d'esquives, d'attaques, de contre-attaques, de piqués, de ressources où les avions, éclatés aux quatre coins du ciel, se frôlent et se mitraillent un instant, avant de se perdre, de se retrouver ou de faire face à un autre adversaire, 10 Me-109 ont été abattus, dont deux ne pourront être homologués puisqu'ils iront tomber trop loin, en Allemagne.

Par miracle, aucun Curtiss ne fut descendu ce jour-là. Le plus sévèrement touché, celui du lieutenant Houzé, qui, en fin de combat, s'était trouvé aux prises avec six adversaires se relayant pour le tirer, put, grâce à la maîtrise du pilote — et à la chance —, atteindre le terrain de Toul.

Cette victoire sera, pour toute la presse, l'occasion de s'exalter, d'opposer bien sottement à l'ordre prussien, à la puissance germanique, le génie et l'individualisme français. On se moquera même des Allemands qui ont « le goût de la masse et du kolossal ». Leurs nombreux avions, dans le ciel, ne vont-ils pas se contrarier ? N'est-il pas préférable de lutter à un contre trois qu'à trois contre un ? Et même à un contre dix qu'à dix contre un, situation où « les assaillants se gênent autant qu'ils s'aident ». On lira cela et bien d'autres bêtises écrites par des hommes qui, sur les routes de juin, lorsque la Luftwaffe sera absolument maîtresse du ciel, éprouveront peut-être quelques remords au souvenir de ces inutiles cocoricos.

L'indiscutable victoire française du 6 novembre, celles qui ont précédé, celles qui vont suivre, car, c'est vrai, jusqu'au 10 mai, nous sommes sensiblement supérieurs aux Allemands dans des combats qui ne mettent en jeu que quelques appareils [15], contribueront d'ailleurs à masquer au pays la pitoyable vérité.

---

15. Pendant la drôle de guerre, la chasse française perdit 23 appareils du fait de la chasse allemande. Elle abattit 36 Messerschmitt sûrs plus 10 probables.

Victoires trompe-l'œil.

Le dire, c'est s'attirer les foudres des gouvernants.

Ceux qui, à défaut d'alerter le pays, veulent, en comité secret, avertir les parlementaires ne recueillent qu'hostilité et grogne.

C'est le cas du commandant Robbe, député appartenant au Parti social français, aviateur en 1914-1918, aviateur en 1939, très au courant des insuffisances de notre aviation, ayant recueilli les témoignages des chasseurs dont les appareils sont surclassés en vitesse par la chasse allemande, des bombardiers volant tous sur des appareils périmés.

En décembre 1939, alors qu'il se trouvait à Paris, en permission, il a eu une violente altercation avec le ministre de l'Air, Guy La Chambre, qui voulait lui interdire de prendre la parole devant la commission de l'Aéronautique.

— Monsieur, je ne tolérerai pas votre présence à la commission.

— De quel droit, monsieur le ministre ?

— Il n'y a pas de droit qui tienne !

— Pardon, monsieur le ministre. La loi sur l'organisation de la nation en temps de guerre m'en donne non seulement le droit mais m'en impose le devoir.

— Pas de discussion ! C'est vous ou moi ! D'ailleurs, j'interprète la loi comme je l'entends.

— Alors, je déposerai une interpellation ! Il faut que la Chambre, il faut que le pays sache que nous ne pouvons pas faire la guerre avec le nombre infime d'avions que nous possédons. Et vous le savez mieux que moi, monsieur le ministre.

Ce dialogue, rapporté en décembre 1940 par l'hebdomaire parisien *La Semaine,* et alors que Guy La Chambre figurait parmi les accusés de Riom, a-t-il véritablement atteint ce degré de violence ? Ce n'est nullement invraisemblable[16], car, le 9 février, devant la Chambre des Députés, réunie en comité secret, Robbe intervient avec une vigueur de ton, une sécheresse et une précision dans le détail qui glacent l'auditoire.

C'est l'un des moments les plus pathétiques, et des plus ignorés de la drôle de guerre que cette séance du 9 février. Brusquement, plusieurs

---

16 Le 9 février 1940, Robbe fera allusion au « pénible débat » qui l'a précédemment opposé à Guy La Chambre *La Semaine* du 5 décembre 1940 consacre sa première page, ainsi qu'un long article, à Robbe

centaines de députés vont comprendre que nous pouvons être battus. Comprendre par qui. Comprendre pourquoi.

Il est 11 heures 20 minutes lorsque Édouard Herriot monte au fauteuil de la présidence.

Immédiatement, il donne la parole à Fernand Robbe. Une heure quinze de discours. Plus de six pages au *Journal officiel.* Des moments d'extrême tension lorsque Daladier doit se précipiter au secours de son ministre de l'Air en mauvaise posture, des moments d'une extrême attention que Robbe relance encore en feignant de croire qu'il lasse son auditoire, ce qui fait jaillir des cris « Parlez ! parlez ! » ou encore « Très bien ! très bien ! »

Avec une grande intelligence du discours politique, Robbe évoque d'abord les petits, les obscurs, les sergents, les lieutenants, ceux qui volent. Personnages d'exception dans une armée où il y a, dit-il, « un général d'aviation pour dix appareils ». Il évoque ces appareils dont il faut, pendant ce rude hiver, dégeler, chaque matin, les armes à la lampe à souder. Il parle des enrayages des armes à haute altitude, enrayages qui atteignent parfois 100 % [17]. Des Morane 406 et des Bloch 152 qui ont une vitesse inférieure d'au moins 80 kilomètres-heure à celle du Mersserschmitt 109. Des bombardiers tellement dangereux à l'atterrissage que l'on peut se demander « s'il ne faut pas envoyer nos équipages en permission » en attendant qu'ils possèdent un matériel convenable. De ces ouvriers qui n'ont rien à faire, souvent faute de matières premières, et dont les heures supplémentaires sont payées, parfois, avec d'immenses retards.

On l'écoute avec passion, mais la stupeur est à son comble lorsque, devant ces hommes, plus habitués à se pencher sur les problèmes de l'office du blé que sur ceux de l'aviation, assez peu au courant, même lorsqu'ils croient l'être, de l'état des forces en présence, il révèle que 400 escadrilles allemandes nous menacent. Qu'est-ce que cela signifie exactement 400 escadrilles pour ces députés dont beaucoup sont d'anciens fantassins de la Grande Guerre ?

Fernand Robbe détache chaque mot pour frapper le cœur et l'esprit d'auditeurs ignorants.

17. Dans sa réponse à Robbe, Guy La Chambre dira, non sans raison, que les armes des appareils allemands sont, elles aussi, victimes d'enrayages aux hautes altitudes. En janvier 1940, un Potez 63 pris en chasse à 10 500 mètres par 6 Messerschmitt réussit à revenir jusqu'à son terrain de Cirey-sur-Moselle sans avoir été tiré

— Les 400 escadrilles allemandes comprennent 135 ou 136 escadrilles de bombardement faisant environ 1 800 avions, entre 70 et 75 escadrilles de bombardement en piqué — nous n'en possédons pas — faisant environ 940 à 950 avions. Cela représente un total d'avions de bombardement en première ligne de 2 700 au minimum.

Sur plusieurs bancs. — Avions allemands ?

A l'*Officiel,* les mots « avions allemands » ne font que deux mots, comme si une seule bouche les avait prononcés. Mais la question n'est pas un cri solitaire. Elle jaillit de tous les bancs, elle arrive de droite, de gauche, traduisant la surprise d'hommes devant qui, brutalement, tous les voiles se déchirent.

Impitoyable, lorsque le frémissement d'angoisse a cessé, Robbe poursuit :

— Oui, avions allemands. Il s'agit des avions allemands en première ligne. Nous avons, toujours dans ces 400 escadrilles allemandes, un peu plus de 100 escadrilles de chasse formant 1 250 appareils de chasse, 61 escadrilles de renseignement formant environ 730 appareils et 34 escadrilles dites maritimes, faisant à peu près 300 avions.

« Faites le compte. Premières lignes allemandes : 400 escadrilles, 5 000 avions.

Fernand Robbe n'arrête pas de donner des chiffres. A la tribune, il est comme une machine à détruire les illusions.

Face à la masse allemande, de quoi disposons-nous ?

Il le dit et l'événement ne le contredira guère.

— J'affirme qu'à l'heure actuelle il n'y a, sur l'ensemble du territoire métropolitain français, pas plus de 800 avions capables de faire la guerre.

Les sténographes ont scrupuleusement noté à cet instant : « mouvements divers ». Et bien qu'il soit recommandé de ne pas prendre de notes, de ne pas divulguer des révélations faites en comité secret — tout à l'heure Édouard Herriot interdira l'entrée du restaurant de la Chambre à tous les non-parlementaires —, il est impossible que certains ne griffonnent pas ces chiffres « 2 700 bombardiers allemands, 1 250 chasseurs, 730 appareils de renseignement », en face desquels ils ne peuvent qu'écrire « avions français : 800 ».

La péroraison de Fernand Robbe apparaîtrait prophétique si quelqu'un la relisait trois mois plus tard, le 10 mai au soir, lorsque les avions allemands ont entamé leur travail de dislocation des forces françaises. Prophétique. Et vaine.

— J'ai terminé, messieurs. Au congrès de Nuremberg, Hitler a eu soin de préciser : « Si je veux attaquer un adversaire, je ne ferai pas de préparatifs, je frapperai mes coups subitement en surgissant de la nuit et en me jetant sur l'adversaire. »

« J'affirme aujourd'hui que, si la situation que je viens de vous exposer n'est pas profondément et d'urgence modifiée, même avec l'appui de l'Angleterre, nous pourrons difficilement résister. Les chiffres que j'ai indiqués sur les possibilités de l'aviation allemande permettent une attaque massive et simultanée de 1000 appareils de bombardement sur la France et de 1000 également sur l'Angleterre. Il sera impossible d'arrêter cette masse.

« A l'aller et au retour, nos équipages en abattront un certain nombre. Dans quelle proportion ? Je l'ignore, mais ils savent aussi qu'ils auront, en même temps, à résister à 1000 avions de chasse allemands, et je ne sais pas si beaucoup d'entre eux rentreront vivants de cette aventure.

« Je vous demande de prendre acte de mes déclarations. Je les ai faites, je vous le répète, après avoir longuement réfléchi, sans aucune animosité personnelle, en dehors de toute question politique, guidé simplement par le souci de servir mon pays.

« Je ne veux pas qu'on puisse croire, quand le peuple de Paris, le peuple de France demandera des comptes, que mes camarades de l'armée de l'Air morts au champ d'honneur n'auront pas été capables d'utiliser le merveilleux et nombreux matériel qu'on prétendra leur avoir livré.

« Je veux que vous sachiez que ceux qui seront morts au champ d'honneur auront disposé d'appareils inférieurs en qualité et en quantité, eux qui auront fait l'impossible pour sauver la France de la ruine et de la destruction par la flotte aérienne allemande. »

9 février 1940.

10 mai 1940.

Il n'y a plus que trois mois à attendre pour savoir qui a raison, de Fernand Robbe le pessimiste ou de ce président du Conseil, Daladier, et de ce ministre de l'Air, Guy La Chambre, qui rassurent les députés, leur affirment une fois encore, une fois de plus, qu'il n'existe aucun motif d'inquiétude et que, dans le ciel, aussi, tout ira bien.

Trois mois.

TROISIÈME PARTIE

LA DÉBÂCLE

Ils ricanaient, ils insultaient les chefs : ah ! de fameux chefs sans cervelle, défaisant le soir ce qu'ils avaient fait le matin, flânant quand l'ennemi n'était pas là, filant dès qu'il apparaissait ! Une démoralisation dernière achevait de faire de cette armée un troupeau sans foi, sans discipline, qu'on menait à la boucherie par les hasards de la route.

Émile ZOLA, *La débâcle*.

8

LE CIEL SUR LA TÊTE

Ils arrivent.

Ils arrivent les avions annoncés par Fernand Robbe.

Ils arrivent avec leurs bombes, leurs mitrailleuses. Et leurs sirènes.

Piquant sur ces soldats français, braves, râleurs, insouciants et qui, à l'image de leurs ancêtres les Gaulois, ne craignaient qu'une chose : que le ciel leur tombe sur la tête.

Ce qui se produit, le 10 mai 1940, à l'aube.

Tous les témoins sont formels. Ils disent le souffle de l'air déplacé par les appareils qui passent au ras des arbres, le bruit infernal des explosions et cette sensation « d'écroulement terminal : le ciel nous tombe sur la tête ».

Ces avions, ils les avaient vu aux actualités, plongeant, remontant, plongeant à nouveau. Peut-être avaient-ils lu les reportages de Simone Tery sur la guerre d'Espagne. « L'un après l'autre, dans un ordre impeccable, les avions noirs surgissaient du ciel brumeux. Ils piquaient à vingt mètres du sol en tirant. La terre volait dans les champs... Personne ne criait, on retenait jusqu'à son souffle pour ne pas attirer l'attention des assassins. On aurait voulu être dans la terre [1]. »

Mais, s'ils avaient vu, s'ils avaient lu, ils avaient oublié.

C'était loin, l'Espagne ou la Pologne.

Irréel.

Alors, « nous nous terrons, misérablement, recroquevillés ».

Ils se terrent, c'est vrai.

1. L'*Humanité*, 7 janvier 1938.

Dans le grand déballage qui suivra la défaite, où chacun reprochera à l'autre d'avoir manqué à son devoir, on leur en fera grief. Le général Vuillemin, qui a commandé en chef l'aviation française. aura même. un jour de juillet 1942, l'ironie cruelle et facile.

Exaspéré d'entendre critiquer trop souvent les pilotes français, il écrira méchamment :

« Dès qu'un bruit d'avion était entendu, les combattants au sol se terraient et ne voyaient plus ce qui se passait en l'air. »

Bon, c'est vrai, ils se terrent.

C'est vrai surtout dans les premiers jours lorsque tout est neuf dans cette guerre où l'on ne sait ni comment se protéger, ni comment lutter contre ce danger qui dégringole du ciel, ce danger personnalisé, cet adversaire énorme, armé de canons, de mitrailleuses et de sirènes, ce Stuka qui a l'air de vous viser, *vous,* de vous poursuivre, *vous,* de tourner avec vous autour de l'arbre derrière lequel vous essayez de vous dissimuler, machine hurlante dont les assauts mettent les nerfs à bout, précipitent les soldats dans les tranchées ou les fossés des routes, les y maintiennent le nez, la bouche contre la terre, les ongles griffant un sol qu'ils ne cherchent même pas à organiser comme le feront, plus tard, les Vietminh soumis à des bombardements d'une autre importance.

Vingt fois, cent fois, des hommes plongent du ciel sur des hommes qui fuient. Ils les bombardent, les mitraillent, les affolent.

« Les sifflements et les éclatements se rapprochent. Ils sont sur nous ! Chacun tend le dos, haletant, mâchoires serrées. La terre tremble, semble se disloquer. Ce sont cinq minutes terribles, les premières, que bien d'autres suivront... Le fracas des explosions maintenant domine tout. Plus une autre sensation n'existe. Bruit hallucinant de la torpille dont le sifflement grossit, s'approche, se prolonge. On se sent personnellement visé ; on attend, les muscles raidis. L'éclatement est une délivrance. Mais un autre, deux autres, dix autres. »

Le lieutenant Michard[2] appartient à cette malheureuse 55e division que « traitent » le 13 mai, devant Sedan, à partir de 11 heures, des centaines de bombardiers de la Luftflotte N° 2 protégés par 80 Messerschmitt. Dans son abri qui oscille, et dont la porte de fer s'ouvre et se

---

2. Témoignage cité par Paul BERBEN et Bernard ISELIN dans *Les Panzers passent la Meuse.*

ferme, claque, s'ouvre et se ferme, comme manœuvrée par la poigne géante des explosions, les hommes sont terrés, silencieux, incapables le plus souvent même de fumer. L'un d'eux, cependant, sursaute à chaque explosion, à chaque battement de porte, à chaque oscillation de l'abri et murmure : « Celle-ci, elle est pour nous... Cette fois... c'est pour nous. »

Les bombes bouleversent les abris, renversent les batteries, tuent ou affolent les chevaux, détruisent les liaisons téléphoniques, retardent l'arrivée des renforts et surtout ruinent les âmes.

Un grand nombre de ceux qui font le gros dos, qui pleurent, qui jurent, qui appellent leur mère, qui prient, qui tentent de dominer leur peur, ont vécu 14-18, souffert les terribles bombardements de Verdun, se sont comportés en héros, mais, en quelques secondes, passer brutalement de la drôle de guerre à la guerre-éclair, c'est trop pour eux. D'autant plus que rien, en apparence, ne vient détruire l'ordonnance des escadres allemandes, leur stratégie, toujours la même.

Elles sont, à l'habitude, précédées du « mouchard[3] », ce petit avion que l'on a d'abord trouvé « rigolo » avec son moteur au bruit de machine à coudre, sa placidité, sa familiarité. Mais le Henschel, solidement blindé, muni d'une excellente radio, s'il ne paraît menacer personne, est en réalité un remarquable observateur. Repérant les défenses, les ponts qui n'ont pas sauté, les renforts qui arrivent, indiquant aux chars, par messages lestés, les voies libres et les routes interdites, appelant les bombardiers sur l'objectif, il sera bientôt craint par tous. Il est l'oiseau annonciateur des grandes catastrophes, ces vols de bombardiers Dornier ou de Stukas qui basculent brutalement et plongent dans un bruit de fin du monde...

Ces avions, on leur tire parfois dessus. Mais les IXe et IIe armées françaises, qui sont d'abord visées par l'aviation allemande, manquent de canons de D.C.A. modernes et la note, précisant la manière d'utiliser le fusil mitrailleur contre les avions, n'est arrivée parfois que le 13 mai, à 7 h 30, dans les unités menacées.

Quant à la chasse française, elle fait ce qu'elle peut, c'est-à-dire que, pour s'opposer aux 80 Messerschmitt qui protègent les bombardiers attaquant Sedan, il y a, le 13, une patrouille triple de Curtiss. Le lieutenant Marie et le sous-lieutenant Roquette abattent chacun un adversaire.

---

3 Les combattants l'appelleront aussi « la casserole », « la bicyclette »

Croyez-vous que le sort de la bataille puisse en être changé ?

Les aviateurs se battent, poussent au bout de leur puissance leurs appareils, luttent à un contre quatre, à un contre six et, lorsqu'ils reviennent à terre, moins nombreux qu'au départ, ils s'entendent demander avec ironie, ou avec violence, par des fantassins démoralisés : « Alors, qu'est-ce que vous foutez ? On ne vous voit jamais ! »

Cri venu d'un autre temps. Du temps des tranchées de 1917, de 1918, lorsque les poilus se levaient pour applaudir de beaux combats tournoyants livrés à 150 ou 200 kilomètres-heure au-dessus de leur tête. Aujourd'hui, tout va trop vite, tout se déroule trop haut.

Cri d'exaspération aussi devant les communiqués menteurs et ces récits de journalistes où la vérité est prodigieusement maltraitée. « Partout où je passe, écrit Dorgelès pour ses lecteurs de *Gringoire*, on me signale un avion abattu. Ils grêlent, dans le Nord, comme des hannetons. Cet amas noirâtre à la lisière d'un boqueteau : un Heinkel incendié... Ailleurs, un Dornier qui paraît intact s'est posé à plat au milieu de la route, le train d'atterrissage écrasé sous son poids[4]. »

Ils grêlent comme des hannetons. Vraiment ? Combien de hannetons ? Au bilan de la chasse française : 49 dont 37 sûrs le 10 mai, 39 dont 27 sûrs le 11 mai, 52 dont 32 sûrs le 12 mai.

Ce n'est pas négligeable. Ce n'est certes pas suffisant pour casser l'offensive aérienne allemande qui précède et prépare l'offensive des blindés, cette offensive aérienne qui, à partir de 4 h 30, le 10 mai, a réveillé plusieurs millions de Français, hommes politiques, généraux, deuxième classe, paysans, ouvriers, bourgeois, tous endormis la veille dans la quiétude la plus totale.

Là où il n'y a pas de bombes, de violent tir de D.C.A., on se rendort cependant. Allons, ce n'est jamais qu'une alerte de plus.

Jules Jeanneney, président du Sénat, s'est ainsi assoupi peu après les sirènes de 5 heures. C'est Paul Reynaud, mis au courant de l'invasion à 4 heures, par l'ambassadeur de Belgique, qui lui téléphone, à 7 heures, pour lui annoncer l'entrée des Allemands en Belgique, au Luxembourg et en Hollande.

---

4. Plus tard, dans son livre *La drôle de guerre,* Roland Dorgelès fera suivre des textes de 1939-1940 de commentaires actualisés sous le titre : « Ce que je dus taire à l'époque »

Anatole de Monzie, ministre des Transports, qui s'est endormi fort tard, après avoir lu plusieurs pages de ce fougueux Winston Churchill que les Anglais viennent de placer à leur tête[5], n'est tiré de son sommeil que par le directeur de son cabinet, Jean Berthelot.

— Ça commence.

— Ça quoi ?

— La guerre vraie, la guerre où il y a des morts.

Coup de téléphone matinal du préfet de la Moselle à Camille Chautemps, vice-président du Conseil, pour lui indiquer que les Allemands viennent de pénétrer au Luxembourg.

Coup de téléphone, il est 8 heures, de Mme de Portes, l'amie de Paul Reynaud, au colonel de Villelume, conseiller du président du Conseil :

— Tout est déclenché.

Coup de téléphone d'André Gladner, de l'*Exchange Telegraph*, à son confrère Roland Dorgelès.

— Ça y est. Les Allemands sont entrés en Hollande et en Belgique.

— Alors, on part ?

— J'arrive tout de suite.

Le sénateur Jacques Bardoux qui, la veille, a noté sur son journal : « Rien ne paraît imminent sur le front ouest... matinée paisible d'avant-guerre : un Paris verdoyant, calme, ensoleillé », est réveillé, à 7 h 30, par son ami André Fribourg, puis c'est la comtesse Anne-Marie de Dampierre qui lui téléphone pour confirmer la nouvelle de l'invasion.

A la frontière, où les avions sont présents dès 4 h 15, ceux qui dorment et que le bruit réveille grognent d'abord un peu, attendent, les yeux clos encore, le corps au chaud, et beaucoup regardent leur montre en pestant parce que le jour sera bientôt là, qu'ils ignorent s'ils pourront se rendormir.

Il faut que le vacarme s'amplifie et, avec le bruit des avions, celui de la D.C.A. pour que certains enfilent pantalon et veste afin d'aller se rendre compte. Aucun responsable militaire n'est encore alerté, et de

5. « C'est un homme qui écrit comme Sainte-Beuve et qui pense comme Reynaud », écrit de Monzie que le dernier terme de la comparaison ne séduit pas.

longues minutes seront nécessaires avant de secouer et de faire bouger tout le grand corps militaire assoupi.

C'est ainsi qu'à quelques centaines de mètres du fort d'Illange, P.C. du secteur fortifié de Thionville, le capitaine Renauld, chef du 3e bureau, réveillé par les bruits des tirs et des avions, ayant constaté l'importance des vols, ne peut obtenir la communication téléphonique avec ses supérieurs. Il court jusqu'au fort, dont les grilles sont fermées, sonne pour alerter un gendarme qui ne vient pas, doit « faire le mur » avant de pouvoir réveiller un chef d'état-major qui mettra quelques instants à se remettre de sa surprise.

— Ça y est, ils attaquent !

— Ils attaquent ? Mais qui attaque[6] ?

A 3 h 45, Édouard Jozan, qui commande la 1re flotille de chasse à Calais-Dunkerque, est réveillé par le ronronnement continu de nombreux avions. Il pense d'abord à des appareils anglais retour de mission sur l'Allemagne. Mais le nombre des avions et leur trajectoire finissent par l'inciter à téléphoner à l'état-major de Dunkerque qui, faute de pouvoir le renseigner, lui demande « d'aller se rendre compte », ce qui sera difficile, la première mission d'un jour « comme les autres » n'ayant été prévue que pour 6 heures du matin et les pilotes devant finalement décoller... en pyjama sous les combinaisons de vol, tandis que tombent les premières bombes allemandes.

Le général Petiet, qui commande, à Longwy, cette 3e division légère de cavalerie, dont la mission est de foncer sur Luxembourg, ne s'est couché qu'à 3 heures. Réveillé lui aussi, il guette un bon moment et soupèse l'intensité du bruit des avions avant de se lever, de remettre son uniforme et d'aller, en grommelant peut-être un peu, car il n'est rentré de permission qu'à 1 heure du matin, scruter le ciel où les escadrilles se succèdent. Mais il devra attendre 4 h 45 pour être informé d'opérations commencées au Luxembourg depuis plus d'une heure.

A 5 heures, le colonel Lacaille, chef d'état-major de la IIe armée, celle de Sedan, ne sait rien de précis et déclare à l'un de ses interlocuteurs que le grand quartier général n'a pas encore donné l'ordre d'alerte.

Même indécision à l'état-major de la IIIe armée qui, à 5 heures du matin, « a l'impression » que le territoire luxembourgeois n'est pas

---

6. Roger BRUGE, *Faites sauter la ligne Maginot.*

envahi alors que c'est chose faite depuis plus de quarante-cinq minutes.

La surprise est naturellement encore plus grande chez les simples soldats. Réveillé à 4 h 30, comme des centaines de milliers d'autres, le soldat Pac, qui, « dans le civil », dessine pour *Je suis partout*, se rendort comme des centaines de milliers d'autres après avoir songé : « Bah ! encore un aviateur qui s'excite ».

A 6 heures, un brigadier surgit dans la chambrée.

— Allez ! debout nom de Dieu ! Et que ça saute. Nous sommes en état d'alerte, les Boches ont envahi le Luxembourg.

Personne ne bouge. Beaucoup grognent.

— Ça va, mon vieux. Ça fait trois fois qu'on nous fait le coup du Luxembourg. Tu repasseras. Fous-nous la paix.

— Je ne plaisante pas.

— Mais, oui, cause toujours.

— Je vous jure que c'est vrai.

Surprise totale donc.

Mais pourquoi, le 10 mai, n'aurait-il pas été une journée aussi paisible que le 9 mai où le général Huntziger inaugure le Foyer du soldat à Monzay et déclare à un officier alerté par quelques préparatifs adverses : « Les Allemands ne sont pas fous ! Ils ne vont pas risquer de se mettre, en ce moment, les vingt-six divisions belges sur le cul en violant la Belgique. »

Que ce 9 mai où tournent les rotatives d'un *Journal officiel* en retard d'une guerre et qui annonce que le soldat Adrien Chenor, matricule 6142, très gravement intoxiqué par les gaz le 13 novembre 1917 à Craonne, et le soldat Henri Juge, matricule 1415, très grièvement blessé à Maurepas le 23 août 1916, se voient décerner la médaille militaire.

Que ce 9 mai où des soldats répètent la chanson qui doit être le « clou » d'une soirée prévue pour le 19 mai :

Nous sommes les rigolos
De la source Picolo
De la station d'Ardennes-Les Thermes.
Être seuls au boulot
Ce n'est pas rigolo
Car tous les autres sont en perme..

Que ce 9 mai où le général Colson, chef d'état-major, refuse de rappeler les permissionnaires nombreux — plus de 12 % des effectifs — puisque les permissions supprimées le 16 avril, au moment de l'affaire de Norvège, ont été rétablies le 26. Argument de Colson : « Pourquoi rappeler les permissionnaires ? Ce n'est pas demain qu'ils auront à se battre. »

Les généraux, d'ailleurs, ont droit à des permissions au même titre que les soldats.

Se trouve donc en permission, le 9 mai, le général Falgade... dont le 16ᵉ corps d'armée doit se précipiter en Belgique dès l'invasion.

Se trouve en permission (de convalescence, il est vrai) le général Hassler, commandant la 22ᵉ division, qui doit se porter sur la Meuse. Il ne pourra rejoindre ses troupes que le 14 mai. Entre-temps, mal commandées par le général Béziers-Lafosse, elles auront été battues.

Se trouvent en permission le général Boell de la 51ᵉ D.I., le général Loizeau du 6ᵉ corps, le lieutenant-colonel Devaux, chef d'état-major de la 3ᵉ division cuirassée en formation à Reims, des centaines d'autres officiers supérieurs encore.

Le général Petiet, qui achève sa permission le 9, avant de regagner son P.C. d'Aumetz, près de Longwy, note que la gare de l'Est ne présente, ce jour-là, « aucune animation anormale » et que les officiers, avec lesquels il s'est entretenu tout le long du parcours, n'ont manifesté aucune inquiétude.

Et pourquoi seraient-ils inquiets ces généraux qui ont lu, dans *Le Temps*, que les Allemands ne pourront jouer la carte de l'offensive à l'Ouest « qu'après une réussite complète de toutes leurs entreprises locales ». Ce qui n'est pas pour demain, on s'en doute.

Ces généraux, ces soldats, ces civils qui ont vu dans *Marianne* du 8 mai une caricature montrant Hitler, effondré, tenu solidement aux reins par la poigne du blocus et brandissant un drapeau blanc.

Qui ont appris, toujours par *Marianne* du 8, qu'il y avait, chez l'ennemi, « crise d'aviateurs » et, sous la signature de Geneviève Tabouis, qu'Hitler n'osait pas engager la lutte décisive, qui ont lu que le sergent Monge réclamait un phonographe, le soldat Sellier un matériel de découpage, le soldat Debuire une guitare, Alphonse Carpentier un dictionnaire franco-italien et un instituteur mobilisé une correspondante de 20 à 25 ans, « grande, vraiment jolie, douce, sérieuse, santé ». Phonographe, guitare, dictionnaire, correspondante « pour occuper les loisirs » de la drôle de guerre, comme le précisera le sergent Monge « qui occupe avec ses camarades un secteur en première ligne dans l'est ».

Dans *Le Progrès* de Lyon du 10 mai, il y a bien une indication guerrière sous le titre « Les militaires sont prêts », mais elle se dissimule en page 3 et, en vérité, il ne s'agit que du tournoi militaire de boules de la Pentecôte. Les militaires ainsi décidés au combat ne sont autres que ceux qui constituent les soixante-quatre quadrettes de ce pacifique tournoi[7].

Le colonel Valtat, du 2e bureau de la IIIe armée, éprouve-t-il quelques scrupules, le 9 mai, avant de prendre le train pour rejoindre sa famille, à l'état-major, on le rassure :

— Prenez votre train sans remords. Tous les secteurs sont calmes.

C'est vrai, c'est calme. Tellement calme que le général Condé, qui a la responsabilité de la IIIe armée, trace dans son journal une large accolade en face de la période du 1er au 9 mai et se contente d'écrire : « Calme plat. »

14 juillet 1789, Louis XVI dans son journal : « Mardy ... 14 Rien. »

Calme plat.

9 mai 1940, journal du commandant Jourdan du 204e régiment d'infanterie en position sur le plateau de Saulnes en avant de Longwy :

« Il fait beau. Les journées sont ensoleillées. Les équipes de jardiniers, constituées avec les brancardiers et les ordonnances d'officiers montés, ont emblavé les jardins abandonnés des environs de la mairie de Saulnes : radis, salades, petits pois poussent à merveille... Les fraisiers sont en fleur, les cerisiers annoncent une abondante récolte[8]. »

Même jour et peut-être même heure. Journal du lieutenant allemand Hans Steinbrecher, officier de blindés attendant, au nord d'Aix-la-Chapelle, l'instant où son unité attaquera la Hollande :

---

7. Les titres essentiels de la première page du *Progrès* de Lyon, daté du 10 mai, sont les suivants : « M. Chamberlain démissionnerait pour permettre la formation d'un cabinet d'union nationale (3 colonnes) ; « Ralentissement des opérations autour de Narvik » (2 colonnes) ; « Un Conseil de cabinet s'est tenu hier » (une colonne).

8. Roger BRUGE, *Faites sauter la ligne Maginot.*

« Nous avons beaucoup appris à Wünsdorf (le camp où sa division a été entraînée). Nous savons exactement ce que nous avons à faire et à ne pas faire quand nous attaquons, nous savons tout cela grâce à ceux qui nous ont instruits. Quand je songe combien nous sommes nombreux ici et que tout est si bien organisé, alors je sais que nous gagnerons cette guerre. Quand le Führer disait au Reichstag : « Moi, je ne doute pas un instant que l'Allemagne vaincra », nous nous sommes tous regardés au cours de notre réunion. Non, nous non plus nous ne doutons pas un instant de la victoire de l'Allemagne[9]. »

9 mai, 21 h 30. Les hommes du commando Koch, ceux qui vont s'emparer du fort d'Eben-Emael, qui couvre les fortifications de Liège, et des ponts sur le canal Albert, attendent d'être embarqués dans les planeurs DFS 230 qui doivent les conduire en plein territoire ennemi, sur un objectif en principe imprenable. Eux et tout leur matériel d'assaut et leurs cinq tonnes d'explosifs.

Même jour même heure. A Vouziers, se déroule, dans les chants et les rires, une grande représentation du Théâtre aux Armées. De nombreux officiers de l'état-major de la IIe armée sont présents, bien installés aux premiers rangs, heureux de la joie de leurs hommes et de ces manifestations de « saine gaieté française ». Demain 10 mai, c'est André Dassary qui sera la vedette de la représentation et déjà l'on évoque la grande fête que prépare pour le 15, à Sedan, l'écrivain Henri Massis.

Parce qu'il ne se passe vraiment rien sur le front, les mines qui protègent les rives de la Meuse ont été retirées à partir du 1er mai pour vérification et stockage. Des notes sont élaborées pour demander aux unités de faire connaître par retour, « de toute urgence, le nombre de pantalons neufs fournis le 10 mai » et pour réclamer des volontaires pour la musique régimentaire.

Les Berlinois lisent le communiqué du soir et ils hochent la tête en se disant qu'à l'Ouest il n'y a décidément rien de nouveau. La veille, le

---

9. Paul BERBEN et Bernard ISELIN, *op. cit.*

Berliner Illustrierte leur a appris que Londres accusait l'Allemagne de vouloir attaquer la Hollande. Quelle imagination ces Anglais !

Les Parisiens, de leur côté, lisent le communiqué du jeudi 9 mai au soir qui, après avoir signalé des actions d'infanterie sur un front étendu, au cours de la nuit précédente, note simplement « activité des deux artilleries à l'ouest des Vosges et dans la région de Wissembourg ».

Paris-Soir daté du 10, mais publié, en réalité, le 9 mai, consacre ses articles de tête à la crise anglaise ainsi qu'à la guerre en Norvège. Au fil des pages, on apprend que les droits sur les cafés sont relevés, que la Foire de Paris s'ouvrira le 12 et qu'on y verra 600 cannes sculptées par les soldats du front, que 2241 militants communistes ont été arrêtés, 27 municipalités et 321 syndicats dissous, que 28 députés, 11 conseillers municipaux de Paris, 24 conseillers généraux de la Seine et 546 conseillers municipaux de banlieue se sont vu retirer leur mandat, enfin que, le 19, sera tirée à Auxerre la « tranche de l'infanterie » de la Loterie nationale.

Charles Morice, dans la soirée du 9, écrit son commentaire militaire pour *Le Petit Parisien* du lendemain : « Le front occidental n'a pas été plus animé que de coutume. Dans la vallée de la Nied, quelques patrouilles allemandes, venues dans le but évident de surprendre quelques-uns de nos postes, ont dû renoncer à leur entreprise. »

Le général Duval, qui collabore au *Journal*, a déjà envoyé son texte que visera naturellement la censure. « Tout cela [les bruits concernant l'invasion de la Hollande et de la Yougoslavie] n'est pas seulement le fruit d'imaginations fiévreuses ou de nerfs trop tendus ; c'est surtout l'œuvre de la propagande allemande. Doit-on dire qu'il est trop question d'attaques pour qu'elles soient imminentes ? »

Le Populaire va encore plus loin. « En ce qui concerne les bruits d'envahissement de la Hollande par les troupes allemandes, on annonce que ce sont des dépêches venues à la fois du Chili, de l'Argentine et de l'Amérique du Nord qui les ont lancés. C'est un journaliste américain, actuellement à Berlin, qui aurait câblé cette fausse nouvelle.

« En tout cas, du point de vue strictement militaire, rien de nouveau n'a été observé dans les dispositifs installés par le Reich, aussi bien sur la frontière hollandaise que sur la frontière belge. »

A leur réveil, le 10, les Parisiens prennent connaissance de ces rassurantes prévisions...

Ce 9 mai est un jour tellement semblable aux autres que la France peut même s'offrir le luxe d'une crise ministérielle.

A l'exception des initiés, hommes politiques, journalistes, généraux et, j'imagine, quelques douzaines de femmes du monde, d'huissiers, de chauffeurs de ministres, nul n'en sait rien encore mais, à partir de midi trente, la France est sans gouvernement. Quant au général Gamelin, sur qui repose tout le poids de la guerre, il s'interroge une fois de plus sur son avenir. Demain, 10 mai, sera-t-il toujours en place ?

Ainsi, quand tout s'organise et s'ordonne du côté allemand, tout se détériore, se désagrège, se corrompt du côté français.

Paul Reynaud a depuis longtemps des ambitions de stratège.

Voué à la finance, cloué à la finance, cet homme rêve de la guerre. Avec une constance digne d'un meilleur destin, il a, depuis 1935, alerté les Français sur leur impréparation militaire. Du colonel Charles de Gaulle, dont il partage les idées, dont il écoute les conseils, il reçoit des lettres qui fouettent son indignation (s'il en était besoin) contre un état-major sclérosé et excitent (s'il en était besoin) son ambition de passer à l'Histoire comme le Clemenceau de ces années 40.

Comment, alors qu'il a le pouvoir suprême, s'entendrait-il avec le mou et faible Gamelin qu'il tient pour incapable d'animer les généraux et les troupes, de concevoir des initiatives soudaines et d'en imposer la réalisation, de réagir vigoureusement à tous les incidents de la bataille, de juger clair, de voir loin, d'exiger beaucoup et d'obtenir assez ?

Comme Gamelin a pour farouche défenseur Daladier, ancien président du Conseil et ministre de la Guerre, on ne peut toucher victorieusement à l'un sans culbuter l'autre, faire partir l'un sans que l'autre ne s'en aille. Aussi le monde politique compte-t-il, depuis des semaines, les points du match Daladier-Reynaud car, nul ne s'illusionne, le conflit est au sommet.

Pas d'arbitre unique mais les arbitres les plus divers et parfois les plus inattendus. Les Anglais qu'un même conflit de principe (entre Chamberlain et Churchill) divise ont leur mot à dire. L'homme au parapluie, l'homme de Munich, soutient Daladier et lui fait conseiller, en mars 40, de ne pas céder la place. L'homme au cigare, l'homme de la guerre à outrance, entretient avec Reynaud des relations cordiales et fait son éloge avec d'autant plus de sincérité qu'une même foi belliqueuse l'anime et qu'il attend du triomphe de Reynaud l'accélération de son triomphe.

Députés et sénateurs français sont à l'affût. Il y a des clans, des complots, mille querelles qui occupent beaucoup plus que la guerre stagnant aux frontières. Le 19 mars, la Chambre des Députés refuse implicitement la confiance à Daladier puisque, sur 540 votants, il y a 300 abstentions mais, l'ayant fait partir, elle n'accorde, trois jours plus tard, à Paul Reynaud, son successeur, qu'une seule voix de majorité. Encore a-t-il fallu, pour ce piètre résultat, forcer la main à quelques hésitants.

Dans le journal scrupuleusement tenu par Jules Jeanneney, président du Sénat (et ami de Reynaud), les échos de la querelle occupent, entre le 12 février et le 10 mai 1940, beaucoup plus de la moitié du texte. Président du Conseil précaire, soumis au bon vouloir de ces voix radicales dont Daladier s'est presque érigé en propriétaire, Reynaud a dû conserver au ministère de la Guerre un homme dont il déteste les méthodes, déplore les indécisions, critique les créatures. Chaque champion a ainsi ses porte-parole, ses valets de plume, ses complices, ses comparses, ses femmes et ses femelles qui tourbillonnent, s'agitent et, lorsque tout paraît au moins provisoirement en voie d'apaisement, soufflent sur les cendres pour y réchauffer les fers les plus cruels.

On règle de vieux conflits puisque « l'union nationale » n'est qu'un thème de discours ou d'articles pour journaux conformistes. Afin d'arracher une voix, un soutien, il faut promettre beaucoup dans l'espoir d'obtenir un peu. Si l'on osait, et ce n'est pas la pudeur qui retient, seulement la crainte de n'être pas exactement compris, on diviserait le pays sur le thème « bellicistes-pacifistes » car, aussi étrange que cela puisse paraître dans une nation en guerre, une bonne partie des dirigeants estime toujours possible un arrangement avec Hitler et dénonce les « aventuriers » qui souhaitent faire parler la poudre.

Comment la désunion des chefs ne paralyserait-elle pas les plus importants des exécutants ? Qu'ils agissent ou qu'ils s'abstiennent, actions et renonciations leur seront comptées et retomberont en critiques sur leurs protecteurs. Il en va ainsi après l'échec des Franco-Anglais en Norvège. Qu'il y ait beaucoup plus d'Anglais que de Français engagés, que Gamelin, en la circonstance, ne soit pas le principal responsable, ni le principal coupable, ne gêne pas Paul Reynaud. De tous ses griefs accumulés au cours de longues semaines d'impatience, il fait un faisceau pour flageller le bureaucrate Gamelin [10].

Ironie du sort, c'est Hitler, le 10 mai, qui réconciliera un moment les irréconciliables et, pour quelques jours, fera marcher de compagnie ces trois hommes, Daladier, Gamelin, Reynaud, qui aiment leur pays mais le servent si mal.

Pitoyable Conseil de cabinet que celui qui débute le 9 mai à 10 heures et demie dans la grande salle à manger du ministère des Affaires étrangères [11]. Avant que ne commence le Conseil, Reynaud a mis au courant le président Lebrun, Campinchi, ministre de la Marine, Georges Mandel, quelques autres encore, de sa volonté d'obtenir de Daladier le renvoi de Gamelin

Trois jours plus tôt, il a confié à Jeanneney qu'il ne pourrait plus supporter les « gigantesques » erreurs tactiques de Gamelin et l'ignorance dans laquelle Daladier le tenait de l'évolution de la situation militaire comme de ses instructions aux généraux.

— Tout plutôt que de subir une telle situation plus longtemps. Je me propose d'en saisir un Conseil de cabinet où j'ouvrirai tout mon dossier.

Ce dossier, il y a longuement travaillé à plusieurs reprises en particulier avec le colonel Paul de Villelume qui, avant de devenir, le 19 mai, directeur de son cabinet pour le département de la Défense nationale, occupe depuis 1936, au ministère des Affaires étrangères, un poste de conseiller militaire qui lui donne une grande liberté de parole et d'action [12].

---

10. C'est le 9 avril, à la nouvelle du débarquement allemand en Norvège, que Paul Reynaud s'en est, pour la première fois, pris au général en chef. Le 12 avril, l'accusation est très vigoureuse. Le procès-verbal du comité de guerre comporte un paragraphe ainsi rédigé : « Le président du Conseil considère qu'il y a eu une véritable défaillance de l'autorité chargée de concevoir les contre-mesures françaises et anglaises, et de les préparer. » Mais Daladier, en se solidarisant avec Gamelin, empêche Reynaud d'obtenir ce qu'il souhaite : le départ du général en chef.

11. Paul Reynaud, président du Conseil, est également ministre des Affaires étrangères depuis le 21 mars 1940.

12. Le colonel de Villelume se pose dans son *Journal d'une défaite*, et à la date du 11 avril, en inspirateur de la manœuvre contre Gamelin. « Je dis au

Le 3 mai, Reynaud demande en effet à Villelume de « mettre par écrit, avec preuves à l'appui » tout ce qu'il pense « de l'action néfaste de Gamelin ». La nuit venue, Reynaud, grippé depuis le 28 avril, invite Villelume à dîner d'une salade cuite et d'une compote de rhubarbe auprès de son lit de convalescent. Aucun autre témoin qu'Hélène de Portes, témoin de tout. Villelume donne connaissance au président du Conseil des grandes lignes du plan de bataille qu'il dresse à son intention.

— Je ne comprends pas, ajoute-t-il, que vous supportiez d'être tenu en échec par Daladier. C'est lui qui, aux yeux de tout le monde, fait figure de président du Conseil. Plutôt que de ne pas exercer la plénitude de mes pouvoirs, à votre place, je m'en irais. Si, pour obtenir le départ du généralissime, il est nécessaire que vous mettiez dans la balance l'existence du ministère, il ne faut pas hésiter à aller jusque-là. C'est une question de salut public.

Deux jours plus tard, l'après-midi tout entier est consacré à la rédaction de la partie diplomatique du réquisitoire contre Gamelin. On soulignera que Gamelin a compromis par des fautes, dans la réalisation et l'exécution, toute l'expédition de Norvège. Au domicile de Paul Reynaud, place du Palais-Bourbon, sont réunis, autour de Paul de Villelume, Leca, Devaux et Baudouin, chacun apportant sa pierre à l'édifice. Par une étrange rencontre, le président du Conseil

---

président, comme je l'ai déjà fait plusieurs fois, que cette exigence [la mise hors service des mines de fer suédoises] est incompatible avec le maintien du général Gamelin à son poste actuel : qu'on se souvienne qu'il a déjà fait échouer volontairement l'affaire de Finlande !... Il [Paul Reynaud] choisit un palliatif, par des interventions fréquentes il veillera à ce qu'il n'y ait pas de sabotage.

« Vendredi 12 avril, je reparle avec Baudouin et Paul Reynaud de la nécessité de remplacer Gamelin. »

A la date du 18 avril, Villelume note que, dînant chez Georges Bonnet, ancien ministre des Affaires étrangères, il « lui démontre combien il est urgent de renvoyer Gamelin ».

Le 27 avril, avant de partir pour Londres, Reynaud demande à Baudouin de préparer un décret relevant Gamelin de ses fonctions. A son retour à Paris, le président du Conseil a changé d'avis, ce qui provoque la bouderie de Villelume. « Je prends la résolution de ne pas aller déjeuner demain chez le président... Je tiens en effet à lui montrer ma mauvaise humeur. » Reynaud étant grippé, Villelume se rendra cependant à l'invitation qui se réduira à un déjeuner intime avec Mme de Portes, Leca et Baudouin.

Entendu les 12 et 17 avril 1951, par la Commission d'Enquête parlementaire, Villelume donnera lecture de son rapport anti-Gamelin, celui-là même que Reynaud avait lu, le 9 mai, en conseil de Cabinet.

vient de recevoir du colonel de Gaulle une lettre envoyée du secteur 100 et datée du 3 mai. De Gaulle et Villelume ne s'aiment pas (le mot est faible), mais leurs conclusions sont identiques : « Les événements de Norvège font, après ceux de Pologne, la preuve qu'il n'y a plus, aujourd'hui, d'entreprise militaire possible qu'en fonction et à la mesure de la force mécanique... Or, le système militaire français est conçu, organisé, armé, commandé en opposition de principe avec cette loi de la guerre moderne. Il n'y a pas de nécessité plus absolue, ni plus urgente, que de réformer radicalement ce système. »

Argument s'ajoutant à d'autres arguments.

Le lendemain lundi 6 mai, nouvelle séance de travail de Villelume avec Paul Reynaud. Dîner le 7 chez le président du Conseil. S'il faut en croire Villelume, il a été invité pour tenter de convaincre le radical Campinchi, ministre de la Marine, « de la nécessité de relever le général Gamelin de ses fonctions »[13].

Nouvelle séance de travail anti-Gamelin dans la matinée et l'après-midi du 8. Comme la tâche n'est pas achevée, Paul de Villelume abandonne, plus tôt que les autres convives, la table de Philippe de Rothschild pour, de 11 heures du soir jusqu'à 4 heures du matin, travailler au Quai d'Orsay à affûter les derniers arguments de ce réquisitoire[14] qu'il remettra quatre heures plus tard à Paul Reynaud avec des paroles d'encouragement et d'incitation à la lutte.

Lorsque Paul Reynaud ouvre la séance, les documents ne lui font donc pas défaut. De Monzie (l'un de ses plus constants adversaires) l'a montré « face aux hauts dossiers que les inspecteurs de sa domesticité ont déposé sur une longue table[15] ».

Il le décrit aigre, tranchant, faisant effort de volonté pour convaincre, dans un combat où ses chances sont minces, parlant dans un silence mortel que seul vient troubler, un instant, le craquement d'une allumette, incident qui provoque ce bref rappel à l'ordre.

— Je vous en prie, ne fumez pas, j'ai la gorge irritée.

Il tourne des feuillets, cite des chiffres, donne des précisions, montre que l'Allemagne a, sur tous les terrains, l'initiative, dans tous les

13. « Il [Campinchi] a adjuré Reynaud de n'en rien faire, lui disant que, si Daladier démissionnait, lui, Campinchi, serait forcé de le suivre, ainsi que tous les ministres radicaux. »

14. « Notre réquisitoire », écrit-il non sans apparence de raison.

15. Anatole de MONZIE, *Ci-devant*.

domaines la supériorité, qu'il s'agisse des hommes, des avions, du matériel. Ce bilan pessimiste, Reynaud le dresse *à quelques heures* seulement de la catastrophe, de l'instant où chiffres et mots se changeront en fer, en feu, en explosions, en blessés et en morts.

Le président du Conseil réclame donc que, malgré nos infériorités, la guerre soit menée plus vivement et qu'en tout cas nous utilisions mieux les armes en notre possession, que soient abandonnées les tactiques, bonnes en 1917, et que, prenant à l'adversaire ce qui est à la base de ses succès, nous organisions d'urgence une force mécanique capable de s'opposer à la force mécanique.

Il rappelle ce qui n'a pas été fait en Norvège, les délais ridicules exigés pour l'embarquement de la division Audet, que l'on a dû faire venir du Jura, où elle avait été expédiée lorsque l'on avait décommandé l'opération de Finlande, la mauvaise organisation du ravitaillement en armes (il a fallu huit jours pour débarquer à Namsos la D.C.A. apportée par la *Ville d'Alger* trop long pour les appontements), les lenteurs, les erreurs.

Il parle, comme à son habitude avec une vigueur sèche. Sa voix grinçante produit l'effet d'une lime sur le métal et, dans le grand silence, tous les mots portent.

Certains des assistants entendent Lamoureux, ministre des Finances, souffler à de Monzie :

— C'est une exécution !

L'exécuté, ou plutôt l'homme que Reynaud s'efforce d'exécuter, Daladier, se garde bien d'interrompre. Tête penchée, un peu tassé, comme pour offrir moins de prise aux mots qui tombent sur lui, il attend la fin d'une attaque qui dure depuis près de deux heures déjà et se prépare.

Lorsque Reynaud a terminé en concluant à la nécessité de remplacer Gamelin, il y a d'abord un long silence. Un silence qui dure deux minutes quatorze secondes, selon Paul Baudouin. Puis Lamoureux se risque.

— Je trouve, dit-il, qu'après les renseignements fournis et les faits rapportés, il est impossible de conserver le général Gamelin.

— Il me semble, réplique Chautemps, que nous devrions laisser le soin de donner son opinion d'abord au ministre de la Défense nationale.

Daladier ne fait pas de grands efforts oratoires. Ni de grands effets.

Tandis que Reynaud a longuement tenu la scène[16], il parle « d'une voix lente et sombre », écrit Reynaud, pendant quelques minutes à peine.

Après des généralités sur la Norvège où il indique que les Anglais avaient la responsabilité suprême et que Gamelin n'avait rien à se reprocher, il ajoute :

— Messieurs, permettez-moi de déclarer que je connais Gamelin de longue date. Il collabore avec moi depuis longtemps. C'est un homme très intelligent, très sûr, très fidèle et très dévoué. Par conséquent, je ne peux pas consentir à me séparer de lui.

Mots stupéfiants à la lecture !

Pas un instant Daladier n'avance les adjectifs convenables. Il ne dit ni « compétent », ni « dynamique », ni « lucide », ni même « courageux », de ce courage des chefs qui consiste à choisir, à imposer et non à braver physiquement le danger, mais « sûr », « fidèle », « dévoué », mots dont on gratifie généralement les bons serviteurs et les mauvais fonctionnaires.

Pas un instant Daladier ne met en avant les qualités militaires de Gamelin, il se contente de lier le destin du généralissime à son destin de ministre, « il collabore avec moi depuis longtemps », sachant bien d'ailleurs que, ce faisant, il rend singulièrement difficile, voire impossible, la tâche du président du Conseil qui rêvait d'éliminer Gamelin sans, pour l'instant, toucher à Daladier.

C'est bien ainsi que l'entend Reynaud. Il ferme son dossier et déclare que, puisque Daladier refuse de se séparer de Gamelin, le cabinet tout entier est démissionnaire.

Il poursuit cependant :

— Mais, comme on ne peut laisser la France sans gouvernement en plein milieu de la guerre, nous n'allons pas faire connaître notre décision avant que le nouveau gouvernement soit constitué. Nous nous séparons donc sans rien dire (ce « sans rien dire » est admirable de naïveté alors qu'il y a là deux douzaines d'hommes pourvus d'amis, de femmes, de maîtresses) et, demain, je vous apporterai la liste des

16. Jeanneney écrit qu'il a parlé deux heures et demie. Il n'était naturellement pas présent mais, pendant tout le Conseil, se tenait chez Lebrun. La plupart des ministres qui ont évoqué ce Conseil affirment que Reynaud a parlé au moins pendant deux heures.

nouveaux ministres en même temps que nous remettrons au président de la République notre démission collective.

Pas une seule fois, au long de son réquisitoire, Reynaud, qui voulait remplacer Gamelin coupable de tant d'erreurs, n'a prononcé le nom d'un successeur !

Pas un ministre n'a posé la question de la succession du général en chef !

Achevée cette séance hallucinante d'irréalisme, tout l'après-midi du 9 mai sera occupé par des conciliabules qui rappellent les temps heureux de la paix et des crises.

On spécule sur « qui » aura « quoi ».

Tandis que Jeanneney encourage Lebrun à ne pas choisir Daladier « entièrement dominé par le soin de son cas propre, velléitaire pour tout ce qui n'est pas combinarderies politiciennes », à écarter Chautemps et même Herriot, un choix excellent... « si l'on devait gagner la guerre par des harangues », qu'il encourage Reynaud à faire juge la Chambre, réunie en comité secret, que Villelume s'agite et montre à de nombreux parlementaires « son » réquisitoire, Daladier, vainqueur silencieux, qui a vu, dès la fin du Conseil, plusieurs ministres l'entourer, le presser, lui glisser de ces mots qui, demain, vaudront sans doute des places, Daladier compte, rassemble et organise ses troupes.

Troupes...

D'une rive à l'autre du Rhin, le même mot recouvre des réalités fort différentes. Lorsque s'agitent minitres et parlementaires français, perdus d'ambitions, gavés de haines médiocres, prisonniers de mille liens qui les empêchent d'agir alors que seule l'action serait légitime ; lorsque les fantassins français s'étirent au grand soleil de mai (il fait un temps admirable, le temps que souhaitait Hitler et dont ses experts lui ont promis qu'il durerait plusieurs jours), lorsqu'ils songent aux petits pois qui vont gonfler dans leurs jardins de fortune, aux chanteuses du Théâtre aux Armées, aux corvées quotidiennes, aux affectés spéciaux, à la lettre du soir, aux vacances dernières, au travail abandonné, à la maison tranquille, à la femme et aux gosses, c'est toute l'armée allemande qui est mise en état d'alerte.

Aussi extraordinaire que cela paraisse aujourd'hui, aucune précaution n'est prise du côté français. La surprise sera totale.

Les innombrables « autorités » gouvernementales et militaires qui dirigent le pays lisent-elles les journaux ? On se le demande. En tout cas, ne les ont pas émues le titre et l'information parus le 9 mai dans *Le Jour-Écho de Paris :*

ALERTE AUX PAYS-BAS

« Une véritable atmosphère de mobilisation règne en Hollande ; des précautions spéciales ont été prises sur les côtes. La population est calme.

« La Hollande aura ainsi (après le rappel des permissionnaires) sous les drapeaux l'armée la plus nombreuse qu'elle ait jamais possédée au cours de son histoire. »

Ni ce titre sur trois colonnes dans *Le Journal :*

LA HOLLANDE, QUI MOBILISE TOUTES SES FORCES, ATTEND, SÛRE D'ELLE-MÊME, LES ÉVÉNEMENTS

Ni les informations, que donne *Paris-Soir,* sur le rappel des permissionnaires hollandais et la mise en place du contrôle des informations [17].

La Hollande, elle, est exactement renseignée par son attaché militaire à Berlin, le major Sas, qui depuis des mois, grâce à l'amitié qui le lie au colonel Oster, adjoint de l'amiral Canaris, chef du service de contre-espionnage de l'armée allemande, a tenu ses supérieurs au courant de tous les mouvements de la Wehrmacht. Dans la soirée du 9, l'information qu'il téléphonera à La Haye sera d'une précision remarquable.

Mais les Français ne possédaient-ils véritablement aucun indice, rien qui puisse éveiller leur attention ? Tous les services que nous entretenions de l'autre côté de nos frontières ont-ils été défaillants : diplomates, espions, correspondants bénévoles ? Et les aviateurs dans le ciel ? Et les veilleurs au bord du Rhin ?

---

17 Dès le 6, *Le Journal* avait insisté sur les mesures prises en Hollande contre les nazis C'est ainsi que 21 arrestations ont été opérées le 4 mai

Gamelin niera plus tard avoir été prévenu. Il affirmera que, de tout le remue-ménage allemand, rien n'avait filtré jusqu'à son bureau enterré de Vincennes.

A M. de Barral, ancien officier supérieur de la IIe armée qui s'est plaint d'avoir été requis, le 9 mai, pour préparer un convoi destiné à transporter une bonne partie de l'état-major aux festivités bon enfant de Vouziers[18], au lieu d'être employé à préparer la guerre qui vient, il répliquera :

— Nous nous attendions à une offensive allemande. Et il y a même longtemps qu'on s'y attendait, en fait de jour en jour. Mais aucun avis prémonitoire à l'attaque allemande ne nous était parvenu. Nous ne pouvions rien savoir avant que les forces allemandes ne se missent en mouvement. Elles étaient concentrées, prêtes à partir, mais elles ne se sont mises en route qu'au cours de la nuit.

Presque tout ce qu'affirme l'ancien généralissime est malheureusement entaché d'hypocrisie. Il aurait pu répondre qu'à d'autres reprises le grand quartier général avait été alerté et que, ces alarmes étant restées vaines, sa vigilance avait été surprise. La défense eût été meilleure. En 1973, lorsque débute la guerre du Kippour, ce ne sont pas les renseignements qui font défaut aux Israéliens, mais la clairvoyance qui leur permettrait de distinguer le vrai du faux. Et l'histoire militaire offre bien d'autres exemples d'attaques surprises...

Gamelin aurait pu, également, laisser entendre que, le 9 mai, il était légitimement troublé par l'incertitude de son destin. Moins occupé de savoir ce qui se passe ce jour-là, de l'autre côté du Rhin, que dans la grande salle à manger du Quai d'Orsay où les ministres, silencieux, écoutent les phrases terribles de Paul Reynaud.

Mai, mois d'offensive ? Beaucoup l'avaient prévu. Pour cette raison simple que la guerre marche avec le temps. Et parce qu'il fallait bien que le charme bizarre de la drôle de guerre soit rompu un jour.

Gamelin, le premier, avait vu juste.

Interviewé par Jules Romains, le 16 décembre 1939, il annonce ce qui arrivera. Prophétie d'un prophète incapable d'ailleurs de maîtriser l'événement qu'il a exactement décrit.

---

18. Où a lieu, on le sait, une représentation du Théâtre aux Armées La déclaration de Gamelin a été faite le 23 décembre 1947.

— J'imagine que la période d'immobilité actuelle sera rompue par une action dans laquelle on jouera le tout pour le tout... La décision se produira alors bien plus vite qu'on ne le croit... Oui, ce sera rapide et terrible.

Romains ayant demandé quelle était la date probable de ces dramatiques événements, le général en chef réfléchit un instant.

— La fin de janvier n'est pas hors de question.

Puis son esprit hésite, calcule, peut-être passe-t-il, en imagination, de l'autre côté de la frontière, s'installe-t-il, comme dans tout Kriegspiel, à la place de l'adversaire.

— Mai, oui, mai. C'est plus probable.

Pétain, également, avait pronostiqué le mois de mai.

Le 24 juillet 1945, lors du procès Pétain, Paul Reynaud reprendra avec violence la thèse de la « préméditation » en exploitant une phrase citée par Anatole de Monzie dans son petit livre *Ci-devant.* A la date du 30 mars 1940, l'ancien ministre des Travaux publics avait noté (ou du moins rapporté) une visite du maréchal Pétain, alors ambassadeur en Espagne et qui hésitait à repartir pour Madrid. Pétain souhaitait couper son temps en deux parties égales : quinze jours en Espagne, quinze jours à Paris. « Nous analysons à petits mots une situation intérieure qui, depuis l'affaire de Finlande, est hypothéquée de lassitude et d'incertitude. Le maréchal se lève et me dit : « Ils auront besoin de moi dans la seconde quinzaine de mai. » « Ils », ce sont les dirigeants de la guerre, civils et militaires, les vrais, pas nous, gens de peu dans le gouvernement. »

Férocement exploitée par Reynaud, malhonnêtement exploitée par Reynaud lors du procès « Il [Pétain] savait donc que, dans la deuxième quinzaine de mai, il y aurait une catastrophe militaire ? C'était la seule raison possible qui rende indispensable son entrée dans le gouvernement[19]. S'il le savait, qui le lui avait dit ? Et, le sachant, comment n'était-il pas allé trouver Daladier, ministre de la Guerre », utilisée

19. Reynaud spécule sur l'ignorance et l'oubli. Daladier quelques mois plus tôt avait proposé au Maréchal d'entrer dans son gouvernement et Reynaud le savait. Daladier prévoyait-il donc le désastre ? Et Reynaud lui-même qui, d'après le journal de Villelume (notation à la date du 6 mai donc avant le début de la guerre active) « a fait venir le maréchal Pétain de Madrid pour lui offrir une place au gouvernement » ?

contre le Maréchal lors de l'arrêt final[20], on découvrira plus tard, grâce aux travaux de M. Noguères, que la phrase n'a pas été prononcée au mois de mars, Pétain n'étant pas venu à Paris, mais vraisemblablement au début du mois de mai[21] à un moment où les événements de Norvège étaient le signe avant-coureur du grand réveil de la guerre.

Pourquoi Pétain n'aurait-il pas pensé, comme des milliers d'autres, et avec des raisons dictées par l'expérience comme par l'histoire, « qu'au printemps il se passerait quelque chose » ?

Descendons de plusieurs degrés dans la hiérarchie.

Le 10 mai au matin, le capitaine Jean Lassus, rencontre son colonel, qui vient d'être nommé directeur de l'École des commandants de forteresse. Il doit être 8 ou 9 heures du matin. Lassus ne sait encore rien des événements. Il a, sous le bras, le train électrique que quelques officiers ont décidé d'offrir aux jeunes enfants du colonel. Celui-ci, tout excité, se tient sur le pas de la maison qui sert de popote :

— Ça y est, ça y est.

— Quoi, mon colonel ?

— J'ai gagné vingt-quatre bouteilles de Dubonnet !

— Comment ?

— Ils ont attaqué par la Hollande et la Belgique. J'ai parié avec vingt-quatre crétins qu'ils attaqueraient, autour du 10 mai par la Belgique et la Hollande. Une bouteille de Dubonnet par type. Dame, je savais bien ce qu'ils feraient. Je l'avais rêvé[22].

Des rêves du colonel, passons à des prémonitions journalistiques. L'almanach Hachette 1940 prévoit, pour le mois de mai, « la possibilité d'une grave explosion capable de surprendre le pays » et, dans l'hebdomadaire *Voilà* du 29 mars 1940, Georges Armand Masson ressuscite la journée de quatre demoiselles de petite vertu quelque peu désœuvrées. En attendant les clients du soir, elles spéculent, refont le

---

20. « Attendu... qu'en mars 1940, alors que la guerre qui avait éclaté en septembre 1939, entre la France et l'Allemagne, se déroulait sous une forme purement défensive et que rien ne faisait prévoir qu'un péril mortel menaçât la France, Pétain annonçait, avec une prescience vraiment troublante, à de Monzie, qu'en mai suivant les événements feraient « qu'on aurait besoin de lui ». »

21. Voir Louis NOGUÈRES, *Le véritable procès du maréchal Pétain*, p. 27 *sq*, ainsi que le *Journal d'une défaite*, de VILLELUME, à la date du 6 mai.

22. Jean LASSUS *Souvenirs d'un cobaye*. Jean Lassus ajoute que son colonel avait également rêvé la défaite. « Ils arriveront ici en venant de Saverne Nous serons faits aux pattes. »

monde, refont la guerre et l'aimable Loulou déclare qu'à son avis tout sera fini pour le mois de mai !

Bien entendu, l'état-major français ne lit ni l'almanach Hachette ni *Voilà.*

Mais les informations sérieuses font-elles défaut pour autant ?

Dès le 30 avril, notre attaché militaire en Suisse reçoit le renseignement suivant :

« L'ALLEMAGNE ATTAQUERA ENTRE LE 8 ET LE 10 MAI STOP AXE PRINCIPAL D'EFFORT SEDAN STOP OCCUPATION PRÉVUE DE LA HOLLANDE, DE LA BELGIQUE ET DU NORD DE LA FRANCE EN DIX JOURS STOP OCCUPATION TOTALE DE LA FRANCE EN UN MOIS. »

A la fin du mois d'avril, le renseignement français a indiqué que l'armée allemande resserrait son dispositif au nord de la Moselle, face au Limbourg hollandais, à la Belgique, au Luxembourg.

Le 1er mai, l'attaché militaire allemand à Belgrade, au cours d'une réception particulièrement arrosée, dit tout haut que l'offensive est proche et que Paris tombera le 15 mai.

Le 5 mai, le Vatican alerte les nonces apostoliques de Bruxelles et de La Haye qui, à leur tour, avertissent les souverains des deux pays menacés.

Le 6 mai, l'antenne du service de renseignement allemand de Stuttgart, stationnée à Luxembourg, se replie, ce qui constitue un signe, non équivoque, d'attaque imminente.

Le 7 mai, le capitaine Archen qui dirige, depuis quatre ans, sous la couverture d'un commerce de vins et spiritueux, notre service secret au Luxembourg, sait, depuis trente-six heures, que des détachements aéroportés ou parachutés allemands ont reçu mission de s'emparer, avant l'heure H, des carrefours stratégiques et des ponts situés au Luxembourg. Renseignements recoupés, observations faites sur le terrain, il communique à ses supérieurs les noms de quatre des cinq objectifs des commandos ennemis.

Ce même 7 mai, Hitler entre dans une violente colère. « On vient de lui communiquer, note Halder, chef d'état-major de l'armée, une conversation entre l'ambassadeur belge au Vatican et le ministère des Affaires étrangères belge à Bruxelles, permettant de conclure à une trahison de source allemande. »

Dans la nuit du 7 au 8 mai, le colonel François, qui rentre d'une

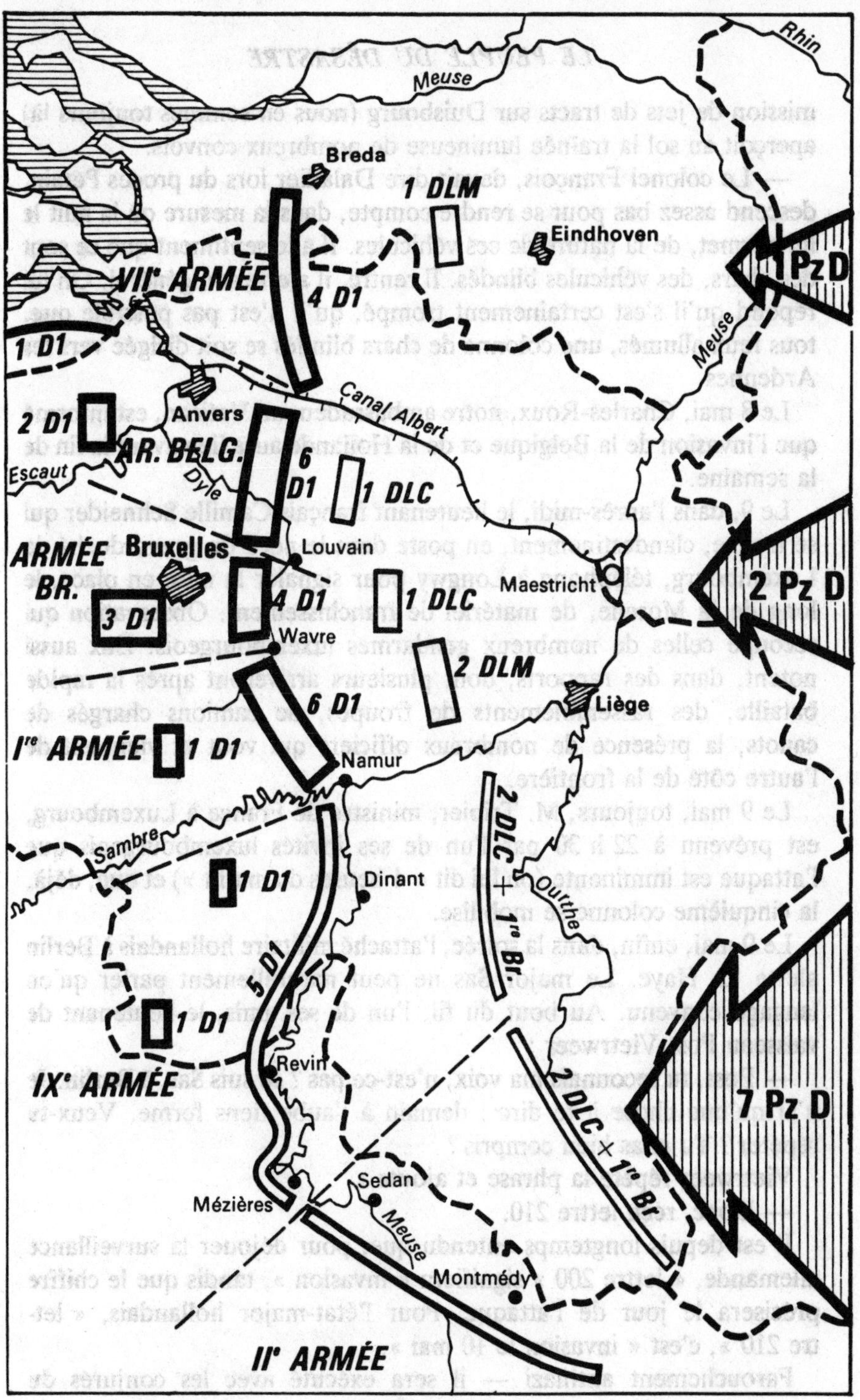

Cette carte montre très bien que les Allemands sont forts là où nous sommes faibles (essentiellement sur la ligne Dinant-Sedan) et que nous sommes — relativement et inutilement — forts là où ils sont faibles (dans le nord de la Belgique).

mission de jets de tracts sur Duisbourg (nous en sommes toujours là) aperçoit au sol la traînée lumineuse de nombreux convois.

— Le colonel François, devait dire Daladier lors du procès Pétain, descend assez bas pour se rendre compte, dans la mesure où la nuit le lui permet, de la nature de ces véhicules. Il a le sentiment que ce sont des chars, des véhicules blindés. Il rentre, il alerte son général. On lui répond qu'il s'est certainement trompé, qu'il n'est pas possible que, tous feux allumés, une colonne de chars blindés se soit dirigée vers les Ardennes.

Le 8 mai, Charles-Roux, notre ambassadeur au Vatican, est informé que l'invasion de la Belgique et de la Hollande aura lieu avant la fin de la semaine.

Le 9, dans l'après-midi, le lieutenant français Camille Schneider qui se trouve, clandestinement, en poste dans le nord du grand-duché de Luxembourg, téléphone à Longwy pour signaler la mise en place, le long de la Moselle, de matériel de franchissement. Observation qui recoupe celles de nombreux gendarmes luxembourgeois. Eux aussi notent, dans des rapports, dont plusieurs arriveront après la rapide bataille, des rassemblements de troupes, de camions chargés de canots, la présence de nombreux officiers qui vont et viennent de l'autre côté de la frontière.

Le 9 mai, toujours, M. Tripier, ministre de France à Luxembourg, est prévenu à 22 h 30 par l'un de ses invités luxembourgeois que l'attaque est imminente (on lui dit « 4 heures du matin ») et que, déjà, la cinquième colonne se mobilise.

Le 9 mai, enfin, dans la soirée, l'attaché militaire hollandais à Berlin alerte La Haye. Le major Sas ne peut naturellement parler qu'en langage convenu. Au bout du fil, l'un de ses amis, le lieutenant de vaisseau Post Vietrweer :

— Post, tu reconnais ma voix, n'est-ce pas ? Je suis Sas, à Berlin. Je n'ai qu'une chose à te dire : demain à l'aube tiens ferme. Veux-tu répéter ? Tu m'as bien compris ?

Vietrweer répète la phrase et ajoute :

— Donc, reçu lettre 210.

Il est depuis longtemps entendu que, pour déjouer la surveillance allemande, « lettre 200 » signifiera « invasion », tandis que le chiffre précisera le jour de l'attaque. Pour l'état-major hollandais, « lettre 210 », c'est « invasion le 10 mai ».

Farouchement antinazi — il sera exécuté avec les conjurés du complot du 20 juillet 1944 —, le colonel Oster, qui renseigne le major Sas, l'a déjà mis en garde le 8 mai. A la suite de ces avertissements, le colonel Dijxhoorn, ministre hollandais de la Défense, a ordonné certaines mesures préventives : routes obstruées, ponts minés, permissions supprimées, ces mesures dont on trouve trace dans la presse française du 9 mai, mais qui, vraisemblablement, échappent à tout autre qu'au lecteur moyen !

Dijxhoorn rejoint au ministère des Affaires étrangères le Dr Van Kleffens, l'homme qui recevra l'ambassadeur d'Allemagne... si l'ambassadeur se dérange pour annoncer l'agression. Les deux hommes attendent dans un calme étrange. Ils fument. Les fenêtres sont ouvertes. Autour d'eux, la ville paisible, déjà presque tout entière endormie. Seules quelques patrouilles parcourent les rues à la recherche de citoyens allemands dont l'arrestation a été décidée. 1 heure du matin. Rien. 2 heures, rien encore. A 2 h 30 : « Allons, ce ne sera pas encore pour aujourd'hui. Les Allemands ont sans doute envoyé un contrordre. » Van Kleffens et le colonel Dijxhoorn décident d'aller se coucher. Quatre-vingt dix minutes plus tard commencent les bombardements.

Les témoins qui ont rencontré Gamelin dans la matinée du 10 sont formels : le général en chef a l'air heureux ; ses ordres lancés ou, plus exactement, confirmés, qui ont tenu en peu de mots[23], il parcourt les couloirs de son P.C. en chantonnant.

L'attaque allemande le sauve en effet... Et le perd. Paul Reynaud ne peut plus exiger son départ comme il le faisait la veille. « Il n'est plus question de remplacer l'horloger qui a monté le mécanisme de l'opération[24]. »

C'est la grande et très éphémère réconciliation de deux hommes qui se détestent.

---

23. Il téléphone très tôt au général Georges qui commande en chef le front du Nord-Est.
— Allô, Georges ? Vous êtes au courant ?
— Oui, mon général, dès la première heure. Alors, c'est la manœuvre Dyle ?
— Puisque les Belges nous appellent, voyez-vous que nous puissions faire autre chose ?
— Évidemment, non.
24. Paul REYNAUD, *Mémoires*, t. II, *Envers et contre tous*.

Reynaud à Gamelin : « Mon général, la bataille est engagée. Une seule chose compte : la gagner. Nous y travaillerons tous d'un même cœur. »

Réponse de Gamelin : « Monsieur le Président, A votre lettre de ce jour, je ne vois qu'une réponse : seule compte la France. »

Phrase lapidaire aux derniers mots riches de sous-entendus ; « seule compte la France », c'est-à-dire, n'est-ce pas, que toutes nos grandes et petites querelles sont oubliées.

Gamelin a quelques heures pour faire la preuve de ses véritables qualités militaires. C'est Joffre avant la Marne.

Bien incapable de soulever l'enthousiasme des soldats, son ordre du jour débute par une phrase que les événements vont se charger de démentir bientôt.

« L'attaque que nous avons prévue depuis octobre dernier s'est déclenchée ce matin[25]. » Or, Gamelin avait bien prévu l'attaque en Belgique mais, pour les Allemands, cette attaque ne constitue qu'un leurre, la cape du torero agitée pour détourner l'attention de l'objectif exact : Sedan.

Pendant les premières quarante-huit heures, celles où tout se joue, Gamelin engagera ses meilleures troupes aussi loin que possible en Hollande et en Belgique avec d'autant plus d'ardeur que l'adversaire lui paraît, enfin, entrer dans des plans qu'il a longuement médités.

En janvier 1940, recevant l'attaché militaire italien à Paris, il lui avait déclaré qu'il était prêt à donner un milliard aux Allemands « s'ils lui faisaient le plaisir d'attaquer les premiers ».

Eh bien, ils attaquent les premiers ! Aux points, en apparence, où il avait imaginé qu'ils attaqueraient. Mais c'est beaucoup plus d'un milliard qu'il faudra donner pour payer à son prix la surprise du 10 mai !

---

25. Voici le texte intégral de l'ordre du jour du général Gamelin : « L'attaque que nous avons prévue depuis octobre dernier s'est déclenchée ce matin. L'Allemagne engage contre nous une lutte à mort. Les mots d'ordre sont pour la France et tous ses alliés : courage, énergie, confiance. Comme l'a dit, il y a vingt-quatre ans, le maréchal Pétain, nous les aurons. »

Évoquant en 1963 dans ses *Mémoires* cet ordre du jour et le citant, Paul Reynaud, qui ne désarme jamais, ajoute : « Hitler parle à ses soldats sur un autre ton. » Et c'est vrai.

Les journaux français, où la censure interdit, d'ailleurs. l'expression d'autres sentiments que patriotiquement conformistes, partagent les sentiments de soulagement du général en chef : « Le tempérament national s'accommodait mal de cette longue attente » (Francisque Gay, dans *L'Aube*), « Maintenant. « ils » opèrent comme on s'y attendait sur les lieux mêmes où l'on avait prédit la ruée de leurs troupes » (*L'Intransigeant*). De Kérillis écrit, dans *L'Époque*, qu'Hitler attaque par peur de la conjonction Churchill-Reynaud et aussi que, « si l'Allemagne se rue pour forcer le dénouement, c'est de toute évidence qu'elle préfère les risques d'un assaut désespéré à la menace d'un long hiver ».

Toute la presse d'ailleurs, en ces heures tragiques où le destin marche à la vitesse des blindés allemands, est d'une consternante bêtise[26]. Remontent à la surface des histoires d'un autre temps, d'une autre guerre. « La comtesse de R..., à la tête de quelques paysannes dotées d'un fusil de chasse, réussit à capturer l'équipage d'un avion allemand descendu dans sa propriété[27]. »

On signale à l'attention des maires et des mères la présence de bonbons empoisonnés. Ils ont été découverts à Aulnay-sous-Bois après la fin de l'alerte, sont de couleur jaune pâle, de forme hexagonale, ont 1,7 centimètre de longueur, 1 centimètre de largeur et 3 millimètres d'épaisseur.

Les fausses nouvelles se succèdent. « Plus aucun aérodrome hollandais ne se trouve aux mains des Allemands », « 200 avions allemands abattus, détruits ou capturés en quarante-huit heures dont 100 par les Belges et les Hollandais ».

Montent à la surface des pages, des titres et des phrases qu'un proche avenir rendra tristement ironiques : « La loi du talion : raid pour raid, bombe pour bombe, coup pour coup », « Peuple français que tu es beau, que tu es grand quand tu t'y mets[28]. »

Au nom de la morale, les journalistes reprochent aux parachutistes

---

26. La presse... et l'opinion faite, il est vrai, par la presse. R. CARDINNE-PETIT (*Les soirées du Continental*) rapporte les réactions entendues le 10 mai. « Tant mieux, il fallait en finir. D'autant plus qu'ils ont commis la faute d'attaquer là où on les attendait... »

27. *Le Jour-Écho de Paris*, du 12 mai.

28. *Ibid.*

allemands, dont la psychose va se développer brutalement, d'être « des aventuriers tombés des nues » qui frappent « dans le dos » et à Hitler d'avoir attaqué pendant les fêtes de la Pentecôte ! Comme personne n'ose écrire que le plan de la Wehrmacht bouleverse le plan de vacances des civils français, on imprime : « Remplacer le feu du Saint-Esprit par le feu infernal qui ravage, détruit, anéantit, voilà une idée qui a pu embraser son cerveau malsain. » Ce chef-d'œuvre est publié le 12 mai dans *Paris-Midi* et nul (tant le peuple français est anesthésié, prêt à croire n'importe quel bobard, à s'accrocher au moindre fétu) ne déchire un journal qui, à la réflexion, ne va pas plus loin dans la bêtise et le conformisme que ses confrères.

Alors que nous sommes battus, que nos troupes refluent partout en désordre, les journalistes sont optimistes, moins parce qu'ils sont surveillés que parce qu'ils ne peuvent soupçonner l'ampleur du désastre initial. Anciens combattants de la Grande Guerre, ils affirment que « l'on en a vu d'autres » et imaginent que « ça s'arrangera toujours ».

Les correspondants de guerre ont d'ailleurs interdiction de se rendre au front. Ils doivent se contenter de happer quelques images dans les villes de l'arrière : convois de camions chargés d'hommes, canons tractés par des chevaux aux larges croupes fumantes, chars bruyants, tout un appareil militaire impressionnant à qui est privé de comparaisons, ordre que ne dérange pas encore le désordre, déjà installé pourtant comme un cancer au sein de l'organisme.

Roland Dorgelès a raconté cela pour les lecteurs de *Gringoire*.

Son récit de mai 1940 est pathétique, plein de vieilles dames qui crient vengeance, de soldats confiants, de pilotes allemands capturés qui déclarent spontanément : « Tant mieux, je ne ferai plus la guerre pour les nazis », de généraux sûrs de leurs talents comme du courage de leurs hommes. Images d'Épinal, belles images d'Épinal pour des yeux et des esprits crédules. La censure d'ailleurs, au premier soir de la bataille, interdit tout ce qui pourrait inquiéter, déranger ou simplement permettre aux Français de se poser des questions. La guerre a brutalement changé de rythme, mais il semble que les dirigeants souhaitent, le plus longtemps possible, prolonger l'engourdissement du peuple français à qui l'on propose l'héroïsme sans les destructions, le sang sans les larmes, la mort sans la souffrance.

Consignes du 10 mai 1940 : « Rien sur les opérations militaires ni sur les mouvements de troupe

« Ne pas relier les visites de MM. Reynaud, Daladier et Mandel à M. Albert Lebrun à une crise politique intérieure [29].

« Aucun renseignement de détail sur les résultats des bombardements de l'aviation allemande en territoire français.

« Aucun commentaire sur les avions abattus ou tombés. Aucune indication sur les destructions opérées, sur le nombre des victimes, sur les bombes éclatées ou non éclatées.

« On peut mentionner que les bombardements ont fait des victimes civiles mais pas le nombre des civils.

« Rien sur les lancements de tracts par avions.

« Rien des divergences des fascistes. »

Ces consignes, le 10 mai et les jours qui suivront, les communiqués militaires très vagues et de plus en plus laconiques [30], l'optimisme ambiant sont vraisemblablement à l'origine de titres qui, sur huit colonnes, barrent toute la longueur des journaux et, volontairement ou non, abusent, endorment l'opinion.

Voici, par exemple, pour la période qui va du 11 au 17 mai, les manchettes du grand journal lyonnais *Le Progrès.*

11 mai LA HOLLANDE ET LA BELGIQUE ATTAQUÉES RÉSISTENT AUX TROUPES ALLEMANDES.

12 mai L'EFFORT ALLEMAND SE PORTE SUR LA RÉGION OU LES ARMÉES HOLLANDAISES ET BELGES SONT EN LIAISON.

13 mai EN BELGIQUE DES TROUPES FRANÇAISES PARTICIPENT AUX COMBATS ET CONTRE-ATTAQUENT AVEC SUCCÈS.

14 mai LA BATAILLE GRANDIT SUR UN FRONT DE 400 KILOMÈTRES DE LA MOSELLE AU ZUIDERZEE.

15 mai LA BATAILLE SUR LA MEUSE.

LES ASSAUTS ENNEMIS CONTRE NOTRE FRONT DE SEDAN A LA MOSELLE.

L'ARMÉE HOLLANDAISE DÉPOSE LES ARMES.

---

29. Cette consigne sera annulée au cours de la nuit.

30. Seuls les communiqués émanant de la Royal Air Force et publiés par les quotidiens français sont détaillés... D'une minutieuse richesse, rapportant le bombardement de la plus faible importance, l'action de trois, de deux, voire d'un avion isolé, ils devaient à la fois déconcerter et irriter. Leur volume impressionnait, leur lecture décevait.

16 mai L'ENNEMI A ACCRU SES EFFORTS SUR LA MEUSE QU IL A FRANCHI EN PLUSIEURS POINTS ENTRE NAMUR ET SEDAN
DES CONTRE-ATTAQUES SONT EN COURS DANS LA RÉGION DE SEDAN AVEC CHARS ET AVIATION DE BOMBARDEMENT.

17 mai LA BATAILLE DE SEDAN A NAMUR.
SEULS DES ÉLÉMENTS BLINDÉS ALLEMANDS ONT PÉNÉTRÉ A L'INTÉRIEUR DU DISPOSITIF DES TROUPES FRANÇAISES ÉTABLIES AU NORD DE SEDAN. LES COMBATS CONTINUENT

Comment, après avoir lu ces titres[31], les Français pourraient-ils imaginer que, le 15 mai, à 19 h 45, Daladier a appris, de Gamelin l'avance foudroyante d'une colonne allemande entre Laon et Rethel, la rupture de notre front, l'absence de troupes fraîches pour barrer la route de Paris ?

Ainsi vont les choses sous le beau ciel de mai 1940 dans une France que la guerre totale surprend sans l'éveiller de son optimisme, nourri aux souvenirs des difficiles victoires de 1914. On dirait un agonisant sur un bord de route, que le choc a anesthésié, et qui ne prend pas encore conscience de son état.

Écrivant plus tard « ce qu'il avait dû taire à l'époque », Roland Dorgelès, pour se venger de tant d'images naïves et trop belles, déversées sur un peuple crédule, allait peindre avec des mots cruels la prodigieuse cohue des troupes, la mollesse des états-majors, leur incompréhension et leur lenteur, la faiblesse de notre armement et, plus encore, sa mauvaise utilisation, le manque d'organisation à tous les niveaux, de tous les services.

Mais il aura également le courage d'écrire que, dans cette débâcle, malgré cette débâcle, cette décomposition dont il voyait et enregistrait tous les signes, il restait résolument optimiste.

La confusion du début ne pouvait conduire qu'à une autre Marne.

C'est dramatique. La France avance la tête tournée vers son passé. Un passé glorieux il est vrai.

---

31. Si l'on feuillette un journal de Paris, *Le Petit Parisien* par exemple, on découvre des titres optimistes jusqu'au 15 où un éditorial d'Elie-J. Bois, intitulé « Confiance quoi qu'il arrive ! » laisse percer quelque inquiétude. Mais Elie-J. Bois était particulièrement bien renseigné.

En mai, en juin 1940, les Français, et le peuple aussi bien que les dirigeants, vont prononcer les mêmes mots, refaire les mêmes gestes, se servir des mêmes hommes, et parfois des mêmes armes, qu'en 1914, 1916 ou 1918, comme si les mots, les rivières, les collines étaient doués du plus grand des pouvoirs : celui, magique, de faire surgir des victoires.

Comment la Marne pourrait-elle être franchie ?

Comment la Somme ne constituerait-elle pas un obstacle insurmontable ?

Comment Verdun pourrait-il être pris un jour ? Verdun ?

Face à une armée allemande, débarrassée de toutes les références, moderne dans sa technique aussi bien que dans sa pensée stratégique, nos journaux, nos généraux, nos ministres, jusqu'à la fin tragique, s'accrochent toujours aux souvenirs de 1914-1918, comme s'il était possible de plagier le courage, le succès et la gloire.

Nous n'aurons pratiquement pas d'avions d'assaut à jeter contre les blindés allemands, mais *L'Illustration* du 25 mai 1940 — en pleine bataille de France — apprend à ses lecteurs qu'au mois d'août 1914 une division de cavalerie allemande fut dispersée par un seul appareil français ! On se console comme on peut !

« Comme en 1914 », « comme en 1916 », « comme en 1918 »... les comparaisons, les réminiscences reviennent constamment dans les conversations, les articles, les discours. A propos de tout : de l'important et du négligeable, de l'artillerie lourde sur voie ferrée, des chars, de la guerre sous-marine, des massacres dont on accuse les Allemands, des prêtres mobilisés, de l'exode des enfants, des soldats coloniaux[32].

« Comme en 1917, l'Allemagne a choisi la fin de janvier pour commencer une guerre sans restrictions contre les navires marchands... »

« Ainsi que dans la dernière guerre, les écoliers de France ont marqué leur active ferveur pour les combattants... »

A quoi bon multiplier les citations journalistiques ? Et s'il ne s'agissait que de journalisme ! Mais généraux et hommes politiques baignent dans la même atmosphère, ils ne peuvent et ne veulent s'en

32. On cite, à ce propos, l'exploit du 27e bataillon de tirailleurs sénégalais qui, le 18 juillet 1918, s'empara, à la baïonnette, de cinq batteries allemandes.

évader et c'est avec les phrases et les idées d'hier qu'ils pensent la guerre d'aujourd'hui

Le 9 juin, alors que tout est perdu, le général Corap, vaincu à Sedan, évoquant, dans son rapport officiel, la débandade de sa IXe armée, la compare au désarroi des premiers jours d'août 1914 et il ajoute : « Le fléchissement moral s'arrêtera sans doute de lui-même. C'est peut-être déjà fait. L'exemple de la Marne nous autorise pleinement à faire confiance à nos troupes à cet égard. »

Interrogé le 16 décembre 1947 par M. Dhers [33], qui lui demande si la lourde organisation du commandement français permettait des ripostes rapides, le général Gamelin réplique :

— De l'échelon d'un commandant en chef, même d'un théâtre d'opérations à l'échelon exécutoire, sur les fronts actuels, il faut généralement environ quarante-huit heures. Un ordre d'ensemble donné le 19 mai n'était exécutable que le 21.

Et de citer, à l'appui de sa thèse, la bataille de la Marne :

— L'ordre de la Marne a été donné le 4 au soir pour être exécuté le 6. Quand je l'ai rédigé, j'avais d'abord indiqué le 6. Puis le général Berthelot a insisté pour que l'on ne passât à l'offensive que le 7 en disant : « Le 6, c'est trop tôt, nous ne serons pas prêts. » Le général Joffre hésitait. C'est quand il a reçu les comptes rendus venant du général d'Esperey et le coup de téléphone du général Gallieni qu'il a définitivement arrêté sa décision : « C'est bien décidément le 6. » Et j'ai corrigé le brouillon pour remettre le 6. Nous n'avons jamais songé qu'un ordre donné par le commandement en chef d'un théâtre d'opérations... pouvait être exécutable dans des délais plus rapides. Les délais nécessaires résultent non du nombre des échelons (on a le téléphone), mais des espaces, des effectifs, de la mise en place de tous les moyens.

En 1940, la bataille de la Marne est vieille de près d'un quart de siècle ; en 1947, lorsque Gamelin dépose, presque tout a été écrit et dit sur la mobilité et la souplesse de l'armée allemande, mobilité et souplesse quotidiennement prouvées sur le terrain, face à une armée française victime d'un mauvais système de communications et prisonnière de formules dépassées. Qu'importe ! Rien n'est changé dans le jugement de celui qui fut, aux heures capitales, le généralissime de

33. Dans le cadre de la commission d'enquête sur les événements survenus en France de 1933 à 1945.

l'armée française. Il ne considère nullement ce qui s'est passé en 1940 chez l'adversaire mais puise toutes ses références dans les événements de 1914.

Aveuglement d'un homme qui reflète l'aveuglement d'une politique.

L'armée, le Parlement, la nation s'accrochent aux souvenirs glorieux du passé, mais également aux survivants d'une époque héroïque, ou à ceux qui occupèrent une place d'importance variable auprès des grands premiers rôles.

Ainsi, parce que Gamelin vécut dans l'ombre de Joffre, qu'il tint la plume à l'instant où il s'agissait de rédiger l'ordre d'où naîtrait la bataille de la Marne, on l'identifie, on le confond et il s'identifie, se confond avec Joffre, comme l'on confond et identifie Weygand et Foch, Mandel et Clemenceau et, suis-je tenté d'écrire, comme l'on va confondre et identifier Pétain et Pétain.

Aux soldats du 10 mai 40, attaqués par les Stukas et les blindés, Gamelin lance un ordre du jour qui n'a ni les vertus de l'originalité, ni les mérites de l'exactitude, puisqu'il s'achève sur une citation modifiée et comme embourgeoisée : « Comme l'a dit, il y a vingt-quatre ans, le maréchal Pétain, nous les aurons[34]. »

Sept jours plus tard, dans son dernier message aux troupes, celui qui n'est plus qu'un général battu, et en attente de disgrâce, ressuscite les mots de la Marne sans pouvoir ressusciter les courages : « ... Toute troupe qui ne pourrait avancer doit se faire tuer sur place plutôt que d'abandonner la parcelle de sol national qui lui a été confiée.

« Comme toujours, aux heures graves de notre histoire, le mot d'ordre, aujourd'hui, est : vaincre ou mourir : Il faut vaincre[35]. »

A propos de Sedan dont, le 15 mai, la presse française ne parle qu'avec une extrême modestie, alors que le drame déjà est joué, le général Duval, commentateur militaire du *Journal*, écrit : « C'est un incident qui pose simplement un problème nouveau. Un vrai chef n'en est pas impressionné. Il fallait voir, dans un cas pareil, le calme d'un

---

34 La phrase exacte de Pétain en 1916 était : « Courage ! On les aura. »

35 Cet ordre de résistance à outrance (en date du 17 mai 1940) est en contradiction avec l'ordre de décrochage général prescrit la veille, mais il paraît avoir été principalement rédigé pour l'histoire

Joffre, d'un Foch, d'un Mangin, d'un Fayolle. » Oui, mais cette fois on ne « verra » rien. Ou, plutôt, on verra bientôt, dans les rues de la plupart des villes françaises, l'armée allemande défiler en musique.

Le 10 juin, quelques heures avant d'abandonner Paris, Paul Reynaud adresse un message au président Roosevelt : « Aujourd'hui, l'ennemi est presque aux portes de Paris. Nous nous battrons devant Paris, nous nous battrons derrière Paris, nous nous enfermerons dans l'une de nos provinces pour nous battre, si nous en sommes chassés, nous nous installerons en Afrique du Nord pour continuer la lutte et, en cas de nécessité, dans nos possessions américaines. »

Réminiscence encore. Réminiscence d'un texte célèbre de Clemenceau, en 1918, à l'instant où les Allemands fonçaient vers Paris : « Je me battrai devant Paris, je me battrai dans Paris, je me battrai derrière Paris. » Après avoir énuméré les rivières (la Loire, la Garonne) sur lesquelles, si la Seine était franchie, il se battrait encore, le Tigre avait ajouté : « Faire la paix, jamais. » Ces mots ne se trouvent pas dans l'appel de Reynaud non plus que l'affirmation de la volonté de se battre *dans* Paris, mais l'heure est trop grave pour que l'on puisse se livrer à des confrontations de textes. Ces emprunts aux grands ancêtres ont surtout l'ambition de créer un ton, de réconforter les faibles, d'encourager les forts, de donner, du pays comme de ceux qui le dirigent, une image conforme à l'Histoire. Du moins à l'Histoire officielle.

Encombrant tous les cerveaux, ceux des hommes politiques, mais aussi ceux des généraux, des deuxième classe, des citadins, des paysans et, bien entendu, des écrivains, toutes ces références, que l'événement dément sans jamais réussir à en dissiper totalement l'influence, expliqueront l'effondrement du moral français, l'aveuglement sur les causes exactes de la défaite, la facilité, enfin, avec laquelle le peuple acceptera, d'abord, l'autorité du maréchal Pétain.

Abattu le château de cartes de toutes les illusions, la France se retrouvera à l'image de ces « beaux combattants de 14-18 » qui « étaient morts mais ne s'en doutaient pas » et chez qui la Première Guerre mondiale avait tué le soldat « pour ne laisser que l'uniforme »[36].

---

36. La phrase (appliquée au général commandant la 3e division cuirassée au moment de l'attaque allemande) est de Pierre BILLOTTE dans son livre *Le Temps des armes*.

C'est ce climat étrange, où les illusions et les références ont tant de part, qui explique le stupéfiant comportement de Léon Blum, le 14 mai, et les jours qui suivent.

Tout ce qui nous paraît, à distance, avoir été mathématiquement ordonné par vingt années d'impréparation militaire et de désordre moral et politique, tout ce qui nous semble logique, oui logique, l'étonne d'abord et, dans les premiers revers, cet homme intelligent et averti, cet ancien président du Conseil, ne voit qu'un incident de guerre, comme il y en eut si souvent entre 1914 et 1918.

Le 14 mai, assistant en Angleterre à la Conférence du Labour Party, il juge, et dit, que, si les affaires vont mal en Belgique et dans les Ardennes, elles iront mieux le lendemain.

Le 15, dans l'après-midi, Attlee, leader du groupe travailliste, lui apprend-il que des chars allemands ont franchi nos lignes, sa réaction est la réaction du Français moyen :

— Est-ce donc si terrible ?... Derrière ces lignes, il y a des dizaines, des centaines de milliers de Français. L'aventure des tanks allemands les conduira à leur perte.

Georges Monnet, ministre du Blocus et Marx Dormoy, son ancien ministre de l'Intérieur, lui adressent-ils des messages pour l'inviter à rentrer d'urgence en France en lui indiquant d'ailleurs que « le nécessaire » a été fait pour éloigner sa belle-fille et sa petite-fille qui se trouvent à Paris, sa surprise est immense. « Je n'ai pas souvenir qu'un abasourdissement aussi brutal eût jamais été assené sur moi... Quelque avertissement que j'eusse reçu avant mon départ, comment aurai-je pu y croire, comment aurais-je pu seulement le concevoir ? Comment n'eussé-je pas recueilli évidemment et complaisamment tout souffle contraire qui vînt dissiper ce cauchemar ? »

Le 19 mai, il écrit que la situation lui semblait « infiniment plus favorable qu'au début de septembre 1914 », alors qu'en vérité elle est désespérée.

Léon Blum rédigeant ses *Mémoires* quatre mois après la défaite, ne cherchant nullement à camoufler ses erreurs de jugement ou d'interprétation, s'efforçant, au contraire, de reconstituer, aussi honnêtement que possible, les mouvements de son âme, il fallait enregistrer son temoignage dans tout ce qu'il peut avoir aujourd'hui, à nos yeux de Français éclairés par l'événement, de naïf voire d'incompréhensible Son incrédulité explique et excuse, si besoin, les réactions de millions d'hommes et de femmes infiniment moins bien renseignés que lui mais accrochés aux mêmes fétus d'espérance.

Alors que tout s'effondre aux frontières, que le ciel des certitudes croule sur la tête des généraux dans le grand hurlement des Stukas, on sacrifie aux traditions qui font des rivières des obstacles presque infranchissables, des forêts de vastes pièges à blindés, des soldats français des grognards, sans doute insuffisamment armés, mais aux inépuisables et suffisantes ressources morales, astucieux, débrouillards, compensant enfin, grâce au système D, base du génie national, la pénurie d'avions, d'antichars, de munitions bientôt.

Pendant la drôle de guerre, au lendemain d'un combat victorieux, certains journalistes s'étaient moqués, on l'a vu, des Allemands qui opposaient à nos avions trois fois plus d'appareils : « Toujours le goût de la masse et du kolossal ! Mais nos pilotes de chasse ne se laissent pas intimider par cette tactique : ils ont démontré lundi qu'au nombre ils savent victorieusement opposer la qualité. C'est une belle arme [37]. » En mai, en juin, l'arme de la qualité ne suffira plus pour faire échec au nombre.

Après les premières batailles, un général français proposera, presque sans rire, aux officiers de son groupe motorisé, démunis d'engins modernes, de capturer les chars à l'aide d'un drap de lit tenu par les quatre coins et jeté brusquement au-dessus de la tourelle.

— Vous rabattez tout autour afin de boucher les fentes et l'équipage aveuglé n'a plus qu'à se rendre s'il ne veut pas être grillé vif [38].

En mai, en juin, le système D sera insuffisant face aux Panzers.

Depuis Jules César, les Gaulois n'avaient pas changé.

Ils ignoraient toujours « combien de tout petits motifs avaient occasionné de grandes pertes ».

---

37. *Le Miroir* du 12 novembre 1939. Il s'agit du combat du 6 novembre 1939 *Cf.* chap. 7 page 249.
38. Cité par Roland DORGELÈS dans *La drôle de guerre.*

9

LES TROIS JOURS OÙ NOUS AVONS PERDU LA GUERRE

« Un grand désastre désigne toujours de grands coupables. »

C'est de Napoléon.

Au drame immense, il faut trouver des responsables.

Sans tarder.

Au peuple, qui se satisfait des explications les plus simplistes et préfère accuser de lâcheté ou de trahison les exécutants, plutôt que de nullité ou d'imprévoyance les dirigeants, on jettera donc des têtes et des noms, avant même qu'il ait pris conscience de l'ampleur de la catastrophe.

C'est Paul Reynaud qui, le 21 mai, devant le Sénat, achèvera la IXe armée et son chef, le général Corap, déjà si maltraités par les Allemands.

Sept jours plus tard, il agira de la même façon radicalement désinvolte — et la portée de ses paroles sera plus grande encore — envers le roi des Belges accusé de trahison. Léopold III sera radié de l'Ordre de la Légion d'honneur comme les divisions de l'armée Corap ont été dissoutes, leurs éléments versés dans d'autres corps, leurs régiments condamnés à ne jamais reparaître sous les numéros qu'ils avaient, autrefois, illustrés.

Ainsi pensait-on exorciser le malheur.

Et détourner la colère populaire sur quelques hommes, morts ou vivants, courageux ou lâches, chargés d'assumer les fautes d'une armée et d'un régime.

Voici Reynaud à la tribune.

Avant de se faire applaudir par les sénateurs, en associant à son nom et à sa politique Pétain et Weygand, qui viennent d'arriver l'un de Madrid, l'autre de Beyrouth, il dresse le tableau de la situation militaire.

— La Hollande, la Belgique et le Luxembourg ayant été envahis, l'aile gauche de l'armée française sortit de ses fortifications entre Sedan et la mer et, pivotant sur Sedan, se porta en Belgique, sur une ligne allant de Sedan à Anvers et même à Bois-le-Duc, en Hollande.

« On avait mis là l'armée Corap, composée de divisions moins solidement encadrées et moins entraînées, les meilleures troupes ayant été affectées à l'aile marchante de Belgique.

« Ajoutez à cela que plus de la moitié des divisions d'infanterie de l'armée Corap n'avaient pas atteint la Meuse, quoique ayant le mouvement le plus court à exécuter, puisqu'elles étaient les plus près du pivot. Ce n'est pas tout : par suite de fautes incroyables et qui seront punies, des ponts sur la Meuse n'ont pas été détruits. Sur ces ponts ont passé les *Panzerdivisionen* précédées d'avions de combat venant attaquer les divisions clairsemées, mal encadrées et mal entraînées à ces attaques. Vous comprenez maintenant le désastre total, la désorganisation de l'armée Corap.

« C'est ainsi que sauta la charnière de l'armée française. »

Dès le 25 mai cependant, Weygand, qui avait eu Corap pour chef de cabinet de 1931 à 1933, mais qui, dans les premiers jours de son arrivée à Paris, s'était contenté de reprendre les accusations de Reynaud, ordonne une enquête complète sur le comportement de la IXe armée et de son chef.

Les bruits les plus fous courent en effet. Non dans les journaux, qui, sous le contrôle de la censure, se sont contentés de reproduire les paroles du président du Conseil, mais dans la capitale enfiévrée [1]. On dit que Corap s'est installé, avec sa maîtresse, dans la demeure d'un richissime maître de forges et que, là, il fait tout autre chose que mener

1. Le 26 mai, les journaux publieront le communiqué suivant émanant de la présidence du Conseil, communiqué qui apporte des chiffres mais ne donne aucun nom : « A la suite des opérations militaires en cours... quinze officiers généraux ont été relevés de leur commandement, parmi lesquels des commandants d'armée et de corps d'armée, plusieurs commandants de divisions et quelques directeurs des services de grandes unités. »

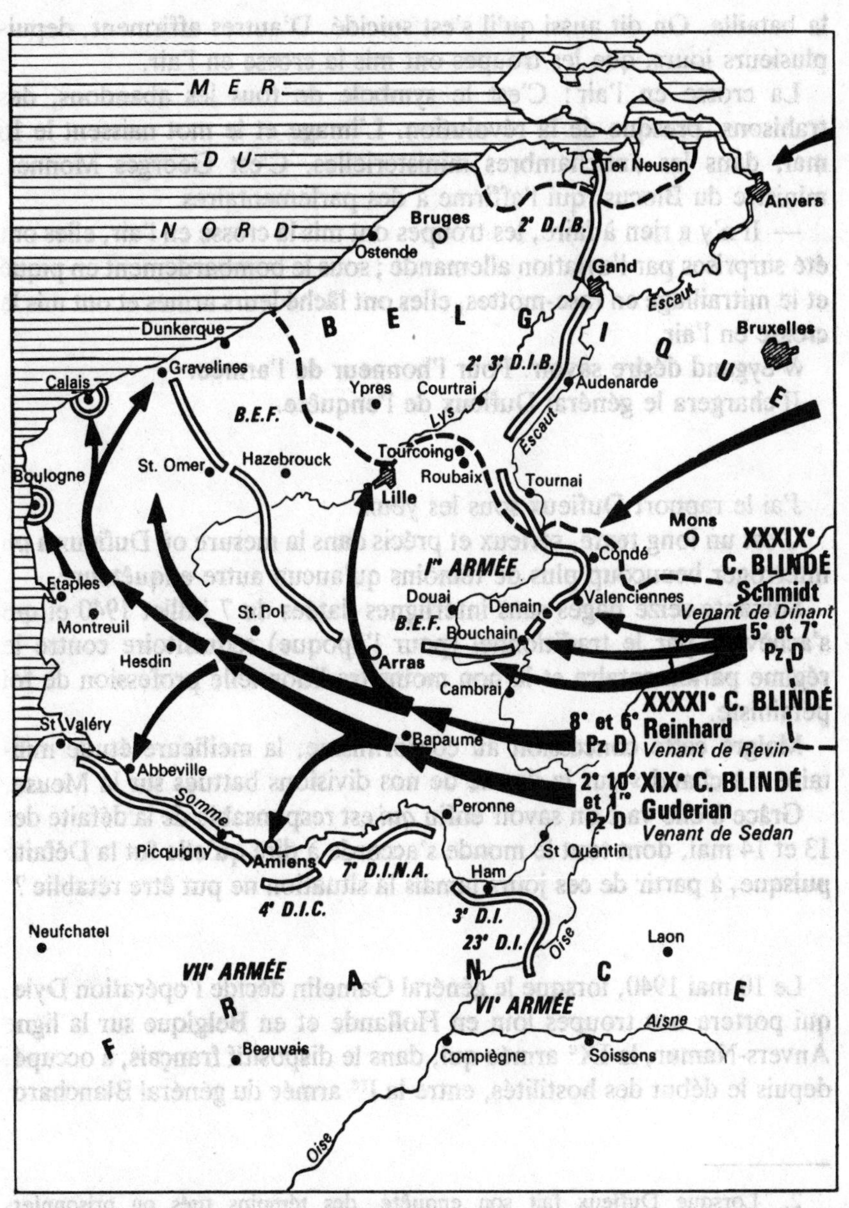

Ayant percé à Dinant et Sedan les Allemands foncent dans la mer et isolent nos forces lancées à l'aventure en Belgique tout en s'assurant des têtes de ponts sur la Somme en prévision de la seconde phase de l'offensive.

la bataille. On dit aussi qu'il s'est suicidé. D'autres affirment, depuis plusieurs jours, que les troupes ont mis la crosse en l'air.

La crosse en l'air! C'est le symbole de tous les abandons, des trahisons, presque de la révolution. L'image et le mot naissent le 16 mai, dans les antichambres ministérielles. C'est Georges Monnet, ministre du Blocus, qui l'affirme à des parlementaires.

— Il n'y a rien à faire, les troupes ont mis la crosse en l'air, elles ont été surprises par l'aviation allemande ; sous le bombardement en piqué et le mitraillage en rase-mottes, elles ont lâché leurs armes et ont mis la crosse en l'air.

Weygand désire savoir. Pour l'honneur de l'armée.

Il chargera le général Dufieux de l'enquête.

J'ai le rapport Dufieux sous les yeux.

C'est un long texte, sérieux et précis dans la mesure où Dufieux a pu interroger beaucoup plus de témoins qu'aucun autre enquêteur[2].

Soixante-seize pages sans interlignes datées du 7 juillet 1940 et qui s'achèvent par le traditionnel (pour l'époque) réquisitoire contre le régime parlementaire et la non moins traditionnelle profession de foi pétainiste.

Malgré cette concession au conformisme, la meilleure étude militaire « à chaud » sur le drame de nos divisions battues sur la Meuse.

Grâce à elle va-t-on savoir enfin *qui* est responsable de la défaite des 13 et 14 mai, dont tout le monde s'accorde à dire qu'elle fut la Défaite puisque, à partir de ces jours jamais la situation ne put être rétablie ?

Le 10 mai 1940, lorsque le général Gamelin décide l'opération Dyle, qui portera nos troupes loin en Hollande et en Belgique sur la ligne Anvers-Namur, la IXe armée qui, dans le dispositif français, a occupé, depuis le début des hostilités, entre la Ire armée du général Blanchard,

---

2. Lorsque Dufieux fait son enquête, des témoins tués ou prisonniers manquent cependant. L'étude du général Dufieux fut suivie d'un rapport du général Georges consacré au même sujet (32 pages le 16 août 1940) et basé essentiellement sur le travail de Dufieux. Sur les journées des 13 et 14 mai, on conseillera l'œuvre très fouillée de Paul BERBEN et Bernard ISELIN : *Les Panzers passent la Meuse*

et la IIe armée du général Huntziger, un front allant d'Avesnes à la Bar, près de Donchery, est forte de trois corps d'armée.

Le 2e, commandé par le général Bouffet, qui sera tué le 16 mai lors du bombardement aérien de son P.C. de Butlia, le 11e dirigé par le général Martin, le 41e par le général Libaud.

Dans la manœuvre Dyle, c'est le 2e corps d'armée qui viendra s'installer sur la Meuse belge entre Namur et Yvoir, cependant que le 11e interdira les passages entre Dinan et Givet et que le 41e C.A., qui dispose d'une division de forteresse, donc sans mobilité, et d'une division de série B, doit tenir, sur la Meuse française, avec des moyens faibles en artillerie, presque nuls en D.C.A. et en antichars, un front de 66 kilomètres.

A l'exception du 41e corps d'armée, pivot de la manœuvre, qui attend l'attaque derrière de petits ouvrages, construits souvent à l'économie, en 1936-1937, et améliorés ou augmentés en nombre pendant la drôle de guerre, c'est toute la IXe armée qui, dès le 10 mai, s'élance en Belgique.

Toute la IXe armée, en vérité, assez peu de monde !

Deux divisions légères de cavalerie sans homogénéité, car les blindés et les chevaux (il y en a 2200 par division) n'ont ni les mêmes besoins, ni les mêmes missions, ni la même vitesse. Et trois divisions d'infanterie. Ce sont ces troupes qui devront affronter la IVe armée allemande forte, notamment, de deux divisions blindées, la 5e et la 7e.

Et l'affronter sur un terrain mal connu, abandonné par les troupes belges qui, dès l'apparition des premiers éléments français, se replient en direction de Namur, après avoir fait jouer des destructions qui ne gêneront guère les Allemands en possession, comme on le découvrira, le 11 mai, sur un Feldwebel chef de chars, d'itinéraires de détournement.

Contrairement aux affirmations de Reynaud, les troupes françaises rempliront cependant leur mission initiale au jour et à l'heure prévus.

La cavalerie qui va opérer, sur la rive droite de la Meuse, une mission retardatrice de très courte durée tant est vive la pression des avant-gardes allemandes, est en avance de trois heures sur l'horaire.

La 5e division d'infanterie motorisée sera sur la Meuse, à 20 heures, le 11 mai, et va mettre à profit ses douze heures d'avance pour entamer quelques travaux défensifs.

A la 18e division d'infanterie, comme à la 22e, on est à peu près dans les temps, mais les hommes sont fatigués par de longues étapes à pied, effectuées souvent de nuit, pour échapper aux bombardements aériens. C'est ainsi que la 22e division d'infanterie parcourt 85 kilomètres entre le 10 mai, 21 heures, et le 13, 4 heures du matin. Les camions existants (il manque l'équivalent de 2000 tonnes de moyens de transport à la IXe armée) sont réservés aux avant-gardes, et l'infanterie va comme elle allait à peu près en 1918, lourdement chargée, mal équipée, de surcroît peu préparée à d'aussi rudes étapes.

En mars 1940, une propagande imbécile avait annoncé que notre armée serait bientôt « la mieux habillée du monde ».

On avait décidé l'abandon des bandes molletières, l'adoption d'un pantalon « genre golf » aux jambières en cuir ou en grosse toile, le remplacement de la lourde vareuse par une vareuse en drap peigné très souple, la création d'une tenue d'été comportant seulement une chemise kaki, à poches et col rabattu avec cravate de forme régate et un pantalon aménagé pour porter un ceinturon.

Mais, en attendant la réforme — on confectionnera 280000 effets nouveaux en mars, qui, d'abord, seront stockés—, les soldats français, suivant le mot du lieutenant d'infanterie coloniale Vidal de la Blache, ont « davantage l'air de déménager à la cloche de bois que de s'en aller bondir sur les champs de bataille ».

« Le sac est trop grand, écrit-il encore, la musette trop vaste. Un guerrier n'a que faire d'un trousseau de jeune mariée. Le bidon trop important aussi. Deux litres, pourquoi ? L'eau du Rhin est potable. Musette et bidon s'accrochent désormais au ceinturon, à droite et à gauche. Ceci dans le but louable de supprimer les deux courroies entrecroisées qui comprimaient la poitrine. Mais les deux fardeaux, maintenant, frappent les cuisses trop bas, gênent la marche. Écartant les avant-bras, ils obligent, par surcroît, à un maintien d'obèse. »

Par ailleurs, l'infanterie, qui assure à peu près toutes les corvées et doit mettre en œuvre un matériel complexe dans les conditions difficiles du combat moderne qui exige instruction excellente, solidité physique et qualités morales, reçoit du recrutement les hommes qui restent lorsque les exigences des autres armes ont été satisfaites.

Pour les ministres et les journalistes, l'infanterie demeure certes toujours « la reine des batailles ».

Une vieille reine qui attire peu de soupirants...

En face du soldat français, le soldat allemand de l'offensive.

Au combat, en été, et nous sommes dans un printemps qui vaut un été, il ressemble au moins autant à un sportif qu'à un soldat.

Pas de « barda » sur le dos. Les véhicules transportent pour lui. Souvent ni veste ni capote. Il avance, manches retroussées, une grenade dans la botte, une autre à la ceinture, la mitraillette — cette mitraillette[3] dont nous ne possédons que 5 500 exemplaires au 1er septembre alors que l'arme est prévue depuis 1926 ! — à la main ou à portée de la main.

Un homme, à l'origine bien différent du soldat français, car, avant son arrivée à la caserne, il a été sensibilisé par une propagande intensive. Les huit mois de la drôle de guerre (il ne faut pas oublier cependant qu'en Pologne, pendant trois semaines, des centaines de milliers d'Allemands ont connu la guerre véritable) ont été employés à former les conscrits, à les entraîner rudement à la marche, au tir, à la nage, au lancer de grenade. Ils deviennent ce que l'on veut qu'ils soient : des professionnels, finalement plus aptes à s'adapter aux situations les plus imprévues, que les soldats français, dont la débrouillardise d'instinct ne s'appuie sur aucune expérience réelle.

Sans parler des spécialistes, les hommes des commandos, les pilotes et les soldats des planeurs, lâchés au-dessus du fort d'Eben-Emael et qui, dans la nuit du 10 mai, remporteront, au prix de six morts, une victoire d'une importance considérable puisque les défenses de Liège seront, en quelques heures, rendues inutilisables, les soldats des Panzers et des divisions d'attaque ont été entraînés à tenir efficacement leur rôle.

Au cours de « répétitions générales », dans l'Eifel et dans le massif schisteux rhénan, qui présentent des analogies avec le terrain où ils opéreront en mai, ils ont été sensibilisés à la discipline de marche des colonnes sur des routes rares, étroites, encombrées et où tout incident, tout retard tournerait à la catastrophe.

Sans doute les embouteillages n'épargneront-ils pas l'armée allemande, mais les accidents, que ne viennent aggraver ni l'aviation

3. Les Français ont étudié, en 1926, la mise en fabrication d'un pistolet-mitrailleur automatique de calibre 7,65. La mise au point de l'arme traîna. Les besoins avaient été estimés à 40 000 unités. Les livraisons furent les suivantes : 700 au 1er janvier 1939, 1 100 au 1er avril, 1 850 au 1er juillet, 2 500 au 1er septembre.

française, ni l'aviation anglaise, sont vite réparés par la diligence des chefs — généraux compris — et l'habileté des troupes.

Les soldats allemands savent également franchir des cours d'eau sur des canots ou des sacs pneumatiques sur lesquels prennent place cinq fantassins dont deux rameurs.

A l'avant des embarcations, une mitrailleuse permet de battre la rive adverse. Son bruit plus que son efficacité aide les hommes transportés à se trouver psychologiquement sans cesse dans l'action. En quatre minutes, une compagnie entière franchit ainsi l'obstacle. Et prépare immédiatement le travail des pontonniers. Tandis que les Allemands ont rayé le mot « infranchissable » de leur vocabulaire, nous le conservons pieusement comme tout l'héritage de 1914. « Nous avons, nous aussi, des forces sur la rive sud de la Somme ; et les ponts en ont été détruits. Les chars lourds allemands venus jusque-là n'iront pas plus loin. » Le général Duval — un général qui avait été intelligent dans l'autre guerre — écrit cette bêtise dans *Le Journal* du 22 mai 1940.

Les fantassins allemands savent ramper, se dissimuler, aborder en silence les abris bétonnés, les réduire à l'aide de grenades ou de lance-flammes.

Lorsqu'il résumera, en août 1940, à l'intention du général Weygand, les raisons de la supériorité de l'armée allemande, le général Georges écrira que les éléments constitutifs de cette armée avaient été choisis pour leur aptitude à mettre en jeu, en pleine coopération, une doctrine d'attaque neuve basée sur la vitesse et la surprise.

Au service de cette doctrine, une aviation de bombardement, susceptible de préparer et d'appuyer sans délais préalables les assauts terrestres ; une aviation de chasse capable de garantir la maîtrise de l'air sur le champ de bataille choisi ; une infanterie motocycliste munie de moyens de franchissement légers, apte à conquérir des têtes de pont pour l'action des chars ; des formations blindées brutalement lancées sur des fronts étroits ; une infanterie motorisée riche en antichars pour protéger, sur les flancs, les manœuvres des blindés, enfin — et c'est à ce moment-là seulement, hélas ! que la comparaison est possible avec les forces françaises — de grandes unités normales qui assurent la garde des fronts passifs.

Les soldats techniciens allemands sont jeunes. Ils ont, en moyenne, cinq ou six ans de moins que les fantassins français qui leur

out 'accablement du monde

C'est fini ! 25 juin : la guerre est finie, la défaîte commence. Plus de combats, plus de Stukas dans le ciel, plus de Panzers sur les routes, plus de marches épuisantes, mais l'humiliation ; l'armée française capturée ou dissoute, la France amputée et lorsque cesse le tourbillon des jours tragiques, lorsque la fatigue abandonne le corps, une immense détresse de l'âme. *(Photo Arch. Tallandier.)*

Les héros de l'histoire : beaucoup d'anonymes, quelques personnalités

La guerre, trente-six ans plus tard : quelques noms, quelques images dans les mémoires et les albums.
De Gaulle encore colonel, mais déjà sûr de soi, présentant au président Lebrun les blindés qu'il commande ;
Paul Reynaud, le maréchal Pétain, le général Weygand, Paul Baudouin, évoquant, en mai 1940, après les premières défaites, les mesures nécessaires et sur lesquelles, très vite, ils seront en désaccord.
Mais la guerre, c'est également une foule anonyme. En août 1939, par leurs attitudes et leurs pensées, les mobilisés sont très proches encore des soldats de 1914-1918.
(Photos Keystone, Dazy, AGIP.)

Dunkerque : le salut vient de la mer

Reprenant leur place et leur rang après chaque bombardement, désarmés, patients, pleins d'espoir et de crainte, ils sont là, Français et Anglais, plusieurs centaines de milliers qui attendent le prochain navire pour l'Angleterre.
Ce sont les vaincus des batailles de mai, ceux qui n'ont pu supporter le choc des divisions blindées allemandes opérant par masses organisées, filant droit sur les routes en laissant aux unités traditionnelles le soin de capturer ceux qui résistent encore.
(Photos Monde et Caméra, X., Musée de la Guerre et Coll. Dazy.)

Dix millions sur les routes

Dix millions (au moins) de Français et de Belges sur les routes qui mènent vers le Sud, le salut, la paix. Et des millions de femmes, d'hommes, d'enfants dans tous les fossés lorsque plongent les Stukas qui personnalisent la terreur, dispersent les unités en marche vers le front, bombardent les villages autant que les états-majors et sont une arme psychologique neuve et redoutable contre laquelle militaires et civils français ne sont nullement préparés à lutter. *(Photos E.C.P.A. - Arch. Tallandier, Keystone et E.C.P.A.)*

Et voici le repos du guerrier

La victoire, c'est quoi ?... Un défilé devant l'Arc-de-Triomphe ou sur la place de la Concorde ? Des achats à gogo dans les magasins parisiens ? Oui. Et puis la simple prise de possession de la terrasse d'un bistrot abandonné par son propriétaire qui doit être quelque part sur les routes, anonyme perdu dans le flot de l'exode, aux prises comme les autres Français, avec les difficultés de logement, de ravitaillement, difficultés auxquelles les Allemands, maîtres en propagande, prétendent apporter remède. *(Photos S. Laroche-Arch. Tallandier, B.N.-Cl. ERL.)*

sont opposés. Pour la plupart ils courent à l'assaut, animés d'une foi politique précieuse au combat.

Nous voici dans les années « glorieuses » du IIIe Reich. Tout ce qu'annonce Hitler se réalise, tout ce qu'il promet est obtenu, non sans drames personnels, certes, ni sans pertes, mais par une économie de sacrifices qui étonne tous ceux qui vivent dans les souvenirs de la Grande Guerre.

Tout semble se dérouler avec aisance et bonheur.

Tapis magique de la guerre napoléonienne lorsque, en un mois de l'automne 1806, la Prusse est totalement écrasée.

Pour avoir adopté les mêmes méthodes, les Allemands de 1940, avec des moyens techniques différents, remporteront d'aussi prodigieux succes.

C'est la facilité de la victoire allemande qui déconcerte et fait croire d'abord à la non-destruction des ponts sur la Meuse.

On dit négligence où il y a eu simplement supériorité stratégique physique, technique et morale de l'adversaire.

Car les Français ont fait sauter tous les ponts sur la Meuse.

Et il y en a 43 ! 30 ponts routes, dont 8 en territoire belge ; 12 ponts de chemins de fer dont 3 en territoire belge ; un pont de tramway. Entre 12 h 30 et 23 h 30, ils sautent tous, le 12 mai, à l'exception des ponts de Mézières, indispensables à la retraite des unités de cavalerie engagées sur la rive droite de la Meuse, et qui sauteront dans la matinée du 15.

La destruction des ponts s'opère parfois au dernier instant.

Et de manière dramatique.

Les automitrailleuses allemandes sont, le 12 mai, si proches du pont d'Yvoir que leur feu abat l'officier belge chargé de la destruction. C'est le colonel Cuny, commandant le 8e dragons, aidé du médecin-capitaine Bertrand, qui met en action un canon belge, détruit l'automitrailleuse déjà engagée et fait sauter le pont sous les décombres duquel il sera tué ainsi que Bertrand.

Les ponts ont bien sauté, mais les divisions françaises, arrivées à temps au bord de la Meuse, sont mal installées. Aussi vite qu'elles aient marché, en effet, elles n'ont pas marché assez vite. Il leur aurait fallu vingt-quatre heures de plus pour rassembler tous leurs retardataires, mettre en place quelques défenses, préparer le terrain.

Le général Vallet, chef du 3e bureau de l'état-major de la IXe armée, dira avec une élégante ironie :

— Les Allemands ont attaqué beaucoup plus tôt qu'il n'était prévu par les plans de la manœuvre B (Dyle). Pour que celle-ci pût réussir, il eût fallu que l'ennemi eût la complaisance de nous laisser le temps de nous installer défensivement sur le front de Belgique en toute tranquillité. Il n'y a pas consenti. Il eût fallu qu'il ne nous attaquât pas avant le cinquième ou sixième jour suivant son entrée en Belgique, et il ne nous a pas accordé cette faveur.

Lorsqu'il apprend que le colonel Taschet des Combes, commandant le 129e régiment d'infanterie, vient d'être tué près du pont d'Yvoir, le capitaine Balade affirme au général Bouffet, qui commande le 2e corps d'armée :

— Mon général, nous allons être attaqués cette nuit.

— N'exagérez tout de même pas, réplique Bouffet, en souriant, mais ils pourraient bien nous attaquer dès mercredi matin.

C'est-à-dire le 15.

Balade pense moderne. Bouffet réagit suivant les schémas de l'autre guerre. Il estime avoir deux à trois jours de délai.

Les troupes encore mal installées, mal assemblées, sont affaiblies par l'absence de nombreux permissionnaires. Sans doute, depuis le 10 mai, radio et presse les rappellent-ils mais, pour revenir vers un front de plus en plus mouvant, il faudra parfois bien du mérite.

Voici l'exemple de M. Lallemand.

Il n'appartient pas à la IXe armée, mais son aventure, qui n'a rien d'exceptionnel, illustre le désarroi de l'époque.

Le 10 mai, Lallemand se trouve en permission depuis la veille. Apprenant l'entrée en Belgique, il se rend, à bicyclette, de son village de Chavancy jusqu'à Montmédy où les gendarmes lui disent qu'il peut, sa permission étant en règle, accompagner sa mère qui fuit, avec tout le village, une région menacée. Ce qu'il fait. Le 15 mai, à Vertus, dans la Marne, l'état-major d'un régiment de tirailleurs sénégalais vise sa permission, mais, à Fère-Champenoise, il décide d'abandonner sa mère, et, à bicyclette toujours, gagne Châlons où la gare est en flammes et où nul ne connaît la position du front. Quelques kilomètres après Châlons, un motocycliste civil le prend en croupe et le transporte jusqu'à Sainte-Ménehould, puis un camion de l'armée le conduit à Verdun d'où il partira pour Metz en compagnie d'une modiste venue faire provision... de chapeaux. De Metz, le train pour Nancy. De

Nancy, encore un train pour Haguenau et, le 21, voici enfin Lallemand à Dürrenbach. au milieu de son régiment que la guerre n'a pas encore touché.

Manque d'hommes. Manque de cadres. A la IXᵉ armée, la proportion des officiers d'active est dérisoire : une dizaine par régiment à la 5ᵉ division d'infanterie motorisée ; trois ou quatre, en dehors des chefs de corps et des chefs de bataillon, dans la 18ᵉ et la 22ᵉ D.I. A la 61ᵉ, à l'exception du colonel, tous les officiers sont de réserve.

Peu d'armes modernes. Une D.C.A. presque inexistante : pour 105 kilomètres de front, trois batteries de 25 (Corap en avait réclamé au minimum 45 !).

Les chars possédés par l'armée ne sont pas nombreux : deux bataillons de chars modernes (1935) et un bataillon de chars F.T., dont le prototype date de 1918, et qui ne peuvent vaincre qu'une infanterie mal équipée. D'excellents canons antichars de 25 et de 47 mais qui, sauf à la 5ᵉ division d'infanterie motorisée, sont tractés par des chevaux et qui, sauf à la 5ᵉ D.I.M., encore, ne sont pas assez nombreux. Pour les canons de 25, le déficit est de 24 à la 18ᵉ division d'Infanterie, 21 à la 22ᵉ, 36 à la 61ᵉ, 20 à la 102ᵉ, 30 à la 53ᵉ.

Alors que les officiers supérieurs allemands sont quotidiennement près de leurs hommes, évoluent en première ligne ou, plus exactement, car il n'y a ni ligne, ni front, se portent aux points où se fera la décision, se déplacent à bord de voitures blindées, munies de puissants postes de radio et, pour les moyennes distances, à bord d'un avion Fieseler-Storch, les généraux français sont mal équipés, mal informés, souvent trop loin des troupes.

Non par manque de courage personnel, mais parce qu'ils agissent toujours suivant ces schémas de l'autre guerre qui veulent que le chef se trouve « à la poignée de l'éventail ». C'est ainsi que le P.C. du général Corap, commandant l'armée, est situé à Vervins, à 88 kilomètres du P.C. du 11ᵉ corps d'armée, à près de 100 kilomètres du P.C. du 2ᵉ corps d'armée, à 78 kilomètres de celui du 41ᵉ. A la « poignée de l'éventail », oui, mais beaucoup trop loin lorsque chaque déplacement constitue un difficile voyage sous les bombardements, au milieu des encombrements provoqués par les troupes et les réfugiés.

Le chef qui dirige ne peut rencontrer les chefs qui agissent.

Lorsqu'il s'éloigne, c'est pour cinq ou six heures au moins. Ne se prive-t-il pas d'un renseignement essentiel apporté à son P.C., en son absence, par voiture ou par moto, puisque nous utilisons très peu la radio et que les liaisons téléphoniques sont fréquemment interrompues par les bombardements ?

On demandera[4] un jour au général Véron, qui a été sous-chef d'état-major de la IXe armée :

— A propos, mon général, comment étiez-vous renseigné sur les mouvements de l'ennemi ?

— Par les moyens de notre 2e bureau.

— Et lui-même, de quels moyens disposait-il ?

— Nous ne disposions, nous armée, d'aucun moyen personnel.

....

— Il vous est arrivé de dire qu'à tel moment les chars blindés allemands étaient à telle distance. Par qui étaient donnés ces renseignements ?

— Par ceux-là mêmes qui les avaient rencontrés.

— En dehors des renseignements qui vous parvenaient de l'échelon supérieur, vous étiez aveugles ?

— A peu près.

Pas ou peu de radio. Pas de véhicules spéciaux.

Lorsque le général Bruché, qui commande la 2e division cuirassée, et le général Rommel disent : « Je saute dans ma voiture », les mots n'ont pas le même sens. Rommel monte dans un véhicule blindé, non fermé, où il est visible, d'où il peut voir, informer et être informé.

Bruché s'installe dans une traction avant... ce qui lui permettra d'ailleurs, le 19 mai, à la sortie de Cambrai, de se glisser, vers 3 heures du matin, dans une colonne de réfugiés et, comme sa voiture n'a pas été peinturlurée par les services de camouflage, d'échapper ainsi à la capture.

Ce sont donc ces troupes et ces généraux qui, de part et d'autre, le 13 mai, se trouveront engagés dans la bataille décisive.

Non pas toutes ces troupes. Non pas tous ces généraux.

Dans la nuit du 12 au 13 mai, dans la journée du 13 et dans celle du 14, encore, la guerre sera gagnée et perdue sur la Meuse, près de Dinant, par quelques centaines d'hommes. Tout se jouera sur deux kilomètres.

---

4. M. Émile Kahn dans le cadre de la Commission d'enquête parlementaire.

Comme, dans le même temps, tout se jouera sur trois kilomètres, à Sedan, avec la participation de quelques milliers d'hommes.

Demeurons pour l'heure dans le secteur de Dinant, avec la IXe armée, l'armée accusée.

On l'a vu, peu nombreuse, étirée sur 100 kilomètres, mal armée, découvrant un terrain neuf et qui, de surcroît, la défavorise puisque la Meuse, coulant dans une vallée très encaissée, la rive droite, celle par laquelle arrivent les Allemands, est plus élevée que la rive gauche.

C'est la 7e Panzer qui se présente la première devant les défenses françaises dans le secteur d'Anhée, là où une petite rivière, la Molignée, creuse une vallée profonde, voie d'accès indispensable à toute troupe voulant progresser vers l'ouest. Dans le fleuve, un peu au sud d'Anhée, une petite île, l'île de Houx, du nom de la localité située sur la rive droite. La route Namur-Dinant-Givet longe la Meuse du côté occupé par les Français.

La 7e Panzer, commandée par Rommel, attaquera donc là.

Non point, naturellement, la 7e tout entière avec la masse de ses 288 chars, mais le bataillon motocycliste n° 7 appuyé par de l'artillerie et par une compagnie de Panzers IV (les chars allemands les plus puissants : un canon de 75, 2 mitrailleuses) sous le commandement du capitaine Hütteman.

En avant-garde, les fusiliers du groupement Werner, qui sont déjà dans l'île de Houx, et franchissent précautionneusement, vers 3 h 30 du matin, le 13, la passerelle qui surplombe une écluse que l'on n'a pas fait sauter[5], car sa destruction aurait contribué à assécher le fleuve et à créer des passages guéables. Mais les autres écluses, elles, sont interdites par une accumulation de barbelés.

Pas l'écluse n° 5.

Le bruit de l'eau couvre les minces bruits des soldats de Werner. Et l'obscurité les protège.

Jusqu'à l'instant où ils ouvrent le feu, ils demeureront cachés à ceux qui étaient chargés de les surveiller : les hommes du bataillon Cadennes, les responsables de la défaite de Houx et peut-être les responsables de la Défaite.

5 Pas plus que les autres

Que dit, en effet, le rapport Dufieux ?

Sur une armée tout entière, il dénonce quatre chefs... et un bataillon.

Quatre chefs.

Le colonel Dugenet, commandant l'infanterie du 39e R.I., infanterie qui, le 13 au soir, ne participera pas à la contre-attaque réussie des chars français... réussie mais inutile puisque les fantassins faisaient défaut pour réoccuper le terrain.

Une ligne et demie pour dire son « peu d'énergie ».

Le général Béziers-Lafosse, commandant la 22e D.I. en remplacement du général Hassler, en congé de convalescence. Béziers-Lafosse, en déplaçant son P.C. trois fois en huit heures, le 14 mai, en s'éloignant toujours davantage de son secteur et de son commandant de corps d'armée, perdra très vite la direction de sa troupe. Lorsque, dans la nuit du 15 au 16, le général Hassler, qui a un bras toujours en écharpe, rejoint le front, il ne pourra regrouper que 300 fantassins abasourdis. Tout ce qui reste de sa division.

Quatorze lignes pour évoquer la pusillanimité du général Béziers-Lafosse.

Et huit pour le colonel G... qui sera tué héroïquement, le 14 mai, en défendant La Horgne, mais qui, la veille, abandonne sa troupe en pleine bataille pour se rendre sans raison, 45 kilomètres en arrière, au P.C. du général Libaud d'où il sera réexpédié, dûment sermonné et muni d'un mentor, en la personne du lieutenant Chavane.

Sept lignes, enfin, pour le commandant M..., de la 5e division d'infanterie motorisée, qui se repliera si précipitamment le 13 mai, qu'on l'arrêtera et l'internera à son arrivée à Vervins... à plus de 100 kilomètres de la bataille.

C'est tout.

Pour les autres chefs, Dufieux a presque des formules de citation...

« Le général Vauthier [commandant la 61e D.I.], chef d'une belle valeur intellectuelle et d'un haut moral, ne peut être rendu responsable d'événements auxquels le dispositif ni les moyens de sa division ne permettaient de parer.

« Le général Duffet[6], apprécié de la IVe armée et à la IXe comme

6. Commandant la 18e D.I. avant le 10 mai, il s'était efforcé d'accoutumer sa troupe au survol des avions, ce qui n'empêchera malheureusement pas sa division d'être rapidement désagrégée.

un chef extrêmement actif, très expérimenté et de haute conscience, a fait ce qu'il a pu dans la situation difficile où il s'est trouvé d'emblée. »

Quant au général Corap, le général Dufieux, le général Georges, enfin le général Weygand affirmeront « qu'il n'y a rien à retenir dans les accusations retentissantes portées contre le commandant de la IXe armée, rien qui soit susceptible d'entacher son honneur militaire ou de lui enlever l'estime de l'armée[7] ».

Alors le responsable, le responsable du désastre cause de tous nos désastres ?

Eh bien, pour Dufieux, c'est le bataillon Cadennes du 39e R.I., mis à la disposition du 11e corps d'armée pour renforcer, à gauche, les avant-gardes de la 18e division encore incomplète.

Il devait tenir sous ses feux l'écluse n° 5, empêcher les passages allemands, assurer une liaison étroite avec le 129e R.I., dont le P.C. se trouve au château de Senenne, tout près de la limite de deux divisions : la 5e D.I.M. et la 18e D.I.

Or, à 6 heures du matin, le 13 mai, le bataillon de droite de la 5e D.I.M. fait savoir qu'il a perdu la liaison avec le bataillon Cadennes, que des éléments ennemis, infiltrés par l'île de Houx et par l'écluse n° 5, ont gagné la rive gauche et gravissent les pentes au nord de Grange.

Ce pourrait n'être qu'un épisode malheureux.

Ce sera l'une des deux percées décisives. L'autre aura lieu le même jour à Sedan.

---

7. Ce sont les termes employés par le général Georges. Le général Weygand, commandant en chef, ministre, secrétaire d'État à la Défense nationale, les reprendra à son compte dans une lettre adressée le 20 août 1940 au général Corap, lettre officielle accompagnée d'une chaleureuse lettre personnelle.

Le 16 mai, Corap fut remplacé au commandement de la IXe armée par le général Giraud qui devait être capturé par les Allemands trois jours plus tard. Il avait été nommé au commandement de la VIIe armée, celle que Giraud venait d'abandonner et qui retraitait de Hollande, mais, le 19, un coup de téléphone l'avisa que le général Frère le remplaçait.

Le 1er juillet 1940, comme bien d'autres officiers généraux ayant dépassé 62 ans, Corap était versé dans le cadre de réserve générale. Il mourut sans s'être départi de sa dignité et en conservant le silence sur les événements de mai 1940, à l'exception d'un rectificatif envoyé en avril 1941, au journal *Le Matin*, qui venait d'annoncer son « acquittement », évitant, ainsi que Weygand le lui avait conseillé toute polémique

Aucune contre-attaque ne réussira en effet à rejeter les Allemands dans le fleuve alors que, pendant toute la journée du 13, ils n'ont pu faire passer que deux compagnies motocyclistes et un bataillon de fusiliers. Moins d'un millier de soldats dépourvus d'armes automatiques.

Une fois encore, le sort de millions d'hommes dépend du courage et de l'audace de quelques centaines de combattants.

Le jugement de Dufieux sera terrible : « L'occasion perdue ce soir du 13 mai par tous ces retards de l'infanterie (qui ne contre-attaque pas) ne se retrouvera plus : le 14 mai, l'ennemi aura mis la nuit à profit pour se renforcer très sérieusement et faire passer sur la rive gauche engins blindés et armes antichars.

« ... Cet incident... aura des conséquences funestes... et il caractérisera bien la déplorable timidité de certaines unités d'infanterie, faisant suite à l'inqualifiable négligence du II/39 qui non seulement n'avait pas exécuté les ordres formels de l'Armée pour la défense de la Meuse (« la lisière extérieure de la position de résistance sera jalonnée par le fleuve lui-même dont le cours devra être battu par les feux de la ligne principale »), mais n'a pas su se garder pendant la nuit, puisqu'il a disparu sans que ses voisins de droite ni de gauche aient perçu le bruit d'un combat ».

Qu'en est-il exactement ?

A travers tous les récits, comme à travers l'enquête de Dufieux, il paraît évident que les soldats du II/39 ne se trouvaient pas sur la rive même du fleuve mais sur la falaise qui le domine. Ils étaient donc incapables de voir et d'entendre ces fusiliers allemands à qui leur chef, le colonel Werner, avait jeté, avant qu'ils ne franchissent l'écluse n° 5 : « Les croix de chevalier se trouvent sur l'autre rive. »

Reconnaissant, dans l'après-midi, les abords du terrain qui fait face à l'île de Houx, les officiers du II/39 avaient jugé la berge basse intenable devant un assaillant disposant de mortiers et de canons, appuyé par des chars.

Explication a posteriori, car, dans la soirée du 12, ces hommes qui viennent d'arriver sur la position, et qui ignorent tout de l'adversaire, ne peuvent deviner ni où, ni comment, ni avec quelles forces il opérera, même s'ils ont été acueillis par un tir de mitrailleuses.

Quoi qu'il en soit, il y a eu combat et le II/39 ne s'est pas « évanoui » comme le laisse entendre le rapport de Dufieux. Les 5e et 6e compagnies des capitaines Pouey et Grawitz ont été attaquées dans les bois par les fusiliers du capitaine Heilbronn.

Combien de temps le combat a-t-il duré ? Les pertes ont-elles été nombreuses chez les Allemands ? Puisqu'ils ne possèdent aucun moyen radio, pourquoi les chefs du II/39 n'ont-ils pas prévenu immédiatement, par coureurs, leurs supérieurs de l'assaut allemand ?

Autant de questions sans véritables réponses.

On sait que le lieutenant Leforestier refusera de se rendre et abattra plusieurs assaillants avant d'être tué, que les lieutenants allemands Plug et Nasch seront tués, qu'une seule pièce antichar de 37 a pu être transportée de l'autre côté du fleuve par les Allemands et que ce n'est qu'à partir de 6 heures du matin — les passages ont débuté vers 3 h 30, le feu de l'artillerie allemande à 4 h 30 — que les responsables français les plus proches ont été alertés. Les uns, le colonel Boby, chef du 66e R.I. et les officiers du 19e régiment d'artillerie, par l'arrivée de fantassins français débandés ; les autres, des officiers du 129e R.I. installés au château de Senenne, par l'intrusion d'un lieutenant du 39e R.I. excité, si excité qu'il faut le désarmer.

Il a quelques raisons d'être excité.

Il apporte une incroyable nouvelle.

Les Allemands sont derrière lui.

Et c'est vrai.

On va contre-attaquer.

Pour « colmater », comme dans l'autre guerre.

A 9 h 30, le général Dunoyer est chargé d'effectuer l'opération, « d'ici une demi-heure », avec « les moyens du bord ».

Mais, à 10 heures, personne n'est prêt. Le 2e bataillon du 129e R.I. ne se trouve pas en place. Il y a déjà six heures trente que les premiers Allemands ont passé le fleuve.

L'heure H est reportée à 13 heures.

A 13 heures, le bataillon du 129e R.I. fait toujours défaut. Il avait cinq kilomètres à effectuer à partir de ses cantonnements mais, attaqué par la Luftwaffe, canonné au passage de Bioul, mitraillé à 15 h 30, perdant tous ses mortiers, il se dissimule dans les bois d'où il ne sortira que vers 18 heures, *quatorze heures* après les premiers franchissements allemands.

Le groupe de reconnaissance, qui devait participer à l'attaque et qui, lui, se trouve en place dans les délais, est parti après avoir également été bombardé et, lorsque le II/129e attaque, seul, tard dans la soirée, son effort qui n'a plus aucun sens, sera vite interrompu.

Une autre contre-attaque a lieu dans la même journée. Opération en tenaille, visant à chasser les Allemands du territoire qu'ils ont conquis, elle est menée par deux compagnies de chars, un escadron d'automitrailleuses et un bataillon du 39e R.I. Les chars avancent sans rencontrer grande opposition. Ici et là, ils font quelques prisonniers : huit qu'ils pousseront devant eux. Ils vont ainsi jusqu'au bord du plateau qu'occupaient, dans la matinée, les hommes du bataillon Cadennes. Si des fantassins étaient là, la position pourrait être réoccupée. Mais, pris sous le feu des Stukas, mal tenu en main, le bataillon du 39e R.I., qui avait quatorze kilomètres à faire à pied, n'avancera vers le front qu'*à moins de 800 mètres à l'heure,* perdant ici des hommes, là du matériel, partout du courage et finalement ne participant pas à la bataille.

Déjà, par petits paquets, dans l'après-midi du 13, des hommes, officiers, soldats refluent vers l'arrière. Ils ne sont ni indisciplinés, ni révoltés, mais le matraquage aérien, subi depuis le matin, a rompu en eux tous les ressorts nerveux et moraux.

Ici et ailleurs.

Dans le même temps où ils attaquaient le bataillon Cadennes, trois kilomètres plus au sud, les Allemands s'en prenaient, en effet, à la 2e compagnie du 1/66e R.I., en position dans l'un des faubourgs de Dinant. La Meuse, une fois encore, est franchie sur une passerelle qui surmonte une écluse. Mais une résistance coriace oblige les Allemands à démolir, par des coups directs, tirés par les Panzers III et IV, les blockhaus d'où les Français interdisent le passage du bataillon Bauchman. A 20 h 40, cependant, le premier char allemand franchit la Meuse [8].

Il y a aussi grave, ou plus grave. Depuis 16 heures, l'ennemi passe la Meuse de part et d'autre de Sedan, où se bat la IIe armée et, à

8. Les Allemands passent également à Monthermé, mais, là, ils sont très rapidement bloqués.

20 heures, il tient là une tête de pont de 4 à 5 kilomètres de large, de 5 à 6 kilomètres de profondeur.

La IIe armée n'était pas mieux équipée que la IXe pour résister à l'avalanche.

Quand nos meilleures troupes sont en Belgique et en Hollande, que peuvent faire d'ailleurs les hommes de la IIe et de la IXe armée contre sept divisions blindées et trois flottes aériennes ?

A la IIe armée, la 55e division, qui, avec la 71e, sera une division-bouc émissaire, comme le bataillon Cadennes est un bataillon-bouc émissaire, n'a aucun canon de D.C.A., elle possède une seule batterie antichar de 47, arrivée quinze jours plus tôt, et trois sections de 25.

Alors qu'en 1918 la densité des armes automatiques, considérée comme normale, était de 50 au kilomètre, elle n'est que de 32. Encore très peu de ces armes sont-elles abritées.

En septembre 1939, la division a été conduite à Sainte-Ménehould et à Verdun, regroupée à Vauquois et à Montfaucon dans un paysage de grands cimetières mélancoliques. Puis on l'a acheminée sur Sedan où, sous la pluie et dans le froid, elle a édifié lentement de petites installations défensives de valeur discutable. Très discutable !

Taittinger, député de Paris, qui a visité la région en mars 1940, les a critiquées dans un rapport naturellement tenu secret mais qui, publié après la défaite, devait se révéler prophétique alors qu'il avait été méprisé avant le combat.

Taittinger avait écrit, en effet, que les organisations défensives de la région de Sedan étaient « rudimentaires, pour ne pas dire embryonnaires », que les différents obstacles « ne pouvaient pas procurer un temps d'arrêt supérieur à une heure », que les Ardennes n'étaient pas aussi impénétrables qu'on voulait bien le dire et que les Allemands, « évitant le point solide de Montmédy, pourraient bien se laisser « couler » en direction de Sedan, secteur particulièrement faible de notre système défensif ». Il avait écrit également que la plupart des troupes étaient des régiments de formation B, que la D.C.A. n'existait pratiquement pas et que « l'aviation pour l'ensemble de l'armée se trouvait réduite à un appareil d'observation et à quelques appareils de chasse ».

Encore ne peut-il deviner que, le 10 mai, sur quinze « maisons fortes », sept seulement possèderont un canon, que, sur 155 ouvrages bétonnés, la moitié seront sans armement suffisant[9], que certains ne posséderont ni créneaux ni portes blindées.

Avec deux mois d'avance, le rapport Taittinger annonce donc non seulement la surprise mais la ville où elle se produira et les moyens qui seront employés par l'adversaire. Taittinger ne lit nullement dans le jeu allemand, il ignore les secrets de la Wehrmacht, il se contente de regarder le côté français et de recenser les faiblesses de notre organisation.

Que fera-t-on de son texte qui recommande que « des mesures urgentes soient prises » ?

Rien.

Avec la hauteur des spécialistes face aux « amateurs », le général Huntziger, commandant la IIe armée, écrit, le 8 avril, au général Georges, qui lui a transmis le rapport Taittinger : « J'estime qu'il n'y a aucune mesure urgente à prendre pour le renforcement du secteur de Sedan. »

Georges, de son côté, dira, après la défaite, qu'il est allé, en avril 1940, devant Sedan, qu'il a visité les chantiers de la IIe armée, a été frappé de l'activité qui y régnait comme de la façon dont les travaux étaient dirigés, « avec une intelligence et une activité remarquables par un colonel de réserve du génie ingénieur de la ville de Paris ».

Allons, tout va pour le mieux dans le meilleur des mondes ! Célébrons l'intelligence des uns, l'activité des autres. Félicitons-nous...

Cependant, tout va craquer.

A Sedan, précisément.

Tout va craquer à Sedan parce que, depuis 10 heures du matin, l'aviation allemande bombarde, mitraille et pilonne les défenses françaises, obligeant les soldats à se terrer, brisant leurs nerfs, les empêchant de résister et même de réagir lorsque les unités d'infanterie et les blindés de la 1re Panzer, qui ont bénéficié de la protection des maisons de la cité ouvrière de l'usine Gaulier, partent à l'assaut, à 16 heures, appuyés également par l'artillerie qui s'est mise de la partie.

Les soldats de la 55e division sont écrasés par les vagues d'avions qui se succèdent et qui, lorsque les esprits sont affolés, n'ont même plus

---

9. Il est prévu 2 canons de 37, 2 mitrailleuses, 2 fusils mitrailleurs par ouvrage.

besoin de mitrailler pour impressionner et mettre en fuite. Leur approche suffit. Leur puissance psychologique décuple leur puissance réelle [10], mais personne n'en prend conscience encore. Le général Huntziger mis au courant de la violence du bombardement se contente de répondre.

— Il faut bien qu'ils reçoivent le baptême du feu !

« Ils » les soldats, les pauvres types.

Non par cynisme, sans doute, mais parce qu'il pense, lui aussi, en termes de l'autre guerre. Beaucoup diront ensuite qu'à Verdun c'était pire. Sans doute, mais, ici, c'est neuf.

Paradoxe. L'offensive aérienne allemande la plus brutale de la guerre frappe l'armée de ce général Huntziger qui, le 9 janvier 1940, avait adressé, au 3e bureau du grand quartier général, une longue étude sur les conditions de la rupture des fronts fortifiés. Huntziger était arrivé à la conclusion que *seule* l'aviation pouvait apporter les moyens de la rupture et il prévoyait une aviation de 6000 bombardiers opérant depuis 120 terrains et portant partout des bombes « de grand ou de très grand poids » [11].

6000 bombardiers... Nous en avons 121 modernes. Au mieux.

Notre action sera, hélas ! à la mesure des moyens franco-anglais.

L'aviation de bombardement alliée ressemble à un pompier sollicité par cent incendies.

Où courir en priorité alors que tous les sinistres sont prioritaires ?

Comme nos ressources aériennes sont faibles, on les a rassemblées à l'échelon du groupe d'armées et du G.Q.G. de l'Air afin d'éviter qu'elles soient éparpillées, ce qui est raisonnable en temps ordinaire, dramatique pour une bataille qui réclame des décisions rapides.

Nos avions n'interviennent plus qu'avec des retards immenses et alors que le péril, déjà, est ailleurs. Ceux qu'une réaction immédiate aurait pu sauver sont morts, prisonniers ou en fuite. La vitesse des avions est alors comme annulée par la lenteur avec laquelle les appels à l'aide leur parviennent.

---

10. Parfois sous-estimée. Le P.C. de la 55e D.I. recevra 27 bombes en une heure.

11. Cet étonnant rapport... en avance de trois ans sur la guerre telle qu'elle sera menée par les Américains, comprend cette phrase qui, en mai 1940, sera exacte mais appliquée à la tactique allemande : « Aucun succès terrestre définitif ne saurait être acquis sans une supériorité aérienne manifeste. » Huntziger sera ministre de la Guerre du gouvernement de Vichy.

La Luftwaffe paralyse d'ailleurs ceux qu'elle attaque. Elle les empêche même de crier au secours. C'est ainsi que le capitaine Charles Guenot, de l'état-major de la IXe armée, qui, dans la matinée du 13, a pris immédiatement conscience de la gravité des bombardements, ne réussit à alerter le général Corap qu'à 20 heures ! Après avoir vainement essayé de téléphoner (toutes les lignes sont détruites), il finit par obtenir un véhicule, dans le milieu de l'après-midi, pour rallier « en hâte », par des routes encombrées, le quartier général de Vervins.

Sur son insistance, Corap appelle le grand quartier général et réclame l'appui de « toute » l'aviation.

Naturellement, il est bien trop tard.

Alors que l'aviation allemande réagit dans l'heure, souvent dans la demi-heure, à la demande des troupes, leur apporte presque instantanément l'appui-feu nécessaire pour réduire une résistance, faciliter une progression, nous sommes largement surclassés dans le domaine de la rapidité et de la souplesse d'intervention.

500 chasseurs franco-britanniques au-dessus de Sedan et de Dinant, 500 bombardiers, les 13 et 14 mai, et le sort de la bataille eût été modifié.

Il y aura, pour contrarier les 510 bombardiers Dornier 17, Heinkel 111, Junkers 87, qui opèrent le 13, moins de 30 (*trente !*)chasseurs français. Luttant, d'ailleurs, en ordre dispersé. Tôt dans la matinée, où ils abattent 5 Allemands, tard dans la soirée où les 18 Dewoitine 520 du groupe de chasse I/III descendent 3 avions d'observation et 1 Heinkel.

Pour s'opposer à la ruée des chars, faire un peu subir aux Allemands ce que nous subissons, 7 Lioré (*sept !*) attaquent, à partir de 17 heures seulement, des ponts de bateaux et des colonnes dans la région de Dinant. Dans la nuit, 24 Amiot 143 bombardent la région de Trèves et celle de Dinant.

Le 14, l'effort paraît plus important. C'est-à-dire que nous lançons, de jour, 29 bombardiers sur la région de Sedan. Les Anglais, de leur côté, en engagent 63 entre 15 et 16 heures, puis 28 en fin de soirée [12].

---

12. Les pertes en bombardiers franco-britanniques seront très lourdes ce jour-là. Pour les Français, 5 sur 29, mais, pour les Anglais, qui bombardent à partir de 15 heures, c'est-à-dire à un moment où la Flak allemande a pris position, 47 sur 91.

Quant à nos chasseurs, ils effectuent 250 sorties... mais les chasseurs allemands en totalisent 814.

Ainsi, lorsque nous faisons l'effort maximal, le rapport reste bien 1 à 3. Habituellement, il est 1 à 5 ou 6.

Il y aura pire.

Dans ces trois jours de mai — 13, 14, 15 — qui scellent le destin français, nos trois divisions cuirassées disparaîtront, non sans bataille, non sans héroïsme, mais presque inutilement et de la façon la plus sotte du monde : faute d'essence souvent, toujours faute d'imagination stratégique.

Elles sont de formation récente. La 1re et la 2e division cuirassée de réserve ont été constituées à partir du 16 janvier 1940, la 3e sera formée le 1er avril. La 4e, celle de De Gaulle, n'existe pas au moment où débute la bataille de mai. Elles manquent de cohésion. Lorsque de beaux esprits imagineront, après la défaite, qu'il était possible de rassembler, en deux semaines de mai, les 1 500 chars français, dispersés sur le front, pour en faire des divisions blindées. ils errent totalement.

Le géneral Bruneau le dira un jour :

— Notre infériorité a été due moins au nombre insuffisant des chars modernes qu'au fait que ces engins n'étaient pas organisés de façon convenable. On n'improvise pas une grande unité cuirassée.

Elles sont incomplètes.

Voici l'exemple de la 3e D.C.R., qui sera engagée à Sedan.

Elle devrait posséder :

a) Une demi-brigade de chars lourds B-1 *bis*, soit deux bataillons à 34 chars chacun. Le 12 mai, 6 chars manquent, 5 sont, par ailleurs, en réparation et tous les chars du 49e bataillon se trouvent en rodage.

b) Une demi-brigade de chars légers H-39, soit deux bataillons à 45 chars chacun. Un bataillon n'a que deux compagnies au lieu de trois. La division ne dispose donc, au total, que de 135 chars au lieu des 158 prévus.

c) Un bataillon de chasseurs équipé de voitures spéciales de combat blindées à chenilles et de 12 canons de 25 antichars, d'un peloton motocycliste, d'une section d'automitrailleuses d'infanterie.

Le 12 mai, le 16e bataillon de chasseurs à pied n'a encore touché que 50 % de ses véhicules de combat, son peloton d'éclaireurs motocyclistes n'est pas rassemblé, il ne dispose d'aucune automitrailleuse d'infanterie.

d) Un régiment d'artillerie tout terrain articulé en deux groupes de 3 batteries de 105 court. Le 319e régiment d'artillerie est en voie de constitution. Les munitions sont transportées dans des camionnettes. Cette artillerie « tout terrain » est donc, en réalité, liée à la route.

e) Une batterie antichars de 47 tractés : elle n'existe pas.

f) Une compagnie du génie motorisée : personne ne la verra.

g) Une compagnie mixte télégraphique : les moyens de transmission sont presque inexistants.

h) Une escadrille de reconnaissance de quatre sections de trois avions Potez 63 chacune : son personnel est en transformation à la base de Pau.

i) Une compagnie auto du quartier général et une compagnie auto de transport ; il manque 28 voitures de liaison ordinaire.

j) Un groupe d'exploitation du service de l'intendance : 69 tracteurs ravitailleurs et 15 tracteurs de dépannage font défaut. Il faudra donc quatre heures pour faire le plein des réservoirs de toute une section, au lieu des vingt minutes réglementaires.

Bien qu'incomplète, en rodage matériel et moral, au départ de la région de Reims, le 12 mai, la 3e D.C.R. dispose de 62 chars B-1 qui sont, à l'époque, les engins les plus puissants du monde malgré leur faible rayon d'action[13]. Ils disparaîtront très vite, et cette grande unité va mourir sans que l'ennemi y soit pour grand-chose.

Le 15 mai, à 5 heures, le total des chars n'est plus, en effet, que de 39. A midi, de 32. Le 16 au matin, de 27. Où sont passés les 35 chars manquants ? 4 ont disparu dans la région de Stonne, où une partie de la division a participé, le 15, à un combat confus contre les chars, et surtout contre les antichars, de Guderian. 10, atteints par obus, sont indisponibles ou en réparation, mais, avant même d'arriver au contact de l'adversaire, 21 chars ont été abandonnés en route, le plus souvent par suite de fuite d'huile de ricin dans l'appareil Naeder qui assure toutes les transmissions et dont les joints fuient, si bien qu'il est nécessaire de les revoir, rajuster et resserrer systématiquement.

---

13. Pour donner plus de puissance au char B-1 *bis*, on l'avait doté d'un second carburateur, d'où une importante diminution d'autonomie puisque la consommation augmente. L'autonomie n'est plus que de cinq heures trente au lieu de huit heures. Le char B-1 *bis* est armé d'un 75 sous casemate et d'un 47 sous tourelle

Trente-six ans plus tard, tout paraît simple. Dans leur sécheresse, les mots ne restituent pas le climat d'une bataille qui, pour beaucoup, constitue une initiation.

Les équipages sont épuisés. Une heure de marche, cela signifie une heure en surveillant le ciel d'où peut surgir, d'où surgit, le Stuka, une heure à contre-courant du fleuve des réfugiés et des fantassins débandés et de colonnes hippomobiles des 55e et 71e divisions, dont le spectacle démoralise, une heure de « piétinement », le char n'avançant que lentement en contournant les obstacles : trous d'obus, maisons écroulées, chicanes.

Or, le 14 mai, les équipages de la 3e D.C.R. effectuent quinze heures de marche exténuantes au cours desquelles il a fallu refaire les pleins à trois ou quatre reprises. Comme les tracteurs de ravitaillement manquent, on a dû pousser, jusqu'aux unités, des citernes à essence peu commodes : deux d'entre elles seront incendiées par le bombardement.

Pas de moyens radio, pas de véhicules tout terrain, pas de motos, les officiers de liaison, sous le bombardement qui ne les épargne pas, se débrouillent comme ils peuvent : mal.

La division est ballottée de surcroît d'un chef à un autre chef. On l'envoie au centre, à droite, à gauche, partout où le péril se trouve, mais comme il se trouve partout, elle fait alors des kilomètres inutiles aussi épuisants pour le matériel que pour la troupe et perd ainsi toute chance de s'opposer en masse à l'action massive des Panzers [14].

Nous avons peu de chars.

Nous les utilisons déplorablement.

— On admettait, dira un jour, avec amertume, le général Bruneau, que le char pouvait décoller de 1 500 à 2 000 mètres au grand maximum. On lui imposait « un fil à la patte », c'est-à-dire une liaison constante avec l'infanterie. Dans la manœuvre, les chars marchant à dix ou quinze kilomètres à l'heure arrivaient à la limite assignée en cinq

14. Le général Brocard, commandant la 3e D.C.R., sera relevé de son commandement, mais il semble que, s'il a peut-être tergiversé et accordé une trop grande importance aux problèmes de matériel, il ne soit pas seul responsable du mauvais emploi de sa division.

à dix minutes. Ils étaient alors contraints d'attendre, en faisant des manœuvres plus ou moins abracadabrantes, que l'infanterie, marchant à l'allure moyenne de deux kilomètres à l'heure, les aient rejoints, ce qui demandait d'une demi-heure à trois quarts d'heure.

Cette volonté de faire participer étroitement les chars au combat de l'infanterie, de lier leur sort à son sort, émane des textes officiels. « Le char est un moyen de compenser, vis-à-vis de l'ennemi, l'infériorité numérique de notre infanterie. » La phrase est du 19 mai 1938. Écrite par le général Dufieux, à l'instant où il abandonne ses fonctions d'inspecteur général des chars et de l'infanterie.

Le général Georges reconnaîtra (trop tard) que nous avons abordé « la période difficile de la guerre avec un triple complexe d'infériorité : infériorité du nombre des grandes unités cuirassées, infériorité de l'organisation, enfin doctrine mal assise ».

Presque seul, en France, de Gaulle a vu juste. Le rapport, rédigé en novembre 1939, alors que, colonel, il commande les chars de la Ve armée, et adressé par la voie hiérarchique au général Georges, commandant en chef les troupes françaises sur le front du nord-est, est de ces documents, rares, sur lesquels l'Histoire appose le sceau de la prophétie. Car, s'il est vrai qu'avant de Gaulle, il y a eu Fuller en Angleterre, Williams aux États-Unis, von Thoma en Allemagne, le style, ici, donne, à la pensée, une force peu commune.

S'appuyant sur tout ce qu'il a écrit dans le passé, analysant l'expérience de la Pologne que personne n'a voulu retenir, de Gaulle montre exactement, non l'inutilité des masses humaines, qui avaient joué un rôle considérable de 1914 à 1918, mais leur passivité relative dans un conflit où il est exclu qu'elles puissent emporter la décision.

« Il en résulte, écrit-il, que le défenseur qui s'en tiendrait à la résistance sur place des éléments du type ancien serait voué au désastre. Pour briser la force mécanique, seule la force mécanique possède une efficacité certaine. »

Parlant de l'étrange immobilité où paraissent se complaire encore d'énormes armées, qui ont délégué à quelques corps francs — leurs champions — le soin de faire comme si les deux pays se battaient, il voit exactement comment les choses se passeront… chez les Allemands qui vont réaliser et mettre en œuvre ce qu'il aura rêvé.

Il faut citer la page. « Cependant, il ne suffirait pas d'aligner en files innombrables les engins puissants et rapides, ni de former, pour les servir, des équipages de premier ordre. Rien d'essentiel ne sera fait tant que la force mécanique n'existera pas par elle-même et ne sera pas organisée en vue de buts décisifs à atteindre par son action propre Comme l'élément de toute entreprise autonome est la grande unité, c'est en grandes unités, dotées de tous les moyens voulus pour mener de bout en bout leur manœuvre, qu'il est nécessaire de l'articuler. Cette condition, déjà réalisée pour ce qui concerne la flotte, ne l'est, dans l'aviation, que d'une manière très embryonnaire et, autant vaut dire pas du tout, pour les formations terrestres. Assurément, nous disposons, ou allons disposer, de quelques divisions mécaniques, les unes dites « légères », les autres « cuirassées ». Mais elles ne sont faites que pour soutenir et compléter localement les unités de masse du type ancien.

« Or, il s'agit, bien au contraire, non seulement de les multiplier, mais encore de les constituer en vue de l'autonomie, de manière à les affranchir des délais prolongés, du rythme lent, de la faible portée à quoi se trouve astreinte l'action des autres éléments. Sur terre, des divisions de ligne et des divisions légères, chacune pourvue de chars suffisamment nombreux et puissants, d'assez d'infanterie blindée, d'assez d'artillerie protégée, pour soutenir elle-même son combat, équipée en tous moyens de brèche ou de passage, nécessaires pour surmonter les obstacles que lui opposeront l'adversaire et le terrain, dotée de véhicules spéciaux qui la délieront des routes pour ses transports et ses ravitaillements. En l'air, des divisions d'assaut capables, au cours de la bataille, à la fois de se tailler leur place dans le ciel et d'en fondre pour assaillir l'ennemi du sol ou sur la mer et des divisions d'attaque lointaine destinées à la destruction des objectifs d'ordre économique. La réunion de ces grandes unités en corps terrestres ou aériens permettrait les larges ruptures, les manœuvres à grande envergure, les exploitations profondes, qui constituent la tactique des formations mécaniques à condition qu'elles soient concentrées. »

Ce morceau, où il n'est pas de phrases inutiles, où les adjectifs s'emboîtent exactement aux mots qu'ils complètent, précisent et enrichissent, où la progression de la pensée se passe des béquilles des chiffres et des exemples pour esquisser, grâce à la logique du raisonnement, le tableau de la plus nouvelle des guerres, ne pouvait séduire des chefs militaires enfermés dans un passé dont ils ne veulent pas s'évader, par peur d'entrer dans un monde où nul ne les connaîtrait et où ils ne se reconnaîtraient pas.

servir d'anges gardiens à l'infanterie. On verra ainsi de grandes unités volontairement disloquées et des chars, par un ou par deux, affectés, sur des kilomètres de rivière, à la garde immobile de ponts.

Alors que les Allemands ont une véritable doctrine des blindés, trop de responsables, chez nous, pensent en termes de cavalerie, oublient ou négligent, par exemple, les impératifs du ravitaillement en carburant si bien qu'une division cuirassée, au moins, ira mourir, bêtement, faute d'essence.

C'est la 1re D.C.R. que dirige le général Bruneau, le seul général a avoir commandé, en manœuvres, une division cuirassée, l'un de ceux qui pensent juste mais qui ne peuvent rien contre le système. Lui aussi est ballotté de droite et de gauche, envoyé d'abord au nord de Charleroi, puis expédié en direction de Dinant au secours de l'armée Corap, « en vue de contre-attaquer et de rejeter au-delà de la Meuse les forces ennemies ».

A peine installé, alors que ses chars rejoignent [16] et qu'il s'efforce de trouver un terrain propice à son action du lendemain, car une division cuirassée n'intervient pas n'importe où, n'importe comment, Corap lui téléphone.

— Bruneau, contre-attaquez, dès ce soir, avec tout ce que vous pourrez, c'est un ordre formel.

Mais comment contre-attaquer sans essence ? Car les citernes, contenant l'essence-avion, attendues pendant tout l'après-midi et toute la nuit, n'arrivent pas.

Finalement, la 1re D.C.R. sera volatilisée le 15 mai sans que Bruneau puisse mener un combat cohérent.

Le 28e bataillon aura été entièrement détruit — à l'exception de trois chars commandés par le capitaine Clarac — par les engins du 31e régiment de Panzers. Comme les chars français n'ont plus d'essence, ils perdent l'usage de leur canon de 75, arme fixe et qui, pour être pointée sous différents angles, nécessite donc une manœuvre du char.

Le 37e bataillon a perdu deux compagnies sur trois au cours de très durs engagements dans la région de Florennes et d'Ermeton-sur-Biert.

Quant aux chars H-39, bombardés par l'aviation, accrochés par les Panzers III et IV qui les surclassent, égarés dans la nuit, ils ne

16. Il est 20 heures, le 14 mai.

rejoindront qu'en petit nombre le point de rendez-vous fixé par le général Bruneau. Le 17 au matin, la 1re D.C.R. a vécu, elle aussi. Sur 60 chars lourds, il lui en reste 12 !

Lorsque Bruneau raconte son calvaire, on a l'impression qu'il a passé la journée du 15 mai à se déplacer à la recherche de renseignements sur des routes encombrées par des réfugiés et des soldats que les bombardements terrorisent, s'efforçant de contrôler une situation qui lui échappe comme elle échappe à tous les exécutants français.

Il parle des malheureux équipages qui se battent sans liaison.

Ils ne peuvent correspondre qu'en graphie. Et l'usage de la graphie, en plein combat, à la lueur d'un petit lumignon électrique, n'est pas facile. Le chef de char doit chercher les signaux dans un code, avec des mains pleines d'huile les inscrire sur un papier, et les passer à un radio qui n'entend rien à cause du bruit du char. Les chefs de char allemands, au contraire, ont leur téléphone plaqué aux oreilles et correspondent en phonie.

Il parle surtout des problèmes de ravitaillement en essence qui ont constitué, avec le manque de liaisons, son souci numéro un.

A Oret, dans la nuit du 16 au 17, comme les citernes n'arrivent toujours pas, il prescrit au lieutenant, qui commande les quelques chars rescapés de la bataille d'aller « à petite allure, pour économiser l'essence, le plus loin possible vers l'ouest... ».

Essence, essence, le drame est le même pour la 2e division cuirassée.

Lorsque ses éléments combattants débarquent, le 13, dans la région Le Nouvion-Hirson, ils sont privés, en effet, à la suite d'une erreur d'orientation, de leurs éléments de ravitaillement et de dépannage, dont ils sont séparés par le couloir de 70 kilomètres de large où s'engouffrent les Panzers. Le 14 mai, le général Bruché, qui commande la division, se voit de surcroît affecté, en moins d'une heure, à l'armée Corap, puis à l'armée Blanchard (Ire armée), puis au détachement d'armée Touchon, que l'on s'efforce de mettre en place entre la IIe et la IXe armée, dans l'espoir de les ressouder.

La confusion est si totale que, bientôt, trois autorités différentes donneront des ordres, contradictoires bien sûr, à des fractions de la division tout en croyant avoir affaire à la division tout entière !

Le 17 mai, Bruché se retrouve en compagnie de trois officiers d'état-major et de quelques chars (14 B, 25 H) sur le canal Crozat. Naturellement, l'essence fait défaut. Bruché envoie l'un de ses officiers à Vailly, l'autre à Soissons, car radio, téléphone, rien ne marche. Lorsque les deux hommes rentrent bredouilles, il n'a plus sous la main que l'aumônier divisionnaire Beaudier. C'est lui qui finira par trouver un camion d'essence à Compiègne, camion qui rejoindra avant minuit[17]. Le ravitaillement durera toute la nuit...

La veille, le commandant Bourgin, qui a deux compagnies de chars sous ses ordres, a déjà mis cinq heures pour ravitailler vingt chars. Le détachement, faute de tracteurs de ravitaillement, ne dispose, en effet, que d'une pompe Japy à main et chaque réservoir contient 450 litres...

On a longuement discuté pour savoir combien les Allemands ont lancé de chars contre la France. A Sedan, par exemple. Les 1er, 2e et 10e Panzers, commandées par Guderian, comprenaient-elles 800 ou 1 200 engins ? Comme la IIe armée disposait de 320 blindés éparpillés et des 260 chars de la 3e D.C.R., la rencontre, dans le premier cas, aurait dû être relativement équilibrée...

C'est oublier que les chars de la IIe armée sont dispersés, c'est oublier que beaucoup d'entre eux ne disposent que d'un canon de 37 ancien modèle, et sans efficacité sur les cuirasses modernes, c'est oublier que la division blindée allemande n'a jamais été conçue comme une addition de chars, mais comme une armée indépendante, habituée à manœuvrer avec tous ses éléments, dotée d'une tactique personnelle, c'est oublier la panique qui ravage les lignes françaises et, plus que les premières lignes, les arrières.

La panique. Affreuse. Que rien ne peut arrêter. Contagieuse. Entraînant dans son flot les états-majors aussi bien que les troupes. La panique qui naît à Sedan, comme s'il existait des villes porte-malheur.

Émile Zola, avec quarante-huit ans d'avance, avait décrit 1940 : « Ils avaient fui, et la panique les ramenait ensanglantés, hagards, à demi fous, bouleversant leurs camarades de leur épouvante. Leurs

17 Avec deux autres que le général Bruché a pu obtenir.

récits semaient l'effroi, ils étaient comme apportés par le tonnerre grondant de ce canon que l'on entendait depuis midi, sans relâche [18]. »

Tout craque à 18 heures, le 13 mai, lorsque les bombardements par artillerie et Stukas prennent fin et que la 1re Panzer et le régiment Grossdeutschland attaquent le quartier Donchery, près de Sedan. Dans le silence revenu, un silence très relatif, on pourrait croire que les hommes vont reprendre leurs esprits. C'est l'instant où ils les perdent.

Le général Lafontaine, qui commande la 55e D.I., et ses officiers, se trouvent dans le P.C. de Font-Dagot, sur la route de Bulson à Maisoncelle lorsque, alertés par des cris, par des piétinements, ils sortent pour voir refluer, en voiture, à pied, sans armes, des canonniers des 45e, 99e, 314e, 110e, 185e régiments d'artillerie, des fantassins des 147e et 295e R.I., qui crient « Les chars sont à Bulson » et s'éloignent après avoir semé la panique et ajouté à leur troupe défaite des hommes glanés sur leur passage et qui ne demandent qu'à se laisser convaincre puis emporter par le flot.

Il se trouve des officiers parmi les fuyards. Lorsqu'on les arrête — Lafontaine a fait placer des camionnettes en travers de la route —, ils affirment avoir reçu des ordres de repli. Ils ne peuvent ni les montrer, ni dire le nom de leurs interlocuteurs s'ils prétextent une conversation téléphonique. La contagion de la peur conduit à une manière de débâcle physique, de diarrhée morale. Les P.C. se vident. Lorsque des officiers se présentent pour demander des informations ou prendre des ordres, ils ne trouvent personne. Si les lignes ne sont pas coupées, les téléphones sonnent longuement dans des bureaux vides.

Et l'imagination, partout, fait les Allemands plus puissants encore qu'ils ne le sont.

Des hommes retrouvent les terreurs de l'enfance. Cachés dans les bois, ils errent toute la nuit, se heurtant à des ombres qui les font fuir toujours plus loin. Car tout ce qui avance menace, tout ce qui avance ne peut être qu'allemand.

Ainsi, le 13 mai, deux officiers du génie affirmeront au général Huntziger que les chars allemands sont à Vendresse.

Huntziger les traite de menteurs. Menteurs ? non, ils sont seulement épouvantés. Dans leur émoi, ils ont confondu Panzers III et chars

18. *La Débacle*, publiée en 1892 est consacrée, on le sait, au désastre de 1870 désastre dont Sedan fut alors la capitale.

français de douze tonnes du 7e bataillon. Mais, avant d'être rudement détrompés, combien de camarades n'ont-ils pas contaminés ?

Les situations paradoxales abondent. Les P.C. d'infanterie, en première ligne, demeureront longtemps occupés alors que les P.C. d'artillerie ont été depuis longtemps évacués. Le lieutenant-colonel Pinaud est toujours à Chaumont, le lieutenant-colonel Chrétien au Moulin-Mauru, c'est-à-dire à 3,5 et 3 kilomètres de la Meuse, tandis que, derrière eux, l'artillerie lourde a fui.

Sur ordre.

Car la peur, si elle naît du bombardement des groupes d'artillerie qui ne peuvent disparaître sous terre et que la ronde des avions allemands menace, avec une précision mathématique, chaque godet de la noria des Stukas déversant sa cargaison de bombes, son chapelet de balles, sans jamais être détourné de sa mission [19], puis s'éloignant pour céder la place à un autre, la peur ne se transforme en panique que lorsque les chefs, par leur comportement, leurs ordres ou leur absence d'ordres, font, d'hommes terrorisés, autant de fuyards.

C'est le colonel P..., commandant l'artillerie lourde à Flabas, et le lieutenant-colonel C..., commandant l'artillerie à Bulson, qui donnent, à leurs soldats, l'ordre de dispersion.

— Les Allemands sont à Bulson !

Nul ne cherche à contrôler l'information. Lorsque, vertement sermonnés par le général qui commande l'artillerie du 10e corps, les deux colonels rejoindront leur poste, ils ne trouveront naturellement plus personne auprès de pièces abandonnées sans avoir été détruites [20]. Le lieutenant-colonel Reynault découvre ainsi une batterie de 155 long abandonnée à dix kilomètres du point extrême de l'avance ennemie.

---

19. Si l'aviation franco-britannique de bombardement est peu active le 13 mai (voir p. 317), c'est que les 11 et 12 elle a fait un effort important contre les ponts de Maestrich. Non sans pertes sérieuses. Et beaucoup des avions qui reviennent sont inutilisables. Le 12 mai, au soir, les Anglais ont perdu 63 bombardiers sur 172 engagés.

Le 14 mai, au soir, les Français auront perdu, depuis le 10 mai, par combats, bombardements et accidents, 232 appareils dont 135 chasseurs et 21 bombardiers.

20. Le colonel P... se suicidera.

Le plus souvent le téléphone ne marche pas, mais, lorsqu'il fonctionne, il propage la panique.

A la côte Saint-Georges, P.C. du général Chapouilly, qui commande la 3e division d'infanterie nord-africaine, un coup de téléphone, émanant du général Grandsard, est reçu vers 17 h 30.

— Les divisions à votre gauche ont cédé ; la 55e est enfoncée, la 71e a reflué sans être attaquée... Il y aurait des infiltrations à Brévilly.

Or il ne se passe rien de spécial à Brévilly et, dans la journée du 13, *pas un seul char* allemand n'a été engagé de l'autre côté de la Meuse, mais les bruits, aussi précis que faux, sont immédiatement reçus pour vrais par des hommes qui ne peuvent et ne veulent imaginer que le pire.

Rien ne peut les retenir. Ils sont trop nombreux.

Lorsque la 71e division cède sans même avoir l'excuse, comme la 55e, d'une vigoureuse attaque allemande, le colonel Costa, du 38e R.A., tente vainement de raisonner les fuyards.

— Voyons, mes enfants. Ici, il y a des canons ! Il y a du matériel. On peut se défendre.

— Mon colonel, on veut rentrer chez nous. C'est pas la peine d'essayer. On est perdus. On est trahis.

Le général Corap, dans la nuit du 14 au 15, a mobilisé tous ses officiers d'état-major avec mission de se poster aux carrefours pour arrêter les fuyards. Ils n'ont pas plus de succès que le colonel Costa.

D'une visite aux troupes, le 14, Corap a rapporté, d'ailleurs, une impression déplorable.

— L'aviation causait des pertes et des dégâts très sensibles dans nos colonnes, nos ravitaillements, sur les chemins, dans les gares, et surtout faisait fléchir de façon grave le moral des troupes. Ses effets furent en grande partie responsables du désordre qui se produisit, en beaucoup d'endroits, sous différentes formes et de défaillances qui portèrent certains éléments à se replier sans ordre et sans nécessité réelle. Je ne constatai pas autant que je l'aurais voulu, au cours de ma tournée, la réaction guerrière qui aurait consisté à dire : « Nous sommes certes mal armés, mais il faut tenir quand même. » Je dus moi-même réagir sévèrement pour secouer et redresser des gens qui s'abandonnaient.

Mais le télégramme qu'il adresse, dans la soirée du 14, à toute l'armée, en exigeant qu'il soit répercuté à tous les échelons[21], aussi ferme soit-il, aussi précis soit-il sur la responsabilité des cadres, ne retient que ceux qui ont décidé de résister et que cette pagaille monstrueuse bouleverse et incite à faire plus que leur devoir.

La prévôté elle-même est très vite impuissante. Dans la soirée du 13 mai, la 3e D.C.R. a placé un barrage au pont de Montgon, mais, si les gendarmes stoppent les isolés, que peuvent-ils contre ces unités qui se présentent, officiers en tête, contre ces formations d'artillerie sans canons, réduites aux seuls attelages ?

Peuvent-ils empêcher les fuyards de crier aux troupes qui montent en renfort

— N'y allez pas !

— Fantassins, ne montez pas !

— Les Boches sont là.

Deux compagnies de gardes mobiles, appelées de Châlons et de Vitry, s'efforceront de canaliser le flot sur Vouziers. De son passage, il restera le témoignage de magasins et d'habitations pillés. A Reims, seulement, quelques milliers d'hommes pourront être repris en main.

Le 19 mai, un officier d'artillerie en mission, auprès de ce qui reste de la IXe armée, décrit le spectacle :

« Sur 70 000 hommes et de nombreux officiers, aucune unité commandée, si petite soit-elle : un troupeau abruti et hagard, mélange complet de numéros, troupes et services. Dix pour cent à peine d'hommes ont conservé leur fusil. Aucune arme automatique. Quelques canons de 25 transportés sur des voitures. Beaucoup de gradés et d'hommes voyageant en auto militaire ou particulière. Il ne m'a pas été possible, sur les milliers d'hommes qui ont été triés, de former une compagnie pour la défense du pont de Compiègne [or, il y a 190 kilomètres entre Sedan et Compiègne]. Cependant, les pertes ne semblent pas avoir été élevées. Aucun blessé parmi ces milliers de fuyards. Ces gens-là sont déroutés. La vue d'un avion leur inspire de la terreur. Les services se sont débandés avant les troupes et ce sont eux qui ont mis du désordre partout. »

---

21. « Des défaillances se sont produites en certains points. La responsabilité en incombe aux cadres. Au moment où se jouent les destinées de la France, aucune faiblesse ne saurait être admise. A tous les échelons, les cadres ont le devoir absolu de payer d'exemple et, au besoin, de forcer l'obéissance. Des sanctions impitoyables s'abattront sur les chefs défaillants. Cet ordre sera notifié immédiatement à tous les échelons. »

On critiquera les hommes de la 71e D.I., une division de série B commandée par le général Baudet, qui fut « bien » à l'autre guerre mais qui, le 10 mai, se trouve à la veille d'être relevé de son commandement. Prenant tardivement de mauvaises décisions, après quelques heures de courses de P.C. en P.C., à la recherche de renseignements, d'ordres et d'encouragements, il ne dirige plus rien dans sa division composée d'hommes de trente à quarante ans, des Parisiens.

Des « Parisiens »... c'est tout juste, à Paris, où échouent les débris de l'armée en déroute, si on ne les accuse pas, ces malheureux, d'être comme l'écume des banlieues rouges.

Parisiens oui, ces faibles, comme sont parisiens les tankistes du 7e bataillon qui, pour pouvoir monter à l'attaque, mettront revolver au poing et, de la masse de leurs chars, devront écarter les fuyards. Affrontant, avec des canons de 37, datant de 1918, des chars allemands de 35 tonnes, ils perdront 27 engins sur 37 mais feront plus que sauver l'honneur.

Car il y a des héros. Dans toutes les unités. Et de tous les grades. Parmi les plus humbles comme ces territoriaux de la 102e division qui, le 16 mai, s'accrochent au général Bruché et le supplient de les prendre avec lui, car ils veulent se battre. Il leur donnera mission — ils sont une vingtaine — de défendre les ponts d'Asfeld, sous le commandement d'un lieutenant d'artillerie.

Comme ces deux sous-officiers du 11e cuirassiers qui, ayant franchi la Meuse à la nage ont réussi à rejoindre nos unités après trois semaines de marche, et réclament de revenir sans tarder au combat.

Comme ces mitrailleurs de la 5e compagnie, morts pour la défense de quelques points d'appui de Sedan. Comme ces hommes qui contre-attaquent furieusement alors que tout est perdu, qui s'accrochent et se battent, soldats de la 2e division légère de cavalerie, de la 3e division d'infanterie motorisée, de la 1re division d'infanterie coloniale, du 148e régiment d'infanterie de forteresse qui arrêteront un long moment plusieurs dizaines de chars allemands, comme ceux qui, au sein même des divisions débandées, la 55e, la 71e, se font tuer pour sauver l'honneur des autres.

Des généraux ont fui traumatisés par une guerre dont ils ne reconnaissaient pas le visage. Mais d'autres généraux se battront jusqu'au bout comme le général Augereau, qui commande l'aviation de la IXe armée et qui, le 18 mai, vient s'enfermer au quartier général du Catelet où la situation est désespérée.

Le général Véron lui demande :

— Mon général, que venez-vous faire ici ?

— Mon cher, je n'ai plus un avion, tout est mort. Alors, je reviens vers mon commandant d'armée. Il n'est pas là ; mais, comme vous le remplacez, je vais me mettre à vos ordres.

Ce jour-là, au Catelet, quarante gardes mobiles, des pilotes et tireurs d'automitrailleuses, quelques dizaines de rescapés de divisions en retraite et des généraux font le coup de feu contre 80 chars allemands qui, depuis 16 heures, encerclent le village.

Après une violente canonnade et alors que les Allemands s'avancent dans toutes les rues, le combat se poursuivra jusqu'à 18 heures. A la mairie, les derniers défenseurs tiraillent sans arrêt. Parmi eux, le général Véron — qui dira que son rôle, ce jour-là, ne fut pas celui d'un chef d'état-major, mais celui d'un chef de section — et le général Augereau tué alors que, de la porte, il tire au pistolet sur les Allemands qui débouchent [22].

Cette guerre perdue aura eu, elle aussi, sa maison des dernières cartouches.

Mais le courage et l'héroïsme des uns sont impuissants à compenser le désarroi des autres. Il faudrait du temps pour rassembler les fuyards, relever les courages, forger de nouvelles armes.

Le temps fera défaut.

Pour bien juger ce qui se passe en mai 1940, il faut songer à ce qui s'est passé en août 1914.

Sur les mêmes champs de bataille et presque dans les mêmes villages.

On avait vu alors la garnison de Namur fuir, mêlée à des civils et, dans sa course, à chaque kilomètre nouveau, attirer des candidats à tous les abandons.

On avait vu le général Sauret lâcher sa troupe en pleine bataille après avoir stupidement fait massacrer la 38e division d'Afrique.

On avait vu un bataillon du 148e surpris, près de Dinant, par les

22. Le général Augereau avait été relevé de son commandement 48 heures plus tôt.

Saxons, comme le fut, presque au même endroit, le bataillon Cadennes.

On avait vu, après l'affaire de Mohrange, le 20 août, les fantassins du 3e corps bavarois parvenir jusqu'à nos canons et des milliers d'hommes refluer vers les gares dans l'espoir de sauter dans des convois qui, vite, s'éloigneraient en direction du sud.

Fayolle a raconté cela dans ses *Carnets* et, comme une retraite ressemble à une retraite, le spectacle d'août 1914 annonce celui de 1940. « En allant à Jallaucourt, je trouve le flot des fuyards du 234e qui s'en vont bêtement, non poursuivis. Leur colonel est affolé. Plus tard, j'arrête le 206e dont le colonel est tué, un monsieur très chic... A la 59e, le commandant de la division est relevé de son commandement. »

En 1915, paraîtra, après coupures infligées par la censure, un récit de la défaite de Mohrange qui pourrait presque être intégralement reproduit dans les journaux de 1940.

« Point de compagnie. Tous mélangés. Et, parmi eux, des paysans qui suivent aussi, en voiture, à pied, des vieillards, des femmes avec leurs enfants, se retirant devant l'invasion... Les voitures des convois, les trains régimentaires circulent au milieu de ces troupes. Les plus fatigués ou les plus atteints ont tâché de les prendre d'assaut. Les conducteurs hurlent, frappent leurs chevaux, bousculent les voitures, écrasent les piétons pour aller plus vite... »

En 1940, on accusera les « Parisiens ». En 1914, les « gens du Midi », de Marseille, de Toulon, d'Antibes et d'Aix, composant le 15e corps, avaient, paraît-il, « lâché pied devant l'ennemi ». En 1914 comme en 1940, des hommes politiques, pressés de se dédouaner, rejettent hâtivement les responsabilités sur les exécutants avant d'avoir recherché les causes exactes de la défaite[23].

Quoi encore ? L'égorgement de la 66e brigade, le 21 août 1914, dans les bois de Luchy, au nord de Sedan ; l'anéantissement de la 3e division coloniale à Rossignol ; et l'abandon, ou la livraison, aux Allemands, de plusieurs des forts qui défendent Maubeuge...

---

23. En août 1914, c'est un article inspiré par Messimy, ministre de la Guerre, qui se fait l'écho des accusations lancées contre le 15e corps. Or, c'est le 20e corps qui, ayant attaqué trop tôt, fut le véritable responsable de la défaite. Il fallut, devant l'émotion populaire de la région marseillaise, que le G.Q.G. rectifiât sans mettre en cause d'autres unités. Comme Foch commandait alors le 20e corps, la polémique, après la guerre, fut rapidement étouffée.

Évoquant ces jours d'août 1914 où plus d'un million d'hommes avaient battu en retraite, Joffre dira, plus tard : « Dans une circonstance pareille, il fallait prendre rapidement des décisions ; j'ai mis cinq ou six jours avant de les prendre. »

Heureux le chef à qui, dans une guerre moderne, de tels délais sont accordés. En 1940, chefs et exécutants n'eurent jamais cinq ou six jours. Bien souvent, ils n'eurent même pas cinq ou six heures pour la réflexion et l'exécution. Et quelles heures... Troublées par les bombardements, les incertitudes, les rumeurs.

Lorsque le général Bruché arrive à Wassigny, le 17 au matin, point de gardes aux issues du village où se trouve, en principe, établi le P.C. de la contre-attaque. Pas de barricades. Et pas de P.C. Il faut interroger les fuyards sur la route pour se faire une idée de la situation du front.

— N'allez pas au Nouvion, les Allemands y sont depuis deux heures.

— Le P.C. ? Il doit être à Bohain.

A Bohain, pas de P.C. On conseille au général Bruché de se rendre à Marcy... mais, sur la carte, deux Marcy sont portés. Quel sera le bon ?

Ah ! s'ils avaient cinq ou six jours...

En 1914, fantassins et artilleurs allemands marchaient à la même vitesse que les fantassins et les artilleurs français. Lorsque les uns étaient écrasés de soleil et traînaient les pieds sur les routes poussiéreuses, les autres souffraient également. Le ciel était presque toujours libre d'avion. Et, lorsqu'ils passaient, les avions constituaient beaucoup plus un divertissement qu'une menace directe.

En mai 40, la percée faite, fantassins motorisés et canons autotractés des armées de choc allemandes iront cinq à six fois plus vite que la piétaille française et que l'artillerie hippomobile.

Si, en août 1914, les Allemands avaient bénéficié d'une supériorité de vitesse, le redressement de la Marne eût été sans doute impossible.

On fuit.

Et on pille.

La discipline rompue, rien ne retient des hommes qui trouvent, dans le désordre de la débâcle, des excuses au vandalisme et qui, pour détruire, s'inventent des besoins

Vouziers sera pillé en partie, Reims sera pillé. Des villages belges, qui avaient admirablement accueilli les troupes françaises, n'ont, en remerciement, ni respect ni défense.

Dans la région de Montmédy, que les habitants ont évacuée, le 10 et le 11 mai, des jeunes gens reviennent-ils à bicyclette, deux jours plus tard, pour rechercher quelques papiers oubliés dans la hâte du départ, ils découvrent des armoires fouillées, des caves vides.

Dans les bois, plus tard, on retrouvera même des postes de T.S.F.

— Pourtant, diront les bonnes gens, ils ne pouvaient leur servir à rien, ces postes, dans la forêt.

Parlant des uns et des autres, ils diront aussi :

— Les plus corrects ont été les coloniaux. Ils ont bu le vin, mais ils se sont battus.

Les forêts se peuplent d'espions.

Les routes voient, paraît-il, passer, avec les réfugiés, des bonnes sœurs en cornette qui sont, lorsqu'on les dépouille, de rudes adjudants de la Wehrmacht.

M. Yvon Cassel, dont les parents avaient un café-restaurant rue de Paris, à Dunkerque, affirme ainsi que, pendant l'exode, une religieuse s'approcha du comptoir et demanda à boire. En mai 1940, plus rien n'étonnait, mais une religieuse au comptoir...

— Mon père la dévisagea, regarda ses mains, puis me dit discrètement d'aller chercher le marin qui réglait la circulation non loin de la maison, au pont Rouge. Je suis revenu avec le marin. Pour lui, la « religieuse » était un homme. Le marin demanda à la cliente de lui montrer ses papiers. Tandis qu'elle faisait mine de chercher dans ses vêtements, il lui arracha sa cornette. Et c'est bien une tête d'homme qui apparut à la vue des consommateurs stupéfaits...

Les imaginations travaillent.

Le général Bruché, commandant la 2e division cuirassée, dira qu'il a été suivi, dans tous ses déplacements, par « un homme en tenue d'ouvrier »... Comment est-il fait ? Comment l'a-t-il découvert dans la foule, aux mille visages, aux mille attitudes, cet homme insaisissable ?... Et ses complices, car il n'est pas seul.

— Ils étaient un certain nombre d'ouvriers en salopette bleue avec, en bandoulière, une boîte rigide rectangulaire recouverte d'un petit couvercle et d'où sortait le goulot d'une bouteille. En les voyant, la première impression était pour plaindre ces malheureux partis avec une boîte pour tout bagage, dans laquelle ils avaient sans doute de quoi manger un peu et d'où sortait leur bouteille de vin. Mais, après en avoir vu plusieurs du même genre, j'en vis un dont les yeux se sont braqués sur moi. Je l'ai fixé dans les yeux et je me disposais à me diriger ver lui — il se trouvait à une quinzaine de mètres de moi — pour le questionner au sujet de cette boîte qu'il portait, mais, en l'espace d'une seconde, il avait complètement disparu dans la foule. Or, j'ai vu ensuite un homme semblable dans les environs du pont de Saint-Simon, quand je faisais ma reconnaissance avant que les chars arrivent. J'en ai aperçu un autre au carrefour de Guiscard. Il a bien vu que je me dirigeais sur lui, mais il a filé lui aussi. Le soir, à Guiscard, j'ai entendu nettement, dans les bois, un poste émetteur fonctionner. Or, ce n'était pas un des postes émetteurs de chez moi puisqu'ils ne fonctionnaient pas. Je suis persuadé que ces hommes n'étaient autres que des agents de renseignements qui avaient dans ces petites boîtes des postes émetteurs et récepteurs.

Vrai ou faux ?

Ce qui est vrai, c'est qu'en Luxembourg la 5e colonne a surgi, dès une heure du matin, le 10 mai, pour prendre possession de plusieurs points stratégiques, qu'elle a aidé les Sonderkommandos chargés d'opérer, en civil, avant l'entrée « officielle » des troupes allemandes, Sonderkommandos dont l'un, au moins, a été recruté parmi les Allemands vivant au Luxembourg et les Luxembourgeois pronazis.

Ce qui est vrai c'est qu'au début de l'attaque allemande plusieurs officiers affirment, notamment dans la région de Sedan, avoir reçu de « mystérieux » correspondants l'ordre d'évacuer leurs positions. Mais ces ordres sans confirmation n'ont-ils pas trop vite séduit les âmes faibles ?

Ce qui est vrai, c'est qu'entre le 11 et le 20 mai les Belges arrêtent 200 espions, que Jean Moulin, préfet d'Eure-et-Loir, dit avoir vu et entendu, à Chartres, un boulanger, « venu on ne sait d'où »... crier aux habitants affolés :

— Ce qu'on a pu vous bourrer le crâne, mes pauvres agneaux ! Les Boches, c'est des types comme les autres...

Plus tard, le boulanger servira de guide aux premiers officiers allemands arrivés en vainqueurs dans la ville.

Ce qui est vrai aussi, surtout, c'est que l'espionnite envahit la

France Explication du désastre, moins honteuse que le manque de courage ou le manque d'armes[24].

Puisque courent les histoires les plus folles — notamment celle de l'avion qui se pose dans un champ, près d'un convoi de réfugiés et laisse sur place un ou deux motocyclistes avec leurs machines, qui ne s'éloignent pas avant d'avoir tiré sur la foule —, on arrête à tort et à travers.

Près de Terron, le soldat Jacques Vannier ne sera sauvé de l'exécution sommaire que par sa carte de la chorale de Saint-Louis-des-Invalides. D'autres auront moins de chance, et suffisamment de pilotes français, tombant en parachute, auront été mitraillés, du sol, pour que, le 20 mai, le gouvernement publie, sous le titre « Avant de tirer sur les parachutistes, il faut prendre certaines précautions... », un communiqué destiné à éviter les fâcheuses méprises.

Mais, lorsque, le 8 juin, Marcel Rouquette pose son Curtiss en perdition près d'un convoi français marchant plein sud, les soldats qui le mettent en joue lui crient immédiatement :

— Salaud, on va te descendre.

Il faut qu'il les injurie — en bon français — pour les convaincre de sa nationalité.

« Beaucoup de mes camarades, écrira le lieutenant-colonel Verrier, descendus en parachute de leurs appareils désemparés, ont eu beaucoup de mal à se sortir des mains d'énergumènes qui les attendaient au sol avec des fusils, des faux ou des fourches. A dix contre un, les Français, qui détalent comme des lapins depuis le 10 mai, retrouvent en ces occasions une certaine agressivité. Un pilote, qui avait sauté de son appareil en flammes, a été blessé d'une balle à la cuisse par un de ces énervés qui l'attendaient au sol. Un autre, qui s'était posé sur le ventre, blessé aux yeux, a été bastonné par des civils avant de pouvoir être secouru. »

Quant à Verrier, après un atterrissage forcé au sud de la Loire, s'il est d'abord soigné par un adolescent et une jeune fille, très vite le voici assailli par un civil et un gendarme armés d'un fusil. Blessé aux deux jambes et à la tête, il trouve cependant la force d'interpeller ceux qui le mettent en joue :

---

24. Encore quelques jours et l'Angleterre menacée connaîtra la même vague d'espionnite, on affirmera que les Allemands ont lancé des parachutistes déguisés en infirmières, moines(!) et conducteurs de tramways.

— Faut-il encore agrandir la cocarde française ? Vous ignorez aussi la tenue des officiers français ? Aidez-moi plutôt à rejoindre votre véhicule et conduisez-moi rapidement dans un hôpital ! Vous voyez bien que je suis blessé !

Donc partout des espions...

Ici, c'est un sous-officier belge se déplaçant à moto avec une femme, là une vingtaine de personnes qui demandent « avec trop de persistance » si les ponts de la Somme ont sauté. Le colonel Tasse écrit que son régiment, le 9e zouaves, arrêta, en une seule journée, quinze agents ennemis qui, mêlés à la population, prétendaient revenir de l'autre côté des lignes pour aller chercher des papiers, de la famille ou du bétail. A Longpont, dans l'Oise, des officiers de chars, alertés par l'envoi de deux fusées blanches, interpellent deux employés de chemins de fer.

— Qu'est-ce que vous venez de faire ?

— Mais... vous savez que le téléphone est coupé avec Soissons, notre consigne est de prévenir la gare de Soissons dès que le débarquement des chars sera terminé. C'est ce que nous venons de faire.

— Vous avez des papiers ?

— Oui, voilà.

Une fouille attentive permettra de découvrir, sur les deux hommes, des ordres établis en allemand[25].

Pour un récit cohérent, combien de témoignages douteux, répétés avec une intransigeante bonne foi.

Les hommes qui, le 16 juin, de la rive gauche du pont de Gien, « descendent un type » qui, marchant sur un banc de sable, leur paraît être « un Asiatique suspect », sont-ils véritablement certains du bien-fondé de leur décision ?

Les trois hommes, « aux mains blanches, vêtus de bleus, l'un avec un mètre dans sa poche, tous les trois les mains liées derrière le dos », qu'un fossoyeur de Troyes enterre, étaient-ils coupables ou victimes ?

Et que faut-il penser de la scène racontée par Lucien Martimort,

---

25. René BARDEL, *Quelques-uns des chars.* L'auteur, lieutenant de réserve au 44e B.C.C., donne des précisions qui paraissent lever les doutes.

sous-officier au 2e bataillon du 12e régiment de tirailleurs sénégalais Près de Beaumont-en-Argonne, des soldats débandés livrent à son unité une femme, déjà fort maltraitée, dont ils affirment qu'elle a fait des signaux aux aviateurs allemands « à l'aide de fusées cachées dans son sac à provisions ».

Plusieurs des camarades de Martimort, victimes de la psychose d'espionnite, s'emparent de la femme, l'insultent, la frappent, parlent de la fusiller.

— Vous n'allez pas laisser faire ça, dit Martimort à son capitaine.

Pour toute réponse, l'officier hausse les épaules et hâte le pas pour s'éloigner. On entend la femme crier :

— Le Bon Dieu vous punira.

Quelques coups de feu. C'est fini.

Paul Paillole, spécialiste des services spéciaux, écrira que, pendant toute l'offensive allemande, il n'y eut pas « un seul sabotage notable » à signaler. Avisé, par le cabinet de Paul Reynaud, d'un lâcher de parachutistes dans la région d'Évreux, le 19 ou le 20 mai, il quitte Paris précipitamment, arrive à Évreux à 3 heures du matin, réveille un officier du 2e régiment de chasseurs à cheval, un commandant de la garde républicaine, le chef de cabinet du préfet... et finit par découvrir que des exercices de parachutage (français) ont eu lieu la veille, sur le terrain d'aviation proche de la ville, entre 16 et 18 heures.

Paillole affirmera également qu'un seul espion allemand a transmis des messages pendant toute la durée de la guerre. Arrêté en novembre 1939, Sprotte, c'est son nom, sera d'ailleurs fusillé.

Alors, qui faut-il croire ? Le spécialiste [26] ou ceux qui transmettent des récits incontrôlés et que la panique amplifie ?

Convoqué par Ybarnegaray, ministre d'État chargé des questions de sécurité, Paillole dira au ministre, qui vient de faire allusion à l'activité de la 5e colonne et ne se résout pas à croire à l'inexistence de saboteurs :

---

26. Il y avait cependant 15 000 Allemands à Paris et tous n'étaient certainement pas sans activité politique antifrançaise. Les arrestations d'agents allemands passeront de 35 en 1935 à 153 en 1937, 274 en 1938, 300 pour le premier semestre de 1939.

— La 5e colonne, monsieur le ministre, elle est partout et nulle part. Ici, ce sont les défaitistes, les antimilitaristes, les pronazis, les fascistes, là ce sont les autonomistes, les séparatistes, ailleurs ce sont les minorités allemandes, là-bas ce sont les commandos de l'Abwehr précédant la Wehrmacht, souvent ce sont les faiblesses des régimes. l'incrédulité et l'incapacité des gouvernants.

10

L'APPEL Á PÉTAIN

Très vite, Paris aura été sensibilisé à l'exode.

Moins par le flot des réfugiés que l'on s'efforce de détourner de la capitale, de rendre invisible, de garder prisonnier des gares ; moins par les appels à la charité émanant de tous les partis et de toutes les religions, « Donnez ! Donnez !... pensez au linge, pensez aussi aux provisions [1] », moins par les affreux récits, faits de bouche à oreille, par les dames de la Croix-Rouge, les scouts, les journalistes, les cheminots, tous ceux qui ont approché ou touché le malheur que par le formidable signal d'alarme des incendies des archives du Quai d'Orsay.

Le jeudi 16 mai.

Moins d'une semaine après l'assaut allemand.

Frossard, ministre de l'Information, dira de cette journée que ce fut « la journée verdâtre ». Oui, journée de la peur inscrite, visible, lisible sur les visages d'hommes qui avaient jusque-là paradé, proclamé leur foi en la victoire et sous qui le sol s'effondrait sans qu'ils aient eu le temps d'imaginer la moindre riposte ou le moindre transfert de responsabilité.

L'une des plus tristes journées de toute l'histoire de France.

Tout avait commencé la veille, à 20 h 30, dans le bureau de Daladier. Au cours des siècles, bien des fois, des généraux français avaient dû annoncer à leur roi ou à leur ministre qu'ils avaient bataille

1. Extrait d un appel publié par *Le Populaire*, le 25 mai 1940.

perdue, mais, aucune défaite n'ayant été plus lourde de conséquences que celle de mai 40, aucune conversation n'aura plus d'importance historique que celle de Gamelin, général en chef et de Daladier, ministre de la Guerre. Pour l'essentiel, elle ne devrait pas sortir de nos mémoires.

Sans William Bullitt, ambassadeur des États-Unis à Paris, nous n'en aurions sans doute jamais rien su. Mais il se trouve rue Saint-Dominique, dans le bureau de Daladier, lorsque sonne le téléphone et que Gamelin annonce qu'après avoir tout brisé sur son passage, une colonne blindée allemande croise entre Rethel et Laon.

Daladier réagit en fantassin de l'autre guerre.

Il crie qu'il faut attaquer aussitôt, comme on le faisait, en 18, lorsque le front était crevé.

— Attaquer ? Avec quoi ? réplique Gamelin. Je n'ai plus assez de réserves... Entre Laon et Paris, je ne dispose pas d'un seul corps de troupes.

— Alors, dit en terminant Daladier, dont le visage s'est altéré[2], alors c'est la destruction de l'armée française.

— Oui, c'est la destruction de l'armée française.

Donc de la France.

La chute de Paris peut, en tout cas, n'être plus désormais qu'une question d'heures. Combien ? Nul ne le sait. Mais, après avoir sans cesse prédit le meilleur, généraux et ministres, brutalement, doivent envisager le pire.

Ils ne sont certes pas les seuls. Sortant de chez Daladier, Bullitt câble immédiatement à son gouvernement « qu'à moins d'un miracle comme celui de la Marne » l'armée française sera bientôt totalement écrasée.

Et les Anglais, qui comprennent la gravité de la situation, commencent à mesurer un concours déjà très mesuré. A Daladier et Gamelin qui lui demandent à nouveau, dans la soirée, l'envoi de renforts aériens, Churchill répond affirmativement, mais le cabinet de guerre refuse immédiatement de donner satisfaction aux Français comme... au Premier ministre britannique, qui ne manifeste ni grande irritation ni surprise d'une telle opposition.

2. « J'avais l'impression, racontera Bullitt, qu'il diminuait à vue d'œil. »

Heures capitales où tout se dénoue, où tout se noue.

L'Angleterre amorce sa politique de repliement des prochains jours Quant à l'Amérique, elle ne veut et ne peut intervenir.

Répondant aux prières de Reynaud, Roosevelt fait savoir qu'il n'a pas les moyens d'aider les démocraties tant que, dans son pays, le sentiment populaire n'aura pas évolué.

La situation militaire échappe par ailleurs à Gamelin, comme la situation politique échappe à Reynaud.

Le généralissime décide bien de replier les forces alliées engagées en Belgique, mais sa montre reste à l'heure de 1914. En un autre temps, ou à un autre rythme, ses ordres pourraient contribuer à modifier heureusement le cours de la bataille. Les divisions blindées allemandes poussent toujours plus loin et plus loin sans attendre les unités d'infanterie qui suivent assez difficilement. Élargissant la brèche ouverte sur la Meuse le 12 mai, parcourant 250 kilomètres en direction de la mer, en quatre jours, du 16 au 20 mai, elles s'exposent ainsi aux conséquences terribles d'une contre-attaque qui fracasserait leurs convois de ravitaillement, couperait leurs fragiles liaisons, les isolerait et, fermant autour d'elles un cercle de feu, les cantonnerait dans des espaces livrés aux coups de l'aviation, les réduirait, les unes après les autres, dans ces batailles d'encerclement dont l'offensive allemande en U.R.S.S. fournira tant d'exemples.

Il suffit de lire la carte pour savoir ce qu'il faut faire : que les Français rapprochent les deux lèvres de la plaie, interviennent à la fois du nord et du sud et l'armée allemande sera en grand péril. C'est d'ailleurs la crainte d'Hitler, de nombreux généraux de l'état-major allemand et de quelques-uns des exécutants encore que ceux-ci soient, le plus souvent, rassurés par le grand désordre français.

Le général Hadler a noté cela. Le 17 mai, « journée désagréable, le Führer est terriblement nerveux ! Effrayé par son propre succès, il craint de prendre quelques risques et il préfère brider nos initiatives. Il prétexte ses craintes pour le flanc sud ».

Ce 17 mai, d'ailleurs, Guderian, le chef de la vague d'assaut blindée allemande, alors qu'il est déjà sur l'Oise, voit arriver par avion von Kleist qui lui reproche d'être allé trop vite, d'exposer dangereusement ses troupes, lui prescrit, d'ordre du Führer, de stopper immédiatement la marche de ses chars et le relève de son commandement.

Dans l'après-midi, Guderian retrouvera certes son commandement, mais il ne reprendra sa stupéfiante avance que le lendemain (il occupera alors Cambrai, Saint-Quentin, Péronne), non sans provoquer à nouveau la colère d'Hitler qui, en ancien combattant de 1914, ne peut admettre la passivité française et voit parfaitement les périls qui guettent son armée si Gamelin réagit comme ont réagi jadis Joffre et Gallieni[3], en bousculant l'armée de von Kluck, qui défilait devant Paris, et en créant ainsi les conditions de la victoire de la Marne.

Journal d'Hadler, le 18 mai : « Le Führer se tourmente d'une façon inexplicable pour le flanc sud ! Il est furieux et clame que nous prenons le meilleur chemin pour faire échouer toute la campagne et mener l'armée allemande à sa défaite ! Il ne veut avoir aucune part dans la continuation des opérations vers l'ouest ! »

Ainsi, à l'instant même où les ministres et les généraux français, dans l'accablement et l'inquiétude, prennent les précautions extrêmes auxquelles incite le désastre, Hitler, angoissé par sa trop facile victoire, craint de tomber dans un piège mortel, tendu par des généraux français avisés !

Il y a bien, en vérité, au nord et au sud de la brèche ouverte par les chars de Guderian, en Belgique et sur la Somme, des troupes nombreuses et, pour la plupart d'entre elles, encore correctement organisées, mais elles sont mal commandées par des généraux qui ne saisissent jamais les occasions qui leur sont offertes (il arrive que l'ennemi n'ait qu'*une* division d'infanterie pour garder 80 kilomètres de front[4]), qui reculent toujours le moment de l'offensive, décidés à n'agir que lorsque toutes les conditions réglementaires de l'action se trouveront enfin réunies, ce qui ne sera naturellement jamais le cas.

Il y a bien dans l'énorme poche, où les Allemands s'engouffrent, et qui craquera bientôt, des dizaines de milliers de soldats français avec armes et bagages, canons et mitrailleuses, mais la plupart d'entre eux ne songent même pas à les mettre en batterie contre les Panzers qui

3. Et Gamelin... dont on a beaucoup dit qu'il fut, à l'état-major de Joffre, l'un des inspirateurs de la manœuvre de la Marne.

4. C'est le général Georges lui-même qui l'indique dans son Ordre particulier nº 109, du 25 mai. A 16 h 25, le commandement de l'Air signale un « vide complet » dans le triangle Laon-Montcornet-Neufchâtel. Les blindés allemands sont passés, l'infanterie n'a pas rejoint

filent sur des routes miraculeusement débarrassées de tous les réfugiés qui se précipitent dans les fossés pour ne pas y être précipités.

Libres, en apparence, nos soldats sont déjà, pour la plupart, des captifs dans l'âme.

Rommel, toujours en tête de la 7e Panzer, arrache les Français à leur sommeil dans la région de Landrecies. Ses notes du 17 mai sont, hélas ! sans vantardise. « La route et ses abords sont couverts d'un chaos de canons, de chars de combat et de véhicules. La surprise des troupes françaises est complète ! En nous voyant apparaître, elles déposent leurs armes et se mettent en marche vers l'est, centaines d'hommes par centaines d'hommes, officiers et soldats... A certains endroits, il faut les faire descendre des véhicules qui roulent à nos côtés. »

A Landrecies, les hommes de Rommel vont tout droit chez le commandant d'armes, puis au pont sur la Sambre qu'ils saisissent en un tournemain. Le chef de la 7e Panzer aperçoit-il la caserne de la ville pleine de soldats français, il se contente d'y expédier son aide de camp qui ordonne aux officiers de rassembler leurs troupes et de les conduire docilement vers l'est.

Tout ce qu'il y a d'honorable — la contre-attaque isolée, le 17 mai, de la 4e division cuirassée conduite par le colonel de Gaulle dans la région de Montcornet, la résistance, à Maubeuge, de la 101e division de forteresse, la lutte courageuse des 1re et 4e divisions nord-africaines sur le canal de la Sambre à l'Oise — n'est ni cohérent ni lié à un plan d'ensemble qui seul procurerait le salut.

Menaçants, les Allemands pourraient être menacés au cours de ces journées des 15, 16, 17 mai, mais il faudrait, pour cela, plus que des coups de crayon zébrant les cartes des opérations. Il faudrait une intense volonté des chefs inspirant une ardente volonté aux exécutants.

Or, les chefs français militaires ou civils, même lorsqu'ils affectent l'impassibilité, le calme, l'autorité, sont en train de vivre des heures tragiques qui ne leur laissent nullement le temps d'imaginer, puis de mettre en œuvre, les réactions qui s'imposeraient.

Le 17 mai, le 18 peut-être encore, les Allemands, comme effrayés de leur victoire, piétinent un peu et sont tentés, se souvenant de l'autre guerre, de souffler pour se réorganiser. Il faudrait saisir cet instant. Mais, en France, ceux qui ont la responsabilité de la bataille et des décisions vivent encore sous l'empire de cette effroyable journée du 16 mai

Comment reconstituer, à travers des récits contradictoires et souvent arrangés pour l'histoire, cette matinée du 16 où, les uns après les autres, convoqués par la rumeur de la défaite, qui déjà court Paris, plusieurs ministres et quelques responsables politiques ou militaires arrivent au Quai d'Orsay pour s'entendre donner lecture, par Paul Reynaud, de la lettre que vient de lui adresser, à 10 heures, le général Hering, gouverneur militaire de Paris ?

« Dans les circonstances actuelles, j'estime prudent, pour éviter tout désordre, de vous suggérer d'ordonner l'évacuation du gouvernement, sauf les ministères de la Défense nationale (ou tout au moins leur premier échelon), de la Chambre des députés et du Sénat, sur les zones de repli prévues. Je vous serais obligé de me communiquer au plus tôt votre décision. »

Il y a là Jeanneney, président du Sénat que tous (puisqu'il faut voir chacun non à travers son trop complaisant récit, mais à travers le récit des autres), que tous dépeindront comme une des rares « âmes fortes » de la réunion. Jeanneney qui, dès 9 h 30, a connu par Henry Roy, ministre de l'Intérieur, l'ampleur du désastre.

— Nous sommes foutus, mon vieux. C'est comme je te dis. Les Boches ont forcé la Meuse en plusieurs points et se dirigent sur Paris qui est menacé, notre armée retraite en désordre.

Jeanneney qui ne cessera de dire : « Il y a au moins 150 kilomètres entre le point où les Allemands peuvent être et Paris. Organisons la défense. » Jeanneney qui a trouvé une formule, proche du mot historique, et la répète avec une évidente satisfaction : « Être plus pressé de tenir que de fuir. »

Il y a là Édouard Herriot, qui souhaite donner connaissance de la lettre d'Hering aux députés réunis dans l'après-midi... ce qui aurait pour effet certain d'amplifier prodigieusement la panique. De Monzie, ministre des Transports, l'homme dont tout le monde va avoir besoin, qui, sur l'heure, a peu de moyens et qui, d'ailleurs, ne cache nullement son opposition fondamentale au départ[5]

Lorsque Paul Reynaud l'interroge : « Combien pouvez-vous mettre de trains à la disposition des Parisiens dans la journée ? » il réplique :

5. De Monzie n'est pas du clan des durs, des jusqu'au-boutistes. Il pense que cette guerre inutile a été très mal engagée. En ce qui concerne l'évacuation, il déclare qu'en tout cas le ministre des Transports ne saurait quitter Paris : hors Paris, il est incapable de commander

— Pas un.
— Et de camions à la disposition des Chambres ?
— Fort peu.

Il y a là Daladier, reposé, semble-t-il, des fatigues et des émotions de la veille, qui montre sur la carte l'avance des blindés allemands, et, comme s'il était à la recherche de boucs émissaires, annonce que des unités entières ont fait « camarade », qu'il a fallu employer le 75 contre certaines[6]. Vrai ? Faux ? Vraie, on l'a vu, la débandade de la 55e et de la 71e division qui, à Sedan, ont reçu le choc auquel ni leur armement ni leur entraînement ne les préparait. Vraies, bien sûr, les redditions trop rapides. Mais l'emploi du 75 contre des troupes qui seraient alors, non point en fuite, mais révoltées et menaçantes ? C'est peut-être des paroles de Daladier, colportées, amplifiées, déformées, que naîtront d'atroces et ridicules récits auxquels Bullitt, l'ambassadeur américain, accorde immédiatement crédit puisqu'il télégraphie à Roosevelt, le 17, qu'une mutinerie s'est produite parmi les équipages de chars et « qu'un régiment de chasseurs, composé de communistes de la banlieue parisienne, s'est mutiné il y a trois jours, s'est emparé du centre vital de Compiègne sur la route de Paris et le tient toujours, au nombre de 18000 hommes ». « Je suis informé, ajoute-t-il, qu'ils seront attaqués par des forces aériennes et des chars, ce soir. »

Il y a là le général Hering, l'homme dont la lettre a tout brusqué, mais qui semble terrorisé d'avoir été pris au tragique[7]. L'interroge-t-on ? Il ne sait ni si les ponts de Paris sont minés, ni s'il existe un plan de défense de la capitale.

— Je dépends du commandant en chef. Paris est depuis ce matin zone des armées. J'ignore le plan du commandement. Des explosifs ? Non, je ne sais pas si on en est pourvu...

A quoi Dautry réplique que les explosifs existent, qu'il faut faire sauter les ponts et se battre.

— On se battra dans les rues et partout, affirme-t-il, presque joyeusement, en entendant Reynaud donner téléphoniquement à Gamelin des ordres pour la défense de la capitale.

Il y a là encore Chautemps, vice-président du Conseil, Rio, ministre de la Marine marchande, Mandel, ministre des Colonies, Louis Marin,

---

6. Rapporté par JEANNENEY, *Journal politique*.
7. « Une loque », écrira Jeanneney faisant allusion à cette réunion. La plupart des témoins sont moins sévères envers Hering qui passait pour un militaire non conformiste et de talent.

Lamoureux, Laurent-Eynac, le général Decamp, directeur du cabinet de Daladier. Et, comme dans toutes les tragédies, les confidents qui apportent, ou viennent quérir, des informations. Dominique Leca, « l'une des meilleures machines à penser[8] » françaises, chef de cabinet de Reynaud, Villelume qui, pour être plus près de son bureau, couche au Quai, dans la chambre « du Maréchal », Mme de Portes enfin, qui, sans apparaître, n'ignore rien et contrôle tout.

Il y a les silencieux, les effarés, les timides, ceux qui se prennent la tête entre les mains et ceux qui marchent de long en large, ceux qui proposent des plans chimériques.

— Ne pourrait-on pas faire remonter la Seine à quelques bateaux de guerre de faible tonnage qui serviraient d'artillerie flottante pour arrêter les Allemands ?

Ceux qui rêvent d'une immense bataille, d'un Paris sacrifiant ses monuments et ses vies à l'honneur et s'égalant dans la mort et la gloire au Madrid des républicains, ceux qui, dépouillant la pourpre, ne sont plus que des Français comme les autres, avec les mêmes humbles soucis, et ceux qui répètent mécaniquement : « C'est impossible, impossible », dormeurs éveillés qui voudraient s'évader du cauchemar.

Et puis il y a Paul Reynaud, accablé mais donnant la comédie de l'autorité, cherchant à faire bonne figure face à l'événement qui le dépasse comme il les dépasse tous, prêt à lancer l'ordre d'évacuation de Paris puis le retardant, chef que l'on harcèle de problèmes et que les problèmes harcèlent, devant partager le pouvoir avec tout le monde, avec les députés dont il faudra, dans l'après-midi, en séance, calmer le trouble et provoquer les acclamations, avec l'opinion française émue (et déjà il doit combiner et ordonner en pensée les phrases de ses prochains discours), avec ces chefs militaires qui ne comprennent rien à cette forme de guerre nouvelle, avec ces alliés anglais à qui il faut réclamer poliment, trop poliment les concours que le péril rend indispensables, qu'il faut remercier platement alors qu'ils donnent si peu, avec ses collaborateurs nichés, comme tous les collaborateurs, dans chaque pli et dans chaque défaut de son caractère, avec ses amis qui se demandent s'il n'est pas trop tard pour l'abandonner, avec ses ennemis, avec son imaginative, autoritaire, épuisante maîtresse

8 Le compliment est de Reynaud

Paul Reynaud qui déjà prépare un nouveau remaniement ministériel, tire de la catastrophe ce qu'il peut en tirer de profitable à ses plans, d'apaisant pour ses rancunes : le départ de Gamelin, le départ de Daladier[9]. C'est à cet instant qu'il décide de faire venir près de lui Pétain et Weygand, gloires dont il attend qu'elles maîtrisent et disciplinent, s'il se peut, l'événement militaire, mais aussi qu'elles le protègent et assurent son autorité chancelante.

Cette réunion du 16 mai, il faut l'imaginer comme elle fut : « longue, douloureuse, confuse », dira plus tard Chautemps. Ajoutent à la confusion, et même à la stupeur de ceux qui arrivent dans le bureau de Paul Reynaud, les flammes qui, depuis les pelouses du Quai d'Orsay, montent par jets brusques jusqu'aux fenêtres et qu'alimentent, et raniment à chaque instant, de lourds dossiers jetés du troisième étage, dossiers que les ministres voient passer sous leurs yeux stupéfaits, dont ils entendent le choc mou et que les jardiniers du ministère tournent et retournent dans le brasier jusqu'à l'instant où ils ne sont plus que des blocs de cendres friables et dérisoires.

C'est M. de Margerie qui a donné à Hoppenot l'ordre d'incinérer les archives et cet ordre a été confirmé à Alexis Léger, secrétaire général du Quai d'Orsay, par Paul Reynaud, sans doute après que la lettre du général Hering eut, dans un premier temps, convaincu le président du Conseil de l'urgence du départ[10].

---

9. Ils interviendront bientôt. Gamelin sera remplacé, le 19 mai, par Weygand, et Paul Reynaud deviendra, le même jour, ministre de la Défense nationale à la place de Daladier « muté » aux Affaires étrangères en attendant d'être totalement éliminé le 5 juin.

10. J'ai sous les yeux un rapport de la sous-direction Europe du Quai en date du 16 mai, à 16 heures, rapport formel s'agissant d'un point longtemps controversé.

« ... Remonté dans son bureau, M. Hoppenot est rappelé quelques minutes plus tard par M. de Margerie qui lui indique qu'il y a lieu de commencer immédiatement l'incinération de toutes les archives politiques.

« A ce moment, le général Hering venait de téléphoner au président du Conseil pour demander que les membres du Parlement et le gouvernement français quittassent la capitale avant la fin de l'après-midi. Le général Gamelin avait, d'autre part, téléphoné à M. Paul Reynaud que les Allemands pouvaient être à Paris avant minuit.

« MM. Charveriat, Rochat et Hoppenot se rendirent chez le secrétaire général auquel ils firent part de l'ordre d'incinération donné par le cabinet du Ministre. M. Léger demanda immédiatement M. Paul Reynaud au téléphone pour en obtenir la confirmation. Le président du Conseil répondit au secrétaire général

Ces flammes, ces fumées, ces cendres qui s'envolent, emportant les secrets des alliances, les réflexions des diplomates, les projets d'hommes politiques qui avaient l'ambition de changer la face du monde, n'impressionnent pas seulement les ministres rassemblés chez Reynaud. Visibles de loin, elles alertent une partie de la population parisienne. Dans un moment où chacun ne pense qu'au péril militaire, le plus léger indice est enregistré, commenté. Et cet incendie n'est pas un mince indice. Pour la foule, qui ignore le secret des délibérations ministérielles, elles constituent un formidable aveu.

Ce jour-là, Paris change de visage.

Il y a un peu partout, d'ailleurs, des soldats effrayés par une bataille qu'ils n'ont pas livrée mais dont ils ont seulement entendu le vacarme, épaves roulées par le flot de la débâcle ou l'ayant devancée, hommes défaits dans l'attitude, le regard, le vêtement, porteurs de nouvelles d'autant plus tragiques qu'il leur faut donner quelque justification à leur fuite, quelque explication à leur présence.

Lucien Rebatet a parlé à un artilleur ainsi échoué place de l'École militaire.

— Mais d'où viens-tu, toi ?

— D'où que je viens ? Eh ! ben, je viens du front ! On a foutu le camp.

Bientôt les phrases « Les chars allemands sont à quinze kilomètres

---

qu'il convenait de mettre de côté les pièces d'archives historiques et politiques les plus importantes et de procéder à l'incinération immédiate de tout le reste.

« L'ordre commença immédiatement à être mis à exécution. Les dossiers secrets de la chambre forte, du secrétariat politique, ainsi qu'un certain nombre de cartons contenant les pièces essentielles de l'activité diplomatique depuis le début de la guerre furent mis de côté pour être expédiés en fin de journée à Langeais. Il était procédé en même temps à l'incinération de tout le restant des archives politiques et administratives. »

Sur toute cette affaire, Villelume, si bavard, est pratiquement muet, alors qu'il a passé la matinée au Quai, ce qui permet d'imaginer combien est engagée la responsabilité du président du Conseil qui devait, à son habitude, s'en décharger sur un autre, en l'occurrence Alexis Léger, chassé de son poste le 19 au terme d'une manœuvre qui en dit long sur les mœurs du régime. En effet Mme de Portes, qui déteste Léger, a obtenu que Paul Reynaud se charge lui-même de l'exécution. Pour éviter toute réaction de Léger, et de ses amis, « l'opération » sera préparée dans le plus grand secret, le président Lebrun étant invité, à minuit, à signer le décret nommant Charles-Roux au poste de Léger, qui ne sera averti que le lendemain par la lecture de l'*Officiel*. Tout cela le 19 mai [1]

de Reims », « Leurs avant-gardes foncent vers Laon », « Rien ne résiste. Nos soldats ne tiennent plus, c'est terrible », « Il paraît que des divisions communistes marchent sur Paris » ne sont plus seulement le triste privilège de ceux qui savent ou croient savoir.

Comment en irait-il autrement alors que, dans mille bureaux officiels, on cloue des caisses, on répartit les places dans les trains, les voitures, les camions, que des dizaines de milliers de militaires bureaucrates et de fonctionnaires annoncent à leur femme, à leurs voisins, à leurs amis, l'imminence du départ et que, répétées, déformées, les rares informations sûres deviennent un monstrueux torrent bobardier.

C'est au soir de ce 16 mai tragique que l'on apprend, sans doute, à lire d'un œil sceptique les journaux naturellement rassurants. *L'Époque,* dans laquelle Kérillis affirme : « Nos plaines, nos champs, nos routes sont remplis de ces cadavres [de l'Allemand]. Plusieurs de ses grandes unités désarticulées ont été culbutées. Et il n'est pas passé. Voilà ce qu'il faut dire, ce qu'il faut crier à tous les échos de France ; il voulait passer, comme il l'avait voulu à Verdun et il n'est pas passé. » Et *L'Action française,* et *Le Petit Parisien,* et *Paris-Soir* qui annonce une formidable attaque de la R.A.F. sur la Rhénanie[11]. Et tous les autres. D'ailleurs, la censure n'autorise que l'optimisme.

Deux jours plus tard, *Le Journal,* voulant rassurer, publiera ce texte qui sent la fumée et la peur.

« Le défaitiste est pire que le traître.

« La poussée sur la Meuse des divisions cuirassées allemandes a déterminé dans certains milieux, dans certains endroits que nous ne nommerons pas, un état d'esprit catastrophique.

« Des gens qui étaient à l'arrière, et par conséquent à l'abri, criaient que tout était perdu et non seulement le criaient mais le téléphonaient.

(huit lignes censurées)

l'armée est solide. Nous avons des chefs de premier ordre. Le

11. Ayant subi des pertes effroyables (50 % parfois des effectifs) au-dessus des ponts sur la Meuse, la R.A.F. prend du champ. Churchill dira, le 16, à Reynaud et à Daladier qu'il faut agir sur le potentiel économique de l'adversaire. C'est plus profitable, et moins coûteux, affirme-t-il, en rappelant que 36 appareils sur 67 ont été abattus dans un raid près de Sedan, tandis que, des 112 avions engagés dans une opération de nuit contre la Ruhr, 2 seulement ont été perdus.

jeudi 16 mai, ce n'est pas le front qui a connu des défaillances, c'est l'arrière.

« La meilleure façon de guérir le pays d'un défaitisme pleurard, qui d'ailleurs est sournoisement intéressé, c'est de saisir tout ce qui tremble et prétend faire trembler autour, et de l'isoler dans des camps de concentration. »

Le lendemain, 19, paraîtra un communiqué du ministère de l'Information qui rend carrément les Allemands responsables d'un exode volontairement entretenu « par dépêches, agents provocateurs et autres moyens » pour « encombrer les routes [et] entraver la manœuvre des forces alliées ».

Textes qui se veulent rassurants et désirent prolonger l'effet des discours que Reynaud a prononcés le 16 mai pour tenter d'apaiser une émotion dont le gouvernement, en partie, est responsable.

D'abord, à 15 h 30, devant les députés à qui il verse un peu d'inquiétude et beaucoup d'espoir, lançant des formules « Pour toute défaillance, le châtiment viendra : la mort ! »« Il faut nous forger tout de suite une âme nouvelle », « Nos vies ne comptent pour rien », dont on verra bientôt tout le creux mais qui ont l'avantage de faire jaillir les applaudissements et de donner à ceux qui applaudissent, comme à celui qui est applaudi, encore une bouffée d'illusion.

Ensuite devant le peuple français à qui il affirme, dans un discours radiodiffusé[12], que le gouvernement « est et restera à Paris », que l'ennemi a réussi « seulement à faire au sud de la Meuse une large poche que nos vaillantes troupes s'appliquent à colmater ».

Muré dans sa solitude, le chef doit consentir au mensonge si la situation impose le mensonge, l'optimisme, le sourire.

---

12 Voici le texte intégral du discours de Reynaud :

« On a fait courir les bruits les plus absurdes. On a dit que le gouvernement voulait quitter Paris : c'est faux. Le gouvernement est et demeurera à Paris.

« On a dit que l'ennemi se servait d'armes nouvelles et irrésistibles, alors que nos aviateurs se couvrent de gloire, alors que nos chars lourds surclassent les chars allemands de la même catégorie

« On a dit que l'ennemi était à Reims, on a même dit qu'il était à Meaux, alors qu'il a réussi seulement à faire, au sud de la Meuse, une large poche que nos vaillantes troupes s'appliquent à colmater

« Nous en avons colmaté d'autres en 1918 ! Vous, anciens combattants de la dernière guerre vous ne l'avez pas oublié ! »

Mais lorsqu'il n'y a plus besoin de prendre d'attitudes !...

La journée de Reynaud est atroce dans la mesure même où il lui faut masquer la réalité mais où, sans cesse, la réalité se rappelle à lui.

Alerté par les appels au secours de Daladier, par ce qu'il sait de la situation à Paris, Churchill arrive dans le milieu de l'après-midi du 16. L'imagination en éveil, le cigare aux lèvres, mais les mains vides, s'obstinant à trouver, tout au long de la réunion qu'il a avec Reynaud, Daladier, Gamelin et le général Sir John Dill, que les Français font preuve d'une « démoralisation incompréhensible », d'un pessimisme excessif, ne prenant pas au sérieux la menace des chars, critiquant le retrait de Belgique, prodiguant les conseils et les encouragements, les références aussi à l'autre guerre, qui avait comporté tant d'heures tragiques et refusant, refusant obstinément de lancer toutes les ressources de l'Angleterre dans la bataille aérienne, la seule à laquelle elle puisse véritablement participer.

Entre Reynaud et Churchill, il y a toute la différence d'un homme que la catastrophe a déjà effleuré de son aile, qui sait, car ses mensonges publics ne peuvent l'égarer, que la guerre est perdue, et d'un homme qui, sans avoir peut-être pris conscience de l'immensité des périls, est au moins assuré que la géographie accordera sans doute à son pays les délais nécessaires pour un rétablissement militaire [13]

Et puis, tout paraît se calmer, pour quelques jours, bien que, le 19 mai, l'annonce de l'arrêt des expéditions de colis pour les soldats du front ait constitué un signal d'alarme.

Mais la bataille ne se rapproche plus de Paris. Elle se déroule sur ces départements du Nord, familiers de la guerre et en voilà assez pour redonner quelque espoir.

Paris revit. Non point sans doute le Paris des hauts fonctionnaires,

13 Dans la soirée, une réception privée aura lieu au domicile de Paul Reynaud. Là, les visages et les esprits abandonnent le masque. Un témoin (Pertinax) a décrit « Daladier affaissé, courbé sur une douleur poignante ; Reynaud, la tête levée, silencieux, petite mécanique cassée ». Et Churchill allant de Reynaud à Daladier, comme pour ranimer ces deux moribonds.

Enfin, il leur annonce, et cela paraît leur redonner espoir (« c'est la seule bonne nouvelle apprise depuis le début de l'offensive », dira Reynaud), que la Royal Air Force met dix squadrons supplémentaires (160 appareils) à la disposition du haut commandement. Ces avions seront basés à Reims.

des hommes politiques, qui préparent toujours, mais sournoisement désormais, leur évacuation, mais le Paris populaire.

Le dimanche 19 est un dimanche presque ordinaire. Il fait soleil. Dans les squares, des amoureux s'embrassent et des enfants jouent. Avec les roses et les lilas d'un printemps qui mériterait d'être moins amer, les bouquetières sont présentes à toutes les bouches de métro. Les vendeurs de journaux également. C'est la seule note attristante.

Dans les rues enfin, des premières communiantes, la démarche modeste, que l'on a fait prier pour la France et qui vont ainsi d'église en repas, de repas en église, pour des vêpres qui permettent aux familles de somnoler un peu. Après-demain, les enfants qui reprendront le chemin de l'école seront presque aussi nombreux qu'en octobre 1938. Pour Paris, 72 780, pour la banlieue 100 293 contre 83 063 et 122 949.

Cependant, on a fermé les dancings, et les réunions sportives n'ont pas eu lieu...

Parce qu'ils aiment la France, des millions d'hommes et de femmes, catholiques d'habitude plus que de foi profonde, se reprennent à croire au « miracle ». Reynaud prononcera d'ailleurs le mot au Sénat le 21 mai, à la fin du discours dans lequel il annonce l'occupation d'Amiens et d'Arras, flétrit le général Corap, indique qu'il existe entre le maréchal Pétain, le général Weygand et lui « une communion d'idées totale ». « Pour moi, si l'on venait me dire un jour que seul un miracle peut sauver la France, ce jour-là je dirais : je crois au miracle parce que je crois en la France !»

En ces heures dramatiques où l'événement, en bouleversant le pays, découvre ses racines sentimentales et religieuses, il n'est pas interdit de vouloir faire entrer Dieu dans son jeu. Il se peut également qu'à cet instant, car le mystère des âmes demeure entier, Reynaud se souvienne de la cérémonie de prières du 19 mai sous les voûtes de Notre-Dame.

Ils sont tous là, Reynaud, Daladier, Mandel, dix autres ministres, incroyants, francs-maçons, à qui on reprochera, ici et là, d'avoir transformé la cérémonie en mascarade, et des parlementaires et des fonctionnaires et des généraux de 14, de Castelnau, Gouraud, Brécard, pour assister à la procession de la Croix suivie des reliques de la cathédrale, du buste de Saint Louis, qu'encadrent et prolongent dans un onctueux moutonnement, chanoines, scouts, jeunes filles aux yeux pudiques.

A quoi pensent-ils ces hommes politiques ? Sont-ils présents de corps seulement, comme à bien d'autres cérémonies patriotiques auxquelles leur fonction les condamne, leur esprit bat-il la campagne à la recherche d'un moyen militaire ou diplomatique pour retarder l'échéance, à la recherche d'un moyen de transport pour leurs enfants, leur maîtresse, leurs dossiers, leurs domestiques, à la recherche d'embûches à dresser devant leurs concurrents ou bien, un instant, leur cœur rejoint-il le cœur des assistants dans la même prière ?

« Saint Michel, défendez-nous dans le combat !

« Saint Louis, défendez la France, votre patrie, et protégez ceux qui nous gouvernent.

« Sainte Geneviève, protégez la France comme vous avez protégé Paris !

« Sainte Jeanne d'Arc, combattez avec nous et menez-nous à la victoire. »

Car la foule de Notre-Dame est sincère comme est sincère la foule qui, depuis plusieurs jours, se rend à Saint-Etienne-du-Mont, où sont organisées des journées de prières qui s'achèveront, le 26, par une procession de la châsse de sainte Geneviève et de saint Marcel, procession pour laquelle le gouvernement a volontiers accordé son autorisation.

« Une seule fois, rappelle la presse, aux heures cruciales de septembre 1914, la châsse de sainte Geneviève avait été exposée sous le porche de l'église. Quelques jours plus tard, la Marne stoppait la barbarie. »

Si l'on fait confiance à la logique divine, pourquoi les mêmes causes ne produiraient-elles pas les mêmes effets ?

L'appel à Pétain a procédé de la même croyance désespérée en des forces spirituelles supérieures[14] qui, agissant sur les âmes et les courages, leur donneraient la possibilité de rétablir des situations terrestres désespérées.

Quand, le 16, toujours le 16, Paul Reynaud demande au général

14. On verra bien Staline, lors des grands désastres de l'automne 1941, s'appuyer sur une Église longtemps persécutée.

Pujo de partir immédiatement pour Madrid, d'en ramener Pétain, alors ambassadeur de France, il agit dans la logique de l'agonie, lorsque, ressources de la médecine classique épuisées, la famille fait appel aux guérisseurs et va planter des cierges devant la statue de quelque saint réputé.

— Dites-lui qu'il prendra les fonctions qu'il voudra, mais que sa présence immédiate est indispensable, qu'on a besoin de lui.

Qu'importe le poste, en effet ! C'est le nom qui compte, c'est l'effet psychologique, l'effet magique que Paul Reynaud escompte.

Il l'avouera d'ailleurs le 25 juillet 1945. Témoignant au procès Pétain, il dira : « Je me suis adressé à lui [Pétain] lorsque la catastrophe a été acquise. » Ce n'est pas exact[15].

Reynaud qui, avant même l'attaque allemande du 10 mai, sent combien sa position morale est faible, et qui cherche la protection d' « une grande ombre », à l'instant où il désire se séparer de Gamelin, a fait venir Pétain à Paris, au début du mois, pour lui offrir un poste ministériel. Mais, devant les hésitations du Maréchal, il n'a guère insisté, tandis que, le 16 mai, il devient pressant et que le général Pujo n'aura même pas à courir jusqu'à Madrid puisqu'un télégramme a prévenu le Maréchal, qui s'est mis en route sans plus tarder. Mais presque sans espoir.

Son officier d'ordonnance, et son intime, le capitaine Bonhomme, note, en effet, avant de quitter Madrid : « la guerre peut être considérée comme perdue ».

Reynaud et Pétain, qui très vite ne seront plus d'accord sur rien, sont au moins d'accord sur un point important : Pétain est appelé quand tout paraît définitivement compromis...

Mais on attend du Maréchal qu'il rechausse les bottes de 1917, qu'il rassure et rassemble cette nation éparpillée, sensible à la magie des mots, au mythe de l'homme providentiel et dont les redressements sont aussi prompts qu'ont été prompts les abandons.

Vingt-trois ans séparent 1917 de 1940. S'agissant de stratégie, de moyens militaires, c'est immense. Ce n'est rien pour la mémoire sentimentale d'un peuple qui croit volontiers au temps immobile, aux

15. Le 25 juillet 1945, la phrase de Reynaud, qui prend souvent des libertés avec la vérité, était la suivante :
« Voilà la raison pour laquelle, ne m'étant pas adressé à lui, lorsque j'ai formé mon gouvernement, je me suis adressé à lui lorsque la catastrophe a été acquise »

vertus de l'âge, à la protection divine, à la mission dictée aux Français une fois pour toutes par le Ciel, et qui ne saurait qu'être momentanément contrariée par les chars allemands.

En jouant la carte d'un passé glorieux et, il le souhaite, mobilisateur, Reynaud se place dans le courant du sentiment populaire qui espère qu'après une première manche perdue, comme d'habitude, la victoire, comme d'habitude, sourira à nos armes.

Pétain arrive donc à Paris le 18 mai, à 8 heures du matin.

Les journaux, pour célébrer son retour, exaltent autant 1917 que Verdun puisqu'il est admis que Pétain a rendu un aussi grand service en apaisant les mutineries qu'en sauvant la forteresse attaquée.

Ils ne font d'ailleurs que paraphraser ce qu'a dit Paul Reynaud à la radio :

— Ce que le pays attend du gouvernement, ce ne sont pas des paroles ; il n'en a que trop entendu depuis des années. Ce sont des actes qu'il veut.

« Voici la première décision que je viens de prendre : le vainqueur de Verdun, celui grâce à qui les assaillants de 1916 n'ont pas passé, celui grâce à qui le moral de l'armée française, en 1917, s'est ressaisi pour la victoire, le maréchal Pétain, est revenu de Madrid où il a rendu tant de services à la France. Il est désormais à mes côtés comme ministre d'État, vice-président du Conseil, mettant toute sa sagesse et sa force au service du pays. Il y restera jusqu'à la victoire. »

Oui, la presse insiste sur le retour de Pétain. Mais, à bien y regarder, elle ne mène pas grand tapage. Nombreux sont ceux qui ont imaginé plus tard, faute d'aller aux sources, des titres énormes, de longs articles flatteurs et comme une répétition générale de ce qui se passera à partir de juillet dans le pays. Il n'en est rien. Il n'en est rien d'abord parce que les journaux ne disposent que de peu de papier (deux ou quatre pages), ensuite parce qu'ils s'intéressent surtout à la nomination de Weygand, que Reynaud fait revenir de Beyrouth pour remplacer Gamelin, et à la promotion de Georges Mandel au ministère de l'Intérieur.

Pour Weygand, les titres les plus importants.

Pour Mandel, les commentaires les plus longs.

Le 19 mai, dans l'article du *Petit Parisien* consacré au remaniement ministériel, dix-neuf lignes sur Pétain, trente et une sur Mandel, et Weygand, généralissime, a droit à un titre pleine page.

Dans *Le Populaire* du même jour, dix-sept lignes pour Mandel, trois seulement pour Pétain et, le 20, Léon Blum écrit : « Ce qui la frappe donc [l'opinion], c'est d'abord l'installation au ministère de l'Intérieur de M. Georges Mandel dont les qualités très réelles de clairvoyance, d'autorité, de dureté sont entourées par surcroît d'une légende et presque d'un mythe. C'est ensuite la prise du portefeuille de la guerre par le président du Conseil. »

Quoi qu'il en soit, et malgré la relative sobriété de la presse, l'impact sur l'opinion est immense puisqu'il n'est nul besoin de faire à Pétain, déjà légendaire, une légende. Revenant, en écrivant ses *Mémoires*, sur sa décision de nommer Pétain et Weygand, Paul Reynaud estimera qu'elle a eu, sur le moral de l'armée, un effet salutaire immédiat.

Le président du Conseil fait également entrer Pétain dans son jeu parlementaire. Le 22 mai, en effet, le nouveau vice-président du Conseil est près de lui au Sénat. Sa présence lui permettra d'être applaudi tout en allant très loin dans l'aveu, à peine déguisé, du désastre. Reynaud célèbre, en effet, le vainqueur de Verdun, « le grand chef qui a su être humain, celui qui sait comment une victoire peut sortir d'un gouffre ».

« Gouffre », le mot est dit mais, loin de plonger les sénateurs dans l'accablement, il suscite une ovation ! D'ailleurs, de quel gouffre s'agit-il ? De celui de 1916 ? De celui de 1917 ? Ou de celui de 1940 ? Nous sommes en pleine ambiguïté et, si l'on interrogeait les assistants, bien peu affirmeraient que le péril est aujourd'hui plus grand qu'il y a un quart de siècle !

Paul Reynaud réussit, en somme, le 18 mai, l'opération de « relations publiques » que d'autres avaient tentée avant lui.

Car la France est si pauvre en hommes, sur lesquels pourrait se faire l'unanimité nationale, que, dès septembre 1939, Édouard Herriot avait conseillé à Daladier l'appel au Maréchal.

— Cette guerre peut commencer par de grands revers. Il est possible qu'à un moment nous ayions besoin d'un grand effort pour maintenir ce pays dans l'esprit de guerre et dans la volonté de guerre. Prenez avec vous le maréchal Pétain. S'il y a un homme qui soit capable de tenir ce langage au pays, s'il y a un homme en qui le pays doive avoir confiance quand il lui tiendra ce langage, c'est lui.

Jeanneney, président du Sénat, à qui Herriot expose son idée, le 6 septembre, est enthousiasmé.

— Pétain pourrait venir rue Saint-Dominique. Il est la grande figure morale de la dernière guerre, chef respecté, humain, dont les avis pourraient être précieux en cas de désaccord entre le gouvernement et le commandement. Sa présence dans le cabinet y introduirait au surplus l'élément « union sacrée », vieux fétiche.

Lorsque Jeanneney apprend que Pétain a refusé tout poste, il est furieux, non contre le Maréchal... mais contre Daladier qui n'a pas dû offrir assez, mais évoquer simplement l'un de ces ministères d'État qui sont comme l'antichambre du musée Grévin[16].

Tout au long de l'automne, de l'hiver, du printemps, on parlera donc de Pétain comme possible fédérateur des énergies françaises.

Qui? Un peu tout le monde. Pierre Laval a fait savoir au commandant Loustaunau-Lacau qu'il estimait un cabinet Pétain « indispensable pour faire face à la situation intérieure et extérieure ». Déjà, les rôles paraissent distribués : Pétain aurait la présidence du Conseil et les Affaires étrangères; Laval, l'Intérieur; le général Georges, la Défense nationale. Loustaunau-Lacau avise le Maréchal, le 22 septembre[17], le Maréchal qui, à la lecture de ce message, doit

---

16. Pétain aurait refusé par hostilité à Herriot. C'est du moins Herriot qui l'affirmera à Jeanneney, le 13 septembre, avec d'autant plus d'indignation qu'il se croit l'inventeur de la « formule Pétain »

Jeanneney dans son journal note, le 16 septembre, qu'il a parlé avec Paul-Boncour « de l'exclusive posée notamment contre Herriot et entente immédiate avec l'Italie, mise par Pétain comme condition de son concours (?) »

17. Mal interprétée, cette lettre du commandant Loustaunau-Lacau, officier de grand courage et comploteur impénitent, permettra, lors du procès Pétain, de renforcer la thèse du complot. Six ans s'étaient écoulés depuis 1939. Nul ne se souvenait plus très exactement de ce qui avait été écrit et, dans un procès bâclé, nul ne se souciait de se reporter aux textes et seulement aux textes.

La lettre de Loustaunau-Lacau avait été citée par M. Lamarle, conseiller à l'ambassade française de Saint-Sébastien en 1939. Il l'avait fait en expliquant aux magistrats et aux jurés que le Maréchal lui avait, par erreur, remis la lettre de Loustaunau-Lacau à la place d'un rapport économique.

Cette lettre, allait déclarer M. Lamarle, disait à peu près ceci : « J'ai vu le président Laval. Il estime que l'on ne peut pas continuer comme cela. Il vous propose de former un gouvernement dans lequel il vous débarrasserait du tout-venant ».

« Je cite textuellement la dernière phrase », allait ajouter M. Lamarle en s'avançant beaucoup... beaucoup trop et en faisant exagérément confiance à sa mémoire. La phrase incriminée était, en effet, la suivante :

« Il serait logique qu'il [le Maréchal] eût le portefeuille des Affaires étrangères, avec le concours, comme secrétaire général, d'un grand diplomate, comme Noël

grommeler, comme il le fait chaque fois qu'on évoque pour lui des responsabilités gouvernementales.

— Qu'irais-je faire dans cette galère ? Ce n'est pas mon métier.

Le sénateur Bardoux, des généraux s'agitent également et le sénateur Lémery qui, dans *Le Petit Bleu*, écrit en mars 1940 : « Souhaitons sincèrement que quelque dramatique péripétie ne vienne pas nous obliger à rompre enfin avec des méthodes périmées et à faire appel en pleine crise nationale, à la haute et glorieuse personnalité militaire dont le pays murmure le nom avec respect. » Des journalistes prennent parti en faveur de Pétain ou font allusion aux bruits qui courent. *Gringoire,* tire, à 600 000 exemplaires, un numéro où s'étale un portrait de Pétain avec cette légende :

« Hier, grand chef de guerre
Aujourd'hui, grand diplomate
Demain ?... »

Le Journal, le 5 mai, cinq jours avant l'offensive allemande, lui consacre sa dernière page. Mais il est vrai que Gamelin et Darlan ont déjà eu le même honneur.

Enfin, presque tous ceux qui se rendent à Madrid et vont le saluer, presque tous ceux qui lui écrivent, lui répètent que la France a besoin de lui, que sa présence donnerait confiance à la troupe et au peuple, le sollicitent et le flattent. Tentateurs dont il se défend comme il peut. Mais nettement. Le 21 janvier 1940, il écrit au général Laure : « Quoi qu'il en soit, je suis bien décidé à ne pas me laisser enrôler dans un gouvernement ou à participer au commandement. Il faut que je me souvienne que, dans trois mois, j'entrerai dans ma 85e année. » Et, le 4 avril 1940, c'est à sa femme qu'il confie : « Je ne désire pas être à Paris au moment des discussions de la Chambre et du Sénat, car je désire me mettre à l'abri des faiseurs de ministères. »

---

par exemple qui confectionnerait de bonnes dépêches et le dégagerait du tout-venant »

On voit la différence. N'importe, la thèse du « complot » était accréditée Laval, interrogé, se contentant de répliquer la vérité... c'est-à-dire qu'il ne se souvenait plus de rien. « J'ai vu M. Loustaunau-Lacau. Il a dit venir me voir de la part du Maréchal. Qu'est-ce qu'il m'a dit ? Je ne m'en souviens plus. Qu'est-ce que je lui ai dit ? Je ne le sais pas davantage ».

Mais, en juillet 1945, la vérité avait souvent allure de mensonge

Les événements seront plus forts que sa volonté. Il arrivera au gouvernement sans autres complots que ceux que noue le désastre. Et Paul Reynaud sera victime du piège où il prétendait l'enfermer. Il ne l'a nullement appelé, en effet, pour qu'il dirige mais pour qu'il « représente ». Il l'a assez dit : « Ce qui comptait, ce n'était pas la valeur des théories militaires du maréchal Pétain, c'était ce que son nom signifiait aux yeux des Français. »

Et, lorsque Mandel propose, le 5 juin, que Pétain soit chargé des Affaires étrangères, à la place de Daladier, que le clan Reynaud veut faire disparaître de la surface de la vie politique française, le président du Conseil écrit : « L'idée de Mandel était évidemment qu'en fait c'est moi qui eusse dirigé la politique étrangère. » Quoi qu'il en soit, en moins d'un mois, Reynaud sera éliminé par celui qui, initialement, n'était, pour lui, qu'une utile image d'Épinal.

Cependant les choses se passent d'abord comme il l'avait prévu.

C'est-à-dire que Philippe Pétain, invisible, impressionne les foules, que Philippe Pétain, visible, déconcerte, puis intrigue et déçoit les hommes politiques.

Arrivé à Paris le 18 mai, il s'est rendu dans l'après-midi, en compagnie du président du Conseil, auprès du général Georges qui occupe, à La Ferté-sous-Jouarre, la maison qu'avait habitée le romancier Georges Ohnet. Il a rencontré également Gamelin, mais il s'est gardé de juger la situation militaire et plus encore de prétendre l'influencer, comme il se gardera, pendant plusieurs jours, d'intervenir dans les discussions des conseils des ministres.

Silencieux, froid et secret, il regarde, observe, médite, se cantonnant dans un rôle modeste de conseiller « de manière — il l'écrira à sa femme — à éviter des conflits avec le commandement ».

Ses collègues cachent à peine leur désillusion.

Pétain, il est vrai, n'a rien d'un homme formé et déformé par la vie parlementaire. Son absence de réactions, son immobilité physique, dont on peut croire qu'elle est le reflet d'une insensibilité d'âme, la difficulté que semblent avoir les événements les plus graves à percer sa majestueuse armure de silence et de sérénité, sa participation modeste aux débats alors même qu'on aimerait l'écouter, que ses paroles seraient accueillies et recueillies presque religieusement par des hommes à la recherche de certitudes, tout abuse des ministres qui ont l'habitude de peser le talent et l'intelligence au trébuchet des mots.

Déçus, certains s'imagineront en avoir pris très vite la mesure.

Ils le déclarent donc « inoffensif » et le naïf sénateur Bardoux, qui se fait l'écho de tout, rapportera le mot, ajoutant, le 25 mai, ceci qui prouve combien il est mauvais prophète : « Ceux qui ont pensé à faire du grand vieillard de 83 ans un chef de gouvernement sont des enfants. »

On a souri discrètement lorsque, en Conseil des ministres, Pétain, rompant enfin son silence, a proposé que nos armées utilisent, pour leurs liaisons, des pigeons voyageurs. Réflexe de vieux général ? Peut-être mais c'est oublier que nos communications téléphoniques sont détruites, que la radio fonctionne mal, que les généraux français ignorent ce qui se passe à 30 kilomètres de leur P.C. — à plus forte raison à 100 —, qu'il existe toujours des sections colombophiles dans l'armée française et que les Allemands, dans les premiers jours de l'occupation, interdiront la détention de pigeons voyageurs.

Donc jusqu'au départ de Paris, Pétain se manifeste peu, comme s'il lui importait d'abord, de prendre la mesure exacte du drame.

Mais, pendant ces jours d'observation, de réflexion et de mutisme trompeur, il prend conscience de trois faits dont chacun revêt, à ses yeux, une importance extrême et qui le conduiront bientôt à réclamer, puis à exiger et imposer l'armistice : impuissance de l'armée française, inconsistance de l'aide anglaise, dès l'instant où les Britanniques ont compris que la bataille de France était une bataille sans espoir, désarroi et douleur d'un peuple lancé sur toutes les routes de l'exode.

Impuissance de l'armée française.

Dès son arrivée à Paris, Pétain a vu Georges et Gamelin, et devine que la bataille, mal engagée, ne peut trouver une solution heureuse. Chaque matin, dès lors que Weygand est nommé, il assiste à l'entretien du général en chef et du président du Conseil, entretien de jour en jour plus triste, chaque aube ruinant les efforts et les espoirs de la veille.

Weygand a-t-il eu le loisir de lui dire dans quelles conditions, le 21 mai, il s'est rendu aux armées ? J'en doute, trop de soucis l'accaparant alors, mais il faut raconter cette aventure dans laquelle je vois comme le triomphe triste d'années d'impréparation.

A peine arrivé à Paris, Weygand, que le Conseil des ministres du 19 mai a nommé généralissime en remplacement du général Gamelin, décide de se rendre auprès des armées du Nord pour rencontrer les chefs français, le roi des Belges, le commandant des forces britanniques, leur insuffler sa foi en des jours meilleurs, leur faire connaître son plan, dont il entend discuter avec eux et sur le terrain toutes les modalités.

L'attaque allemande n'a pas dix jours mais elle a causé de tels ravages qu'il est urgent d'agir sans tarder. L'avion doit permettre de gagner du temps sur le rail[18]. Weygand prendra donc, le 21, un avion sur le terrain du Bourget. Il faut lui fournir un appareil et une escorte. On souhaitait neuf chasseurs, huit seulement sont disponibles. Ce n'est pas grave. Par contre, il n'existe aucun bombardier rapide sur le terrain et Didier Daurat, commandant les transports aériens du grand quartier général, explose :

— Je suis prévenu à 2 heures cette nuit d'avoir à préparer un bombardier rapide pour une mission, alors que je n'en ai pas un seul.

Il finit cependant par découvrir un Amiot 354 qui effectuait un vol d'essai et le réquisitionne.

Avant le départ, le pilote de l'Amiot, le lieutenant Henri Lafitte, s'approche du capitaine Victor Veniel, qui commande les huit Bloch d'escorte :

— Mon avion n'est pas armé. Le canon arrière est une *maquette en bois*. Si vous pouvez me protéger à l'arrière, ce sera plus sûr en cas de coup dur.

Lorsque Weygand arrive sur le terrain, il décide que l'on reconnaîtra le front, dont, tant il est mouvant, il n'existe aucune carte sérieuse, « grâce » au tir de la D.C.A. allemande, et les appareils s'envolent enfin en direction du Nord, le général en chef, assis par terre dans le couloir du poste de pilotage, recevant, de temps à autre, des coups de palonnier dans le dos...

Il a été prévu un ravitaillement en essence sur le terrain de Norrent-Fontes. Or, le terrain est évacué *depuis trois jours*. Il ne reste là qu'un petit soldat sale et discipliné qui n'attend personne mais sollicite du plus haut parmi tous ces gradés qui descendent du ciel, du général en chef des armées alliées (plusieurs millions d'hommes) des ordres quant au sort de quelques fûts d'essence abandonnés en bout de piste !

Weygand s'inquiète surtout d'un téléphone. Sur les routes, encombrées de réfugiés et de soldats, il tente de se frayer un chemin et finit par découvrir un bureau de poste grâce auquel il apprend que le général

18. D'ailleurs les communications ferroviaires sont précaires.

Billotte est à sa recherche dans une direction... totalement inconnue de l'état-major du 1er groupe d'armées !

Le voici de retour à Norrent-Fontes après avoir eu le temps de manger une omelette dans une petite auberge dont la patronne n'a pas fui.

Les appareils repartent pour Calais. Weygand, attendu cette fois, gagne Ypres où la conférence prévue avec le roi des Belges et les Anglais ne commencera qu'avec quarante-cinq minutes de retard. Conférence qui pourrait être celle de la dernière chance et qui n'est que celle de la mauvaise chance.

Weygand souhaite en effet que Français, Anglais et Belges attaquent du Nord en partant de Cambrai, tandis que d'autres troupes, débouchant de la Somme, les rejoindraient vers Bapaume. Alors les blindés allemands, coupés de leurs bases et de leur infanterie, connaîtraient à leur tour des heures difficiles. Mais le roi Léopold, à qui Weygand demande que toute son armée se replie sur l'Yser, sollicite vingt-quatre heures de réflexion... assez pour laisser passer le moment décisif.

Quant à Gort, qui commande le corps expéditionnaire britannique, il est absent. Il se trouve auprès de ses troupes qui se battent en direction d'Arras et arrivera (involontairement ou non, car certains l'ont soupçonné d'avoir traîné en route) deux heures après le départ de Weygand. Les Anglais ne sont donc représentés que par l'amiral Keyes, attaché auprès du G.Q.G. belge et qui ne dispose d'aucun pouvoir.

Le général Billotte enfin, commandant le 1er groupe d'armées, sur qui repose l'exécution de la contre-offensive prévue, meurt dans un accident en regagnant son P.C. Le général Blanchard lui succède, mais il ne connaît rien du plan Weygand et n'a aucun crédit auprès des Anglais.

Petits et grands malheurs s'enchaînant, Weygand et la France perdent une journée essentielle.

A l'origine de ce drame, la désorganisation des méthodes et des moyens, désorganisation dont Pétain prendra mieux encore conscience au cours des deux visites qu'il va rendre aux armées.

Le 24 mai, en compagnie de Reynaud, du général Hering, gouverneur militaire de Paris, du colonel de Villelume, il inspecte les défenses mises en place au nord de la capitale. Mais, sur l'Oise, la Nonette, la Grivette, qu'y a-t-il exactement pour empêcher les Allemands de franchir des rivières aux noms de plaisirs et jeux enfantins ? Neuf bataillons d'infanterie, 300 gardes mobiles, 24 pièces de 75, 110 canons antichars de 25, 4 de 47 (*quatre !*), une quinzaine de chars Renault hors d'âge.

Devant le fossé antichar — la caricature de fossé antichar — destiné à bloquer les blindés menaçant Nanteuil-le-Haudouin, Reynaud demande à Villelume :

— A votre avis, combien de temps peut-il tenir ?

— De cinq à dix minutes.

Ce doit être également l'avis de Pétain même si, à son habitude, il garde le silence.

Le 2 juin, l'affaire est plus sérieuse. Toujours avec Reynaud, accompagné cette fois de Dautry, ministre de l'Armement, il va à Ferrières voir le général Besson qui commande le 3e groupe d'armées — trois armées totalisant vingt divisions en première ligne sur 260 kilomètres de front, sept en réserve et peu de blindés —, puis se rend dans la région de Compiègne où se trouve le P.C. du général Frère [19]. Les troupes ont été reprises en main, elles ont appris à se défendre contre les blindés et les avions mais, partout, leur densité est trop mince, partout on réclame des chars, des antichars, de la D.C.A.

Dautry, dont l'activité quotidienne est intense, a beau expliquer qu'en quinze jours il a récupéré 502 chars pour les envoyer aux armées, qu'on fabriquera bientôt 60 chars B-1 bis par mois, qu'en août (*en août !*) ce chiffre sera porté à 100, qu'on place des pièces de 75 et de 47 sur des tracteurs pour bricoler des engins antichars mobiles, enfin qu'il existe un stock de cinq millions de bouteilles de butane qui pourraient être utilisées contre les chars, tout cela sent trop l'improvisation.

Improvisation encore la « fortification » de la ligne de défense. *A deux jours* de l'attaque allemande, on *parle* de mobiliser 50 000 travailleurs belges et 100 000 ouvriers civils français avec contremaîtres et ingénieurs !

Ainsi éclairé, car Pétain est de ces hommes pour qui la guerre n'a jamais été une affaire de mots, mais de poids des artilleries, des munitions, des divisions, des aviations ; un chef qui, entre 1914 et 1918,

---

19 Le général Frère commande, sous les ordres de Besson, la VIIe armée de Saint-Gobain, au delà de la vallée de l'Oise : neuf divisions dont trois en réserve pour un front de 90 kilomètres environ

pour moins exiger des hommes, a toujours réclamé davantage de matériel, le Maréchal, qui nourrissait peut-être, à son arrivée à Paris, de timides espoirs, se trouve immédiatement en accord avec tout ce que dit, tout ce qu'écrit le général Weygand mieux à même que quiconque de mesurer jour après jour, et sans doute heure après heure, les faiblesses d'une armée brisée par les premières batailles et qui n'a pu ni être reprise ni se reprendre.

Aussi, lorsque, le 29 mai, Pétain reçoit du général Weygand la note que le commandant en chef vient d'adresser à M. Paul Reynaud, lui marque-t-il sans tarder son accord.

« Paris le 29 mai

« Mon cher Weygand,

« Je ne vois rien à ajouter pour le moment à votre note, mais il me semble qu'il conviendrait d'informer aussitôt que possible le gouvernement anglais et de l'inviter à venir à Paris.

« Croyez, etc. »

Que dit la note Weygand ? Que le moment approche où, malgré leur héroïsme retrouvé et un semblant de cohésion, nos armées seront disloquées par un ennemi très supérieur en armes comme en nombre. Alors le gouvernement devra prendre « des décisions capitales ». Weygand achève en exprimant le vœu qu'il exprime chaque jour avec de plus en plus d'irritation et d'impatience. Vœu d'un chef démuni pour qui le moindre renfort en armes et troupes a la valeur de quelques gouttes d'eau pour l'égaré au Sahara. Que les Anglais expédient donc en France, de toute urgence, ce qu'ils gardent en réserve sur leur territoire : deux à trois divisions, des chars, de la D.C.A. Et surtout des avions ! Les deux dernières phrases de Weygand montrent combien la cote d'alerte est près d'être atteinte. Sans doute le mot « armistice » n'est-il jamais écrit, mais il rôde dans tout le texte comme il rôde dans tous les esprits[20]. « Il paraît, d'autre part, écrit en effet Weygand, tout aussi nécessaire que le gouvernement britannique sache qu'il peut venir un moment à partir duquel la France se trouvera,

20. Il a été, cependant, prononcé par Reynaud au cours du comité de guerre du 25 mai.

malgré sa volonté, dans l'impossibilité de continuer une lutte militaire efficace pour protéger son sol.

« Ce moment serait marqué par la rupture définitive des positions sur lesquelles les armées françaises ont reçu l'ordre de se battre sans esprit de recul. »

C'est-à-dire une ligne qui court d'Abbeville à la frontière suisse.

Pétain sait donc (et suit) les progrès foudroyants de la maladie mortelle qui emporte l'armée française.

Comme il sait (et suit) les progrès foudroyants de la maladie qui ruine l'alliance franco-britannique.

Le 25 mai, après avoir entendu Weygand déclarer, en comité de guerre, que deux divisions britanniques se sont retirées brusquement de la région d'Arras, ce qui rend inutile toute tentative de contre-offensive, que l'armée du Nord, toutes communications coupées, sauf par Dunkerque et Ostende, est maintenant encerclée, et qu'il faut envisager le pire puisque, face aux 130 ou 150 divisions allemandes, survoltées par leurs peu coûteuses victoires[21], nous ne pouvons en rassembler qu'une soixantaine, plus ou moins bien équipées, il fait remarquer à ceux qui évoquent la solidarité franco-britannique qu'il n'existe, jusqu'à présent, aucune réciprocité dans le sacrifice.

— Chaque nation a des devoirs vis-à-vis de l'autre dans la proportion de l'aide que l'autre lui a donnée. Or, actuellement, l'Angleterre n'a jeté dans la bataille que 10 divisions, alors que 80 divisions françaises se battent sans discontinuer, depuis le premier jour.

Le 31 mai, il ne dit pas un mot, pas un mot que les témoins aient cru bon de rapporter[22], au cours de ce dramatique Conseil suprême interallié où sont débattues les conditions d'évacuation de Dunkerque. Mais rien ne lui échappe de l'affrontement qui met aux prises Reynaud et Churchill.

Les temps heureux, ceux de l'entente facilement cordiale, puisque

21. D'après le communiqué allemand du 4 juin, les pertes de la Wehrmacht, depuis le 10 mai, se sont élevées à 10252 morts, 8463 disparus, 42523 blessés entre le 10 mai et le 3 juin. Les chiffres sont vraisemblables.

22. Churchill, évoquant la séance du 31 mai, écrit que les « propos » tenus par le Maréchal, comme sa réputation, sa sereine résignation « impressionnaient vivement tous ceux qui subissaient son emprise ». Mais de ces propos il ne rapporte rien.

l absence de combats masquait l'inégalité des forces et des efforts, sont terminés. De la défaite commune, va surgir, le temps de l'aigreur, des reproches mutuels, du triomphe des égoïsmes nationaux.

Coupées de leurs bases par la rapide avance allemande ; dans l'impossibilité de tenir une tête de pont, ravitaillée par mer, dont les Anglais ne veulent d'ailleurs pas ; privées du soutien de l'armée belge, qui a cessé le combat le 27 mai, notre armée du Nord et les divisions britanniques, lancées imprudemment trop en avant, le 10 mai, sont maintenant encerclées à Dunkerque.

Alors commence, sous un féroce bombardement allemand, dans une ville en flammes et par un port ravagé, une évacuation qui verra beaucoup d'actes de courage et constituera un chef-d'œuvre de la technique militaire puisqu'il faut rassembler en quelques jours des bateaux de tous types[23], de toutes nationalités, pour organiser, sous un ciel imparfaitement nettoyé des Stukas[24] et dans un ordre relatif, l'évasion de 342610 soldats quand nul, au début de l'opération n'aurait imaginé en sauver 50000.

Au cœur du drame franco-anglais de juin le chiffre et la répartition

23. L'embarquement des troupes (anglaises d'abord) débute le 26 mai. Il se terminera dans la nuit du 3 au 4 juin. Sur un total de 342610 soldats anglais et français (124000) évacués, 48474 le furent sous pavillon français, près de 300000 grâce aux navires anglais. Du côté français, furent engagés 69 bâtiments appartenant à la flotte principale, 86 autres à la flotte auxiliaire, 50 navires de commerce, 91 bâtiments de pêche français et 46 belges.

24. Dans les airs, Dunkerque est essentiellement une bataille britannique Entre le 26 mai et le 3 juin, les unités de la R.A.F. ont effectué sur la région de Dunkerque 171 sorties de reconnaissance, 651 sorties de bombardement et 2739 sorties de chasse. L'effort allemand fut sans doute supérieur puisque, le 27 mai, 300 bombardiers, couverts par 550 sorties de chasseurs, bombardent la ville, le port et les plages. Les 29, 30 et 31 mai, la pluie interdit totalement ou partiellement les opérations aériennes.

Pour l'ensemble des « neuf jours de Dunkerque », la R.A.F. perdit en combat 117 appareils — détruits ou endommagés — dont 106 chasseurs. Les chiffres exacts (ce ne sont jamais ceux des communiqués) sont toujours difficiles à connaître mais, d'après les estimations les plus sérieuses, les pertes allemandes furent de 132 avions Dans un premier bilan, la R.A.F avait revendiqué 377 victoires

des évacués. Sur les plages, forces anglaises et françaises sont presque à égalité mais, à l'instant du sauvetage, la disproportion est immense · un Français pour dix Anglais sur des navires qui ne sont pas tous britanniques.

Le 30 mai, déjà, Reynaud, à qui le général Spears a porté, de si bon matin qu'il l'a trouvé en train de faire sa gymnastique quotidienne, une note dans laquelle Churchill exprime son souhait « que les troupes françaises soient évacuées, *elles aussi,* dans toute la mesure du possible », Reynaud a manifesté une amère ironie.

— Je suis fort heureux de voir Churchill affirmer que Français et Anglais seront évacués en quantités égales. Sans quoi l'opinion française serait déchaînée contre l'Angleterre !

— N'oubliez pas, réplique le délégué de Churchill, sur le même ton aigre, que c'est uniquement la poigne de Churchill qui a empêché, jusqu'ici, l'opinion britannique d'être déchaînée contre le haut commandement français, en particulier, et contre tous les Français en général.

C'est parti. C'est parti pour la grande explication franco-britannique qui durera des années et dont les morts et les rescapés de Dunkerque constitueront l'un des tristes aliments.

Le lendemain, le ton est moins âpre, mais le débat est le même.

CHURCHILL. — ... A midi, aujourd'hui [31 mai], nous avions évacué de Dunkerque par la mer 165 000 hommes. C'est un exploit extraordinaire qui montre les limites de la puissance aérienne de l'ennemi. Les Allemands ont été contenus et battus dans les airs.

Paul REYNAUD. — Sur ces 165 000 hommes, il y a 10 000 blessés et 15 000 Français. Ainsi, sur 200 000 Français, 15 000 seulement. Cela peut amener de fâcheuses remarques. Il faut évacuer maintenant un plus grand nombre de Français.

Pétain assiste à ces querelles à peine tempérées par la courtoisie. Il assiste également à tous les débats au cours desquels Reynaud et Weygand s'efforcent d'arracher aux Anglais, démunis et de plus en plus réticents pour nourrir une bataille qu'ils jugent perdue, des troupes, des avions et des armes.

— Il faut, dit Reynaud, que toute la force de la R.A.F., dont nous avons pu apprécier la valeur durant la bataille de Dunkerque, soit engagée sur le nouveau front. Je ne crois pas que les Allemands attaquent l'Angleterre avant d'avoir liquidé la France. Il faut aussi que toutes les troupes récupérées à Dunkerque soient renvoyées en

France, sitôt rééquipées. Ce n'est pas une question de semaines, mais de jours. Les Allemands n'attendront pas que nous ayions fortifié les lignes de la Somme et de l'Aisne pour nous attaquer[25].

— En ce qui concerne l'aviation, réplique Churchill, je ne suis pas autorisé par mon gouvernement à promettre son soutien.

Et comme Reynaud insiste, et comment ne pas insister alors que le président du Conseil imagine que 200 avions pourraient modifier le cours du destin, Churchill ajoute avec cette condescendance que l'on manifeste envers la famille d'un grand malade :

— Je vais réfléchir à la question. Je ferai tout mon possible pour aider la France, mais il ne faut pas que le gouvernement français se fasse des illusions sur l'importance de l'aide aérienne qu'il peut attendre de l'Angleterre.

Peu d'avions à attendre, et pas de forces terrestres.

— Sur les trois divisions qui restent en Angleterre, peut-être pourrions-nous en distraire une. Encore ce n'est pas certain. Derrière ces trois divisions, il y en a quatorze à l'instruction, mais elles n'ont, comme armement, que des fusils[26] et quelques mitrailleuses. Le gouvernement anglais compte faire appel à toutes les forces de l'Empire. Nous attendons huit bataillons de l'Inde, huit bataillons de Palestine, 14000 Australiens, la IIe division canadienne... mais tout cela demande du temps.

Du temps!... C'est ce qui fait le plus cruellement défaut.

Au cours de cette séance, où chaque pays touche le fond du malheur, l'impréparation française éclate également. Paul Reynaud avoue que l'intendance manque de drap pour confectionner les uniformes. L'Angleterre ne pourrait-elle en fournir? Quant aux armes, le 29 mai, il ne restait plus que 75000 fusils dans les dépôts de l'intérieur et nous en avons commandé, ou nous allons en commander, hâtivement un peu partout : 25000 à l'Espagne franquiste qui retarde au maximum les livraisons, en prétextant qu'elle n'a plus besoin du blé et du riz promis en paiement, 25000 à la Yougoslavie, 100000 aux États-Unis.

---

25. J'ai suivi *Le journal d'une défaite*, de VILLELUME, et *Assignment to catastrophe*, du général SPEARS, pour la reconstitution de cette journée du 31 mai dont ils furent, l'un et l'autre, témoins.

26. Churchill a dit, auparavant, qu'à Dunkerque l'armée anglaise a perdu 1000 canons et qu'il n'en reste que 500 en Angleterre

Tout ce que Pétain voit et entend au cours de ces épuisantes séances où Reynaud mendie et où Churchill, qui ne peut et ne veut rien donner, se dérobe aux angoisses du présent en évoquant, avec la fougue du génie, la lutte acharnée que l'Angleterre livrera demain[27], renforce donc son sentiment : il faut traiter rapidement et se séparer des Anglais. Bullitt, ambassadeur des États-Unis, qui a eu un long entretien avec lui, le 4 juin, est formel : « Le maréchal Pétain, écrit-il, estime que les Anglais permettront aux Français de lutter sans secours, jusqu'à la dernière goutte de sang français, et que les Britanniques, avec une quantité de troupes sur leur sol, beaucoup d'avions et une flotte prédominante, signeront une paix de compromis avec Hitler, après une brève résistance, ou pas de résistance du tout.

« Il [le Maréchal] pense, qu'à moins que le gouvernement britannique n'envoie en France, pour les engager dans la bataille imminente, à la fois ses forces aériennes et ses divisions de réserve, le gouvernement français doit faire tout son possible pour venir à composition avec les Allemands, sans se préoccuper du sort de l'Angleterre. »

Le 6 juin, recevant Spears, qui voudrait le séparer de Weygand, Pétain reprend et développe le thème de la solitude française.

— Vous voyez cette ligne qui va d'Abbeville à Rethel ? Elle a plus de 200 kilomètres de long. Les Allemands peuvent nous y attaquer partout d'un moment à l'autre, et nous ne pouvons pas les empêcher d'attaquer aussi ailleurs. Ils n'ont pas moins de 120 divisions d'infanterie et 10 divisions blindées. Contre quoi ?... 60 des nôtres, 1 des vôtres. Et dans quel état, je vous le demande ! Or, vous n'êtes même pas capable de nous aider dans l'air.

---

27. C'est notamment au cours de la séance du 31 mai que Churchill lance, devant les Français stupéfaits, une profession de foi dans la victoire finale :

— Les peuples de France et de Grande-Bretagne ne sont pas nés pour l'esclavage, ni ne peuvent le supporter. Il est impossible qu'une victoire temporaire des nazis mette un point final aux destinées glorieuses de nos deux pays !

« Je suis inébranlablement convaincu que nous n'avons qu'à poursuivre le combat pour vaincre !... Nous poursuivrons la guerre même si la dernière maison de France et d'Angleterre est détruite. Le gouvernement britannique est décidé à mener, la guerre dans ses possessions d'Amérique si, par malheur, l'Angleterre, elle-même, était dévastée. Le peuple anglais n'abandonnera pas la lutte jusqu'à ce que le Nouveau Monde reconquière l'Ancien. Il vaut mieux que le dernier Anglais périsse les armes à la main et que le mot FIN soit écrit au bas du dernier chapitre de notre histoire, plutôt que de continuer à végéter comme des vassaux et des esclaves. »

Spears devine si exactement les sentiments de Pétain — qu'il a bien connu au cours de l'autre guerre — qu'il réitère, en les adoucissant un peu dans la forme, les menaces qu'il avait déjà adressées au Maréchal à l'issue du Conseil suprême du 31 mai[28] : que le Maréchal ne s'y trompe pas, si la France se trouvait placée entre l'Angleterre et ses ennemis, alors « avec regret mais inévitablement nous abattrions la France pour mieux frapper notre adversaire. Si la France s'entendait avec l'Allemagne... elle ne perdrait pas seulement son honneur mais, physiquement, elle ne s'en relèverait pas. Elle serait liée à une Allemagne sur la gorge de laquelle nos poings ne tarderont pas à se refermer. Les Français oublient, de génération en génération, quels ennemis implacables nous pouvons être ».

Phrases terribles auxquelles Pétain s'abstient de répondre. Mises en garde qui ont presque l'allure et le ton d'une déclaration de guerre, qui peuvent expliquer la tragédie de Mers el-Kébir et montrent, en tout cas, la profondeur du fossé qui se creuse de jour en jour entre la France et l'Angleterre

Il y a bien l'Amérique

Mais sur l'aide qu'elle est capable de nous apporter, Pétain ne nourrit, j'imagine, aucune illusion. Il sait d'expérience — l'expérience de 1917 et de 1918 — que les États-Unis sont lents à entrer dans l'action s'il est vrai qu'engagés, leur poids, bientôt, devient formidable.

Entre le 10 mai et le 16 juin, Paul Reynaud a sollicité à six reprises au moins le secours du gouvernement américain[29], réclamant d'abord (le 27 mai) des « nuées d'avions »... alors que les États-Unis en ont... 150 à mettre à notre disposition. Se faisant plus pressant à mesure que la situation se détériore, il demande[30] à Roosevelt l'entrée directe et rapide des États-Unis dans le conflit. « La seule chance de sauver la nation française, avant-garde des démocraties, et par là de sauver l'Angleterre, aux côtés de qui la France pourra alors rester avec sa

28. Il avait alors évoqué le blocus et le bombardement des ports français par les Anglais si la France se résignait à l'armistice.

29. Churchill a également, dès le 15 mai, demandé à Roosevelt des navires des avions des canons.

30 Le 13 juin. Le télégramme ne sera envoyé que le 14

puissante flotte, c'est de jeter, aujourd'hui même, dans la balance, le poids de la force américaine.

« C'est la seule chance aussi d'éviter qu'après avoir détruit la France, puis l'Angleterre, Hitler s'attaque à l'Amérique, renouvelant ainsi le combat d'Horace contre les trois Curiaces.

« Je sais que la déclaration de guerre ne dépend pas de vous seul.

« Mais je viens vous dire, à cette heure grave dans votre histoire, comme dans la nôtre, que, si vous ne pouvez pas donner à la France, dans les heures qui viennent, la certitude que les États-Unis entreront en guerre à brève échéance, le destin du monde va changer. »

Ces messages désespérés ne peuvent modifier la résolution de Roosevelt qu'ils irritent par leur fréquence, leur insistance, l'escalade des moyens que Reynaud suggère à une Amérique résolument isolationniste [31].

Roosevelt est d'ailleurs si sceptique sur les chances françaises et anglaises qu'il s'inquiète du destin des deux flottes dont il est capital pour les États-Unis qu'elles ne puissent tomber au pouvoir des Allemands [32].

Ainsi tandis que Pétain a conscience des délais, Reynaud, dont le devoir est de tout tenter et de solliciter sans pudeur ceux qui peuvent secourir la France en péril, volontairement ou non [33], s'abuse sur la promptitude de l'aide américaine et, pour soutenir l'espoir des désespérés, évoque sans cesse l'éventualité d'une impossible intervention qui changerait le cours des événements.

— Attendons la réponse de Roosevelt...

Mots magiques qui ne retardent pas plus les blindés allemands qu'ils ne ralentissent le cours de l'exode.

31. Sentiment qu'au moins en paroles Roosevelt ne décourage pas. « Je connais votre souci, déclare-t-il, le 16 mai, dans un message au Congrès, celui de ne pas être entraînés dans le conflit armé qui s'est abattu sur l'Europe. Je veillerai de toutes mes forces à ce que rien ne nous expose à ce péril. »

32. C'est ainsi que, le 17 mai, recevant lord Lothian, ambassadeur d'Angleterre, il lui exprime son désir « de voir le gouvernement de Sa Majesté mettre sa flotte à l'abri dans des ports américains, avant d'engager des pourparlers avec les Allemands ».

33. Cordell Hull, secrétaire d'État à la Maison-Blanche, est très sévère pour Reynaud. Il l'accuse d'avoir voulu, par ses appels à l'Amérique, « se couvrir » et travailler pour les archives, donc pour l'Histoire.

« En envoyant ce message [celui du 14 juin], Reynaud avait mis à exécution l'intention qu'il caressait depuis le 18 mai : se couvrir d'un appel à une déclaration de guerre de l'Amérique, faute de quoi la défaite de la France était inévitable... Sa situation désespérée expliquait cette action désespérée. »

Bientôt Pétain se mêlera au peuple français en fuite.

En compagnie d'autres ministres, il est de ces millions de Français que l'on trouve sur les routes dans la nuit du 9 au 10 juin.

Précédé, lui, c'est vrai, de deux gardes républicains à moto.

Transporté en Cadillac. Suivi par son médecin, le docteur Bernard Ménétrel, dont la Chrysler ne quitte pas le sillage de la voiture officielle. Protégé. Privilégié. Mais lorsque, à 2 heures du matin, il arrive à Briare, aucun lit n'a été prévu pour le Maréchal de France, vice-président du Conseil. Avec son escorte, il abandonne la ville surpeuplée et poursuit sa route jusqu'à Gien où, deux heures plus tard, il pourra s'étendre, dans une dépendance de la gare, sur le lit abandonné par un inspecteur des chemins de fer.

Il ne faut pas accorder à cette plongée dans l'exode une signification excessive, car elle ne détermine certes pas la décision du maréchal Pétain en faveur de l'armistice.

Doubler sur la route, et de nuit, des colonnes plaintives, franchir des ponts misérablement gardés, errer à 84 ans à la recherche d'un gîte, ne constitue pas une épreuve telle qu'elle bouscule le cœur, mais elle conforte Philippe Pétain dans la certitude de l'irrémédiable.

En présence de la misère humaine, lorsqu'elle leur est soudainement et brutalement révélée, beaucoup d'hommes politiques il est vrai, habitués des mots plus que des réalités quotidiennes, emportés par le flux de l'émotion, modifient leurs positions.

Georges Mandel, dont la froideur et l'objectivité grinçante ne seront jamais prises en défaut, se moquait de Camille Chautemps, vice-président du Conseil, qui mettait les souffrances du peuple au-dessus de l'hypothétique salut de la République.

— Il a une voix suave dont il se sert pour dépeindre d'un ton larmoyant la misère des réfugiés sur les routes. Il termine toujours ses exposés en racontant l'histoire de la pauvre vieille grand-mère, assise sur le siège arrière de sa voiture, écrasée sous le poids des enfants et de la cage à oiseaux. Cette pauvre vieille dame a toujours « très mal au ventre »...

« La pauvre vieille dame qui a toujours très mal au ventre et qui succombe sous le poids de sa cage à oiseaux », les soldats « tirés comme dans un fermé de lapins » [34] ne font pas partie du vocabulaire

---

34. Spears cite Mandel, prodigieusement agacé par Chautemps et qui aura, avec le vice-président du Conseil, plusieurs incidents dont celui-ci, le 16 juin, à

de Philippe Pétain mais, le 17 juin, à l'instant où il apprendra aux Français que son gouvernement vient de demander l'armistice, le Maréchal consacrera quelques mots « aux malheureux réfugiés qui, dans un dénuement extrême, sillonnent [les] routes ».

Peut-être, ce jour-là, se souvient-il de quelques visages entrevus sur les routes du Loiret...

Le nombre des réfugiés, leurs malheurs, les problèmes qu'ils posent, s'ils ne font pas la décision, comptent à l'instant de la décision.

Bordeaux. Comme Chautemps déclare qu'il est impossible de quitter la France sans avoir demandé à l'Allemagne de faire connaître ses conditions, Mandel intervient pour dire :

— Il y a ici des gens qui veulent se battre et d'autres qui ne le veulent pas !

— Non ! réplique Chautemps, il y a des Français désespérés de la situation dans laquelle se trouve leur pays et qui cherchent le moyen d'en sortir... D'ailleurs, je n'ai pas de leçons à recevoir de vous !

11

LA FUITE

Pour décrire les grands départs des Français s'élançant, sous le soleil de juillet, vers toutes les plages du Sud, pour donner une image des routes bloquées par des millions de voitures, trente-six ans après le drame de 40, on dira toujours : « C'est l'exode. »

Et c'est vrai, c'est l'exode

L'exode en direction d'appartements confortables, de villas pieds dans l'eau et non de granges misérables. L'exode avec possibilité de halte dans des restaurants gastronomiques. Boissons fraîches chez les plus humbles pompistes. Radioguidage.

Sur les autoroutes bloquées, où le serpent mécanique n'ondule que faiblement, aucune femme poussant dans un landau, avec le gosse, de pauvres richesses dérobées à l'incendie ou à la peur, pas de barricades de tonneaux et de charrettes, mais, aux points stratégiques, des garçons chevelus indiquant d'un carton paresseux le lieu final de leurs grandes vacances.

Sur le toit des voitures surchargées des Portugais ou des Marocains, qui relient Bonn à Lisbonne ou Liège à Rabat, aucun de ces édredons rouges qui resteront, à travers la mémoire, comme l'un des symboles de l'Exode : le nôtre.

Et, dans le ciel, enfin, nul avion proche, à l'exception de l'hélicoptère de la Protection civile.

En mai 40, les avions ne manquent pas. Les avions allemands, bien sûr. Maîtres de cérémonie de la tragédie, ils frappent, en cent points à la fois, les trois coups. Ils arrachent des millions de Belges, puis de Français à leurs maisons, à leurs villages, les jettent sur les routes où ils pourront à loisir les saisir, les tourner, les retourner, molle pâte humaine qui s'étale finalement jusque dans l'herbe des fossés.

Dans la vieille guerre, l'autre, la peur était, presque jusqu'à la fin, limitée à la portée des canons. Huit, dix, quinze kilomètres, et le bombardement de Paris par la Bertha constitua une telle exception que, vingt ans plus tard, l'on en parlera encore comme d'une tricherie allemande avec les lois de la guerre.

L'avion change tout. On ne va pas vers lui. Il vient à vous. On ne « monte » plus au front en se blindant le cœur. Le front mouvant, fort et fragile, dessiné par mille points dans le ciel, s'étend et se retire comme la marée d'un instant, et autant que les soldats, car l'avion est aussi une arme psychologique, il englobe les civils. « L'armée des civils », comme on l'écrit bien abusivement, s'agissant d'une masse à qui nul n'a su faire une âme collective.

On part donc d'abord parce que les Allemands bombardent
Impitoyablement.

Et que cèdent des abris et des cœurs qui n'ont été qu'imparfaitement préparés à cette nouvelle forme de guerre dont Londres, Berlin, Leningrad et tant de villes anglaises, tant de villes allemandes, tant de villes russes, tant de villes françaises montreront qu'elle n'est pas hors de portée du courage humain.

Mais comment ne pas être tenté de partir, le 10 mai, lorsque avec des dizaines d'aérodromes et de gares[1] les Allemands atteignent fatalement des dizaines de villes, en quelques minutes plongées dans l'univers, jusqu'alors journalistique, de la guerre totale ?

Il n'importe qu'il y ait, assez souvent, plus de peur que de mal. Désormais, c'est la peur qui conseille.

Comment ne pas partir lorsque, le 14 mai, à Tergnier, la gare est écrasée et que les morts, soldats, civils, doivent comme mourir une seconde fois dans le hangar où on les a entassés et qu'une bombe incendiaire transforme en brasier ?

---

1 Sont bombardées les gares de Boulogne, Lille, Valenciennes, Dunkerque, Charleville, Calais, Hazebrouck, Saint Amand, Orchies, Laon, Hirson, Lens, Liévin, Avion, Hénin-Liétard, Douai, Givet, Compiègne, Pontoise, Conflans, Villerupt

Comment ne pas partir de Dunkerque où rien n'est épargné ? Comment ne pas fuir Sedan, Charleville, Vouziers et toutes ces villes des Ardennes qui se trouvent presque immédiatement au cœur de la bataille et qu'encombrent des troupes démoralisées, ferment qui fera lever la peur ?

Comment ne pas partir de Lille, d'Amiens, d'Arras, de Beauvais ? « Partout des cadavres. Des centaines et des centaines. Hommes, femmes, enfants, vieillards. Contre un mur, une femme est mortellement blessée, tenant dans ses bras son bébé de deux ans environ, le crâne complètement ouvert. A ses côtés, deux enfants de trois à cinq ans qui pleurent. Le tableau est horrible. La gare est en ruines. Un train de réfugiés y a été sauvagement bombardé et mitraillé. Des morts ! Toujours des morts ! »

Le spectacle qu'a vu le capitaine Rendier, le 19 mai, en se rendant de Rambouillet à Arras, des millions de Français le verront à leur tour. Qu'ils habitent Abbeville, Sedan, Rouen, Orléans, ou l'une de ces petites villes, ou l'un de ces villages qui deviennent autant d'objectifs dès l'instant qu'une voie ferrée les traverse, qu'un pont les signale à l'attention. Dans sa volonté de désorganiser l'arrivée des renforts français — qui, dans la guerre précédente, avaient su remarquablement utiliser le rail —, l'aviation allemande hache les voies de communications[2]. Et ce qui se trouve dessus.

La S.N.C.F. fait et fera un prodigieux effort pour conduire jusqu'à un front, quotidiennement mouvant, les troupes que le commandement a pu rameuter. Elle fait et fera un non moins prodigieux effort pour évacuer la population prise de panique. Entre le 8 et le 13 juin — veille du jour où les Allemands entrent à Paris —, ce sont ainsi 198 trains de voyageurs, 37 trains de messageries utilisés par des réfugiés, 87 trains de marchandises qui s'éloigneront de la capitale dans la seule direction du Sud-Ouest.

Mais cette activité ne reste pas inconnue de l'ennemi. La supériorité de son aviation d'observation lui permet d'en mesurer toute l'importance. La supériorité de son aviation de bombardement, d'en contrarier au maximum le déroulement.

2. Le 17 mai, la S.N.C.F. indiquera 14 coupures importantes sur les voies ferrées de la région de l'Est et 9 sur celles du Nord.

Les gares, situées assez souvent au cœur des villes, bourrées de troupes en transit, d'évacués hagards et las, avides d'atteindre ces havres, qui ne sont généralement que des pièges, mais où ils espèrent recevoir le pain et l'eau, le secours d'un médecin ou d'une parole charitable, les gares, avec leurs wagons de munitions, follement mêlés aux convois humains, sont des proies de choix et des lieux où la tragédie rencontre l'aliment nécessaire.

C'est ainsi que, le 17 juin, le bombardement de la gare de Rennes, où un train de munitions se trouve garé depuis un jour ou deux, près de plusieurs trains de réfugiés et de troupes, fera assez de victimes pour qu'un mois plus tard des relents de chair brûlée empuantissent encore la ville [3].

Aussi arrivera-t-il que des fuyards préfèrent l'incertitude de la route faite à pied à la mort anonyme dans l'écrasement et l'embrasement des gares. Le 13 mai, des réfugiés, qui viennent de Sedan, renoncent à prendre le train qui a l'air de les attendre en gare de Lonny. Alors qu'ils arrivent et se réjouissent déjà, ils voient surgir les Stukas qui piquent, bombardent, mitraillent. « Les yeux au ras du sol aperçoivent les petits nuages de poussière que soulève chaque balle dans le champ voisin. Une odeur de soufre se répand dans l'air. Les minutes passent, semblent des heures. » Le train, par miracle, est intact, mais voilà des hommes et des femmes soudain dégoûtés de ce moyen de locomotion.

A pied donc. D'abord parce que la voiture est encore l'apanage d'une classe sociale. Ensuite, parce que la bicyclette ne permet que difficilement le départ des enfants en bas âge. Enfin, parce que le peuple français est composé alors d'hommes et de femmes souvent proches de leurs origines paysannes et à qui « la marche ne fait pas peur ».

Mais cette marche-là ! De Charleville, toute une partie de la population doit se rendre à pied jusqu'à Soissons : 100 kilomètres ; d'Amiens, on part pour Aumale et Rouen : 40 et 100 kilomètres.

Il y aura des champions sans le savoir, sans le vouloir.

Lucien Bas, 11 ans, et son frère Pierre, 9 ans et demi, partis de

3. Dans les jours qui suivirent le bombardement on parla de 5000 morts. chiffre heureusement inexact

Nauroy, dans l'Aisne, ayant perdu leurs parents dans l'Oise, marchèrent et marchèrent des jours durant, vivant de charité publique, s'agrégeant à des groupes qui se défaisaient au moindre survol d'avion, couchant dans les prés, finissant à Vannes où ils seront enfin recueillis le 8 juillet.

Ces réfugiés de Charleville qui, avec un enfant et une brouette chargée de matériel de couchage et de provisions, finirent par atteindre Paris. Cette femme qui s'effondre, à l'arrivée à Paris, et qui répond, lorsqu'on lui demande si elle s'est fait une entorse :

— J'arrive de Lille.

Et tous les anonymes dont nul ne racontera l'histoire, qui affrontent des kilométrages imprévus, en route vers une gare bombardée et inutilisable, vers un rassemblement de camions inexistant, vers une ville où vivent des amis accueillants qui, déjà, ont pris la fuite, hommes, sac au dos, valise à la main, femmes toutes chapeautées, parce que sortir sans chapeau n'est pas convenable, trop chaudement vêtues des habits du dimanche et de tout ce qu'elles ont pu mettre sur elles, chaussées de souliers à talon, qui transforment la marche en supplice.

Les infirmières des gares d'accueil, vers lesquelles se dirigent naturellement les arrivants, ont pour tâche essentielle de soigner les pieds : plaies qui rongent la plante des pieds, chevilles qui ressemblent à des genoux, ampoules énormes — toute la France boite.

Toute la France marche. A l'exemple de cet homme que l'on verra arriver, titubant, à Saint-Pierre-des-Corps et qui crie à une infirmière qui veut l'arrêter, le faire se reposer, le soigner :

— M'arrêtez pas ! M'arrêtez pas ! Si je m'arrête, pourrai plus repartir.

La plupart des fuyards combineront d'ailleurs plusieurs modes de transport. Sans même évoquer l'extrême et l'excessif : sur la route de Limoges à Bordeaux, ce lieutenant du train des équipages poussé, en voiture d'enfant, par son ordonnance, ces pensionnaires d'une maison close gagnant le Sud-Ouest dans un camion de l'armée conduit par un capitaine des transmissions, l'exode, lorsqu'il se déclenche quelques jours avant l'arrivée des Allemands, est toujours une addition d'aventures dont la plus modeste aurait paru impossible à vivre et invraisemblable à ces Français casaniers brutalement jetés, et se jetant, hors de leur calme univers familier.

Nicole Ollier n'a que 5 ans lorsque, avec sa mère et sa sœur de 8 ans, elle réussit à prendre un train qui arrive de Lille et qui regorge de civils et de soldats étroitement mêlés. Dix par compartiment. Et, d'abord, le voyage est une partie de plaisir pour les enfants qui se voient lancés dans un monde neuf où tout ce qui était interdit hier devient possible, admis, autorisé. Être assise sur les genoux d'un soldat inconnu, boire au quart du vin coupé d'eau, passer la nuit, entre Arras et Amiens, dans un train immobile en entendant les grandes personnes prononcer ces mots qui n'ont pas encore de sens « alerte, bombardement, mort », se laver, au petit matin, à l'aide d'un gant de toilette humecté d'eau de Cologne, franchir dans les couloirs le barrage épais des valises et des corps, courir le long de la voie parmi tous ces gens qui mangent, boivent, s'embrassent, discutent avec les rares employés à qui l'on voudrait arracher des nouvelles mais qui ne savent rien, regarder, à l'horizon, monter la fumée des villes qui brûlent...

Oui, une partie de plaisir brutalement interrompue en gare d'Arras par un sévère bombardement. Alors les petites filles feront comme toutes les petites filles de l'exode. Elles se blottiront sous leur mère qui les couvre de son mieux, leur parle, leur fait réciter leur acte de contrition. Lorsqu'elles se relèvent, lorsque cesse le vacarme des explosions, elles découvrent un monde étrange, insoupçonnable : une gare qui flambe, des rails tordus, des wagons à travers lesquels on voit le jour, et partout des morts, des morceaux d'hommes, de femmes, d'enfants, poupées grotesques, dans leur dernière pose, celle qu'a donnée au corps indécent et désarticulé l'explosion, les éclats ou le feu.

Alors il n'est plus question de train. La foule des survivants se rue vers la route de Doullens où Nicole Ollier et sa sœur arriveront dans la roulotte des clowns d'un cirque. D'Arras à Doullens, le convoi auquel elles appartiennent aura été mitraillé plus de trente fois en quarante-huit heures. Terribles occasions, pour des enfants de découvrir le monde des adultes avec ses lâchetés, ses grandes peurs, son égoïsme, son héroïsme aussi : les clowns qui, malgré le danger, à cause du danger, retrouvent leurs gestes de la piste pour faire rire les enfants, les fermiers qui, à la sortie de Doullens, acceptent de prendre les enfants et la mère dans la voiture, « mais il faut payer »[4].

4. Dans son livre *L'Exode*. Nicole OLLIER a longuement raconté son aventure.

Ah, l'argent ! Lorsque les charitables se seront lassés ou que leurs réserves seront épuisées et que l'armée des mercantis fera surface, il deviendra indispensable, fût-ce pour acheter... un verre d'eau, une place dans le foin. « Allez, sortez la monnaie ! Dix sous le verre ! Deux francs la bouteille ! »

Pendant plusieurs jours, il demeure indispensable pour prendre le train. C'est l'exode. On reçoit ordre de partir « par n'importe quel moyen », mais la S.N.C.F. exige que l'on acquitte le prix des billets. Preuve que tout n'a pas craqué encore puisque l'administration ne change rien à ses méthodes et que des fonctionnaires accomplissent leur devoir jusqu'au bout : qu'il s'agisse d'aiguiller des convois, de réparer les voies déchiquetées par les bombardements... ou de délivrer des billets pour des villes impossibles à atteindre. Lorsque, dans la soirée du 18 mai, un père de cinq enfants, M. V..., veut quitter La Madeleine, près de Lille, en compagnie de toute sa famille (sept personnes),pour se rendre à Alençon, où son entreprise s'est réfugiée, il débourse 1 511 francs. Pour quel voyage de cauchemar ?

A Calais, le train stoppe le 19 mai à 10 heures. Il n'ira pas plus loin. Sous les bombardements, il faut attendre un autre train qui arrivera vers 6 heures du soir et qui est littéralement assailli par une foule hurlante, qui écarte, quand elle ne les écrase pas, les faibles. Train de l'espoir qui se traîne jusqu'à Boulogne, et qui ne bouge ensuite que par déplacements de 500 mètres. Cinq cents mètres et cinq cents mètres, et cinq cents mètres encore. Des avions au-dessus du convoi, qui sont toujours des avions allemands.

Enfin Abbeville, le 20 mai, à 3 heures de l'après-midi en plein bombardement. On fuit, c'est-à-dire que le conducteur du convoi fuit, à la recherche de quelque voie libre. Amiens ? Non, les rails sont détruits. Le Tréport ? Oui, mais il faut s'arrêter quelques kilomètres avant la ville. Là aussi, la voie est coupée.

A 3 heures du matin, le 21, les réfugiés doivent descendre des wagons pour rejoindre Le Tréport à pied. Dans les champs, bientôt, beaucoup abandonnent leurs bagages, après avoir tenté de hasardeuses répartitions, d'autres une partie de leurs vêtements trop nombreux, trop lourds, trop chauds [5]. M. V... porte sur ses épaules un enfant de

5. Mais il y en a qui partent dans l'état où le bombardement les a surpris Ainsi Anne Legret, 5 ans, n'est habillée que d'une culotte « petit bateau » et d'un haut de pyjama.

deux ans jusqu'au moment où un couple, moins encombré de bagages, lui laisse charitablement une brouette. A 5 kilomètres du Tréport, ils apprennent que la ville est bombardée, ils partent à travers champs jusqu'à une ferme où ils reçoivent du lait, des œufs et peuvent se reposer deux jours durant. Ils mangeront même du pain : un pain de trois livres que le père obtiendra au terme d'une marche de 14 kilomètres. L'ennemi avance, ils repartent. Dieppe... Rouen... Paris où ils arrivent, en gare Saint-Lazare, le 28 mai, ayant tout perdu, affamés, si pauvrement vêtus qu'on leur donnera deux chemises au centre d'accueil, avant de les faire conduire, le lendemain, gare Montparnasse où ils pourront enfin prendre le train pour Alençon.

Alençon où ils débarquent pour apprendre que le patron sur lequel ils comptaient n'est plus dans la ville et surtout qu'ils ne peuvent être considérés comme réfugiés, donc qu'ils n'ont droit à aucun secours, puisqu'ils ont *payé leurs billets*[6] !

Pourquoi partir alors que des villages ne paraissent nullement menacés, que le flot de l'invasion les néglige ?

La peur ? Oui. Mais on part également parce que l'ordre a été donné par des autorités qui veulent soustraire le maximum de mobilisables et d'ouvriers à l'envahisseur. La leçon de 1914-1918, où tant de familles restèrent dans les départements occupés, n'a pas été oubliée.

On part donc par patriotisme. Pour rejoindre « l'autre côté » de la France, franchir ce fleuve — Somme, Marne, Seine, Loire — qui n'est pas encore un nom de victoire mais où, nul n'en doute, l'armée française finira bien par arrêter et vaincre l'ennemi. La pensée profonde des Français menacés rejoint ici les vœux des autorités officielles.

En France aussi bien qu'en Belgique, où le gouvernement a ordonné, au lendemain de l'invasion, le rassemblement dans la petite ville de Roulers, à vingt kilomètres de la frontière française, de tous les jeunes gens valides ayant de 16 à 35 ans. On leur demande simplement de se munir d'une couverture et de deux jours de vivres. Cette masse humaine (la valeur d'une vingtaine de classes de mobilisation),

6. L'odyssée de cette famille n'est pas terminée. Alençon étant trop encombré, elle se rendra à Quimper et s'arrêtera à Port-Launay.. après un voyage de quinze jours.

obéissant aux ordres, envahira Roulers et les villages avoisinants, portant ainsi témoignage de la croyance générale en une très longue guerre aux schémas calqués sur ceux de 1914.

Et puis ils se joindront au flot qui encombre toutes les routes, au flot des guimbardes, des autos au toit gonflé de malles, de valises, de paquets solidement arrimés, au flot des charrettes paysannes entourées encore des odeurs et des bruits de la ferme, au flot des piétons avec leur couverture rouge en bandoulière, leur sac à dos, leur mauvaise valise de carton à la main. Fleuve humain (2 millions, 3 millions, on ne saura jamais exactement combien de Belges), mais dont toutes les motivations ne sont pas uniquement dictées par la frousse.

On ne veut pas devenir allemand. « Je ferai tout pour ne pas être allemand » ; cri du cœur lorsque l'on interroge les réfugiés sur les raisons d'un départ parfois inexplicable.

Il en ira ainsi jusqu'à la fin. Et après la fin.

A 4 heures du matin, le 15 juin, le maire de Beaugency reçoit, de la préfecture, un télégramme lui ordonnant de faire évacuer immédiatement toute la population « même à pied si impossible autrement ». La veille, celui de Beaune-la-Rolande est invité à faire partir en direction de l'Indre et de la Nièvre les enfants âgés de moins de 13 ans, les vieillards et les hommes mobilisables.

Lorsque, le 18 juin, les Allemands entrent à Belley, les jeunes gens de la ville prennent le chemin des collines. « Ils avaient très peur et étaient très émus, racontera Gertrude Stein, leurs parents ne disaient rien. Chacun avait emmené sa bicyclette et apporté une grosse miche de pain ».

Après l'armistice, des réfugiés se dirigeront toujours vers la Bretagne, tandis que d'autres s'efforceront encore d'atteindre le Sud-Ouest comme si le mouvement, déclenché le 10 mai, ne pouvait même pas être arrêté par la fin des combats. Ainsi d'un vaisseau qui, moteur coupé, court longtemps sur son erre.

Les ordres donnés par les autorités invitent donc au départ « par tous moyens », sauf le chemin de fer, précise-t-on souvent.

1° Les affectés spéciaux, sauf ceux qui sont sous l'uniforme de la police et parfois des finances ;

2° Les jeunes gens de plus de seize ans ;

3º Les mobilisables, c'est-à-dire les hommes appartenant aux classes 1910 à 1915.

Cela fait beaucoup de monde. Même si les circulaires officielles prévoient, après ces premières mesures qu'elles s'obstinent à appeler de « non-évacuation », des mesures d'évacuation partielle (un tiers des fonctionnaires restant à leurs postes) avant l'évacuation totale.

Mais c'est imaginer la structure sociale d'une ville différente de sa réalité. Que deviennent, lorsque les avions frôlent les toits, lorsque les soldats apportent, avec leurs récits désordonnés et fabuleux, la peur des lendemains, que deviennent proportions et pourcentages décidés dans des bureaux parisiens ?

On part d'abord parce que les autres partent, parce que le tissu social craque ; un village, une ville étant une construction où chacun épaule chacun, boulanger, épicier, tailleur, coiffeur, caissier, fossoyeur, vitrier, manœuvre, personnages sans importance dont on découvre l'utilité à l'instant où ils s'éloignent et que tout l'édifice est ébranlé.

Analysant les raisons de son départ, un journaliste suisse, Edmond Dubois, aura cette réflexion qui pourrait être celle de tous les Français : « J'ai quitté Paris parce que Paris avait brusquement changé de visage. »

Viendra le moment, on le verra, où le gouvernement voudra stopper l'exode, ce flot qui n'en finit plus de couler, cet entassement, cet empilement de millions de Français, sur des départements d'heure en heure moins nombreux, si bien que la France n'est bientôt plus qu'une île qui rétrécit à vue d'œil, rongée et désagrégée par la marée de l'invasion. On remettra donc en honneur la politique des villes ouvertes, espérant que ceux à qui l'on garantit qu'il n'y aura pas, fût-ce un semblant de bataille aux faubourgs, s'abstiendront de fuir. Ce n'est pas toujours suffisant.

Car la totale solitude effraie presque autant que les bombes.

Et, d'ailleurs, que faire dans une ville où les banques, les magasins, les administrations sont fermés ? Dans des maisons dont les provisions ont été distribuées aux passants, alors que l'on ignore à quel moment le boulanger reprendra sa tournée, quand les boutiques seront réouvertes et réapprovisionnées.

Lorsque, le 16 juin, arrivant à Alençon dans une région où « il espère rester longtemps », le général Robert Altmayer écrit aux préfets de la Sarthe, de la Mayenne, de l'Orne, du Calvados pour leur signaler qu'il ne donnera pas d'ordre d'évacuation a priori, il ajoute : « Parfois, la cause primordiale de l'exode lamentable des piétons, provenant presque tous de familles de petits artisans ou d'ouvriers, fut le départ prématuré de maires, de médecins, de pharmaciens, de bouchers et de boulangers... »

Donc, sinon toujours de riches, de ceux qui, par métier, ont à leur disposition des véhicules. Patrons, commerçants, hauts fonctionnaires.

Qu'il y ait une hiérarchie dans l'exode, c'est certain. Tous l'ont vu. Tous l'ont dit.

« Dans les premiers jours, nous avons vu passer de somptueuses et rapides voitures américaines conduites par des chauffeurs en livrée ; leurs occupants, femmes élégantes, la main sur leur coffret à bijoux, hommes penchés sur des indicateurs ou des cartes routières... Puis sont venues des voitures moins brillantes, moins neuves, dont les conducteurs, de petits-bourgeois, généralement accompagnés de leurs familles, avaient besoin de nous. Un ou deux jours plus tard et ce furent les plus incroyables guimbardes... Puis vinrent les cyclistes. » Témoignage de Pierre Mendès France.

« D'abord, on voit passer les riches. Grosses machines, vitesse, ils fuient les premiers, ils ont une peur accélérée... Leur passage dura environ deux jours... Puis vinrent des véhicules médiocres, bourrés de matelas et de petites gens... puis des camions, des camionnettes dont le chargement était étrangement disparate... puis il y eut un calme, du vide... et apparurent les bicyclettes. » Témoignage de René Benjamin, thuriféraire du Maréchal.

Indiscipliné, l'exode gagne à la vitesse de l'incendie.

A Saint-Dié, dans la soirée du 14 juin, aperçoit-on, vers 21 heures, une voiture chargée de bagages devant le domicile du maire, la nouvelle fait immédiatement le tour de la ville : « Le maire fout le camp. » Que la nouvelle soit fausse, qu'importe ! Que les adjoints Meckert et Evrat s'emploient à la démentir, que le maire, lui-même, s'ingénie à rassurer ses concitoyens, leurs paroles ne sont d'aucun pouvoir sur une population affolée.

Le lendemain, 15 juin, l'électricité est coupée (elle ne fonctionnera, à nouveau, que le 9 juillet) et, l'électricité arrêtée, cela signifie la fermeture de l'usine à gaz dont les élévateurs et les transporteurs de charbon ne peuvent plus fonctionner. On s'éclairera à la bougie, à la lampe Pigeon, aux lampes à pétrole sorties des placards où on les conservait encore, au nom de ce sens bien compris de l'économie. du « rien ne se jette », du « ça peut toujours servir », qui permettra aux greniers français de jouer un rôle essentiel face à la rapine allemande et au blocus anglais. Lorsqu'il faudra faire du pain pour les réfugiés qui, à partir du 17 juin, se précipitent sur la ville (il y en aura jusqu'à 70 000) [7], on réquisitionnera les moteurs agricoles des paysans du voisinage alimentés avec de l'essence dérobée un peu partout.

A Troyes, tous les boulangers feront défaut pendant plusieurs jours. A Blois, comme à Chartres, à partir du 16 juin, il ne reste plus qu'une seule boulangerie ouverte.

A Briare, deux boulangers sur quatre sont encore présents, le 16 juin, et deux bouchers, ce qui serait largement suffisant pour une population réduite à 100 habitants. Certes... Mais il passe chaque jour 10 000 à 12 000 réfugiés affamés qui quémandent.

— Vous n'avez rien à manger ?

— Un peu de lait pour mon bébé, un peu de lait, monsieur.

— S'il vous plaît, donnez-moi du pain, rien qu'un morceau.

— Vous trouveriez pas une boîte de sardines, des fois, en cherchant bien.

On tire un fil et tout se défait de ce qui paraissait ordonné pour l'éternité. Les villes sont menacées d'incendie, mais les pompiers s'en vont avec le reste de la population. Encore heureux lorsqu'ils ne menacent pas, comme à Viroflay, d'emmener en otage un adjoint qui désire rester pour veiller sur les femmes et les enfants présents.

Les magistrats municipaux abandonnent leur poste. Le 9 juin, le maire de Rouen quitte la ville. Le commissaire central l'imite. Lorsque les Allemands arriveront, ils seront reçus par le cinquième adjoint, M. Poissant, alors qu'en 1815, comme en 1870, ils avaient trouvé, groupés autour du maire, les conseillers municipaux au grand complet. Il est vrai que les avions, porteurs de mort et de terreur, n'existaient pas et que les ulhans n'avaient pas, à longue distance, les mêmes pouvoirs d'intimidation.

On ne sait plus d'ailleurs s'il est courageux ou lâche de partir. Courageux ou lâche de rester. Les ordres se croisent, se contredisent, s'accumulent, s'annulent.

7. La population normale est de 20 315 personnes.

On verra des municipalités hésiter et faire part de leurs hésitations à des populations que leur embarras ne rassure nullement. A Reims, le maire, Marchandeau, indique, le 16 mai, qu'aucun ordre d'évacuation n'a été donné mais que, devant les dangers « que présentent les séjours répétés dans les abris », la municipalité s'efforce d'organiser, au moins, le départ des infirmes et des enfants. Le 18 mai, un communiqué de la mairie fait savoir à ceux qui disent « Je ne m'en irai pas, je resterai à mon poste si je sais que je serai prévenu dans le cas où Reims risquerait de tomber aux mains de l'ennemi » que les trompes des voitures des sapeurs-pompiers, sonnant sans interruption, donneront le signal d'un départ qui, pour l'heure, n'est nullement envisagé par les militaires. Le 20 mai, enfin, paraît sur *L'Éclaireur de l'Est*, réduit à une feuille demi-format, l'ordre d'évacuation immédiate d'une ville où il ne reste que 4000 ou 5000 habitants sur plus de 120000.

Dans la grande débâcle de mai et juin, il existe des îlots de résistance. Accomplir en ces jours tragiques la tâche quotidienne paraît à quelques-uns la seule solution compatible avec l'honneur. Quand tout croule, on découvre d'étranges zones de calme.

Dans plusieurs grandes villes de France, dont les Allemands ne se trouvent qu'à une ou deux journées de marche, on tente ainsi (et parfois la réussite couronne les efforts de l'inspection d'académie) d'organiser les épreuves du baccalauréat. A Metz, le 17 juin, candidats et professeurs sont ainsi, dès 8 heures du matin, fidèles au rendez-vous. M. Delort, proviseur du lycée, ayant jugé dangereux de tenir enfermés, deux jours durant, dans des salles d'examen, garçons et filles, il fut décidé de supprimer l'examen, « candidats et candidates durent retourner chez eux fort déçus, écrit M. Delaunay, directeur du Conservatoire, de ne pouvoir se présenter pour le diplôme consacrant leurs études ».

Mais, à Nancy, les épreuves commenceront le 14. Elles seront interrompues quelques heures plus tard, les parents venant chercher leurs enfants, souvent pour les conduire directement à la gare d'où allaient partir les derniers convois.

On verra ainsi arriver, le 18 mai, à Laroche-Migennes, dans l'Yonne, des femmes qui, parties de Vouziers, n'ont pour tout bagage que l'inutile cartable de l'enfant qu'elles allaient chercher à l'école lorsque la panique les a jetées dans un train de passage. Témoignage extrême de la brutalité de la catastrophe comme de l'incroyable optimisme de tout un peuple.

Si, dans l'inspection académique du Rhône, les examens sont ajournés à dater du 17 juin, le certificat d'études, du moins, s'est déroulé dans de bonnes conditions. Élèves des écoles de Pierre-Bénite, Francine Marchoux, Yolande Morini, Ghislaine Robelet, Roger Giraud, Jacques Pêcheur, René Chopinot, Italo Montemaggi sont reçus avec vingt-deux autres de leurs camarades. Si quelques-uns de ces heureux candidats ont longtemps conservé *Le Progrès,* du 18 juin, ce n'est sans doute pas parce qu'en première page, il évoquait la plus grande défaite jamais subie par la France, mais parce que leur nom se trouvait en page deux... dans la colonne proche de celle où l'occupation de l'Estonie et de la Lettonie par l'U.R.S.S. était annoncée.

Lorsqu'un pays entier prend la fuite, les habitants saisissent non toujours l'indispensable, mais ce qui leur tombe sous la main. Les paysans, eux, s'efforcent de sauver les bêtes qui constituent non seulement une partie de leur richesse, mais qui facilitent la fuite, si bien que l'exode de 40 restera celui des piétons surchargés, des cyclistes et des paysans sur ces lourdes, lentes, majestueuses charrettes faites pour ramasser les gerbes ou les betteraves qui iront porter témoignage que, jusque dans la plus humble des fermes, la France entière a été touchée[8].

Beaucoup de départs sont improvisés. Certains sont préparés avec minutie. Sous la plume d'Alain Prévost, Grenadou raconte qu'il est allé « lever son pognon » à la banque.

« Quatre-vingt-dix mille francs, j'ai acheté des bâches bleues et j'ai équipé mes voitures. On a chargé la literie, de l'avoine pour les chevaux, toutes sortes d'affaires.

« Nous voilà prêts à partir.

« Pourquoi ? Parce qu'on voyait les autres.

« Je réveille mes commis, les parents, les amis. On finit de charger les carrioles et, vers trois heures du matin, au petit jour, en route.

« Il y avait ma mère et mon père de soixante-dix ans ; leur bonne, la mère de la bonne, la nièce de la bonne et le bébé de la nièce. Il y avait le père d'Alice, à moitié paralysé. Il y avait Clément, sa femme et leurs

8. Certains réfugiés abandonneront leur équipage pour prendre le train. Alors il faudra vendre les bêtes. A Avallon, des maquignons se sont installés ; ils achèteront trois chevaux et les voitures 20 000 francs. « Impossible de marchander », écrit Mme Lallemand qui vécut l'exode.

deux filles ; Chardonneau, sa femme et sa fille ; Achille Pommeret, sa femme, ses deux garçons et sa belle-sœur ; mes deux Espagnols, mon berger et un autre commis. Il y avait Richer, sa femme et son fils André ; sa belle-sœur avec deux jeunes et un bébé ; deux commis de Richer avec leurs femmes et une petite fille. Enfin, Alice, Aurore, Éliane et Janine[9].

« Quarante !

« Sur la route de Luplanté[10], je m'arrête pour regarder la caravane quatre automobiles, les six voitures avec les bâches bleues, chacune tirée par un cheval, le Lanz et le tracteur à chenilles de Richer et, pour finir, la carriole à bourri.

« Il y avait des voitures pour le monde, d'autres pour le matériel, la forge portative pour ferrer les chevaux en route, nos trois perruches bleues dans leur cage, des poules, des lapins »

Qui dira l'effrovable spectacle des bêtes abandonnées dans des villes abandonnées ?

Chats et chiens errants, affamés, s'attachant aux soldats qui passent, dès l'instant qu'ils leur donnent un croûton ou bien fuyant toute présence humaine, hurlant, miaulant, ombres troublant la paix des ruines. Grands chevaux noirs, courant dans les rues vides, s'arrêtant, reprenant leur galop jusqu'aux jardins de banlieue dont ils fracassent les haies. Et, dans les campagnes, ces vaches que plus personne ne vient traire et qui meuglent de douleur.

Plus sensible à la peine des animaux qu'à la peine des hommes, l'écrivain Paul Léautaud, que son accoutrement habituel aurait aisément fait passer pour un pèlerin de l'exode, ira rôder, le 12 juin, près du métro « Gare du Luxembourg » autour de l'un de ces convois pleins d'odeur et d'un chariot que suit une vache.

— Ce sont les gens comme vous, dit-il aux paysans, qui me font le plus de peine... Et cette pauvre vache ?

— Oui. Et nous avons laissé nos étables pleines.

— Vous n'aviez pas de chiens ?

— Si, quatre. Ils sont dans une autre voiture. Nous les retrouverons

9. Sa femme et ses trois filles.
10. Luplanté (Eure-et-Loir), 342 habitants.

à la porte d'Orléans. Nos vieux chiens. Nous n'aurions pas voulu les abandonner.

Bêtes lancées dans la grande aventure. Ici, cinq serins et une tourterelle qui iront de Saint-Nizier jusqu'à Lenclos où leur cage sera écrasée, avec bien d'autres choses, dans un bombardement.

Là, un chevreau qu'une petite fille réussira à conduire jusqu'aux faubourgs de Nantes.

Sur une autre route, le haras au complet de Montier-en-Der, vingt-neuf hommes à cheval tenant chacun un étalon, qui fuit, lui aussi, les Allemands.

A Lyon, une femme bouleversée, à l'instant du départ, lance à son mari :

— René... le chat, tu oublies le chat... René !

Au départ de Paris, le 12 juin, Jules Vaucouloux, 12 ans, a refusé de se séparer de la cage de Fifi. Tout au long d'un exode qui durera dix jours, et qui permettra à la famille de gagner l'Auvergne, il lui donnera à manger des œufs durs et un peu de ce pain si difficile à obtenir.

Bêtes tellement aimées que, lorsque Jean Maugras s'arrête le 12 juin, pour faire monter dans sa voiture un homme, qui a perdu sa fille dans un bombardement, et qui demande qu'on le conduise à Chartres où se trouve sa femme blessée, il a la stupéfaction d'entendre son compagnon lui dire :

— Voyez-vous, derrière ma maison, au fond de la cour, j'élevais quelques lapins. Eh bien, vous me croyez si vous voulez, mais mes clapiers sont intacts et mes lapins n'ont pas reçu la moindre égratignure ! Ça c'est une chance, un vrai miracle, j'étais bien content.

A Bordeaux, où viendront aboutir tant de généraux en quête d'armées et de ministres en quête de miracles et, avec eux, des dizaines de milliers de Français qui assiègent les journaux, la Croix-Rouge, la mairie, la préfecture pour avoir des nouvelles d'une mère, d'un fils, d'un frère, la femme d'un ministre convoque le commissaire central et lui demande de retrouver son petit chien perdu au milieu de tant d'hommes perdus.

On emporte tout ce que l'on peut emporter.

Chiens, chats, serins, perroquets. Archives des villes et des villages qui permettront, si le front se stabilise, de reconstituer l'état civil de la France occupée, de refaire, derrière les lignes, le tissu administratif du pays. Machines à écrire. Drapeaux des anciens combattants. Portraits de famille. Poupées. Postes de radio. Objets d'art. Un siècle d'arrêtés du Conseil municipal. Tout : jusqu'à l'épée, au grand cordon de la Légion d'honneur, au petit chapeau de Napoléon. Ils partaient, eux aussi, pour la Dordogne, « espoir suprême et suprême pensée ». Ils viendront échouer, le 14 juin, sur le champ de foire d'Étampes. Offerts à qui veut les prendre, dans deux camions abandonnés, ils seront sauvés par un officier allemand qui alertera le médecin-capitaine Guilluy, resté seul à son poste, au milieu de 250 blessés.

— Il y a là, derrière votre hôpital, quelque chose qui intéresse particulièrement l'histoire de France. Vous trouverez tout cela dans deux camions.

On évacue les malades, même ces intransportables qui demandent qu'on les abandonne à leur sort, mais quel pourrait être leur sort dans des villes sans eau, ni gaz, ni électricité, ni ravitaillement ?

On évacue les fous.

Il y a des départs ordonnés. Des convois régulièrement annoncés. Le 6 juin, entre cent autres, Bodenan, préfet de la Gironde, trouve ce message :

« UN TRAIN 251 ALIÉNÉS BAS-RHIN ET 75 PERSONNES PASSERONT GARE BORDEAUX LE 7 JUIN À 5 H 19 HALTE REPAS. DÉPART 6 HEURES. »

Il y a aussi de véritables... histoires de fous.

A Orléans, par exemple, où 200 fous évadés de l'asile de Semoy se promènent en liberté. Se promènent !... Dans la ville en feu, où les Allemands sont entrés depuis trois jours, le moins fou des fous n'est pas celui qui, installé dans la pharmacie Servier, vend tous les médicaments 10 sous. Beaucoup d'autres veulent en effet jouer (la situation s'y prête) le rôle de Jeanne d'Arc ou de Napoléon, et le préfet Morane, aidé de son secrétaire général Maurice Picard, s'emploiera à faire comprendre au major Von Bönninghausen qu'ils ne peuvent, sans le concours des autorités allemandes, rattraper ces dangereux personnages.

Quant à l'asile de B..., dont les effectifs, qui comprennent d'ailleurs 150 repris de justice, passent brusquement de 1 200 à 1 600 personnes, à la suite de l'arrivée des fous de l'asile de Clermont, dans l'Oise, il est, peu à peu, abandonné par l'économe de l'établissement, le directeur, des infirmiers qui partent en laissant les clefs aux malades. Lorsque l'évacuation est décidée, c'est un pauvre cortège qui se met en route chaussés d'espadrilles, vêtus sommairement, les fous encadrent quatre charrettes dans lesquelles on a entassé sept à huit cents kilos de conserves et des kilos d'archives, mais où les plus fatigués ne peuvent prendre place, car la femme et la fille du chef conducteur, armées de leurs parapluies, en interdisent résolument l'accès. Au fil des kilomètres, le cortège s'amenuise d'ailleurs. Des infirmiers s'éloignent à la faveur de la nuit. Des fous quittent la route et trouvent de l'embauche dans des fermes du voisinage. Lorsque la colonne atteindra l'asile de Saint-Denis, près de Châteauroux, son effectif ne sera plus que de 98 personnes.

Assassins ou voleurs, les 150 « médicaux-légaux » ont naturellement disparu parmi les premiers.

Il y a ceux, enfin, dont le drame, brusquement, fait vaciller la raison.

Cette Ardennaise dont le fils de 10 ans a été tué dans le fossé où, pour la vingtième fois, elle le protégeait de la mort.

Cet homme qui se jette au cou du maire de Nogent et lui remet son portefeuille.

— Ah ! monsieur le maire, je viens d'achever ma fille. Elle était tout pour moi, je vais me jeter à l'eau. Vous trouverez 3 000 francs pour les obsèques[11].

Sur les routes de France marchent aussi des milliers d'hommes hâtivement tirés des prisons.

On veut les soustraire aux Allemands qui libéreraient certains d'entre eux parmi les politiques[12].

Les voici donc, comme les autres, roulés par l'exode. Ils appartiennent aux horizons les plus variés mais ils sont également maltraités par des gardiens que la défaite exaspère, que les bombardements terrorisent et qui croient trouver parfois, en exécutant les hommes qu'ils sont chargés de convoyer, le moyen de se libérer de leurs devoirs et de fuir plus aisément.

11. M. M... a effectivement tué sa fille Yvonne, professeur de piano, et mis fin à ses jours.

12. Quelques jours après leur arrivée à Paris, les Allemands libéreront effectivement 500 personnes arrêtées pour « propos défaitistes ».

A Abbeville, 21 prisonniers civils évacués de Belgique, en compagnie de 57 autres partisans des Allemands, seront abattus sur les ordres du lieutenant René C... et du sergent chef Émile M... [13].

Sur la route qui mène d'Orléans à Avord, Thierry de Ludre sera tué lui aussi. On l'a arrêté, sur ordre de Mandel, le 5 juin, en même temps que plusieurs responsables de *Je suis partout* : Lesca, Fabre-Luce, Serpeille de Gobineaux, Laubreaux [14].

Le 10 juin, les gardes du Cherche-Midi sont passés dans leurs cellules :

— Préparez vos affaires, vous partez.

— Qu'est-ce qu'il y a ?

— Il y a qu'on vous évacue.

— Quoi, nous en sommes là ?

— Assez, assez, il ne s'agit pas de savoir où nous en sommes ! Dépêchez-vous.

Dans toutes les prisons de Paris, ce sont les mêmes ordres et la même hâte. Les captifs rassemblent leurs pauvres bagages. Le communiste Léon Moussinac, avant de quitter la Santé, a emporté savon. brosse, peigne, morceaux de sucre et de chocolat. Précautions indispensables : il n'aura, pour nourriture, qu'une cuillerée de riz le matin, une pomme de terre le soir. Mais il a pris également *Le Discours de la Méthode,* de Descartes, et *La Mer,* de Michelet.

On les fourre tous dans des autobus, hommes de droite enchaînés à des communistes, communistes attachés à des voleurs, anarchistes reliés à des espions.

Ainsi, ils iront jusqu'à la prison d'Orléans qui ne veut pas d'eux, qui refuse du monde, comme toutes ces prisons du sud de la Loire, surpeuplées elles aussi. A Angers, par exemple, où six cents détenus, pour la plupart de droit commun, en provenance de Poissy, arrivent dans un grand concert de cris, de jurons, les députés communistes —

---

13. C... et M... furent condamnés à mort au mois d'avril 1942 par un tribunal militaire allemand et exécutés. Parmi leurs victimes, huit Belges, quatre Allemands, quatre Italiens, un Hongrois.

14. Certains d'entre eux seront arrêtés le 6 juin mais les perquisitions à *Je suis partout* et chez l'administrateur, Ch. Lesca, perquisitions sans autre résultat que la trouvaille de lettres antisémites émanant de l'un ou l'autre des collaborateurs de *Je suis partout,* eurent lieu à partir du 29 mai. Ch. Lesca racontera longuement ses prisons sous le titre *Quand Israël se venge (Je suis partout,* à partir du 7 février 1941)

Barel, Bartolini, Benoist, Billoux, Berlioz, Bonte, Cornavin, Cossoneau —, transférés le 18 mai, sont réunis à trois par cellule.

Puisque Orléans ne peut loger les prisonniers du Cherche-Midi, on les poussera jusqu'au camp des Groues, d'où ils seront tirés le 15 juin au soir.

Ils vont à pied. Lesca enchaîné à Daniel Renoult, rédacteur à *L'Humanité,* qui, plus tard, partagera avec lui la demi-bouteille de vin que lui a donnée un militant communiste. Laubreaux avec Serpeille de Gobineaux et un caporal-chef d'aviation accusé de pillage. Dans le cortège, il y a de tout : des dévoyés, des contrebandiers, des fripouilles, l'anarchiste Lecoin, en prison depuis octobre 1939 pour avoir signé le tract « Paix immédiate », et qui se montrera, avec Lesca et Laubreaux, plein de gentillesse et de cœur, se contentant de dire à ces hommes, dont il est loin de partager les options politiques : « Maintenant que vous savez ce que c'est que la prison, j'espère que vous ne la réclamerez plus pour aucun de vos ennemis [15]. » Beaucoup de communistes, dont Lesca, Laubreaux et les autres, découvrent, dans le malheur, qu'ils ne sont pas tout à fait comme les décrivait *Je suis partout*

Il y a des voleurs. Et des traîtres authentiques comme Amourelle, sténographe au Sénat, qui, dans l'espoir d'obtenir des fonds pour la création d'un journal « pacifiste », dont la vocation serait de prêcher la grève générale et le sabotage, communiquait à l'ambassade d'Allemagne, des informations politiques et les comptes rendus des séances secrètes tenues par différentes commissions du Sénat.

Et des saboteurs comme les frères Roger et Marcel Rambaud, comme Maurice et Léon Lebeau, Raymond Andrieux, Roger Leroux, des gosses pour la plupart — quatre d'entre eux ont 18 ans — qui, influencés par les tracts communistes [16], ont saboté au moins une vingtaine de moteurs d'avions Gnome et Rhône, dans les ateliers de la Société nationale de constructions aéronautiques du Centre, à

---

15. Il est juste de signaler que, pendant l'occupation, Lesca écrira un article en faveur de Lecoin et réclamera sa libération.

16. « Par tous les moyens appropriés, en mettant en œuvre toutes vos ressources d'intelligence et toutes vos connaissances techniques, empêchez, retardez, rendez inutilisables les fabrications de guerre. » Tract communiste diffusé dans la région parisienne au mois de février 1940.

Au début de mai 1940, 117 dossiers d'actes de sabotage ont été transmis à la justice militaire.

Boulogne-Billancourt. Un coup de pince sur un fil de laiton servant de frein de raccord d'arrivée d'essence au carburateur et, en vol, les vibrations desserrent un écrou, l'essence fuit, coule sur une pièce très chaude, c'est l'explosion. Arrêtés le 11 mai, condamnés à mort par le 3e tribunal militaire de Paris, après avoir passé des aveux complets, Roger et Marcel Rambaud, Maurice et Léon Lebeau marchent, enchaînés eux aussi, eux aussi insultés par les soldats et les réfugiés qui doublent leur convoi de bagnards [17].

— Salauds, vendus, traîtres !

Mots qui s'adressent à tous, même s'ils ne les concernent pas tous.

Il y a enfin, sous la direction du capitaine Kersaudy, les gardes qui encadrent et surveillent le troupeau, poussent les uns et les autres, houspillent, engueulent et ont reçu pour consigne de ne pas laisser de « traînards ».

Thierry de Ludre, qui a de l'asthme et marche de plus en plus difficilement, sera l'un de ces traînards. Alors, on l'abattra. Une balle dans la tempe droite. Une balle qui fait éclater le foie [18].

L'exode des prisons est l'un des épisodes les moins connus du grand exode. Il touche cependant plusieurs milliers d'hommes et de femmes, à travers la France.

Coupables ou non, sur leur passage, ils ne recueillent ni sourires de pitié, ni mots de compassion. On ne dit pas « les pauvres gens », mais « les salauds » et la France qui n'a plus d'armée mobilise, pour les conduire en lieu sûr, comme quelque trésor un peu honteux, ses gardes mobiles.

A la gare de marchandises d'Angers, le 17 juin, il y a ainsi plusieurs centaines de détenus, dont huit députés communistes, qui sont arrivés solidement encadrés.

---

17. Ils seront fusillés à Bordeaux le 20 ou le 22 juin. Roger Rambaud, 17 ans, arrêté le premier, a dit tout d'abord que « deux individus, l'un en cotte de travail, l'autre en complet de ville bleu marine et coiffé d'un chapeau gris clair » lui avaient fait un croquis du sabotage qu'il devait commettre. L'un des hommes l'aurait menacé : « Si tu ne fais pas ce que nous voulons, ça ira mal pour toi. » Puis il reviendra sur cette déclaration avouant que son frère, Marcel, lui avait donné un croquis de la partie du moteur d'avion à saboter. « Mon frère m'avait dit que cela pouvait hâter la fin de la guerre. »

Marcel Rambaud, qui sabotait de son côté les chars du 503e régiment, Roger Rambaud, Leroux, Andrieux, les frères Lebeau affirmèrent ensuite, devant le juge d'Instruction, avoir été frappés par les inspecteurs.

18. Son cadavre sera découvert le 4 décembre au cimetière de Conflans-sur-Loire près de Montargis.

Soixante-dix dans un wagon de marchandises et une boule de pain pour quatre, du fromage, des heures et des heures de route, entrecoupées de longs arrêts, avant d'arriver à La Pallice d'où on les conduira au bagne de l'île de Ré. A 3 heures du matin, le 21 juin, douze soldats, commandés par un adjudant, font lever les députés communistes pour un départ qui revêt des allures sinistres [19].

Les voici à Bordeaux puis, comme la ville est menacée à son tour par l'avance allemande, il faut partir vers Tarbes dans une voiture cellulaire qui, tous les cinquante kilomètres stoppe devant des cafés d'où les gardiens sortent en injuriant les prisonniers à qui ils refusent jusqu'à un verre d'eau.

— Pissez et buvez !

— Si vous avez soif, nous avons de l'essence !

— Taisez-vous, viande pourrie.

Le 13 mai, *Le Petit Ardennais* commence la publication d'un récit du romancier Jules Mary, « Sur les routes sanglantes ».

Il s'agit d'une évocation de la guerre de 1914.

Lorsque le feuilleton paraît, depuis deux jours déjà, les Ardennes se vident de toute population…

« Routes sanglantes » de 1914, routes encore plus sanglantes de 1940 survolées par des avions qui sèment la terreur et contre lesquels ceux qui fuient n'ont que l'illusoire protection d'un fossé ou d'un arbre.

Lorsqu'ils revivront leurs malheurs, tous évoqueront l'angoisse du mitraillage, des bombes sur les voitures que ne protègent nullement les édredons et surtout de la rupture de la chaîne familiale par la mort ou la confusion de la panique.

De tous les drames, le drame des enfants perdus sera peut-être le pire.

Il bouleverse immédiatement la sensibilité française.

Et, d'abord, on l'exploite comme, pendant quelques jours, on exploitera la misère des réfugiés jusqu'au moment où la censure

19. « Douze soldats armés, écrit Florimond BONTE dans *Le chemin de l'honneur*, c'est l'effectif d'un peloton d'exécution. » Bonte raconte également qu'à Cholet des soldats offrirent aux députés (qui partagèrent avec leurs codétenus) des boîtes de sardines, du saucisson, du beurre, du pain et de nombreux paquets de tabac et de cigarettes.

interdira ou limitera ces descriptions qui soufflent l'haleine de la défaite et démoralisent, alors qu'on les croyait propres à durcir les cœurs. « Ne pas laisser passer d'appels de réfugiés cherchant à se retrouver » (consigne du 19 mai, 10 heures).

« Les récits concernant les souffrances des réfugiés ne passent que dans la presse neutre [20] » (consigne du 21 mai à 17 heures).

Mais les enfants ?

Toute la France s'émeut en apprenant que l'aviation « boche » a mitraillé le train en provenance de Sedan d'où cette femme surgit, hagarde, ayant perdu sept de ses neuf enfants.

Et les reporters des journaux, à partir du 12 mai, feront, dans les gares, ample moisson de douleurs.

— S'il vous plaît, où dois-je les mener ?

Une fillette de 13 ans interroge un secouriste. Accrochés à sa jupe, trois marmots.

— Et ta maman ? Où est ta maman ?

— On a perdu maman en route...

Et lorsque c'est la maman qui a oublié un enfant, comme cette femme que le docteur Masson a vue quittant Abbeville en feu avec sept ou huit enfants, demandant à un voisin évacué avec elle : « Ils y sont tous ? » et s'apercevant, avec horreur, quelques kilomètres plus loin, que le plus petit a été abandonné dans son berceau.

Un autocar venant du Nord arrive à Paris. Tout le monde descend. Il reste quatre bébés sur la banquette : des petits Belges, séparés de leurs familles et qui seront conduits à la maison maternelle, 38 *bis*, rue Mamin. *Match* publie les photos de quelques-uns de ces enfants perdus : huit photos, le 30 mai. Pour des milliers de détresses.

Quand tout sera terminé, la face cachée du drame apparaîtra brusquement à travers les petites annonces des journaux de province. Rubrique passionnément lue : toutes communications rompues, des centaines de milliers de Français n'ont plus que ce moyen pour retrouver ce et ceux qu'ils ont perdus : richards à la recherche de leur magot abandonné dans une voiture en panne d'essence, colonels en quête de régiment, parents anxieux du sort de leur fils, soldat « quelque part en France ».

Entre la « mallette chapeau brune contenant argenterie » et les

---

20. C'est-à-dire déjà reproduits par la presse neutre. Consigne valable pour la presse bordelaise.

« caisses portraits de famille, marquées L.D., chargées à Tours », il y a cent annonces dramatiques.

« Jean Leroy, né le 29 juin 1939, et Jean Olivier, né le 17 juillet 1939 : trouvés dans le même ballot, près d'eux un nom : Mme Hareng, de Cotenoy. »

« Jacques Lison, 14 ans, d'Iccles (Belgique), recherche ses sœurs. »

« Dr Herzog, à Andorre, recherche son fils Leonhard Herzog, âgé de 2 ans, évacué par Mme Rolières, sage-femme à Fontenay-sous-Bois... Frais télégramme remboursés. »

Les journaux ne peuvent fournir que des détails sommaires, des noms de villes bombardées, des prénoms d'enfants. Et des âges. Camille et Ghislaine Gentil « laissées » par leur maman à Évreux ; Marie-José Philippe, 6 ans, perdue à Bourges ; Hélène, Simone et Jean Cissé, qui doivent se trouver à Saint-Pierre-des-Corps ; Marc, Luc, Jean, Marie-Françoise, Michel Fourgault, perdus avec les valises en gare de Poitiers.

Pour reconstituer avec précision le climat de l'exode, il faudrait pouvoir lire toutes les notes échangées par des administrations qui s'efforcent de « recoller » des familles dispersées.

« Clermont-Ferrand, 24 février 1941.

Le préfet du Puy-de-Dôme à MM. les préfets des départements de zone occupée et libre.

J'ai l'honneur de vous communiquer sous ce pli des listes d'enfants perdus recherchant leurs parents ou recherchés par leurs parents...

AUBE

GRILLOT Françoise, 2 ans et demi (famille de 12 enfants), de Luyères, était avec sa sœur aînée dans un autocar avec des militaires du 173e R.I. La grande sœur a été très gravement blessée entre les villages de Dôches et Laubressel (Aube), s'est évanouie et, depuis ce moment, aucune nouvelle de la petite Françoise qui a disparu.

SEINE-ET-MARNE

MEUNIER Marie-Augustine, née le 14 janvier 1938, demeurant à Ocquerre, disparue depuis le 14 juin au cours du bombardement de la sucrerie de Montereau. Son père fut tué à droite de la route, la mère très grièvement blessée à ses côtés. La petite Marie-Augustine dormait sur une voiture fourragère à côté de sa sœur Marie-Pierre, 3 ans et demi. On a retrouvé la voiture renversée sur la gauche de la route : les deux fillettes durent être projetées sur la route, l'aînée fut blessée et transportée à l'hôpital par un militaire et la fillette put dire « qu'un militaire a pris la petite sœur ». Marie-Augustine, sachant peu parler, s'appelait elle-même « Altine ». Recherches infructueuses en zone occupée par la tante de la fillette : Mlle Vitry, École Sainte-Marie, à Vatan (Indre)

OISE

Un garçonnet a été trouvé, il s'agit de : HÉBERT ou ERBER, Gilbert, 4 ans et demi environ, brun à reflets roux, cheveux raides, yeux marron, a deux petites cicatrices à la cuisse et une à peine visible à la base des sourcils. Très intelligent. Se dit fils de Robert Herbert et de Mimi Herbert, a une petite sœur Claudine, 7 mois, dit habiter Compiègne, rue Mercière, avait une maîtresse d'école Mme Suzanne ou Suzaille, dit que son père était ingénieur ? Que sa mère trayait les vaches dans une ferme ? A un grand-père, sa grand-mère est morte. Adopté pour le moment à Saint-Cloud.

De Pierrette-Mélanie Decat qui, à 13 ans et demi, a été blessée au front lors du bombardement de la gare d'Arras, dans l'après-midi du 19 mai, puis évacuée vers une destination inconnue, ceux qui la recherchent déclarent qu'au moment du bombardement elle portait une chemise interlock blanc, un tricot sous-vêtement en lainage blanc, une combinaison jersey de soie blanche, une culotte blanche, un corset rose, une robe en tissu écossais au fond bleu foncé, vert et blanc, des bas longs de couleur brune, en fil, attachés au corset par des jarretelles, des souliers molière noirs à lacets avec semelle de caoutchouc.

Comment sont vêtues, trente-six ans plus tard, les petites filles de 13 ans qui se mettent en route pour les vacances de Pentecôte ?

Si elle vit toujours en février 1941, Pierrette-Mélanie peut sans doute dire son nom et il sera alors inutile de connaître la couleur de son corset, mais aura-t-on jamais assez de renseignements pour découvrir qui est la petite fille recueillie par M. Hubert Simonneau, buraliste à Coulonges-sur-l'Autize, dans les Deux-Sèvres ?

12

LE SILENCE DE PARIS

Après avoir eu très peur, le gouvernement va mettre à profit la bataille de Dunkerque et les quelques jours pendant lesquels les Allemands regroupent leurs forces avant de défoncer le barrage tendu par Weygand sur la Somme, pour freiner un exode qui n'obéit d'ailleurs plus aux mêmes lois depuis que l'aviation allemande concentre ses efforts sur nos troupes du Nord.

Il y aura donc trois semaines de stabilisation relative (23 mai-10 juin) et, au long de ces trois semaines, on verra des fuyards regagner leur village dans l'espoir que le front sera définitivement figé.

Pour quatre ans peut-être. Comme durant l'autre guerre.

A Eu, au Tréport, dans d'autres villes de la Somme, il reviendra assez d'habitants pour que les autorités militaires françaises se voient bientôt contraintes d'imposer une évacuation systématique dans une bande de dix kilomètres le long de la Somme.

Comme pour se donner à lui-même du courage, le gouvernement, dans lequel Mandel a été nommé ministre de l'Intérieur (le 18 mai) prend des mesures contre les fonctionnaires coupables d'abandon de poste.

Deux percepteurs et un vérificateur des poids et mesures sont suspendus dans la Marne, le procureur de la République près le tribunal de première instance de Reims est rétrogradé, le sous-préfet de Vouziers mis en disponibilité, des fonctionnaires de police révoqués à Jeumont, Feignies, Lille, Valenciennes, Douai, Wattrelos, cependant qu'en quelques jours, à Paris, la police, à la recherche des suspects, visite plus de 200 cafés et hôtels, interroge 62 000 personnes, en arrête 500 dont 334 iront rejoindre les sujets allemands internés, envers qui l'on s'est montré jusqu'à présent d'un libéralisme d'autant plus grand qu'il est difficile de savoir, sauf cas extrêmes, qui est antinazi, qui ne l'est pas, et que les arrestations de septembre et d'octobre 1939 ont provoqué maintes protestations d'hommes politiques.

Il est d'autant plus nécessaire de limiter et de contrôler l'exode que la France ne peut espérer poursuivre le combat — en supposant que ses troupes arrachent pour un moment le statu quo — si elle est privée de son approvisionnement en armes.

Or, et Dautry, ministre de l'Armement, ne cesse de le rappeler, l'invasion, au 23 mai, nous a déjà fait perdre les trois quarts de notre production d'acier ordinaire, 25 % de notre production de canons de D.C.A., 40 à 55 % de celle des bombes, 15 % de celle des obus de D.C.A. Nos pertes dépassent 50 % dans le domaine des poudres et des explosifs, 40 à 80 % dans celui de la fabrication des matériels pour le génie. Il n'y a presque rien à attendre de l'Angleterre dont l'industrie de guerre ne suffit pas encore aux besoins du corps expéditionnaire dépouillé de tout son équipement dans les batailles du Nord et qui, après l'évacuation de Dunkerque, doit être réarmé. Peu à attendre de l'Amérique, où l'on songe à envoyer Louis Renault pour mettre en chantier la fabrication de 1 000 à 1 200 chars Somua par mois, mais qui, pour l'heure, néglige encore les productions de guerre.

Tout abandon d'espace se double donc d'abandon d'usines indispensables. Que Paris tombe et que, par miracle, une ligne de résistance puisse être édifiée et tenir sur la Loire, on ne voit pas comment, au bout de quelques semaines d'un combat grand dévoreur d'armes et de munitions, les armées françaises, privées des fabrications de la moitié la plus industrielle de la France, pourraient poursuivre la lutte.

Mais, plus que la volonté des ministres français, c'est l'ardeur des soldats allemands qui commande le rythme de l'exode. Leur nombre également.

Lorsque le front français, établi à la hâte par Weygand sur la Somme, et que défendent une quarantaine de divisions françaises, une division anglaise, les débris de trois divisions cuirassées et 180 chars anglais, craque les 5 et 6 juin sous la poussée de six divisions blindées et de cent quatre divisions allemandes, tout va très vite ensuite.

A Paris, le mécanisme de l'exode officiel se déclenche dans l'après-midi du 9 juin. Il a pour conséquence de « libérer » une immense partie de la population qui, depuis l'alerte de mai, semblait s'être habituée au malheur.

L'inspection quotidienne des égouts pour prévenir les attentats, l'armement des gardiens de la paix dotés de fusils d'un modèle périmé, l'édification de quelques barricades symboliques, le déménagement furtif de certaines administrations, l'arrêt du télégraphe, la fermeture de la gare Saint-Lazare (le 8) et même le bombardement du 3 juin sur Orly, Le Bourget, Maisons-Laffitte, le XVe, le XVIe — 195 morts et 545 blessés civils [1] — inquiètent mais n'entraînent aucune panique.

Pour le bâtonnier Charpentier, qui a quitté la ville le 6, si les routes sont naturellement encombrées, si le convoi, dans lequel sa voiture se trouve, s'immobilise à peu près tous les cent mètres, l'aventure ressemble « à une vaste partie de campagne », les aventuriers à des « congés payés » plus nombreux que d'habitude et portés sur le saucisson, le vin rouge, la rigolade. La peur ne fera son apparition qu'avec la nuit, lorsque, stoppés dans la forêt de Fontainebleau, les saucissonneurs redeviennent des fuyards dénonçant l'éclair d'une lampe, le feu d'une cigarette et presque l'écharpe blanche d'une femme dont ils craignent qu'ils n'attirent l'attention de l'aviation ennemie.

Mais que les ministères et les autorités militaires fassent mine de bouger, alors ce sera l'avalanche, la débâcle. Dans une ville peuplée de bureaux, donc de fonctionnaires, tout se voit immédiatement, tout se sait très vite. Un rassemblement de voitures que des plantons chargent à la hâte de l'utile et de l'inutile, et c'est tout un quartier qui file.

On a eu beau recommander aux officiels de partir avec le maximum de discrétion, donc nuitamment, la ville dort mal, sensible aux plus légers bruits de moteurs.

C'est pourtant pendant la nuit qu'il faut s'éloigner si l'on veut éviter les embouteillages aux portes.

C'est ainsi que Jeanneney, qui a quitté le Sénat le 10 juin à 3 h 45, avec quatre voitures dans lesquelles s'entassent hauts fonctionnaires et

1. Sur un total de 254 morts. Les Allemands affirmèrent avoir abattu en combat 79 avions français et avoir détruit au sol 300 à 400 avions. Nos pertes sur les 16 terrains bombardés furent de 16 avions. 30 furent abattus en combat et les Allemands perdirent également une trentaine d'appareils.

fidèles serviteurs, arrive sans encombre à Arpajon, puis à Étampes, mais s'intègre ensuite à une énorme colonne, chenille qui se remet en mouvement au petit matin et qui ressemble à toutes les chenilles qui traînent, sur les routes libres, leurs anneaux bigarrés. Chariots de ferme allant au pas de chevaux fatigués, voitures de luxe, cyclistes attelés à des remorques, piétons poussant la brouette saisie dans le jardin, tacots conduits par des gosses à qui l'exode apprendra à conduire, petites charrettes où des femmes à cent kilomètres de là se sont placées entre les brancards, voitures d'infirmes dans lesquelles sont assis, le regard fixe, ces troncs humains qui furent, en 14, de jeunes héros, ou, en 18, de jeunes vainqueurs.

Rien que l'ordinaire des routes de l'exode. Le mille fois vu et raconté.

Cependant, Jeanneney arrive à Tours à 9 h 15, après s'être arrêté à Blois pour le petit déjeuner, ce qui, compte tenu du malheur des temps, représente presque un exploit. Moins heureux, le sénateur Maroger mettra huit heures pour se rendre de Paris à Arpajon (30 kms). Il est vrai que la voiture de Jeanneney est précédée de celle du général Delalande, ce qui permet sans doute au petit convoi de franchir plus aisément les barrages ou même de braver l'interdiction de doubler, afin que ne soit pas gênée la montée de quelques troupes vers le front.

L'exode n'aura donc pas été aussi difficile pour tous.

Sans parler du président Lebrun, qui, préservé de fâcheuses rencontres, dira avoir fait, entre Paris et Tours, puis entre Tours et Bordeaux un voyage paisible, aisé, rapide, quelques-unes de ces femmes qui constituent « le cabinet rose », qui s'agitent, qui intriguent, et que certains témoins frôlent avec dégoût dans la plupart des ministères, notant ensuite dans leur journal « des femmes, des grues entrent partout avec leurs chiens[2] », bénéficieront, également, de routes dégagées. L'une d'entre elles confiera, bien plus tard, à Nicole Ollier :

— Excepté l'inconfort de certains hôtels, surtout à Bordeaux, nous ne savions rien de l'exode. Vous comprenez, sur *nos* routes, il n'y avait personne. Les gendarmes veillaient à ce qu'elles nous restent réservées. Ce n'est que plus tard que nous avons appris toutes ces choses affreuses.

---

2. Jacques BARDOUX à la date du 10 juin.

Lorsque, le 10 juin, Paul Reynaud décide, à son tour, de partir, il est 10 heures du soir.

Il s'éloigne presque clandestinement, accompagné du seul général de Gaulle. D'une fenêtre du ministère de la Guerre, Villelume — son conseiller, qui se croyait son ami — les aperçoit et, non sans faire réflexion sur l'ingratitude humaine, car il déteste de Gaulle qui le supplante dans l'esprit de Reynaud, saisit en hâte ses valises déjà bouclées et se précipite à son tour vers une voiture qui rejoindra bientôt celle du président du Conseil. Passant par Limours, donc évitant la nationale surchargée, ne voyant sur les bas-côtés que quelques convois de réfugiés indifférents au cortège qui roule, entouré d'une protection de motocyclistes, Reynaud, de Gaulle et Villelume arriveront à Orléans après trois heures et demie de voyage.

Le président du Conseil a déjà abandonné Paris lorsque, à 23 heures, la radio diffuse ce communiqué laconique :

« Le gouvernement est obligé de quitter la capitale pour des raisons militaires impérieuses. Le président du Conseil se rend aux Armées. »

La dernière phrase n'est qu'un assez pitoyable mouvement de menton. On l'imagine écrite pour rassurer des populations troublées mais surtout pour donner, du président du Conseil, l'image d'un homme d'action et de volonté qui, suppléant sur la ligne de feu les généraux défaillants, va rétablir enfin la situation. Elle jaillit de ce dictionnaire des références historiques où Reynaud a tant puisé depuis le 10 mai sans que jamais les circonstances militaires veuillent bien se trouver en harmonie avec des déclarations empruntées aux grands ancêtres de 1793 ou de 1918. Ce n'est qu'un cocorico supplémentaire dans la longue série des cocoricos.

Le plus triste.

Le plus indécent puisque Reynaud roule en direction d'Orléans alors que l'on se bat et que l'on meurt vers Saint-Valery-en-Caux, vers Elbeuf, sur la Marne et sur l'Ourcq[3].

---

3. Il semble que Reynaud soit prisonnier de la phrase écrite dans l'appel au secours qu'il a fait adresser vers 18 heures au président Roosevelt. « Une partie du gouvernement a déjà quitté Paris. Moi-même, je m'apprête à partir aux armées. Ce sera pour intensifier la lutte avec toutes les forces qui nous restent, non pour l'abandonner. »

Désormais, tous les garrots qui empêchaient l'hémorragie ont craqué.

Le Paris officiel a disparu en une nuit.

Il n'en reste que des dossiers épars dans tous les bureaux vides.

Lorsque le sénateur Jacques Bardoux se rend au ministère de l'Intérieur, place Beauvau, il trouve les grilles fermées.

— Où est M. Mandel ?

— Il est parti cette nuit, répond un sous-officier de la garde républicaine.

— Et les élus de Paris ?

— Ils sont tous partis [4].

— Et le président de la République ?

— Oh ! celui-là, il est parti il y a quarante-huit heures.

— C'est écœurant.

— C'est bien notre avis.

Nul ne sait encore quel sera le sort de Paris. Tous les discours passés laissent supposer que la ville sera défendue avec acharnement. Mais le déroulement rapide des événements militaires permet de croire qu'il n'en sera rien. Une fois de plus, « on fait comme si... » Le gouvernement, en quittant la capitale, publie donc des communiqués invitant les ouvriers qui, « par suite des circonstances », se trouvent sans emploi à collaborer aux travaux de défense de la capitale... des travaux mollement menés par quelques milliers d'hommes.

Car rien n'est prêt. Le 1er juin, Reynaud, au cours d'une visite aux positions fortifiées, a pu se rendre compte du désordre ambiant, du manque de discipline des soldats, du peu de conviction des chefs. On ne dispose d'aucun moyen pour détruire les ponts, les explosifs, réclamés par Hering le 16 mai, promis par Dautry, n'ayant pas encore été découverts. Les civils requis pour creuser des tranchées, dresser des barrages, sur le papier, sont au nombre de 100 000 mais, le 8 juin, l'intendance ne peut en héberger que 1 500, l'armée ne peut en utiliser que 3 000. La levée en masse se réduit à un ridicule ruisselet d'énergies sans moyens.

Le gouvernement n'en interdit pas moins le départ des travailleurs des usines d'armement. Le 11 juin, alors que, depuis longtemps, tout

4 C'est inexact ; il en reste une demi-douzaine.

est perdu, on peut lire que « le devoir des chefs et des ouvriers est le même que celui des soldats au front : ne pas quitter leur poste de combat ».

La perspective de voir Paris transformé en forteresse n'exalte, en vérité, presque personne. La défense serait sans doute possible s'il existait un espoir et un homme. Mais il ne se trouve aucun chef pour redonner confiance à des foules que les mauvaises nouvelles assomment et que l'on ne peut transformer en combattants alors que d'authentiques combattants fuient en si grand nombre sur les routes.

— Vous l'avez entendu, le général ?... Le général qui a parlé, un soir, à la radio. Il a dit que les grands immeubles de Paris, eh ! ça ferait autant de bastions... Qu'on se battrait dans les maisons, dans les rues, quoi !... Vous voyez ça ? J'ai trois enfants, moi, vous savez [5].

Les bruits les plus singuliers courent la ville. Ils sont le reflet des sentiments d'une population qui, à l'instant où le pire est certain, se raccroche au moindre bobard optimiste. On répète donc que la Russie, puis les États-Unis ont déclaré la guerre à l'Allemagne, qu'une grande contre-attaque française serait en cours au moyen d'une armée de réserve, que la Suisse offrirait le passage aux troupes françaises pour attaquer de flanc l'Allemagne, ou encore qu'une révolution a éclaté en Angleterre.

Dan Takusaburo, qui représente à Paris le journal japonais *Dairen Nichi Nichi,* entre, le 11 juin, dans une boucherie.

— C'est mardi aujourd'hui, lui dit la vendeuse. Je n'ai pas le droit de vendre de la viande, mais au point où nous en sommes je m'en fous.

---

5. Cité par La Hire, *Le crime des évacuations.* Il semble que son interlocuteur fasse allusion à une proclamation du général Hering. Après l'armistice, les communistes attaqueront violemment, dans un tract, Hering et Mandel, les rendant responsables de la tragédie de l'exode.

« Accusé Hering ! Levez-vous. Vous étiez gouverneur militaire de Paris au début de juin. C'est vous qui, d'accord avec deux coquins illustres, Mandel et Pomaret, êtes responsable de la tragédie sanglante de l'exode. C'est vous que les Parisiens ont entendu hurler un soir à la radio : « L'armée se replie en bon ordre sur Paris, dont les pâtés de maisons de six étages sont autant de citadelles pour retarder l'ennemi. » Là-dessus, vous, Hering, vous avez fait vos bagages. Mais les Parisiens se sont dit : « On se battra dans Paris, quartier par quartier, immeuble par immeuble. Nous allons connaître l'horreur des bombardements, de l'incendie » Et, pendant cinq jours, un sombre cortège, que secouait la terreur, a traversé la capitale de la porte de la Chapelle à la porte d'Orléans. »

Combien en voulez-vous ? Ah ! mon cher monsieur, que pensez-vous de la situation ? Ce n'est pas gai, vous savez. Mon mari est prisonnier. La Russie s'est mise en guerre avec l'Allemagne...

— Qui vous a dit ça ?

— Un client, tout le monde en parle.

Mais les faux bruits n'arrivent pas à masquer les réalités de la veille : l'entrée en guerre de l'Italie annoncée aux Français par Paul Reynaud à 19 h 30, décision prise, par tous, pour ce qu'elle est : la preuve que la France, militairement vaincue, peut désormais être piétinée sans péril ; l'extension prodigieuse de l'avance allemande, dont réfugiés et soldats, en traversant la capitale, apportent, à chaque heure, quelque preuve nouvelle ; le déménagement des ministères (600 camions pour le ministère de l'Air), le départ des fonctionnaires de l'Information. celui des journalistes, celui du général Weygand et de son état-major qui s'embarquent à Neuilly-Plaisance pour rejoindre le G.Q.G. installé à Briare.

Comment les Parisiens ne seraient-ils pas justement troublés par la disparition quasi instantanée — car, si elle s'effectue en désordre, l'évacuation est d'une rapidité extrême — de tout l'édifice politico-militaire du pays ? Ce prodigieux évanouissement frappera Léon Blum, revenu à Paris, le 11 juin, et cherchant vainement quelqu'un qui puisse le renseigner sur la situation militaire. Il finira par aller trouver le général Hering, qu'il croit encore gouverneur militaire de Paris, mais que Weygand vient de nommer à la tête d'une armée, et qui ignore à peu près tout.

— Alors, Paris sera abandonné ?

— Que voulez-vous que je vous réponde ? Nous n'en savons rien, nous n'avons pas d'instructions, nous n'avons pas d'ordres. Nous avons reçu hier un coup de téléphone du général Weygand, nous en attendons un autre, nous ne savons pas...

— Mais enfin, Paris, ce n'est pas seulement la capitale de la France, la ville qui symbolise, qui incarne la France, c'est aussi la plaque tournante, ce sont toutes les communications, ce sont tous les passages de la Seine... Alors, tout cela va être livré ?...

— Nous attendons un coup de téléphone, il peut arriver d'un moment à l'autre.

Il arrivera dans la matinée du 12.

Weygand, qui juge que le sacrifice de Paris ne sauvera pas la France, décide que Paris sera déclaré ville ouverte, que la ligne des anciens forts et la ceinture des fortifications ne seront pas défendues, qu'aucune destruction ne jouera et que les troupes combattantes ne pourront traverser la ville. Dans le temps où ces décisions sont prises, elles ne sont pas portées immédiatement à la connaissance du public dont elles pourraient calmer les inquiétudes.

Ce n'est que le 13, alors que des centaines de milliers de Parisiens se sont jetés sur les routes, que le général Hering fait placarder l'affiche suivante :

« *Le général Hering, appelé au commandement d'une armée, remet le gouvernement militaire entre les mains du général Dentz. Paris est déclaré ville ouverte. Toutes mesures ont été prises pour assurer, en toutes circonstances, la sécurité et le ravitaillement des habitants.* »

La veille, dans une curieuse feuille de circonstance, née de la fusion provisoire du *Journal,* du *Matin,* du *Petit Journal* et portant pour titre *Édition parisienne de guerre,* le même général Hering recommandait aux « jeunes gens du sexe masculin âgés de dix-sept ans au moins, et non encore mobilisables, ainsi qu'aux hommes actuellement dégagés d'obligations militaires, et qui ont été antérieurement avisés qu'ils y seraient soumis, de quitter la région parisienne ». Il est précisé qu'ils recevront « les indications nécessaires » aux portes de Châtillon, d'Orléans et d'Italie.

Ordres et contrordres se suivent ainsi, se chevauchent, s'annulent. Mal diffusés, ils sont également mal compris. Les mots « ville ouverte » sont eux-mêmes diversement interprétés par des hommes et des femmes qui n'ont du vocabulaire militaire qu'une expérience limitée et se voient abandonnés aux volontés et aux fantaisies du vainqueur[6].

Lorsque l'écrivain Lucien Daudet s'efforce, après avoir pris contact avec le cabinet du préfet de police Langeron, de rassurer les commerçants de sa rue qui achèvent le chargement de leurs voitures, il ne parvient à convaincre personne. Il dit que de « sales individus » ont parcouru tout le quartier, frappant aux portes de la rue de Belle-

6. « En sortant [le 13 juin] à 5 heures du matin, écrit le Japonais Dan Takusaburo, nous avons vu une affiche annonçant que Paris était proclamé « ville ouverte ». Tout le monde se demandait ce que ça voulait dire. Personne ne savait »

chasse, criant : « Les Boches arrivent ! » et promettant à ceux qui se trouveraient là, le jour de la prise de la ville, la chaîne des travaux forcés.

Seul l'écoute le « bon ménage Y... ».

— Ah ! bien, tu entends ! Du moment que Monsieur nous rassure ainsi et puisque M. le préfet dit qu'il n'y a pas de crainte, c'est différent... On va rester, comme de juste, on aime mieux ça... Quitter Paris, c'est trop triste aussi, et nos habitudes et tout... Merci, encore, monsieur.

Deux heures plus tard, le « bon ménage Y » partira lui aussi, fichant le camp dans la nuit, « avec tout un déménagement de guignol, écrira Daudet vexé et rageur, dans une voiture à trois roues, suivis d'une escorte de cyclistes qu'ils « entraînaient » et sans oser me dire au revoir !... »

Que les Parisiens renoncent à une politesse, alors traditionnelle chez le petit peuple, ne stupéfie pas que Lucien Daudet, mais également le Japonais Dan Takusaburo qui a vu prendre d'assaut les derniers trains.

« La bestiale panique qui poussait devant la gare [de Lyon] ces milliers de personnes pourtant si humaines, si *parisiennes*[7] dans les circonstances ordinaires, avait balayé toutes les conventions de la politesse, tous les petits détails qui nous rendent la vie sociale supportable, petits détails qui ont tant d'importance précisément à Paris. »

On voit, en effet, des « vieillards respectables » s'injurier, des femmes s'évanouir, des enfants perdus sangloter et, de temps à autre, deux mots courent au-dessus de la foule incrédule qui stationne toujours, comme si, pour récompenser son héroïque, son absurde patience, des trains par dizaines allaient enfin se mettre en marche, et l'absorber tout entière.

— C'est fini... c'est fini...

— Qu'est-ce qui est fini... ?

— Il n'y a plus de trains ?

— Est-ce qu'il y aura encore des trains ?

On interroge des agents harcelés, qui, depuis longtemps, ne

7. Souligné par l'auteur.

contiennent plus la foule, qui ne savent rien, répondent à tort et à travers, épuisés, hommes à qui on vient demander de secourir les gamins égarés, les femmes enceintes, les vieillards, les affolés, les affamés, et dont la bonne volonté s'est effritée au fil des heures et de la fatigue.

— Est-ce qu'il y aura encore des trains... des trains... trains... trains... ?

— Foutez-moi le camp. Tout est fini. Les Allemands seront ici demain.

Cependant, ce sont les quartiers populaires qui se vident les derniers. Comme à regret.

Il reste donc encore, le 12 juin, dans Paris, des îlots de vie qui font illusion. Au coin de la rue Saint-Antoine, des marchandes impassibles proposent toujours fruits et légumes, comme si ces fleuves où roulent des milliers de réfugiés, le boulevard Henri-IV, le boulevard Morland, coulaient à l'autre bout du monde.

Ce Paris, à la fois désert et encombré, chacun le peint aux couleurs de ses passions. Lucien Daudet l'a vu ainsi :

« L'entrée du boulevard Saint-Germain était un lieu d'horreur : tous ces fuyards, loin de chercher à s'entraider, semblaient se haïr, chacun voulant passer sur le corps du voisin. Des voyous, installés au volant d'un grand camion de déménagement, fonçaient dans la foule en riant et en prenant leur gauche pour augmenter le désordre ils guidaient leur monture comme un char d'assaut et s'en prirent à une famille éperdue dont le père et la mère, hurlants, un peu ivres, ne savaient comment garer leurs cinq enfants. Tous ces visages étaient hideux de bestialité, ils n'étaient plus que chair, aucun esprit ne les habitait plus, rabaissés qu'ils étaient au niveau de poulpes ou de ces êtres monstrueux mi-végétaux mi-animaux, comme on en voit à l'Aquarium de Naples...

« Sur les larges trottoirs du boulevard, une foule hideuse avançait au hasard, pareille à une armée d'automates. Çà et là, des singes aux cheveux crépus, et dont la crasse noircissait encore la peau exotique, mulâtres, juifs d'Algérie, apatrides sortis de l'égout... »

Chaque mot de ce passage du journal de Daudet, que *Je suis partout* publiera en juin 1942, sue la haine des faubourgs.

Sous la plume de Rebatet, on retrouvera les mêmes descriptions déformées par la passion politique, un tohu-bohu de vocabulaire célinien qui s'efforce de reconstituer, en le noircissant encore, le noir tableau de la grande fuite.

« Le flux des fuyards vomi de Paris par cinq ou six portes était venu se confondre inextricablement à ce carrefour. Tous les aspects de la plus infâme panique se révélaient dans ces voitures, remplies jusqu'à rompre les essieux des chargements les plus hétéroclites, femelles hurlantes aux tignasses jaunes échevelées se collant dans les traînées de fard fondu et de poussière, mâles en bras de chemise, en nage, exorbités, les nuques violettes, retombés en une heure à l'état de brutes néolithiques, pucelles dépoitraillées à pleins seins, belles-mères à demi mortes d'épouvante et de fatigue, épandues parmi les chienchiens, les empilements de fourrures, d'édredons, de coffrets à bijoux, de boîtes de camembert, de poupées-fétiches, exhibant comme des bêtes devant la foule leurs jambons écartés et le fond de leurs culottes... Cette cohue était enchevêtrée roue à roue, trente voitures de front pressées sur la chaussée, débordant sur les trottoirs, d'autres convois venant de droite et de gauche s'emboutir stupidement les uns dans les autres, stoppés à perte de vue dans un grouillement de visages hagards, de poings brandis, d'uniformes débraillés, de têtes platinées, de blouses multicolores, dans un vacarme de vociférations, de trompes, de moteurs vrombissants, un nuage d'huile chaude, d'essence et de poussière[8]. »

C'est Breughel, Goya, Callot... et Dubout. La détestation des foules du Front populaire, de la sueur, de la vulgarité, des mots grossiers, du rouge qui tache, des valises qui bâillent, des gosses morveux, de la pauvreté à qui l'on refuse le droit de fuite, comme on lui a longtemps refusé le droit de prendre des vacances.

La France continue à ne pas s'aimer.

Il est vrai qu'il y a des pillages et des pillards dans Paris. On dévalise le bureau de tabac de la gare du Nord, quelques magasins militaires, des convois abandonnés où l'on prend au hasard des jumelles ou des boîtes de conserve. Le slogan « autant que les Boches n'auront pas » excuse mille larcins.

8. *Les Décombres.*

Il arrive aussi que la tentation soit trop forte. C'est ainsi que 12 boueux, gagnant environ 1 200 francs par mois, sont chargés, le 13 juin, de brûler *3 milliards* de billets en provenance de la Banque de France. A eux 12 ils détournent 1 million qui n'iront pas dans la gueule des fours d'Issy-les-Moulineaux. Un million. Un million « seulement » est-on tenté d'écrire.

Le flot vomi par Paris, inorganisé, trop volumineux pour qu'il puisse s'écouler normalement, ne recueille pas seulement l'hostilité de quelques écrivains de droite. Dans les villages qu'il traverse et où il brise, emporte, souille, saccage, il laissera un tel souvenir que les Allemands seront parfois accueillis avec soulagement. Ils apportent avec eux l'Ordre. Qu'il s'agisse de l'ordre allemand paraît, pour l'instant, à tous ceux qu'a désorientés et scandalisés le grand désordre de la défaite, de mince importance.

Lorsque les habitants d'Andonville, dans le Loiret, reviennent dans leurs foyers le 19 juin (ils sont partis 230 sur 250), le maire porte témoignage en leur nom.

« Toutes les maisons ont plus ou moins été pillées par les réfugiés et les soldats français d'abord, ensuite par les Allemands, mais moins par ces derniers, je dirai même beaucoup moins. »

A Beaune-la-Rolande, le docteur Cabanis, député-maire, ne peut que constater l'occupation, de toutes les maisons laissées vides, par des masses de réfugiés qui s'installent et campent.

A Bonny-sur-Loire, même spectacle : aussitôt après le départ de la population, les magasins d'alimentation sont mis à sac et les maisons d'habitation occupées et souillées.

Le maire adjoint de La Bussière signale que les réfugiés ont tué les poules, les lapins, « emporté les boissons et maints objets ou literie ». « Ce pillage était impossible à empêcher sans danger, poursuit-il, dans le rapport qu'il fera quelques jours plus tard à l'intention du préfet du Loiret, et l'adjoint qui a tenté d'intervenir n'a échappé que de justesse à un coup de couteau lâchement préparé dans son dos ! Aucune police n'était possible et le départ de la gendarmerie a été une impardonnable erreur. »

Pour « faciliter les restitutions », Maurice Trepin, curé de Jouy-le-Potier, qui remplace le maire, fait afficher, le 20 juin, la proclamation suivante : « Les personnes qui, par bon cœur, auraient mis à l'abri des objets de quelque nature qu'ils soient : vivres ou matériel en danger de disparaître dans le pillage, sont priées de les rapporter à leur légitime propriétaire, au fur et à mesure que ces derniers vont rentrer dans le pays. » Et, comme son appel ne donne que des résultats insuffisants, il décide de faire passer le garde champêtre dans chaque maison « avec une feuille sur laquelle on inscrira la liste des objets que l'on détient. Je m'inscrirai le premier ; au presbytère, je détiens une couette en duvet, deux chaises, des livres, un banc, une table... qui ont abouti dans ma cour. »

Quant au maire de Chalette-sur-Loing, il ne se contente pas d'incriminer le flot des fuyards de juin, il accuse, dans une lettre écrite le 4 juillet 1940, les « réfugiés envoyés en septembre dernier de Montreuil, Fontenay, Bagneux ou autres lieux suspects ». Alors qu'ils étaient arrivés les mains vides, certains d'entre eux ont mis à profit la défaite et le désordre pour piller le village qui les avait accueillis. « En faisant visiter [les] bagages à leur départ, on a trouvé des objets appartenant à des habitants pillés pendant leur absence, ceux-ci ayant obéi à l'ordre d'évacuation. Naturellement, on leur a fait rendre ces objets et, trop heureux de se débarrasser de cette gent indésirable, on les a laissés partir. »

Sans le talent de Rebatet ou de Daudet, les maires paysans du Loiret expriment des sentiments presque identiques. Leur témoignage doit être recueilli en tout cas, non point simplement comme un témoignage d'égoïsme, car ils ont souvent dépassé les limites de la charité, mais de « ras le bol » (avant le mot) devant cet exode aux proportions pour eux incompréhensibles et qu'il n'est dans leurs moyens ni de nourrir ni de canaliser.

Aussi, lorsque les Allemands arrivent, ceux qui sont restés en place dans des villages où la guerre n'a rien détruit, mais tout bouleversé d'un ordre immémorial, les observent secrètement et peureusement en silence. Leur mauvaise réputation n'a pas été pour rien dans des départs peu explicables dans certaines régions qui ne semblaient pas menacées. On les imagine tels qu'ils seront en 1944, affolés alors par l'incertitude des routes, exaspérés par le harcèlement des maquis, ayant pris goût, en U.R.S.S. et ailleurs, aux pillages et aux massacres, non tels qu'ils sont, à peine dérangés par une bataille qui a causé trop peu de pertes pour provoquer un désir de vengeance, convenablement nourris, fortement encadrés, devant assumer, auprès des populations, une tâche de propagande aussi importante que la tâche militaire.

On les voit coupeurs de mains d'enfants, violeurs de filles, égorgeurs de riches.

Le tableau que, dans *Boule de suif*, Maupassant trace des jours qui précèdent et suivent l'occupation de Rouen, en 1870, demeure encore valable. Tout y est dit des terreurs comme du soulagement qui suit les terreurs injustifiées[9]. En 1940, ce sont des terreurs identiques qui expliquent bien des actes, en apparence inexplicables.

Lorsque l'on jugera, en mai 1942, quatre infirmières de l'hôpital d'Orsay, près de Paris, accusées d'avoir tué six malades, moins pour fuir plus vite que pour ne pas les abandonner aux mains des Allemands, Me Maurice Garçon évoquera le « délire collectif » qui s'est alors emparé de la France, délire capable, selon lui, sinon d'excuser, du moins de faire comprendre des actes fous et criminels. Et le Pr Genil Perrin, chargé d'un rapport sur l'état mental de Jeanne R..., ira plus loin encore en affirmant : « Ce meurtre est un meurtre à motif altruiste commis à la faveur d'un obscurcissement du sens critique sous l'empire d'une émotion collective. »

Les magistrats suivront d'ailleurs les conclusions de la défense en accordant les circonstances atténuantes et en ne condamnant Yvonne T..., surveillante major, Jeanne R..., Madeleine A..., Viviane B... qu'à des peines allant de cinq à un an de prison avec sursis. Ils vivaient encore dans le souvenir de l'énorme désordre de l'exode, replaçaient le drame dans son contexte émotionnel, et chaque mot prononcé par les coupables, comme par les avocats, faisait lever en eux de terribles images.

Drame de l'exode. Drame de la solitude morale. Sept infirmières épuisées, mangeant à peine, ne dormant que deux ou trois heures,

---

9. « La vie semblait arrêtée ; les boutiques étaient closes, la rue muette. Quelquefois, un habitant, intimidé par ce silence, filait rapidement le long des murs.

« L'angoisse de l'attente faisait désirer la venue de l'ennemi.

« Dans l'après-midi du jour qui suivit le départ des troupes françaises, quelques uhlans, sortis on ne sait d'où, traversèrent la ville avec célérité... Des commandements criés d'une voix inconnue et gutturale montaient le long des maisons qui semblaient mortes et désertes, tandis que, derrière les volets fermés, des yeux guettaient ces hommes victorieux, maîtres de la cité, des fortunes et des vies, de par le « droit de guerre »... Au bout de quelque temps, une fois la première terreur disparue, un calme nouveau s'établit... La ville même reprenait peu à peu de son aspect ordinaire. Les Français ne sortaient guère encore, mais les soldats prussiens grouillaient dans les rues »

soignent depuis plusieurs jours, non seulement les quatre-vingts malades et vieillards de l'hôpital d'Orsay, mais encore tous ces blessés, civils et militaires, que la guerre jette sur les routes et qui rallient la Croix-Rouge.

Aucun ordre ne vient. De personne. La directrice, toujours présente cependant, Mme Paulette B..., trop occupée à nourrir les soldats de passage, dira n'avoir été mise au courant de rien et, d'ailleurs, nul ne lui demande son avis. Les médecins responsables se sont envolés. On sait seulement que les nouvelles sont mauvaises, d'autant plus mauvaises qu'elles sont apportées par des blessés fiévreux, qui racontent le pire. font entrer, dans les salles où ils s'entassent et geignent, les atrocités de la guerre mille fois décrites et que la répétition rend plus atroces encore. Pourquoi l'hôpital d'Orsay serait-il épargné par la contagion de la peur des Boches, pourquoi ne succomberait-il pas à la terrible succion de l'exode ?

Dans la nuit du 13 au 14 juin, Yvonne T... interroge l'un de ces nombreux médecins majors qui passent et repartent, après avoir installé leurs blessés : des soldats de la 241e et de la 219e division. Un homme que l'on ne retrouvera naturellement jamais. Un de ces nombreux responsables que l'anonymat immédiatement recouvre. Essaie-t-on d'en faire le portrait ? les témoins ne s'accordent pas : 1,72 m et une forte corpulence disent les uns, petit et brun, affirment les autres[10]. Qu'importe d'ailleurs. C'est à ce personnage aussi flou que l'ange de la mort, mais bien réel toutefois, qu'Yvonne T... demande conseil.

— Si nous évacuons l'hôpital, que ferons-nous des intransportables ?

— Ils sont nombreux ?

— Sept.

— Eh bien ! faites sédol et morphine à haute dose.

Nul, ni Yvonne T..., ni le major sans nom, ni aucune de celles qui vont désormais tuer, n'imagine un instant qu'il serait mieux de laisser

---

10. En 1942 et 1943, des lettres (signées et anonymes) dénonceront un chirurgien habitant une petite ville proche de Paris. Elles resteront sans suite.

Le cas de l'hôpital d'Orsay n'est malheureusement pas un cas unique. Plus de 200 malades seront abandonnés le 13 juin à l'hôpital d'Argenteuil, le directeur partant avec ces mots :

— Démerdez-vous, passez le Pont-Neuf qui va sauter, et là des voitures vous prendront

deux ou trois infirmières au chevet des intransportables, en attendant l'arrivée des Allemands signalés à quelques dizaines de kilomètres. Lâcheté ? Non, car les infirmières, en fuyant, entraîneront tous les malades en état de se déplacer. Peur et haine des « Boches » Certainement. Lorsque Mme Paulette B..., le 13 juin, voudra timidement interdire tout départ, elle se fera rabrouer à l'aide d'un argument péremptoire :

— Si ça vous plaît de rester pour servir et soigner les Boches, c'est votre affaire.

Ici, comme dans tant de villages et de villes, vidés à 95 % de leur population, évacuer c'est partir tous ensemble. Et c'est pour éviter le pire, sans savoir ce que pourrait être ce pire, que l'on va tuer les malades intransportables. Meurtre « à motif altruiste » donc ? Si l'on veut. Meurtre provoqué par la panique morale ? Certainement.

A l'aube, lorsque Yvonne T... découvre que les signes d'évacuation se multiplient (les militaires réquisitionnent des taxis pour y entasser leurs blessés), elle répète sa question :

— Pour les incurables ?

— Je vous l'ai déjà dit, répond le major agacé, sédol, morphine ou strychnine... dix, vingt, trente centimètres cubes, jusqu'à ce que vous obteniez la dose toxique.

Yvonne, qui possède la clef de l'armoire aux toxiques, sort alors une boîte de morphine et donne l'ordre aux infirmières de « piquer » Limacher, un grand cardiaque de 54 ans, Joséphine Derouck, qui a 94 ans, Léontine Hugnin, Marie Labrousse, 93 ans, Augustine Bouttier, Georgette Aubin. Une infirmière, Lucienne Pidansat, refuse d'obéir à Yvonne T..., mais Madeleine A... tue Léontine Hugnin d'une piqûre de strychnine, cependant que la vieille Joséphine Derouck résiste à une, puis à deux piqûres et que l'infirmière qui la « traite » appelle ses camarades :

— Venez voir, il faut en finir.

Joséphine aura donc droit à une troisième piqûre.

Lorsqu'on en aura terminé avec elle, on s'occupe des autres avant de prendre la route d'Orléans et de se mêler au flot des troupes et des Parisiens qui fuient les horreurs de la guerre, la honte, les misères et les terreurs de l'occupation.

Sans remords ? Mais si, avec des remords qui saisissent, par exemple, Viviane B..., alors qu'elle n'a pas encore quitté l'hôpital. Rencontrant Lucie Renard, elle se jette à son cou et s'écrie :

— Une croyante comme moi, j'ai tué un être humain.
Remords moins forts cependant que la peur...

Ces « Boches », craints par des millions de Français, et qui font le vide devant eux, comment se comportent-ils ?

Dans les premiers jours de l'occupation, ils auront des attitudes contradictoires : fusillant ici, ravitaillant là, mais qu'ils fusillent ou ravitaillent, agissant toujours sur ordre.

Paris occupé, leur marche s'effectuant, le plus souvent, l'arme à la bretelle, ils vont, c'est vrai, participer assez souvent au rapatriement des réfugiés et à la remise en route de l'administration et du commerce, pour la plus grande surprise de Français, encore impressionnés par les propagandes du temps de guerre, et qui ne comprennent pas que la Wehrmacht agit par politique et nécessité plus que par philanthropie. Comme toutes les troupes victorieuses, elle veut s'assurer immédiatement des routes libres, des gîtes convenables, des interlocuteurs responsables, capables de transmettre ses ordres et de recréer rapidement un cadre de vie acceptable, non seulement pour la population, mais, d'abord, pour les soldats qui tiendront garnison.

Dans l'égarement de la défaite, certains compareront l'attitude des soldats allemands vainqueurs à celle des soldats français en fuite. Comparaison ridicule. Les vertus que l'on prête à l'armée allemande sont dues à l'aisance de sa victoire plus encore qu'à sa discipline.

Quoi qu'il en soit, les premières heures d'occupation se déroulent dans toutes les villes suivant un scénario identique : recherche de fonctionnaires et d'élus capables de remettre immédiatement en route les services municipaux et, notamment, ceux de la voirie ; pose d'affiches exigeant la remise des armes à feu[11], fixant le cours du mark, l'heure du couvre-feu, le sort des soldats français ; prise d'otages dont la vie répondra de la sécurité des soldats allemands.

On cite d'assez nombreux cas de pillage à Amiens, à Orléans, à

---

11. Voici, par exemple, le texte d'une affiche apposée à Rouen le 10 juin.

« Toutes les armes à feu, les munitions de toutes espèces, les grenades à main et tout autre matériel de guerre doivent être remis immédiatement à la Kommandantur, à l'Hôtel de ville.

« Celui qui, le mercredi 19 juin 1940, à partir de midi (12 heures), sera trouvé en possession d'armes à feu, de munitions de n'importe quelle espèce, sera puni de la peine de mort ; pour les cas les moins graves, les travaux forcés ou l'emprisonnement seront appliqués. »

Lille, où il sera bien difficile, d'ailleurs, de savoir qui, des soldats français ou des soldats allemands, a dérobé, chez Mme Patou, pour 3000 francs de liqueurs et de provisions, chez Mmes Michiels et Rossignole, toutes les deux épicières, de nombreuses denrées alimentaires, chez Mme veuve Lacorèze, une quinzaine de paires de bas, deux chemises de nuit et un napperon, lui causant un préjudice estimé plus tard à 300 francs[12].

Dans les Ardennes où le préfet écrit, en août 1940, que toutes les maisons du département ont été pillées, « il n'en est pas une seule, précise-t-il, même dans les hameaux les plus éloignés, qui n'ait été l'objet des mêmes déprédations ».

A Vrigny, dans le Loiret, où des soldats allemands s'emparent des timbres fiscaux (!) et d'une somme de 640 francs représentant le contenu du portefeuille des victimes du récent bombardement.

Il y a des viols. A Pressigny-les-Pins, à Saint-Jean-de-Braye dans le Loiret.

Des exécutions sommaires. A Rouen, par exemple, où 121 Algériens et Noirs, conduits, le 9 juin, dans une propriété de la rue Bihorel, sont massacrés à la mitrailleuse.

Mais beaucoup de ces exactions, lorsqu'elles ne se produisent pas dans l'excitation de la bataille, sont sévèrement punies.

A Cléry, dans le Loiret, le 1er juillet, le domicile d'un paysan est pillé pendant qu'il se trouve aux champs. A son retour, il alerte le maire qui se rend au château de Mauvereau où les Allemands sont cantonnés. Quelques minutes plus tard, voici le volé, sa femme et ses enfants invités à passer l'inspection de la compagnie. Les deux voleurs, reconnus, fouillés, trouvés porteurs des biens et de l'argent dérobé, sont immédiatement fusillés et le capitaine, la cérémonie expédiée, tient, devant ses hommes au garde-à-vous, à exprimer au maire les excuses de l'armée allemande.

Les cas dans lesquels l'armée allemande, sa victoire assurée, aide à la reprise de la vie quotidienne sont vraisemblablement assez nombreux puisque c'est dans les rapports de maires du centre de la France, rapports écrits en juillet, alors que l'événement est encore chaud, que je trouverai cette phrase symptomatique : « Les Allemands sont au pays et ils sont corrects. »

---

12. Vraisemblablement les soldats français, dans la plupart des cas cités ici.

A Versailles, par exemple, où un boulanger, M. Chenot, ravitaille avec trois autres collègues la population encore présente, c'est un officier allemand qui leur ouvre les portes du dépôt de farine de Saint-Cyr : « Mais prenez donc ! Nous ne sommes pas des mangeurs d'hommes » ; à Troyes, l'abbé Benoît écrit que les troupes allemandes se sont montrées généreuses, « surtout pour les gens du peuple » cherchant à regagner leurs foyers ; à Autry-le-Châtel, les Allemands mettent des camions à la disposition des réfugiés ; à Beaune, ils distribuent à la population du sucre et du riz pris sur une voiture de ravitaillement française ; à Huisseau-sur-Mauves, le 17 juin, c'est aux enfants qu'ils donnent du chocolat, tandis que les adultes ont droit à des cigarettes ; à Jouy-le-Potier, ils soignent trois fillettes malades et aident, le 4 juillet, à éteindre un violent incendie, ce qui leur vaudra une lettre de remerciements du curé.

Au Havre, où les frigorifiques sont encombrés par 1 500 quartiers de bœufs et 500 moutons, pourris faute d'électricité, l'Assistance populaire nationale socialiste (N.S.V.) apporte 2 000 quintaux de farine, 10 000 caisses de viande, 1 500 sacs de riz, lentilles et petits pois, 25 000 caisses de légumes et de fruits qui contribueront également au ravitaillement de Rouen, de Fécamp, d'Yvetot, d'Amiens, de Compiègne.

A Abbeville, deux « sœurs » du N.S.V. prennent en charge, pour quelques jours, trois cents nourrissons et enfants de moins de deux ans.

A Lille, comme à Reims, les Allemands distribuent quotidiennement des dizaines de milliers de rations. Ils sont également installés, à Paris, près de la porte de Pantin et, lorsqu'ils feront le bilan de l'aide apportée, en trois mois, aux populations françaises et belges, populations que leur action militaire a chassées de leurs foyers, ils arriveront au total de 27 millions de rations froides, 15 millions de rations chaudes, 8,5 millions de portions de lait pour les mères et les enfants, 3 millions de pains de campagne, tandis que 103 000 Français et Belges ont été soignés et 700 femmes accouchées.

La propagande commande, naturellement, bon nombre de ces gestes charitables qui, exploités par la presse, le cinéma, la radio donneront naissance, sur tous les murs de France, à l'humiliante affiche : « Populations abandonnées, faites confiance à l'armée allemande. »

Affiche assez souvent et malheureusement justifiée. S'il arrive, en effet — le fait se produit à Versailles — que les Allemands exigent de se substituer, devant les caméras, aux fonctionnaires municipaux qui distribuent du pain et du lait aux réfugiés, dans bien des cas ils sont la seule autorité présente ou, tout au moins, celle qui dispose du maximum de moyens, celle dont les décisions peuvent être presque immédiatement exécutées.

Pierre-Étienne Flandin le dira, le 7 juillet, au cours de l'une des séances de l'Assemblée nationale de Vichy.

« J'arrive de l'Yonne et viens de passer les dernières semaines au contact des autorités allemandes. Je considère que nous courons un danger mortel. Si le gouvernement n'agit pas sans retard, nous assisterons à une nazification complète de nos populations. Elles manquent de tout… Les autorités françaises ont pris la fuite. Il n'existe plus aucun représentant du gouvernement français. Par contre, les autorités militaires allemandes multiplient leurs efforts pour assurer le ravitaillement, pour organiser les secours… Cette propagande allemande porte. Les gens qui ont faim suivent ceux qui leur donnent à manger. »

A Paris, où ne restent plus, le 13, que les reliefs de l'exode, comme si quelque poubelle géante s'était déversée sur toute la ville, à Paris où les rares passants constatent, comme le fait Paul Léautaud, que le Louvre n'est plus gardé et que « l'on pourrait y mettre le feu sans se gêner », à Paris où tombent, en neige noire, les cendres de l'incendie des réservoirs de pétrole de Rouen, puis du Pecq, de Port-Marly, de Colombes, de Vitry, de Villeneuve-le-Roi et de Juvisy, les Allemands entrent dans la matinée du 14 juin.

Un officier allemand — Wilhem von Schramm — a vécu de très près les derniers moments de la négociation engagée à Sarcelles entre le commandant Devouges et le commandant Brinck. En vérité, il n'y a rien à négocier et les Français doivent tout accepter des exigences allemandes portant sur l'arrêt des combats sur le front Saint-Germain-Versailles-Meaux et sur le fonctionnement normal des services publics[13], mais les dernières lignes du récit de von Schramm sont

---

13. Les Allemands désiraient également que l'on consigne tous les Parisiens pendant quarante-huit heures. Exigence qui ne fut pas maintenue.
Le texte de von Schramm a paru dans la revue *Signal*.

importantes puisqu'elles dépeignent l'état d'esprit des troupes combattantes.

« C'était le 14 juin 1940 vers 7 h 30 du matin : Paris, la capitale de la France, jusque-là le plus grand camp retranché du monde [14], a capitulé. Capitulé sans condition. Le commandant français appose son nom sous le document que nous avons apporté. Il règne un silence de mort. La seule vie est celle des bougies qui continuent à brûler.

« Je dois un moment me détourner pour maîtriser discrètement mon émotion.

« Paris a capitulé ! » C'est en poussant ce cri que notre ordonnance s'est précipitée dans le jardin. Il tombe tout chaviré dans les bras d'un chasseur de chars. Et voilà les chasseurs qui accourent de tous côtés. Il semble un moment qu'ils vont jeter leur casquette en l'air et se livrer à tous les transports d'une joie débordante, sous l'impression de cette émouvante communication réciproque : « Paris a capitulé ! »

« Mais, au même moment, les Français apparaissent sur le perron de la maison. Aussitôt, la discipline allemande de l'emporter : « Garde à vous. » Aussitôt, tous saluent l'ennemi vaincu de la main levée. Ils suivent réglementairement des yeux, comme à une revue, la délégation de l'adversaire qui a tout perdu, fors l'honneur, et qui vient confier sa capitale à la générosité du vainqueur.

« Ils rompent alors les rangs pour se préparer à l'entrée dans la Ville lumière. »

En vérité, dès 3 h 40, un motocycliste solitaire a traversé la place Voltaire. Puis, à partir de 5 h 20, arrivent de petits groupes de soldats qui se dirigent vers la gare du Nord et la gare de l'Est, se postent devant les casernes de Saint-Denis, s'infiltrent à Aubervilliers et à Bondy. A 7 h 50, les Allemands patrouillent sur le boulevard Saint-Michel, à 7 h 55 quelques officiers viennent prendre possession de l'hôtel Crillon, à 8 h 30 une vingtaine de motocylistes remontent les Champs-Élysées.

Sur leur passage, les Allemands font décrocher les drapeaux français accrochés à l'entrée de quelques ministères, vont aux Invalides réclamer au général Dentz la restitution des étendards que nous avions

14. Ce n'est pas exact, mais il est intéressant de voir quelle idée les Allemands se font, en juin 40, des défenses censées protéger Paris.

pris au cours de la précédente guerre et, hissent, sur les bâtiments qu'ils occupent, le drapeau à croix gammée.

Lorsque les correspondants de guerre étrangers, qui suivent l'avance allemande, arriveront à Paris, c'est une ville « marquée » que leur présentera le docteur Dietrich, chef de la presse du Reich.

C'est également une ville calme. Une ville où aucun monument n'a été détruit, aux rues vides, aux larges avenues silencieuses, aux promenades sans public, merveilleux décor déserté par presque tous ses acteurs familiers.

Toute l'activité semble ramassée place de la Concorde, sur les Champs-Élysées que parcourent des convois de plus en plus nombreux, devant l'Arc de Triomphe dont les Allemands se sont servis comme d'une prestigieuse toile de fond pour leur parade matinale. Ce jour-là, sont prises des photos qui feront le tour du monde et bouleverseront les Français. Plus que toutes les photos de ruines, de batailles ou de cadavres, elles sont, en effet, la preuve tangible, tragique, du désastre et de l'humiliation.

Mais, enfin, combien d'incidents graves entre le 14 et le 20 juin ?

Dans la matinée du 14, en banlieue, quatre soldats français, qui ont tiré sur les Allemands, sont tués ainsi que deux civils.

Dans l'après-midi du 15, à Charenton, on trouve plusieurs bouteilles vides et des épaulettes de sous-officier dans le café « Bel Air », dont les portes ont été fracturées par plusieurs soldats allemands qui ont bu et rédigé là leur correspondance.

Dans la soirée, un soldat allemand, qui consomme dans un débit de la rue de la Verrerie, balaye de la main les bouteilles qui se trouvent sur le comptoir, tire trois coups de feu vers le sol, dérobe l'argent du tiroir-caisse et s'enfuit après s'être emparé des papiers d'un consommateur algérien.

Le 17, les commissaires de police Detrey, Desvaux, Clomburger, Farinet, convoqués par la Gestapo pour fournir des renseignements, ne reparaissent pas[15].

Le 17, à Saint-Denis, des militaires allemands, pris de boisson,

15. Le 22 juin, trois nouveaux commissaires, Dany, Collombet et Challiet sont arrêtés. Il semble qu'il s'agisse d'une mesure d'intimidation, car les Allemands ne leur reprochent rien. Ils seront cependant internés tous les sept en Allemagne d'où ils ne reviendront que le 16 juillet, après que Langeron aura, à plusieurs reprises, violemment protesté, allant même jusqu'à donner sa démission de préfet de police.

pénètrent dans plusieurs maisons et demandent qu'on leur livre des femmes mais, devant les protestations de quelques maris, battent en retraite.

Le 19 et le 20, on indique au préfet de police Langeron que plusieurs automobiles et camions ont été réquisitionnés par des soldats agissant avec ou, le plus souvent, sans ordre.

C'est tout ce qu'il est possible de signaler durant ces premiers jours d'occupation.

La population, qui s'attendait à vivre des scènes d'apocalypse, qui, fière d'être restée en place, se décernait volontiers, après avoir tremblé, des brevets d'héroïsme [16], se rassure d'autant plus rapidement que les Allemands demeurent indifférents à ses faits et gestes. Le 14 juin, ils n'interviennent ni pour capturer quelques soldats français qui bravent l'interdiction de traverser la ville, ni pour empêcher que la Flamme soit ranimée à 18 h 30, ni pour réglementer la circulation des patrouilles de gardes mobiles armés.

Deux mondes se côtoient en s'observant discrètement. A peine note-t-on, ici et là, chez le vaincu, quelques manquements à la dignité : attroupements autour de petits commandos de propagande qui, déjà, prêchent la réconciliation franco-allemande et la haine de l'Angleterre, attroupements également — à distance de moins en moins respectueuse — autour de soldats que la presse française avait décrits mal armés, mal équipés, mal nourris. « Pour des gens habillés avec des arêtes de poisson, ils font de l'effet », murmure, le 14 juin, un titi parisien.

Parce qu'il a le cœur aussi sec que la plume, qu'il méprise le romantisme de l'écriture et que le patriotisme lui est un sentiment étranger [17], il faut ranger Paul Léautaud parmi les témoins les plus objectifs de ces journées tragiques.

16. « Grande émotion le lendemain, dans l'après-midi : que vois-je ? Un soldat en uniforme gris-vert, botté, casqué. Il sort comme un diable d'une boîte sur le quai d'une station de métro. C'est la fin du monde. Je croyais à un acte d'héroïsme en demeurant, eh bien, non ! La bande sauvage redoutée n'est pas celle que l'on croit, et je suis tout étonnée, aujourd'hui, de ne pas avoir été persécutée avec un raffinement de cruauté digne d'un Chinois. » Michèle LAPIERRE, *La Gerbe*, 11 août 1940.

17. A la date du 14 juin, il note qu'apprenant l'entrée des Allemands à Paris il se rend jusqu'à la gare du Luxembourg. Devant la grande porte d'entrée du jardin, « un soldat allemand avec un gardien de la paix qui doit lui indiquer le fonctionnement de l'appareil [téléphonique]. Cela ne m'a rien fait du tout. Je ne me suis même pas arrêté pour le regarder ».

Vu par lui, le 18 juin n'a nullement les allures d'un jour historique.

Il décrit longuement les soldats allemands, « munis d'appareils photographiques, comme des touristes », se promenant dans les rues où cafés et magasins ont rouverts, observe l'entretien d'un officier allemand avec un agent de police trop obséquieux, à son gré [18]. « Je suis resté un moment à regarder la scène, je voulais voir comment cet officier supérieur allait quitter l'agent. Il l'a quitté fort poliment, en portant la main à sa casquette. »

Un peu plus tard, entré dans un café, il en profite pour écouter la conversation d'une vendeuse : « Les Allemands sont extrêmement polis, se tenant bien, aucune bravade » et il poursuit : « Payant tout ce qu'ils achètent. Tous les bas de soie, surtout grandes pointures, ont été enlevés dans les magasins du quartier. »

Le même 18 juin, William Shirer, correspondant de guerre américain, qui est arrivé, le cœur brisé, dans la ville qu'il aime et où, depuis 1925, chaque rue, chaque café, chaque paysage lui rappelle des amitiés et des amours, note la multitude des drapeaux et la multitude des appareils photographiques, dans lesquels les vainqueurs capturent Notre-Dame, les Invalides, la tour Eiffel, l'Arc de Triomphe. « Des milliers de soldats allemands se succèdent par groupes nombreux toute la journée au tombeau du Soldat inconnu, où la flamme brûle toujours sous l'arcade. Ils décoiffent leur tête blonde et restent là, le regard fixe. »

Tout ne se passe pas en zone occupée de façon aussi paisible qu'à Paris où est resté un minimum d'administration, où la police et les pompiers sont présents, où le ravitaillement pose d'autant moins de problèmes que la population a fortement diminué. Mais ailleurs ?

Ailleurs, les villes brûlent et il n'y a pas de pompiers pour éteindre le feu, les morts demeurent sans sépulture, les rares habitants manquent de vivres, il faut tout reconstituer à partir du néant grâce à quelques bonnes volontés qui, quotidiennement, improvisent.

Pendant des semaines, plus de la moitié des départements vivront ainsi, ignorés du reste de la France. La ligne de feu d'abord, la rupture des communications ensuite, la ligne de démarcation enfin

18. Non que son patriotisme soit blessé, mais il déteste toutes les formes d'obséquiosité.

constituent autant d'écrans. On ne sait rien d'eux. Ils ignorent presque tout ce qui se passe en zone non occupée et, la radio ne fonctionnant pas, puisque l'électricité est coupée, il se trouvera certaines communes du Loiret pour ignorer, le 8 juillet encore, la conclusion de l'armistice.

Comme il y a cent ans, les frontières du monde sont à vingt kilomètres. Pas de relations avec les préfectures (il faudra des semaines pour que le service postal, pour que le téléphone fonctionnent à nouveau). On vit au jour le jour, en faisant pour le mieux, avec les moyens du bord. Comme les ancêtres, en somme.

Voici l'exemple d'une bourgade du Loiret. Cléry, 1 705 habitants.

Cléry choisi volontairement parce que, dans une anthologie de l'extraordinaire, il faut également citer l'ordinaire et qu'à Cléry il ne se passe rien. Bien entendu, les réfugiés ont traversé la ville, mais les deux boulangers, restés sur place, ont pu, en travaillant dix-neuf heures, fournir 250 grammes de pain à chaque acheteur. Bien entendu, des habitants sont partis mais, prudents, ils se sont contentés de camper dans les bois voisins d'où ils gardent l'œil sur la maison et l'étable.

Aucune destruction. Le mardi 18 juin, cinq chars français ont bien pris position sur la place de l'Église, mais le maire réussit à les chasser. Il l'écrit calmement, sans forfanterie, sans excès de plume, sans contrition non plus :

« J'ai pu les faire partir vers 9 h 30, voyant que leur intervention ne serait pas utile et amènerait inévitablement le bombardement de l'église et du bourg. »

Ce n'est pas un mauvais Français. C'est un maire logique, comme le sera Édouard Herriot lorsqu'il suppliera, le même jour, le maréchal Pétain d'interdire toute bataille devant Lyon que trois compagnies de la Légion, un régiment de tirailleurs sénégalais, quatre canons de 75 et huit canons de 47 s'apprêtent à défendre (!). Comme le seront des centaines d'autres qui, avec plus ou moins de bonheur, plaideront la cause de leurs administrés. M. Jacquerey, par exemple, maire de Saint-Dié, qui se désole de voir, à partir du 17 juin, sa ville transformée en place forte, une batterie de D.C.A. dans l'hôpital Saint-Charles, tout près de la maternité, les rues d'Alsace, des Travailleurs, des Trois-Villes barricadées et défendues par des rails antichars, tous les ponts prêts à sauter. Devant ce spectacle, M. Jacquerey, en compagnie de Mgr Marmottin et des abbés Feivet et Minod fera le siège de l'état-major du général Condé pour obtenir que la ville soit évacuée par des troupes qui ont abandonné presque toutes leurs armes et ne peuvent plus livrer qu'un dérisoire mais dramatique baroud d'honneur [19].

Chacùn, en vérité, décide aujourd'hui de ce qui est bon et mauvais. Au gré de son tempérament ou de ses responsabilités.

Le député-maire de Landerneau téléphone à l'amiral Traub pour lui indiquer qu'il a purement et simplement ordonné l'enlèvement de toutes les barricades qui défendent la ville, et qui sont censées protéger Brest à vingt kilomètres de là.

Mais, à Angers, le général de la Laurencie renvoie sèchement l'adjoint au maire venu lui demander le retrait des soldats.

— Vous voudrez bien dire à M. le maire qu'en pareilles conjonctures mes décisions ne relèvent que de ma conscience... et de Dieu qui nous jugera. Veuillez vous retirer, je n'ai rien à ajouter.

Mais à Jeuxey, près d'Épinal, le capitaine Chassaigne, du 223e R.I., tient tête au maire et construit des barricades qui, du moins, seront défendues longtemps et courageusement, justifiant ainsi le sacrifice de Jeuxey.

Dans le grand vide moral provoqué par la défaite, à l'annonce que le maréchal Pétain vient de demander l'armistice, à l'annonce — le 18 — que les villes de plus de 20 000 habitants ne seront pas défendues [20], presque plus personne ne veut inutilement sacrifier sa maison, ses biens, sa vie.

Le maire de Cléry, quant à lui, obtient le départ des chars français.

A 13 heures, une colonne de cavalerie allemande traverse le village qui deviendra gîte d'étape. Le plus important problème demeure celui du ravitaillement. Le maire ordonne donc la réquisition de tous les stocks d'alimentation et leur mise en vente, après inventaire, dans les

19. Le 20 juin, M. Jacquerey découvrira que le Q.G. du général Condé (il n'a pas réussi à rencontrer le général) a quitté la ville.

20. Lyon n'ayant pas été défendu, le Conseil des ministres accepte qu'il en aille ainsi avec toutes les villes de plus de 20 000 habitants. Dans la soirée du 18, l'ordre sera répercuté en clair à tous les commandants de groupes d'armées. D'ailleurs, les populations ont souvent été averties, par la radio, avant les militaires. Toute ville de plus de 20 000 habitants devant être considérée comme une ville ouverte, on ne devra pas se battre « aux lisières ou à l'intérieur de la ville, ni procéder dans la ville à des destructions d'aucune sorte »

magasins restés ouverts. Les réfugies qui passent, et qui maintenant remontent vers le Nord, ne peuvent se ravitailler qu'au moyen de bons délivrés par la mairie. Ils ont droit à 100 grammes de pain quand la ration de la population est fixée à 250 grammes. D'ordre du maire, les boucheries seront ouvertes du vendredi à midi au dimanche soir, les charcuteries du dimanche au mardi. D'ordre du maire, également, les épiceries n'ont pas le droit de vendre plus d'une livre de sel afin que les autochtones ne soient pas tentés de tuer et de conserver des porcs.

Quoi encore ?

« J'ai procédé à la récupération de l'essence dans tous les camions et voitures abandonnés et cédé cette essence au médecin et aux boulangers.

« J'ai récupéré des sacs de sel abandonnés dans les bois, des sacs de fèves cassées, du saindoux et j'ai vendu tout cela, pour la commune...

« Il y a eu plusieurs décès dans les camions transportant les réfugiés ; aussi un décès de soldat français et un décès de soldat allemand.

« Il y a eu aussi des décès dans la population civile nécessitant l'apposition de scellés.

« J'ai procédé dans ces conditions à deux inventaires en présence de la famille et de deux témoins ; puis ai mis les scellés et constitué un gardien des scellés ; j'ai gardé à la mairie un exemplaire des inventaires.

« Ayant surpris en flagrant délit de pillage une femme, sa fille et le fiancé de cette dernière, j'ai confisqué leur butin, fait l'inventaire devant témoins, et attends la restauration de l'organisation judiciaire pour traduire les délinquants en justice. Les délinquants ont avoué et signé leur aveu... [21]. »

Il y a infiniment plus dramatique. A Lille, où les Allemands sont entrés le 1er juin, la municipalité doit nourrir 65 000 réfugiés, faire soigner 6 000 soldats blessés. Or, l'eau, le gaz, l'électricité sont coupés. L'argent fait également défaut puisque les deux appareils Glenn-Martin, chargés de billets de banque et envoyés par le gouvernement au préfet Carles, ont été descendus par la D.C.A. britannique le

21. Les cas de pillage dont les Allemands sont responsables à Cléry ont été évoqués p. 421.

26 mai[22]. Manquant d'argent pour payer les traitements des fonctionnaires (on ne leur verse que des acomptes), les allocations militaires et civiles, les secours aux habitants sinistrés, le préfet, malgré sa répugnance, sera obligé d'emprunter aux Allemands 350 millions de marks.

Veut-on une idée des difficultés de la remise en route dans une ville où ce qui n'a pas été détruit dans les combats a été saboté sur ordre : au 1er septembre, douze abonnés seulement verront leur téléphone rétabli. Ils seront 640 à la fin du mois.

Peu à peu, la vie reprend. Avec le retour des boulangers. Ou avec l'installation de boulangers étrangers à la ville, mais pour qui les autorités municipales font ouvrir des boutiques abandonnées. Avec le retour des bouchers, des épiciers.

On voit partout naître des conseils de gérance, des comités de gestion et, devant l'urgence, les barrières sociales et politiques craquent pour une fois.

A Blois, c'est un photographe, M. Lecomte, qui, à partir du 21 juin, aide le maire, le docteur Olivier, à réorganiser — tenter de réorganiser — une ville, en partie détruite par de violents duels d'artillerie et où il ne reste plus que six ou sept cents habitants, y compris les vieillards soignés par les Petites Sœurs des pauvres et quelques malades de l'Hôpital psychiatrique.

Lorsqu'il dressera le tableau d'honneur de ceux qui se sont dévoués à ses côtés, le docteur Olivier citera deux architectes, MM. Robert Houdin et Erre, mais également le gardien du château, M. Guignard, un industriel, M. Laboissière, mais aussi des fontainiers municipaux, MM. Jousse et Auger, un avoué, M. Hérault, comme un employé de la voirie, M. Mercier, et le garde champêtre Lemant qui, avec l'agent Gilbert, représente toute la police de Blois. Ont droit également aux remerciements de la municipalité la sœur Saint-Michel, Bouquet, un employé de chemins de fer, et l'abbé Lemoine qui se sont multipliés auprès des victimes d'un train de réfugiés bombardé, l'ouvrier

22. Les Glenn-Martin (avions américains) venaient de faire leur apparition dans les unités françaises. D'où la méprise des artilleurs britanniques. M. Carles ne récupérera que 240 000 francs. Un seul des six aviateurs français put sauter en parachute.

électricien Talamas, qui a remis en marche l'usine qui distribue l'eau potable. Et des chauffeurs de camions, comme M. Renouard, qui ont procédé à l'enlèvement de la majeure partie des débris laissés par la bataille, des viandes qui pourrissent dans les boucheries abandonnées, des cadavres de chiens, de chats, de chevaux, des cadavres d'hommes et de femmes, de civils et de soldats également car, pendant plusieurs jours, à Blois, comme dans tant d'autres villes, il a été impossible de procéder aux inhumations.

Pauvres morts dont personne ne s'est occupé et qui pourrissent, au grand soleil de juin.

A Verberie, dans l'Oise, ils sont ainsi plusieurs dizaines. chairs gonflées et noircies, visages couverts de mouches vertes, soldats tombés dans des batailles pour l'honneur, que des équipes de prisonniers-fossoyeurs, commandées par des Allemands, enterreront finalement dans des fossés ou des trous d'obus, dont le fond a été comblé par des cadavres d'animaux.

Pâte humaine, affreuse pâte humaine du magasin « Au Bon Diable » de Creil, qui a entièrement brûlé dans le bombardement du 9 juin avec les militaires et les civils — plusieurs centaines, le chiffre exact ne sera jamais connu — qui s'étaient réfugiés derrière les rideaux de fer hermétiquement clos.

A Mantes, dont toute la population s'est enfuie le 9 juin, les 38 civils et les 28 soldats tués dans le bombardement du 8 ne seront enterrés que le 19, dans deux fosses de six mètres, creusées devant les cuisines de l'hôpital et surmontées chacune d'une croix.

Une croix... Micheline Hureau a été tuée le 17 juin 1940 d'une balle tirée par un avion ; sa grand-mère et sa tante ont voulu conserver son corps dans leur voiture. Elles ne consentiront à s'en séparer que le 19. On l'enterrera, avec l'autorisation d'un officier allemand, dans un jardin proche de la route de Gien, au pied d'un pommier trapu, dans une fosse creusée par des paysans qui, un instant, ont abandonné leurs charrettes. Des femmes du convoi, où, au long de tant de jours, avait fini par se créer comme une solidarité villageoise, apporteront des fleurs cueillies dans des champs qui n'ont jamais été plus beaux. Avec deux planchettes et du fil de fer l'écrivain La Hire fait une croix. Le peintre Icart demande de l'encre au poste allemand et, à l'aide d'une ramille, trace l'inscription :

MICHELINE HUREAU
DÉCÉDÉE À 17 ANS
ENTRE GIEN ET BRIÈRE
LE 17 JUIN 1940.

Près de Pornic, c'est à la femme peintre Marie Laurencin que le maire des Moutiers-en-Retz viendra demander d'écrire, sur les croix de bois, les noms des soldats anglais que la mer rejette et qui sont enfouis, en pleine terre, sans cercueil, vingt ou trente dans la même fosse.

Chaque jour, ce qui reste de France libre rétrécit.

Chaque jour, les difficultés de ravitaillement, de circulation, de logement vont croissant dans ces départements où l'on s'entasse, se bouscule, se dispute et que l'on s'efforce d'atteindre — malgré l'interdiction qui sera faite le 18 juin de tout mouvement civil — comme s'ils étaient, pour l'éternité, protégés de l'invasion allemande qui galope, s'épanouit et s'infiltre partout.

Les préfets sont accablés de réfugiés. Ils se les renvoient les uns aux autres avec des mots désagréables.

347 OFF TOULOUSE 16901 54 17 H 20
REÇU À 21 H 05

« PRÉFET HAUTE-GARONNE À PRÉFET GIRONDE

JE SUIS AVISÉ PAR GARE TOULOUSE QUE VOUS AVEZ ENVOYÉ TROIS TRAINS RÉFUGIÉS SUR TOULOUSE. CETTE FAÇON DE PROCÉDER, EMPLOYÉE PAR PLUSIEURS PRÉFECTURES, EST FORMELLEMENT CONTRAIRE DERNIÈRES INSTRUCTIONS DU SERVICE CENTRAL ET CRÉE DANS HAUTE-GARONNE DÉJÀ SURPEUPLÉE SITUATION TRÈS GRAVE. JE VOUS PRIE FAIRE ARRÊTER CES DÉPLACEMENTS IMMÉDIATEMENT. »

Déjà, le préfet des Deux-Sèvres a demandé, depuis le 14 juin, que l'on cesse tout envoi des réfugiés :

« EN RAISON AFFLUENCE ÉNORME VENUE PAR LE NORD, TOUTES POSSIBILITÉS LOGEMENT ET RAVITAILLEMENT SONT ÉPUISÉES. »

C'est vrai. A Bordeaux, il faudra faire la quête le 18 juin pour offrir une légère distribution de pain, de pâté et de bouillon à des réfugiés qui se trouvent en gare de La Bastide. A Saint-Mariens, petite ville de 873 habitants en Gironde, les 2500 réfugiés débarqués le 17 n'ont pas de nourriture non plus que les 3000 abandonnés à Libourne. Les préfets réclament des vivres, des couvertures, des draps. Celui des Landes demande d'urgence, le 6 juin, 15000 couvertures, 100000 draps, 10000 matelas, 5000 traversins, 8000 cuisinières, 5000 couvre-pieds, à expédier à Mont-de-Marsan et Dax !...

Les maires réclament des cuisines roulantes, mais où trouver assez de cuisines roulantes alors que l'armée a abandonné la majorité de son matériel entre les mains des Allemands ? Les maires signalent que des milliers de réfugiés sont immobilisés maintenant faute d'essence et immobilisés sur des routes de campagne, loin de tout centre où ils pourraient recevoir des soins et un peu de ravitaillement. Le contrôleur général Goby indique, le 17 juin, qu'il y a, dans Bordeaux et l'agglomération, 10000 ouvriers métallurgistes réfugiés qui « commencent à s'agiter ». Il demande qu'on les éloigne. Mais comment faire ? Et où les envoyer ?

L'exode pousse toujours l'exode. Ils seront bientôt des dizaines de milliers à s'entasser contre la frontière espagnole et, parmi eux, bien sûr, beaucoup de gens de gauche, hier adversaires de Franco, mais qui piétinent, s'impatientent, à Hendaye, devant cette barrière qui ne se lève que six à huit fois par heure pour des élus férocement jalousés par des colonnes de candidats au départ sur lesquelles courent le frisson des mauvaises et des fausses nouvelles. « L'Espagne refuse le passage, Hendaye sera occupée demain. »

On paie n'importe quel prix une place dans un taxi, une place dans une barque. Sur les centaines de milliers de personnes agglutinées entre Bayonne, Biarritz et Hendaye, 10000, vraisemblablement, réussiront à franchir la frontière. Sur les 10000, environ 5000 israélites et cette grande fuite des juifs — que les persécutions justifieront — sera l'un des aliments de la campagne antisémite qui débutera ou, plus exactement, qui s'amplifiera, l'armistice signé.

Tout est problème. Les prix des légumes et des fruits atteignent des sommets. A Royan, les pêches se vendront 15 et 16 F le kilo à la mi-juin, alors qu'elles ne vaudront plus qu'un ou deux francs un mois plus tard, les tomates 7 F (leur prix reviendra à 0,30 F), les pommes de terre coûtent 4 F, une laitue 2 à 3 F. Les œufs, dans certaines régions, sont à 3 F pièce alors que les réfugiés ne disposent, toujours officiellement, que de 10 F par jour et par personne.

Tout est problème dans des villes gonflées à éclater où, au bout de quelques jours ou quelques semaines, les réfugiés remarquent surtout ce qui ne va pas : la saleté de Toulouse dénoncée par de nombreux Belges ; les stupéfiants encombrements de Limoges où 200 000 personnes dorment dans les jardins et les rues, où, dans certains restaurants, il faut s'inscrire à la caisse au début de la matinée si l'on veut avoir quelque chance de déjeuner dans le courant de l'après-midi ; la vie dans les églises de Castelnaudary qui servent de dortoirs.

La fraternité et la charité sont depuis toujours en concurrence avec l'esprit de lucre. On n'ose désigner le vainqueur car beaucoup de gestes charitables demeurent cachés cependant que l'on dénonce mercantis et profiteurs. Quelques journaux ont ouvert des souscriptions à l'intention des réfugiés. Le 18 juin, *Le Progrès* de Lyon reçoit 367 francs pour les réfugiés, 100 francs pour les soldats sans famille, 100 francs pour les Nord-Africains, 310 francs pour la défense nationale. C'est bien peu. Sur les 877 francs, la seule Mme Tardy a d'ailleurs envoyé 600 francs.

Marseille se montre plus généreuse : la souscription ouverte à l'Hôtel-Dieu, par le personnel, rapporte 11 350 francs, la quête faite parmi le personnel du Magasin général 3 004,85 F et les bijoutiers de la ville remettent à la Banque de France un lingot de 2 800 grammes valant 96 000 francs.

La chose, cependant, mérite d'être notée : ce grand tumulte et cette asphyxie des villes ne se traduisent nullement par une augmentation des faits divers. Certes, il y a eu des vols et des pillages sur les routes de l'exode, mais commandés souvent par la nécessité.

Lorsqu'ils arrivent dans une localité, dont ils espèrent qu'elle sera protégée de l'avance allemande, les réfugiés cherchent de toutes leurs forces à s'intégrer à la vie locale. Si leur masse crée le désordre, individuellement ils se plient à toutes les règles d'une vie quotidienne perturbée.

Les rapports de police de Marseille pour les 16, 17, 18 juin ne signalent que des faits sans importance : deux personnes douteuses conduites au commissariat à la suite d'un contrôle sur le port ; un seul déserteur arrêté : Paul P..., du 32e R.I., quelques vols. L'arrestation enfin de Joseph M.... cordonnier-talonneur à la manufacture de chaussures Porchic, qui a « saboté 28 paires de chaussures destinées à l'Intendance en coupant avec un tranchet, et très adroitement, la semelle jouxtant le talon gauche ».

C'est tout et c'est dérisoire.

Combien de réfugiés ? Nul, jamais, ne pourra exactement donner un chiffre. Dans la pagaille de juin, les statistiques sont impossibles à tenir.

D'ailleurs, les réfugiés vont et viennent, ballottés par le drame. Ayant tout abandonné, ils ne s'attachent plus à rien et leur fluidité, leur mobilité, acquises au fil de jours, découragent toute comptabilité ! Ce qui est vrai le mardi ne l'est plus le jeudi : il suffit d'un passage d'avions, d'un bruit de canon, d'une rumeur apportée par des soldats en déroute pour que la cohue se remette en marche. Les villes se dégonflent aussi vite qu'elles se sont gonflées.

Tout demeure approximatif. On affirme que Deuil-Lunaire a vu sa population augmenter de 170 %, Redon de 133 %, Paramé de 110 %. Tant de précision stupéfie ceux qui se souviennent de la folle imprécision qui régnait en juin 40.

Un seul chiffre officiel sera publié en août 1940. Il porte sur le nombre des réfugiés vivant en zone libre au 13 août 1940, près de deux mois après l'armistice. Avec 2 486 500, il ne peut être que le pâle reflet d'une vérité bien plus importante. Il ne tient compte en effet que des réfugiés inscrits dans les mairies ou les gares, néglige les Alsaciens, les Lorrains, certains fonctionnaires regroupés dans des casernes, il néglige surtout tous les réfugiés vivant encore en zone occupée, et ils sont nombreux, aussi bien dans les départements de l'Ouest et du Sud-Ouest que dans ceux qui bordent la zone interdite.

C'est ainsi que, le 28 juin, le préfet des Landes estime à 80 000 (mais ajoute qu'il ne s'agit là que d'une « approximation lointaine ») le chiffre des réfugiés se trouvant dans la partie du département soumise à l'occupation.

Réalisée sept à huit semaines après le drame, cette statistique est donc fort loin de la réalité.

Répondant le 12 juillet 1940 à un questionnaire du gouvernement de Vichy, le préfet de la Gironde estimera à 600 000 la population de Bordeaux alors qu'elle est d'habitude de 258 348. Peut-on écrire qu'elle atteignait 800 000 à 900 000 habitants entre le 17 et le 20 juin, lorsque tant de Français voulaient gagner la ville-refuge ? Sans aucune preuve, mais sans aucun doute.

Au 15 juillet, on estimait à 115 000 le nombre des réfugiés présents encore dans les Côtes-du-Nord, mais, selon certains officiels, le chiffre avait dépassé 300 000 au moment de la plus grande affluence. Là encore, rien ne peut être valablement précisé.

Les Belges ayant constitué l'avant-garde de l'exode on était en droit d'escompter un recensement assez précis, or la même incertitude règne. La Croix-Rouge belge estime à 1 500 000 le nombre des rapatriés entre le 1er juillet et la fin de septembre, mais l'ambassade de Belgique en France parle de 2 200 000. Quel chiffre retenir ?

Alors, pour la France, 8 ou 10 millions de réfugiés ?

Qu'importe.

Ce qui compte, c'est qu'ils sont la FOULE impressionnante, anonyme, bouleversée, ne contrôlant plus ses gestes, évadée de toute raison, prisonnière de toutes les folies, grisée de rumeurs fausses et de terreurs vraies, se bousculant sur les routes de l'espoir, toutes classes sociales confondues, ce qui ne veut nullement dire que, du grand brassage de juin, naîtront compréhension et solidarité. La foule, soudain ramenée à l'essentiel et à l'élémentaire : le pain, le toit. Et la vie sauve.

Foule pieuvre. Désorganisant l'administration, annulant ses pauvres efforts, gênant, enveloppant, paralysant une armée prise au piège des filles fleurs et des gosses affolés, au piège de la charité et de la logique de l'abandon, ayant des sursauts d'orgueil, puis renonçant au combat, la tête basse, parce qu'un, dix, cent maires de village jugeaient le sacrifice des maisons, des églises, inutile au salut de la France.

La foule pesante.

8, 10 millions, qu'importe. Des tonnes de misère.

Une misère trop grande pour un peuple mal préparé à vivre des heures historiques, nul ne lui ayant rappelé que les heures historiques sont faites de plus de sang et de larmes que de joies.

Foule pesant, à partir du 5 juin, sur toutes les décisions politiques et militaires, les influençant, puis, à Bordeaux, les dictant, au moins autant que les dictera la défaite des troupes. Une foule présente au cœur de ces fiévreux Conseils des ministres qui conduisent à l'armistice. Foule dont le désordre et les terreurs expliquent en grande partie l'armistice. Même s'il ne le légitime pas aux yeux de ceux à qui la dureté des temps laisse un toit, une table, de l'argent, une voiture ou un avion.

Foule qui joue un rôle capital dans la tragédie française.

13

CHÂTEAUX EN TOURAINE

Entre Paris et Bordeaux, moins de quatre jours en Touraine. Tout avait été prévu, rien n'est organisé. Le gouvernement s'installe dans de merveilleux châteaux privés de téléphone, les ministères sont éparpillés au hasard de cantonnements de hasard, les liaisons sont difficiles ou impossibles, des homonymies provoquent des erreurs de route et des retards alors que le temps, plus encore que par le passé, est mesuré.

Moins de quatre jours. Essentiels. Vécus dans la confusion. Difficiles à reconstituer pour l'histoire mais qui, entre les espoirs encore nourris à Paris et l'acceptation, à Bordeaux, du fait accompli de la défaite, constituent l'indispensable trait d'union.

Au centre de tous les débats, au cœur de toutes les réflexions d'hommes également patriotes, même lorsqu'ils sont profondément divisés, une seule question : la France peut-elle encore poursuivre la lutte ? Où ? Pendant combien de jours, de semaines, de mois ? De la réponse dépend naturellement l'attitude de l'Angleterre. Une Angleterre, pour la première fois de son histoire, menacée de se voir privée de soldat sur le continent et qui sait qu'elle recevra désormais, et recevra seule, tous les coups d'un adversaire redoutable.

Churchill, qui, entre le 10 mai et le 10 juin, est venu trois fois seulement à Paris[1], mesure exactement le danger que court son pays. Il sera donc en Touraine les 11 et 12 juin, puis le 13 encore, s'efforçant, à force d'objurgations, et de promesses à échéances trop lointaines, de remettre la France debout, de l'inciter à poursuivre, le

1. Les 16, 22 et 31 mai.

plus longtemps possible, la guerre perdue, assez longtemps pour que l'Angleterre gagne ces mois d'automne où le réarmement britannique et le mauvais temps rendront l'invasion plus incertaine.

Des clans se font et se défont. On voit grandir l'influence de Weygand et celle du maréchal Pétain. Diminuer celle de Paul Reynaud. Se préciser le personnage de Charles de Gaulle.

Des ministres qui, à Paris, étaient « résistants », en Touraine deviennent « hésitants » et feront plus que la moitié du chemin qui les conduira, à Bordeaux, à accepter ou réclamer l'armistice.

Aussi protégés et isolés qu'ils puissent être, tous ces hommes, qui vivent encore dans un décor trompeur, savent qu'ils se trouvent comme sur une île battue de tempêtes. La fuite des populations, la liquéfaction des armées, en s'aggravant d'heure en heure, les acculent à des choix définitifs. Privés de sommeil, habités de sentiments contradictoires, de faux espoirs, de véritables peines, enthousiasmés par l'élan et le dynamisme de Churchill qui promet des surlendemains victorieux, ramenés à la rude réalité par Weygand, ils connaissent des heures affreuses, mais, s'ils demeurent, pour la plupart, incapables de se fixer une route et de s'y tenir, ils n'en sont pas méprisables pour autant.

Dès son arrivée à Orléans, Paul Reynaud s'est rendu au château du Muguet, près de Briare, où est installé le grand quartier général. Les nouvelles qu'il y reçoit sont mauvaises. Pourrait-il en aller autrement ?

La chasse française, qui comptait 300 appareils le 8 juin, n'en possède plus que 150, les bombardiers de jour sont au nombre de 80, les bombardiers de nuit de 70. Les Anglais n'engagent plus qu'une centaine de bombardiers de nuit dont chacun exécute une seule mission quotidienne.

Quant aux forces terrestres, elles sont épuisées, disloquées par une longue retraite au cours de laquelle elles ont perdu des hommes et, partout, semé du matériel.

Weygand offre, le 11 vers 20 heures, une lueur d'espoir à tous ceux[2]

2. Du côté français, Paul Reynaud, le maréchal Pétain, le général Weygand, le général de Gaulle, le colonel de Villelume, M. de Margerie qui fait office de traducteur, le général Georges qui interviendra en séance ; du côté anglais, Churchill, Eden, le général Dill, chef d'état-major impérial, le général Ismay, le général Lund, le général Spears et le capitaine-interprète Berkeley.

qui participent au Conseil suprême interallié, qui se tient au château du Muguet, lorsqu'il affirme (ce qui est faux) que « les pertes allemandes sont extrêmement considérables » et qu'il est possible que l'ennemi s'arrête de lui-même, enfin fatigué de tant de victoires. Mais cet optimisme très nuancé est immédiatement ruiné par l'arrivée d'un compte rendu du général Georges, dont Weygand donne lecture et qui précise que le front reconstitué est d'une faiblesse extrême, la plupart des unités en ligne se trouvant assez usées pour que le mot « division » s'applique désormais à quatre, trois, voire deux bataillons, reliquats de l'exode et des batailles perdues. Nous tenons la Seine avec six divisions dont deux à deux régiments ; l'Oise avec deux divisions en bon état et quelques débris rassemblés pour la circonstance ; la ligne de l'Oise à l'Ourcq avec cinq divisions dont seulement une solide. Enfin, entre l'Ourcq et la Marne, il n'existe que deux divisions incomplètes pour quarante kilomètres de front.

Le lendemain, la situation s'est encore dégradée. De nouveaux hommes sont morts. De nouvelles troupes ont retraité. De nouvelles villes ont été prises ou abandonnées.

Que faut-il faire ?

Churchill, qui a plus d'imagination que de moyens et qui refuse de lancer dans la bataille ce qui reste d'aviation anglaise (égoïsme compréhensible car elle serait dépensée sans profit), Churchill propose immédiatement plusieurs solutions qui ont toutes, à ses yeux, l'avantage en prolongeant la résistance française de permettre à l'Angleterre de gagner du temps.

Pourquoi ne pas s'accrocher farouchement à Paris ?

— C'est une ville immense, on peut se battre à la périphérie, on peut se battre au cœur de la cité ; on peut se battre sur les grandes places, dans les ruelles, au coin de chaque immeuble et à tous les carrefours ! On peut la défendre quartier par quartier, rue par rue, maison par maison ! Vous n'imaginez pas combien une grande ville comme Paris peut fixer et engloutir d'effectifs ennemis ! Des armées entières peuvent y trouver leur tombeau.

Certes. Mais Paris ne sera ni Madrid, ni Varsovie, ni Stalingrad avant Stalingrad et les Français sont irrités, même s'ils ne le marquent que par un silence désapprobateur, de voir ces Anglais, si économes de leurs biens, de leurs avions, de la vie de leurs soldats, ne pouvant apporter à l'alliance que le renfort immédiat d'une division et de 72 canons[3], se montrer si généreux dès lors qu'il s'agit du sang et des biens français.

Weygand réplique :

— Tout cela n'a plus de sens : réduire Paris en cendres ne changerait rien au résultat final[4].

Ce qui est vrai sans aucun doute. Une défense acharnée de Paris aurait pour seul résultat d'aggraver les pertes allemandes... et les pertes françaises, sans modifier radicalement le déroulement du conflit.

Churchill propose une autre solution. N'est-il pas possible de retenir indéfiniment les Allemands sur le sol français, en organisant, à l'image de ce qui fut fait en Espagne en 1809, une guérilla quotidienne contre les voies de communication et les colonnes adverses ?

Il lance et le mot et l'idée.

— Si la guerre coordonnée devenait impossible, ne serait-il pas indiqué de poursuivre, dans diverses régions de France, une sorte de guerre éparpillée, une guérilla qui harcèlerait l'ennemi et disperserait ses forces, comme les forces françaises sont elles-mêmes dispersées, et qui lui ferait peut-être beaucoup de mal ? L'on parviendrait peut-être à gagner les quelques mois nécessaires pour obtenir l'intervention américaine ?

— Ah non ! dit le maréchal Pétain. Ce serait la destruction du pays ! Les États-Unis se feront attendre si longtemps[5] que la guérilla fera de la France une terre brûlée !

---

3. Et deux autres « à brève échéance », affirme Churchill qui en promet également 25... pour le mois d'octobre. Churchill a conscience de la fausse situation dans laquelle il se trouve puisqu'il prononce cette phrase : « Sans doute est-il aisé de s'exprimer ainsi (en offrant à la France tous les sacrifices) quand on représente un pays qui n'a pas encore souffert et qui ignore l'horrible pression actuellement exercée sur la France. »

4. Churchill et Spears placent au 11 juin le débat sur la défense de Paris. D'après les notes du colonel de Villelume, il aurait eu lieu le 12. Il est possible (et vraisemblable) que le sort de Paris ait été évoqué le 11 et le 12. Quoi qu'il en soit, d'un témoignage à l'autre, les propos de Churchill et la réponse de Weygand ne changent pas. Et c'est l'essentiel.

5. Pétain a sur ce point entièrement raison.

C'est l'Allemagne qui déclarera la guerre aux États-Unis le 11 décembre 1941, après l'attaque japonaise contre Pearl Harbor. Sans cette initiative, l'entrée en guerre des U.S.A. eût été infiniment plus tardive. Le premier débarquement américain en Europe eut lieu en juillet 1943, en Sicile

— Les villes auraient certainement beaucoup à souffrir, ajoute Paul Reynaud

Alors quoi ?

Une tête de pont en Bretagne ?

Churchill en parle également et cette fois Reynaud, heureux de pouvoir acquiescer à une proposition britannique, annonce que la question est à l'étude.

C'est vrai. Dès le 29 mai, Paul Reynaud a proposé la formation « d'un réduit national aménagé et approvisionné comme une véritable forteresse et d'où le gouvernement pourrait poursuivre la guerre avec la marine et l'aviation ».

Idée aussi séduisante que romanesque. Séduisante puisque romanesque.

Bien que Weygand la juge irréalisable (« ce sont deux mots, dit-il, rien que deux mots »), il donne cependant, le 31, l'ordre de commencer des travaux et de réunir des troupes mais, entre Rennes et Nantes, on trouve davantage d'états-majors que de divisions solides.

Dès qu'il sera nommé sous-secrétaire d'État à la Guerre et à la Défense nationale[6], le général de Gaulle deviendra l'un des plus ardents partisans du réduit breton.

Plus tard, il écrira qu'aucune illusion sur la durée de la résistance en Bretagne ne l'habitait alors et qu'il ne voyait, dans le repli sur Rennes, qu'un stratagème moins pour prolonger de quelques heures la lutte que pour obliger le gouvernement — toutes les autres routes lui étant fermées — à se réfugier en Angleterre.

Si l'on veut. En juin 1940, Reynaud et de Gaulle donnent, en tout cas, des instructions qui montrent que, dans leur esprit, le réduit breton (et le mot « réduit » doit impressionner des hommes d'imagination) est mieux qu'un subterfuge à l'intention de ministres que l'on voudrait piéger. Étrange époque d'illusions, d'ailleurs, où, sans le concours du temps, on prétend édifier sur le roc alors qu'il n'est même plus possible de bâtir sur le sable.

Voici, en effet, la note, peu connue, rédigée le 9 juin par M. Borie, président du Syndicat des entrepreneurs, que Reynaud vient de convoquer d'urgence.

---

6 Le 5 juin

« ... Au moment où j'arrive, je croise le maréchal Pétain qui sort du cabinet [du Président].

« Le président du Conseil m'informe que le gouvernement a décidé de fortifier la Bretagne entre Saint-Malo et Saint-Nazaire et qu'il est de toute urgence de transporter le matériel et les entrepreneurs sur cette région de façon à pouvoir terminer ce travail dans le délai d'un mois.

« Je lui réponds que le travail demandé paraît considérable, même si l'on se borne à faire des obstacles, fossés antichars ou blockhaus ; qu'entre Saint-Nazaire et Saint-Malo il doit y avoir dans les 180 kilomètres ; qu'il faudra un nombre considérable d'ouvriers — en plus du matériel qu'il faudra amener — de l'ordre de 200 000 hommes, étant entendu que les militaires traceront les emplacements de ces ouvrages.

« Il insiste sur l'urgence de ce travail et me demande de mettre tout en œuvre pour arriver à le faire dans les délais prescrits.

« Je lui fais part des difficultés que nous allons rencontrer, mais il me donne l'ordre impératif de passer à l'exécution. »

Le 10 juin, Reynaud revient à la charge auprès de Borie. Conférence avec de Gaulle, avec Pomaret, ministre du Travail. Le 12, de Gaulle est à Rennes où, en compagnie des généraux René Altmayer, Guitry, Caillault, Bellague, en compagnie de M. Borie, également, il évoque les deux lignes de défense nécessaires, les blockhaus à construire, les fossés antichars à creuser. Le désir de perfection des uns et des autres est si grand que les délais de réalisation sont portés à trois mois.

Les dernières lignes des notes de M. Borie sont d'une triste et bien involontaire ironie. Elles soulignent combien demeure large le fossé qui sépare rêve et réalité.

« *Jeudi 13 juin.* — Après avoir vu le préfet Jouanny et M. Parodi [7], je rentre à Paris, laissant le commandant Danjoy pour organiser les chantiers avec les entrepreneurs que nous avons amenés sur place. J'arrive à 21 heures. Les Allemands sont entrés à Paris dans la nuit.

« *Vendredi 14 juin.* — Je repars à 5 heures du matin pour me rendre

7. Ils ont été désignés par M. Pomaret pour organiser le rassemblement de la main-d'œuvre.

à Rennes où j'arrive à mon P.C. à Saint-Didier, au château de la Roche.

« *Lundi 17 juin.* — Bombardement de la gare de Rennes.

« *Mardi 18 juin.* — Arrivée des Allemands à Rennes. »

S'il n'est pas un « gadget », plus politique que militaire, car il n'était nul besoin, alors, de longues conférences et de mesures extraordinaires, le projet de réduit breton constitue un bon exemple de l'irrésolution des hommes qui gouvernent et particulièrement de Paul Reynaud qui, dans le temps où il fait envoyer ses bagages à main en direction de Brest et précise à Weygand[8] que, si deux directions de retraite sont possibles (le Massif central et la Bretagne), c'est à la seconde que vont ses préférences, puisqu'elle permettrait l'établissement d'une tête de pont sur le continent européen[9], prend cependant, le 14 juin, la route de Bordeaux !...

Dans les journées de Touraine, une résistance en Afrique du Nord est également envisagée. Reynaud a déjà évoqué la possibilité d'un repli sur l'Empire. A plusieurs reprises, et notamment dans ses télégrammes à Roosevelt, mais, là encore, tout reste dans le domaine des idées, rien ne passe dans la réalité.

Logiquement d'ailleurs, au début de la bataille, et pour l'alimenter, l'état-major a puisé parmi les troupes qui se trouvaient en Afrique du Nord. Les renvoyer dans leurs garnisons d'origine, les renforcer de

8. Le 13 juin.

9. « La deuxième direction nous conduirait, écrit Reynaud dans sa note à Weygand, note qui a été corrigée par de Gaulle, à constituer et à défendre un réduit national en Bretagne. Je suis heureux d'avoir obtenu votre accord sur ce point [c'est faux, Weygand est opposé au réduit breton mais il obéit].

« Un tel réduit, situé à proximité de l'Angleterre, qui nous enverrait des troupes et du ravitaillement et à la défense duquel l'aviation britannique pourrait concourir, nous permettrait de maintenir, au profit des Alliés, le plus longtemps possible, une tête de pont sur le continent européen placé sous la domination allemande et de continuer à diriger la guerre navale, aérienne et terrestre, notamment en Méditerranée et en Afrique du Nord.

« Si nous échouions, si nous devions être arrachés de vive force du centre du territoire métropolitain et du rocher breton, nous aurions montré à notre peuple et au monde que nous avons lutté jusqu'à la dernière extrémité pour nous maintenir en armes sur la terre de France. Il nous resterait alors à nous installer et à organiser des moyens de lutte dans notre Empire en utilisant la liberté des mers. »

soldats échappés du combat, leur donner un matériel suffisant, tout cela est certes possible, mais réclame du temps.

— Quand cette idée de l'Afrique du Nord est-elle venue ? dira Weygand, le 31 juillet 1945, lors du procès du maréchal Pétain. Elle est venue le 29 mai [10]. Et vous croyez que c'est en quinze jours que l'on peut préparer de pareilles choses ?... En quinze jours que l'on peut préparer la défense de l'Afrique et organiser des dépôts de munitions ? Demander son concours à l'Amérique ? Avoir à transporter les troupes ? Que sais-je encore, toutes les dispositions qu'il faut prendre. Il faut, des mois à l'avance, avoir fait un plan de défense du territoire dont ceci est une partie ; alors, on peut l'exécuter. Sans cela, ce sont de simples jeux de l'esprit et la guerre ne s'accommode pas des jeux de l'esprit...

On interroge cependant le général Noguès, qui commande en Afrique du Nord, sur ses possibilités d'accueil et d'instruction. Alors qu'une fois l'armistice sollicité, il se montrera si ferme partisan d'une résistance à outrance, que, de Londres, de Gaulle lui offrira, le 19 juin, de servir sous ses ordres [11], le 2 juin il a envoyé un télégramme décourageant, dans lequel il énumère toutes les raisons qui s'opposent à l'installation de plus de... 20 000 recrues.

D'ailleurs, combien d'hommes pouvons-nous transporter en Afrique du Nord avec la seule partie de la flotte française disponible ? Le 13 juin, la Marine prévoit de faire passer 35 000 recrues de Bordeaux a Casablanca. On rassemblera huit paquebots à Bordeaux et l'échelonnement du transport s'échelonnera du 20 juin au 11 juillet. Or, le 20 juin, le haut commandement français sera à la veille de donner des instructions pour « couvrir » Toulouse face à l'est et Bordeaux face au nord ! Et le 11 juillet, le *Journal officiel* publie les actes constitution

10. Le 29 mai, en effet, Paul Reynaud écrit, dans une note à Weygand : « J'ajoute que mon intention est de lever deux classes et de les envoyer en Afrique du Nord pour les faire contribuer à sa défense avec des armes achetées à l'étranger. »

11. Le 17 et le 18 juin, notamment, le général Noguès demandera « respectueusement au gouvernement de continuer la lutte et de défendre le sol nord-africain ». M. Boisson, gouverneur général de l'Afrique équatoriale française, le général Husson, commandant supérieur des troupes de l'Afrique occidentale française, M. de Coppet, gouverneur général de Madagascar, M. Puaux, haut-commissaire dans les États du Levant, M. Le Beau, gouverneur général de l'Algérie, insisteront également avec vigueur pour la poursuite de la lutte.

nels adoptés à Vichy et qui donnent les pleins pouvoirs à Philippe Pétain !

Jette-t-on d'ailleurs un coup d'œil sur la carte de la prodigieuse avance allemande, on ne peut lire ensuite, sans scepticisme, le message envoyé le 14 juin à la mission navale de Londres pour l'avertir que le général de Gaulle arriverait le lendemain en Angleterre afin d'étudier notamment la question du « TRANSPORT DE 800 000 HOMMES EN AFRIQUE DU NORD EN TROIS SEMAINES [transport] QUE L'AMIRAUTÉ FRANÇAISE ESTIME IMPOSSIBLE POUR DOUBLE RAISON TONNAGE ET POSSIBILITÉS PORTUAIRES ».

800 000 hommes ! Trois semaines !

Nous sommes à *trois jours* de la demande d'armistice.

Une fois encore, le gouvernement est victime de son irréalisme. Un homme, qui a souvent été opposé au général Weygand mais qui occupait, en juin 1940, le ministère de la Marine marchande, M. Alphonse Rio, répondra d'ailleurs honnêtement lorsqu'on lui demandera[12] s'il était possible d'évacuer des forces importantes vers l'Afrique du Nord :

— Théoriquement oui, mais pratiquement, lorsque la question s'est posée, les Allemands étaient à Tours. Ils n'avaient plus rien devant eux. Ils pouvaient être à Marseille dès le lendemain. J'avais tout de même près de 600 000 tonnes de navires prêts au départ dans tous les ports du Sud. Mais évacuer qui, quoi ? Des troupes en débandade ? C'était impossible et le temps nous aurait manqué.

Le temps. Toujours le temps. Le temps qui a fait défaut pour un rétablissement sur la Meuse, un rétablissement sur la Somme, sur la Seine, en Bretagne, sur la Loire, fait, plus encore peut-être, défaut à l'instant où nous envisageons un important transfert d'hommes et de matériel en Afrique du Nord.

Car le départ ne saurait être soumis aux mêmes règles que l'évacuation de Dunkerque où, pêle-mêle, les hommes se jettent à l'assaut des navires, abandonnant sur les plages toutes leurs armes.

Des soldats quitteront cependant la métropole envahie. Lorsque l'on fera le compte, on s'apercevra qu'entre le 17 et le 23 juin

12. En décembre 1948, dans le cadre de la Commission d'enquête parlementaire.

20 000 hommes sur 71 navires, ont été acheminés par les ports méditerranéens vers l'Afrique du Nord [13]. Avec eux, quelques milliers de tonnes de matériel divers. Passent également la Méditerranée plusieurs centaines d'avions puisque la commission de contrôle italienne recensera, le 20 juillet, 523 chasseurs, 295 bombardiers et 350 appareils de reconnaissance modernes, presque tous arrivés de France mais tragiquement privés de munitions [14].

Assez pour permettre de résister au Maroc et en Algérie si les Allemands traversent une Espagne qui leur est moralement acquise et franchissent le détroit de Gibraltar ? Il est impossible d'apporter une réponse.

Comme tous les débats demeurés théoriques, le débat sur les chances d'une résistance en Afrique du Nord sera l'un de ceux qui susciteront — après la Libération — les controverses les plus vives ; politiciens et généraux refaisant l'histoire à l'aide d'arguments dont la valeur — quelle que soit la thèse défendue — était infiniment plus discutable en juin 1940.

En vérité, dans la confusion d'une époque confuse où les ordres se succèdent, s'entremêlent, s'annulent, où les priorités sont sans cesse modifiées, il semble que l'idée d'un départ pour l'Afrique du Nord, idée qui sera surtout évoquée à Bordeaux, et verra même un début de réalisation politique lors du voyage du *Massilia,* soit envisagée surtout comme l'occasion d'un sursis supplémentaire avant l'échéance fatale.

Dans le tohu-bohu qui caractérise ces jours dramatiques, les esprits désarçonnés (ah ! comme c'est compréhensible) s'accrochent à n'importe quel espoir, n'importe quelle solution comme le naufragé tend la main vers tous les débris que la vague conduit jusqu'à lui, puis, comme par quelque jeu cruel, éloigne et retire.

Réduit breton, Afrique du Nord, union intime franco-anglaise, en quelques jours, pour quelques heures, ces projets, dont aucun n'est ridicule, ni irréalisable *sur le papier,* mais qui tous exigent quelque méditation et le temps de la réalisation, habiteront l'esprit de Paul Reynaud, soulevant l'enthousiasme d'un homme qui, dix fois s'élance vers la lumière, dix fois se heurte aux réalités et, courant d'une idée à

13. Du 14 au 19 juin, les Anglais ont enlevé de France 160 000 hommes et 310 canons.

14. Ils ne disposent, en moyenne, que de la valeur d'une demi-mission par chasseur.

l'autre, n'en épouse aucune assez sérieusement pour lui donner chance de vie.

Dans l'exceptionnelle gravité de la situation, les hésitations, les oscillations, les contradictions de Paul Reynaud s'expliquent par l'incertitude dans laquelle il est de son devoir, par sa volonté de passer à l'Histoire comme le héros d'une grande aventure, par la séduction qu'exerce sur lui Churchill, la foi qu'il garde dans la supériorité finale des puissances maritimes, les déceptions intimes qu'ont dû lui procurer trop de ses hâtives prophéties démenties par l'événement. Elles s'expliquent par les pressions quotidiennes qu'exercent sur lui aussi bien ceux qui souhaitent la poursuite de la guerre que ceux qui désirent la fin de combats, qui sont de moins en moins souvent des combats, puisque l'armée allemande capture aujourd'hui des milliers d'hommes par la seule vertu de sa présence et que, demain, des unités entières attendront dans leurs casernes, armes aux râteliers, les geôliers qui voudront bien se donner la peine de les diriger sur l'Allemagne.

Elles s'expliquent également par l'un des nombreux drames de conscience vécus par le président du Conseil.

Le 28 mars 1940, agissant seul, sans consulter le président de la République ni le Conseil des ministres, il a accepté en effet de signer, à Londres, un accord prévoyant notamment que la France et l'Angleterre ne pourraient « ni négocier, ni conclure d'armistice ou de traité de paix durant la présente guerre, si ce n'est d'un commun accord ».

L'un au moins de ses conseillers — Villelume — lui a soufflé, avant son départ de Paris, qu'un pareil texte nous ferait perdre « notre seul moyen de défense contre l'égoïsme et la paresse militaire de nos alliés » qu'au surplus, avant de songer à négocier une paix qui, le 28 mars, dans l'esprit de tout Français, ne peut être que victorieuse, il faudrait au moins être d'accord sur les buts de guerre et les conditions de paix ; que Daladier, enfin, a refusé, le 19 décembre, d'engager aveuglément la signature de la France, il n'a rien écouté. Sans doute considère-t-il, quatre jours après une investiture difficilement obtenue, l'accord franco-britannique comme un succès personnel, renforçant sa position auprès de parlementaires désabusés, méfiants, et d'une opinion apathique. Le texte, d'ailleurs, est reçu avec faveur par la presse française. Presque personne ne voit que, s'il lie la France — seul adversaire contre lequel l'Allemagne puisse engager toute sa puissance terrestre —, il ne contraint l'Angleterre à aucun effort militaire supplémentaire.

On ne peut comprendre l'attitude de Paul Reynaud à Tours, comme à Bordeaux, si l'on oublie la signature du 28 mars. Signature à laquelle Pétain, Weygand et les autres partisans de l'armistice accorderont de moins en moins de valeur, plaidant pour un égoïsme national français, corollaire de cet égoïsme national anglais qui nous condamne, à mesure que passent les semaines et qu'augmente le nombre des défaites, à nous battre pratiquement seuls. Signature par laquelle Reynaud se sent moralement engagé et d'autant plus étroitement que les Anglais, dans le péril où ils se trouvent, lui rappellent, par la voix de Spears, que l'accord — cet accord conclu dans la perspective d'une victoire sur l'Allemagne — met en cause l'honneur de la France, qu'il a été passé avec la République, non point avec un homme seul.

On verra ainsi, à Bordeaux, la France vaincue solliciter de l'Angleterre « l'autorisation » de s'enquérir auprès de l'Allemagne des conditions d'un armistice et l'Angleterre répondre en émettant le souhait que la flotte française « soit dirigée aussitôt sur les ports britanniques en attendant l'ouverture des négociations ». Sollicitation, en apparence, humiliante, prétentions, en apparence, exorbitantes, qui soulèveront la colère ou l'indignation de ceux qui ont oublié l'accord du 28 mars ou lui dénient toute valeur.

Dans l'esprit de Paul Reynaud, même si l'aide anglaise est notoirement insuffisante, même s'il la quémande avec une angoisse toujours plus grande, car il voit combien l'avarice britannique renforce la thèse des partisans de l'armistice tout en diminuant la portée morale de l'accord du 28 mars, la signature donnée à Londres demeure toujours valable.

Presque seul de cet avis, mais pas le seul. Comme lui, plus que lui, le général de Gaulle va s'attacher à l'esprit de l'accord du 28 mars, jouer de la répugnance anglaise à nous rendre notre liberté et devenir, pour Churchill en quête d'allié, l'allié qu'à la fin Paul Reynaud ne saura, ne pourra ou ne voudra plus être.

Il a été peu question de Charles de Gaulle jusqu'à présent. C'est qu'il ne faut pas le voir tel que l'Histoire va le transformer, mais tel qu'il est, le 5 juin, lorsque Paul Reynaud, prodigieux metteur en scène du destin français, « inventeur » de Pétain et de De Gaulle, qui ne lui témoigneront naturellement qu'ingratitude[15], le nomme sous-secrétaire d'État à la Guerre et à la Défense nationale[16].

Nomination qui ne fait pas grand bruit à un moment où le vacarme de la bataille se rapproche de Paris. Tout de même, dans le *Times* de Londres du 7, cette note, qui témoigne d'une exactitude dans l'information et d'une intuition psychologique méritoires. « Sur le plan militaire, le changement le plus intéressant fait par M. Reynaud est la nomination du général de Gaulle comme son secrétaire d'État à la Défense nationale. Le général de Gaulle a été promu à ce rang il y a peu de jours, après s'être distingué comme commandant d'une unité blindée.

« Le général de Gaulle retint l'attention du monde militaire français voici quelques années par ses livres, spécialement par celui intitulé *Vers l'armée de métier,* qui sont principalement consacrés à l'influence de la machine sur l'art de la guerre...

« Assez agressivement de droite, puissamment théoricien, et aussi apôtre de l'emploi massif des chars, il est d'esprit clair, lucide, homme d'action aussi bien qu'homme de rêve et d'abstraction. »

« Homme d'action aussi bien qu'homme de rêve »... Quelle justesse dans la phrase et le regard.

De Gaulle a immédiatement séduit Reynaud qui voit en lui, après leurs premières rencontres de 1935, l'officier capable de le renseigner sur les méthodes de la guerre moderne et de donner à ses thèses sur « la chose militaire » l'argumentation solide qui leur fait défaut. De Gaulle a immédiatement compris combien l'appui de Reynaud pouvait faire avancer ses idées et sa carrière. Lorsque Reynaud publiera en 1964, avec l'accord du général de Gaulle, la correspondance échangée avec le lieutenant-colonel de 1936, et avec le colonel de 1938, les lecteurs seront étonnés de découvrir un homme très différent du chef d'État dont chaque jour ils peuvent constater la grandeur et contrôler l'ambition.

---

15. Soyons justes. L'ingratitude de Pétain sera immédiate et se manifestera de manière parfaitement choquante. En prison, Reynaud saura l'écrire.

16. Nomination peu appréciée par Pétain qui dit à Baudouin que de Gaulle compte peu d'amis dans l'armée et à Spears : « Sa vanité lui donne à penser que l'art de la guerre n'a aucun secret pour lui. Il pourrait l'avoir inventé. » Peu appréciée par de Villelume qui voit, en de Gaulle, un concurrent redoutable. Le 6 juin, il s'efforce de limiter ses « empiètements ». A Paul Reynaud, surpris des couleurs sous lesquelles il le peint et qui demande : « Mais que peut-il encore désirer ? — Votre place, monsieur le président », réplique Villelume.

C'est que Charles de Gaulle, théoricien encore obscur, prisonnier de la hiérarchie qui le voue à la clandestinité des éditions à tirage réduit et des discussions de chapelle, a besoin d'un porte-parole au Parlement comme dans les journaux. Cet homme qui, plus tard, fera, avec hauteur, le procès de la politique, des politiciens et des journalistes, n'hésite pas alors à rencontrer des politiciens et ne craint nullement la fréquentation des directeurs de journaux. « Il pourrait y avoir intérêt, écrit-il à Reynaud le 20 novembre 1936, à faire donner dans notre sens et explicitement M. Patenôtre en personne [17]. Sans doute avez-vous le moyen de le lui suggérer. S'il s'y décidait, et bien que je ne le connaisse pas, je serais volontiers à sa disposition pour tous éclaircissements qui pourraient lui être utiles, le tout sous garantie d'une totale et réciproque discrétion, bien entendu. » Il adresse à Reynaud des lettres où la courtoisie frôle l'obséquiosité.

« Mon régiment est prêt. Quant à moi, je vois venir sans nulle surprise les plus grands événements de l'histoire de France, et je suis assuré que vous êtes marqué pour y jouer un rôle prépondérant. Laissez-moi vous dire qu'en tout cas je serai — à moins d'être mort — résolu à vous servir s'il vous plaît. » Lettre de De Gaulle, le 24 septembre 1938, alors que l'on peut croire que la guerre va éclater pour la Tchécoslovaquie.

Auteur, mais auteur peu lu [18], même si, dans le domaine étroit qui est le sien, le retentissement d'une œuvre se mesure moins au nombre qu'à la qualité des lecteurs, de Gaulle sera donc également, et avec un plus grand retentissement, puisque, le 15 mars 1935, son nom est porté à la connaissance des députés par Léon Blum, adversaire de l'armée de métier [19], l'inspirateur, en quelque sorte le « souffleur » de Paul

---

17. Patenôtre contrôlait à cette époque *Le Petit Journal.*

18. *La Discorde chez l'ennemi, Le Fil de l'épée, Vers l'armée de métier, La France et son armée*, titres édités par la maison Berger-Levrault, ne connaîtront qu'un mince succès. L'on ne vendra pas 2000 exemplaires de *Vers l'armée de métier.*

19. Le leader socialiste s'oppose alors au service de deux ans et critique l'armée de métier et les corps cuirassés, « l'armée de choc et de vitesse comme dit, je crois M. de Gaulle, toujours prête pour les expéditions offensives et pour les coups de main, l'armée blindée et motorisée qui, si nous l'adoptions, rouvrirait simplement entre le blindage et le canon d'infanterie un duel analogue à celui auquel nous avons assisté entre la cuirasse et le canon d'artillerie ».

Parlant du corps blindé Blum a ces mots stupéfiants : « Nous sommes bien au

Reynaud. Jusqu'au bout, dans sa correspondance avec Reynaud, il aligne des chiffres, fournit des arguments, des renseignements, parfois couverts par le secret[20], rend compte de ses sentiments au terme d'une séance parlementaire au cours de laquelle Reynaud est intervenu, critique ses supérieurs et, dans l'attaque contre Gamelin, pendant l'hiver 1939-1940, se montre l'un des plus intrépides.

Du moins le verra-t-on mettre en application les thèses qu'il a depuis si longtemps défendues. Il n'est pas de ces théoriciens paralysés par l'action. Commandant, en 1939, la brigade de chars de la Vᵉ armée en basse-Alsace, le colonel de Gaulle est nommé, le 11 mai, commandant par intérim de la 4ᵉ division cuirassée. L'unité n'existe encore que sur le papier. Son chef doit rassembler, au sud-est de Laon, trois bataillons de chars et quelques fantassins avec lesquels, le 17, il tente de stopper la ruée de l'ennemi vers l'Oise et de contrarier l'avance des 1ᵉʳ, 10ᵉ, 2ᵉ, 6ᵉ et 8ᵉ Panzer, fortes chacune de plus de 200 chars.

Avec des chefs de chars dont certains n'ont jamais tiré le canon, des conducteurs inexpérimentés, des fantassins transportés en autobus, de très faibles moyens radio, de Gaulle ne peut naturellement ralentir l'avance des blindés de Guderian qui, sur le terrain, sont dans la proportion de quatre contre un. Du moins en réoccupant Montcornet, en ramenant une centaine de prisonniers, en inquiétant un moment les Allemands, prouve-t-il que l'armée mécanique, maniée par les Français peut, elle aussi, même si les conditions d'emploi sont mauvaises, obtenir d'heureux résultats.

---

delà des effectifs et des conceptions qu'exige la défense effective du territoire national. »

Léon Blum, président du Conseil, recevra de Gaulle en 1936 mais alors il ne sera pas davantage convaincu par ses thèses. Il se le reprochera plus tard et profitera de ce retour en arrière pour tracer, de son interlocuteur, un bon portrait. « L'homme qui se présentait ainsi, qui me dévisageait si tranquillement, qui me parlait de sa voix lente et mesurée, ne pouvait, de toute évidence, être occupé à la fois que par une idée, un dessein, une croyance, mais alors il devait s'y donner absolument, sans que rien d'autre entrât en balance. » On peut regretter que cette si grande force de conviction n'ait point modifié les sentiments de Léon Blum, lorsqu'il prétendait mener de front une politique d'alliances lointaines et de désarmement. On ne peut relire le discours du 15 mars sans quelque stupéfaction. Reynaud répondra à Blum et l'enfermera aisément dans ses contradictions.

20. « Secret, écrit-il le 7 octobre 1936 : la première « division blindée » sera constituée le 1ᵉʳ avril prochain. La décision est prise officiellement »

Huit jours plus tard, le commandant de la 4e division cuirassée, qui a été promu général de brigade à titre temporaire par Weygand[21], reçoit l'ordre d'attaquer l'ennemi installé, au sud d'Abbeville, dans une solide tête de pont. Pour cette action, il dispose de 140 chars en état de marche, six bataillons d'infanterie et six groupes d'artillerie. Le 30 mai, après trois jours de combats contre une infanterie allemande courageuse mais qui ne dispose d'aucun char[22], la tête de pont sera réduite de trois quarts. Succès provisoire et coûteux, sans influence sur le déroulement général de la bataille mais qui, une fois encore, donne le regret de ce qui aurait pu être si, à la place d'un groupement improvisé, nous avions pu lancer dans les flancs de l'ennemi des masses de chars désorganisant ses arrières et, sous peine de destruction, le forçant à retraiter plus vite encore qu'il ne vient d'avancer.

Chef de guerre, Charles de Gaulle ne le sera que pendant quelques jours de mai. Si son destin n'avait pris, le 18 juin, un cours singulier, sans doute les combats de la 4e division cuirassée ne seraient-ils connus aujourd'hui que de ceux qui, parmi tant de désastres, cherchent quelques pages lumineuses et désirent se convaincre de l'héroïsme des troupes dès lors qu'elles ont à leur tête un chef ferme sur le devoir. Pendant l'occupation, et après la Libération, leur importance sera trop exagérément célébrée par les uns, trop exagérément décriée par les autres. Incapables de juger sereinement de Gaulle, emportés par les passions que provoque un homme de passion, les Français, excessifs dans la louange comme dans le décri, feront, des batailles menées autour d'Abbeville, un sommet de l'art militaire ou les ramèneront au rang d'escarmouches.

Elles ont permis du moins à Paul Reynaud de faire passer du militaire au politique l'un des rares généraux à demi vainqueurs de cette guerre. Lorsqu'il nomme de Gaulle sous-secrétaire d'État à la guerre, il couronne en effet le seul théoricien qui, sur le terrain, se soit révélé bon praticien. Un homme qui sait ce qu'il veut. Et veut fortement. Son intimité, plus que son amitié avec Reynaud, ainsi que son assurance naturelle et la certitude d'avoir raison contre tout le monde, contre les angoissés, les passifs, les poussifs, et même contre ce

21. Le 25 mai. En même temps que les colonels Martin, Durand, Mast, Mesny et Buisson.

22. Par contre, le 30, les batteries antiaériennes détruiront 12 chars français en quelques instants.

qu'il est convenu d'appeler « le cours de l'histoire », donnent à de Gaulle un ton, une allure immédiatement hors de proportion avec son titre, modeste, de sous-secrétaire d'État.

Il est vrai que les époques de grand péril bouleversent les hiérarchies et fournissent aux audacieux dix occasions de saisir l'événement pour tenter d'en modifier le cours. C'est ainsi que, dès le 6 juin — il est nommé de la veille —, devant Reynaud, de Gaulle trace l'avenir et fixe son rôle.

— Si la guerre de 1940 est perdue, nous pouvons en gagner une autre. Sans renoncer à combattre sur le sol de l'Europe aussi longtemps que possible, il faut décider et préparer la continuation de la lutte dans l'Empire. Cela implique une politique adéquate : transport des moyens vers l'Afrique du Nord, choix de chefs qualifiés pour diriger les opérations, maintien de rapports étroits avec les Anglais, quelques griefs que nous puissions avoir à leur égard. Je vous propose de m'occuper des mesures à prendre en conséquence...

C'est ainsi que, le 8, après avoir rendu visite à Weygand, qui lui semble manquer de dynamisme, et a le tort de ne pas vouloir porter le combat dans l'Empire, de Gaulle propose à Reynaud, immédiatement consentant, consentant à tout serait-on tenté d'écrire, car le président du Conseil, dans l'espoir de se sauver, dans la volonté aussi de provoquer quelque choc psychologique, est prêt à sacrifier ceux qu'il a associés au pouvoir, de remplacer Weygand par le général Huntziger « capable de s'élever jusqu'au plan de la stratégie mondiale »[23].

---

23. Sollicité, le 11 juin, par le général de Gaulle, Huntziger répondra négativement.

Au cours de la réunion Weygand-de Gaulle du 8 juin, le sous-secrétaire d'État à la guerre se montre surpris (et choqué) de voir que le commandant en chef n'a répondu que « par un rire désespéré » à sa proposition d'étendre la guerre à l'Empire et au monde. « Pour faire tête au malheur, écrira plus tard de Gaulle, en se souvenant de l'entretien, il eût fallu qu'il [Weygand] se renouvelât ; qu'il arrachât sa stratégie au cadre étroit de la métropole ; qu'il retournât l'arme de la mort contre l'ennemi qui l'avait lancée et mît dans son jeu l'atout des grands espaces, des grandes ressources et des grandes vitesses en y englobant les territoires lointains, les alliances et les mers. »

« Ce langage déclamatoire ne doit pas faire illusion, répondra Weygand. Il ne peut séduire par une fausse grandeur que si on perd les réalités avec lesquelles le commandant en chef se trouve aux prises, celles de la bataille. C'est un programme très vague d'avenir à longue échéance ; il ne répond à rien d'actuel, à rien de concret. »

Éternel conflit entre la réalité et le rêve qui peut, un jour lointain devenir réalité ; entre le présent et l'avenir.

C'est ainsi qu'à travers le réduit breton c'est l'idée de résistance qu'il défend — ici ou ailleurs, qu'importe — avec assez de brio, assez de constance, pour que l'attention des Anglais en soit attirée. Anxieusement, parmi tant de Français défaits, ils cherchent d'ailleurs un homme qui, acceptant de lier son sort au leur, entraînerait dans leur mouvance quelques navires, quelques morceaux de l'Empire, quelques soldats.

Le 13 juin, comme les ministres anglais, qui vont regagner leur pays, descendent l'escalier de la préfecture de Tours, Churchill aperçoit le général de Gaulle « debout dans l'encadrement de la porte, impassible, le regard absent ». « Je le saluai, ajoute Churchill, et je lui dis à voix basse en français : L'homme du destin. Il ne bronche pas. »

De Gaulle a-t-il entendu ? A-t-il été frappé par la phrase tentatrice et flatteuse ?

— Non, devait-il me dire en 1963, non, je n'ai pas entendu, vous savez, Churchill, c'est un romantique. Ce qui est vrai, c'est que nous étions « accrochés » tout de suite, à Londres d'abord, à Briare ensuite, puis à Tours[24].

Le 14, il presse Reynaud de partir pour Alger et sur un ton qui, déjà, est celui du commandement.

— Si vous restez ici, vous allez être submergé par la défaite. Il faut gagner Alger au plus vite. Y êtes-vous, oui ou non, décidé ?

— Oui.

— Dans ce cas, je dois aller moi-même tout de suite à Londres pour arranger le concours des Anglais à nos transports. J'irai demain. Où vous retrouverai-je ?

— Vous me retrouverez à Alger...

Ni Alger, ni Quimper, ni Londres pour Reynaud. Après bien d'autres résolutions, la défaite emporte cette résolution.

Peut-être de Gaulle aurait-il réussi à entraîner Reynaud si, en face de son autorité toute neuve (et qui irrite), il n'avait trouvé l'autorité grandissante du maréchal Pétain, alors fondée sur d'autres exploits, une autre expérience, un autre passé.

C'est en Touraine que de Gaulle, bousculant le président du

---

24. Churchill aurait dit plutôt, paraît-il, « Ah ! voici le connétable de France »... sobriquet donné à de Gaulle par ses camarades de Saint-Cyr et que Spears, qui le tenait de Pétain, lui aurait répété.

Conseil, le pressant de prendre des décisions courageuses, conseillant aux Anglais de ne rien accorder qui pourrait apaiser les scrupules des partisans de l'armistice, songeant même à donner sa démission lorsqu'il apprend que Churchill a montré une « trop grande compréhension » pour les épreuves de la France et vient de dire à Reynaud que l'Angleterre ne ferait « pas de récriminations » dans le cas où la France cesserait le combat[25], oui, c'est en Touraine que de Gaulle devient un homme politique.

C'est en Touraine que Philippe Pétain, muré, jusqu'à présent, dans un silence qui n'inquiète plus personne, fait soudain figure de chef d'État. Ayant entendu, au cours du Conseil des ministres du 13 juin, Weygand déclarer avec plus de violence encore que de coutume que l'armée ne peut continuer une lutte inégale, l'ayant entendu dire qu'il est facile, depuis un château de province, d'ordonner aux hommes de se faire massacrer, mais, qu'en ce qui le concerne, il ne suivrait pas un gouvernement qui abandonnerait la France, Pétain se lève, quelques minutes après le départ du général en chef, et devant des ministres peu habitués à voir lire des notes, tire de sa poche un

---

25. Le 13 juin. Churchill arrive, en compagnie de plusieurs ministres, à 13 heures sur l'aérodrome de Tours. Dans l'après-midi, il rencontre Mandel, puis Reynaud à la préfecture et c'est là, alors que le président Lebrun et tous les ministres attendent Churchill à Cangé, que Reynaud a, avec les Anglais, une conversation capitale. Personnellement opposé à l'armistice, mais mandaté par le Conseil des ministres, Reynaud demande à Churchill :

— La Grande-Bretagne n'estime-t-elle pas que la France peut dire : « Mon sacrifice est si grand que je vous demande de m'autoriser à signer un armistice, tout en maintenant la solidarité qui existe d'après nos accords. »

— Nous comprenons la situation où vous vous trouvez, répond Churchill. Nous ne ferons pas de récriminations dans une pareille hypothèse. Dans tous les cas, la Grande-Bretagne restaurera la France, dans toute sa puissance et sa grandeur, quelle qu'ait été son attitude après la défaite.

Churchill réclame seulement qu'à nouveau Reynaud sollicite Roosevelt. Seuls Reynaud et Baudouin sont présents lorsque Churchill parle et accorde à la France « l'autorisation » de demander l'armistice. Churchill ayant demandé une interruption de séance, ils sortent et mettent au courant Jeanneney, Herriot, Mandel, puis de Gaulle de la « compréhension » britannique, compréhension que les nouveaux venus déplorent tous en termes si vifs que Paul Reynaud, revenant à Cangé pour le Conseil des ministres, *ne dit rien* à ses ministres des paroles essentielles de Churchill, mais annonce, au contraire, qu'il vient de déclarer au Premier ministre britannique que le gouvernement français « avait pris la décision de ne pas conclure d'armistice et de continuer les hostilités »

papier dont, la veille, il a donné connaissance à Weygand ainsi qu'à Bouthillier. D'une voix un peu tremblante il commence la lecture du texte qui deviendra sa charte, réglera désormais sa vie, expliquera ses actes les plus inexplicables.

« Nous reconnaissons tous que la situation militaire est aujourd'hui très grave. Elle est telle que, si le gouvernement français ne demande pas l'armistice, il est à craindre que les troupes, n'écoutant plus la voix de leurs chefs, ne se laissent entraîner à une panique qui mettrait l'armée hors d'état d'entreprendre la moindre manœuvre.

« Il faut bien examiner les conséquences qui résulteraient de la continuation de la lutte. Si l'on admet l'idée de persévérer grâce à la constitution d'un réduit national, on doit reconnaître que la défense de ce réduit ne pourrait être organisée par les troupes françaises en débandade, mais par des troupes anglaises fraîches.

« Mais, si ce réduit, établi dans une région maritime, pouvait être organisé, il ne constituerait pas, à mon avis, une garantie de sécurité et exposerait à la tentation d'abandonner le refuge incertain. »

Après le constat du soldat, voici la phrase essentielle ; prise de position morale et politique capitale dont il faudra se souvenir aussi bien le 11 novembre 1942, lorsque Pétain refusera de partir pour l'Afrique du Nord, que pour mieux comprendre dans quel esprit seront reçues les humiliations, acceptés les renoncements.

« *Or il est impossible au gouvernement, sans émigrer, sans déserter, d'abandonner le territoire français.* Le devoir du gouvernement est, quoi qu'il arrive, de rester dans le pays, sous peine de n'être plus reconnu pour tel. Priver la France de ses défenseurs naturels, dans une période de désarroi général, c'est la livrer à l'ennemi. C'est tuer l'âme de la France, c'est par conséquent rendre impossible sa renaissance.

« Le renouveau français, il faut l'attendre en restant sur place, plutôt que d'une conquête de notre territoire par des canons alliés, dans des conditions et dans des délais impossibles à prévoir. »

Impossibles à prévoir ? Quelques minutes plus tôt, à une question de Weygand qui demandait, et se demandait, combien de temps mettraient les Américains à fabriquer les avions et chars nécessaires à la reconquête de la France, Raoul Dautry, ministre de l'Armement, a répondu :

— Deux ans, trois ans…

Ce qui correspond à l'esprit d'un texte qu'il vient de rédiger et dans lequel il souligne qu'en 1943 « ou en 1944, ou en 1945 » « nous » aurons, grâce à la puissance que donne la liberté des mers, accumulé assez de moyens pour écraser l'Allemagne et refaire, « sur les ruines et les misères de la Patrie, si nous en avons sauvé l'âme, une France nouvelle ».

Deux ans, trois ans, quatre ans... délais qui paraissent infiniment trop longs au maréchal Pétain qui d'ailleurs, comme la plupart des Français, bon nombre d'Américains et quelques Anglais, ne croit pas à la victoire anglaise mais plutôt à un accord germano-britannique dont la France, dépouillée de ses colonies, serait la principale victime. Aussi, condamnant sans le dire les gouvernements qui se sont enfuis en France ou en Angleterre plutôt que d'accepter la domination nazie, il poursuit, en évoquant au passage une idée qui lui est chère : celle de la souffrance rédemptrice.

« Je suis donc d'avis de ne pas abandonner le sol français et d'accepter la souffrance qui sera imposée à la patrie et à ses fils. La renaissance française sera le fruit de cette souffrance.

« Ainsi, la question qui se pose en ce moment n'est pas de savoir si le gouvernement demande l'armistice, mais s'il accepte de quitter le sol métropolitain.

« Je déclare, en ce qui me concerne, que, hors du gouvernement, s'il le faut, je me refuserai à quitter le sol métropolitain. Je resterai parmi le peuple français pour partager ses peines et ses misères.

« L'armistice est, à mes yeux, la condition nécessaire à la pérennité de la France. »

Pétain a terminé. Reynaud, qui devine aisément quel écho trouveront les paroles du Maréchal auprès de ministres troublés, et dont beaucoup se demandent si leur devoir envers le peuple ne l'emporte pas sur leur devoir envers la patrie, dit alors :

— Ce que vous proposez là est contraire à l'honneur de la France.

Sur quel ton ? « Cassant », affirme-t-il. Personne n'a confirmé ni contredit. Quoi qu'il en soit, pendant un moment, il est tenté de se séparer de Pétain et de Weygand et, avec eux, de certains ministres défaillants. D'un remaniement ministériel — encore un — naîtrait peut-être un ministère enfin unanime. Mais Pétain et Weygand, hors du gouvernement, ne seront-ils pas plus puissants et plus dangereux encore ?

Que Paul Reynaud agite pareilles pensées, c'est évident, mais il ne peut ignorer que sa maîtresse, Mme de Portes, « harcèle chacun en faveur d'un armistice immédiat[26] ». Va-t-il se séparer d'elle ? Va-t-il se séparer de son conseiller Villelume, de Baudouin, de Bouthillier, de la plupart de ceux qui, proches de lui, approuvent déjà l'action du Maréchal ?

Reynaud est au centre de trop de contradictions pour prendre une décision nette et claire. Pétain et Weygand resteront donc, et dans une position accrue, tandis que le bombardement de l'aérodrome de Tours résonne à l'esprit et aux oreilles de tous les ministres comme une invitation au départ.

Les Français, ceux du moins qui ne sont pas en mouvement sur les routes, les Français qui, le 13 juin prennent la radio, entendent Paul Reynaud leur affirmer qu'il « revient du front » où il a vu « arrivant de la bataille, des hommes qui n'avaient pas dormi depuis cinq jours, harcelés par les avions, rompus par les marches et les combats ». Tout le reste de son discours, dont plusieurs passages semblent avoir été inspirés par Jeanneney et par Mandel qui, le matin, ont trouvé le président du Conseil méditant, dans la grande salle de style Moyen Age du château de Chissay[27], devant une carte de France, étalée par terre, tout le reste de son discours est plein d'allusions vagues au concours américain, aux « nuées d'avions de guerre » qui écraseront, un jour « la force mauvaise qui domine l'Europe », à la qualité de l'aviation britannique, à l'espoir qui doit encore habiter le cœur des Français victimes, au cours des siècles, d'autres invasions finalement repoussées.

C'est du De Gaulle mou.

Les derniers mots doivent faire sursauter ceux qui les écoutent, et que rien ne protège de l'aviation ou de l'avance des blindés, qui n'ont ni voiture pour les transporter, ni gardes pour les isoler, ni château

26. Le mot est de Jeanneney. Le 14, elle accompagne Villelume chez Biddle, l'ambassadeur des États-Unis. Villelume et Mme de Portes, agissant sans l'accord de Reynaud, sans même l'avoir averti, mais parlant en son nom (ou en ayant l'air), affirment à l'ambassadeur qu'il est devenu indispensable, pour la France, d'obtenir un armistice et lui demandent d'agir pour que le président Roosevelt intervienne afin que le Reich mette fin au combat.

27. « Château tout neuf, à machicoulis, superféodal, poterne, cour intérieure ; au rez-de-chaussée, grande salle Moyen Age à cheminée monumentale », tel le voit Jeanneney.

pour les abriter, « quoi qu'il arrive, dans les jours qui viennent, où qu'ils soient, les Français vont avoir à souffrir... Le jour de la résurrection viendra ».

« Vont avoir à souffrir... » n'ont-ils pas, déjà, beaucoup souffert ? Et où parle-t-on de résurrection sinon dans la maison des morts ?

14

AGONIE À BORDEAUX

Et puis on s'en va.

Les petits problèmes remplacent les grandes préoccupations.

Soucis de la route, du déjeuner, de l'essence, du logement.

Quelque peu démoralisés par la défaite les ministres, les officiels, connaissent les mêmes soucis que les réfugiés anonymes.

Pour quelques heures car, ayant touché terre à Bordeaux, ils haussent le ton et, pressés de se faire reconnaître, manifestent des exigences, tapent du pied, commandent, achètent, bouleversent l'ordre des choses, s'installent « dans leurs meubles ». Comme s'ils étaient là pour l'éternité... je veux dire pour trois mois. Dans cette caricature de capitale, ils s'efforcent tous de reconstituer une caricature de la hiérarchie parisienne hors de laquelle, rendus à eux-mêmes, ils ne sont plus rien.

Bordeaux.

Il n'y a plus de nuit, ni de jour.

Il est 2 heures du matin, le 14 juin, lorsque le secrétaire général de la Préfecture de la Gironde voit entrer dans son bureau M. Bourel, chef de cabinet adjoint du président du Conseil, le capitaine Assenat, Mme Aertssen, secrétaire de Leca, chef de cabinet de Reynaud.

Il s'agit de loger Paul Reynaud, les ministres, leurs familiers dans une ville obèse, enflée à craquer de centaines de milliers de réfugiés. Difficile exercice. On doit chasser l'un pour abriter l'autre. Pour tous ceux qui veulent continuer à exercer une action, il faut être en permanence, là où tout se joue, dans le centre étroit de cette vaste ville, dans l'un des deux ou trois hôtels, dans l'un des deux ou trois palais, bien situés.

L'envoyé spécial de Reynaud désirait la préfecture. Georges Mandel, ministre de l'Intérieur, et député de la Gironde, a décidé de l'occuper. On le convainc donc que le président du Conseil sera mieux installé au quartier général de la rue Vital-Carles d'où l'on fera partir le général Lafont, qui commande la région. Ainsi Reynaud sera-t-il très proche du président Lebrun logé, à quelques mètres, dans la résidence du préfet de la Gironde.

On loge les services de Baudouin et ceux du général de Gaulle à l'hôtel *Splendid* (c'est bon) d'où les fonctionnaires des finances sont promptement chassés. Le maréchal Pétain, 304 boulevard du Président-Wilson (c'est mauvais), loin de tout, dans une maison dont les propriétaires sont absents, où, toutes les armoires étant fermées à clef, la concierge fait l'hommage des draps de son trousseau. Daladier et son fils sont à l'hôtel *Royal Gascogne* où Robert Schuman occupe la chambre 306 (c'est bon, car le *Royal Gascogne* jouxte le *Splendid* et la préfecture). Des socialistes (Auriol, Spinasse, Le Troquer) ont été expédiés à l'hôtel *Terminus,* confortable mais enchâssé dans la gare et loin du centre (c'est mauvais... surtout en cas de bombardement). Léon Blum, qu'un hôtelier a refusé de recevoir, parce qu'une excitée a menacé de faire sauter l'hôtel qui l'accueillerait, Léon Blum, est hébergé par son collègue socialiste Audeguil.

Les ministères sont répartis suivant une certaine logique : la Justice au Palais, l'Éducation Nationale au lycée, 110 cours Victor-Hugo, les Transmissions à l'hôtel des P.T.T. rue du Palais-Gallien, le ministère du Ravitaillement aux nouveaux abattoirs, la Défense nationale au quartier général rue Vital-Carles, le secrétariat général de la Marine marchande à l'inscription maritime, place Tourny.

Mais très vite, dans cette capitale de remplacement, mal préparée à jouer son rôle, la logique cède le pas à l'improvisation. Dans le majestueux palais de la Bourse, on abrite tous ceux qui n'ont pu trouver place ailleurs (Air, Armement, Colonies, Travaux publics). La direction de la production agricole va à la faculté de médecine, la questure de la Chambre des Députés dans l'école Anatole-France, celle du Sénat dans un cinéma de la rue Judaïque.

Alors arrivent les tapissiers. Les hommes chargés d'améliorer le cadre de vie (et de travail) des Excellences.

Dans l'ex-quartier général, Mme de Portes a donné des instructions pour que l'appartement soit rapidement tendu de blanc. Mme Béatrice Bretty, amie de Georges Mandel, commande des meubles et des draps chez Dupuy-Monfeuga, cours de l'Intendance.

Les factures arriveront après la défaite, lorsque les états-majors allemands occuperont les places.

Facture de M. Amanieu, décorateur rue Judaïque : 12710 francs pour les travaux demandés au nom de M. Paul Reynaud, 19008,20 pour l'installation du président de la République, 9760 francs pour M. Mandel et Mme Bretty.

Les exigences des exigeants se multiplient.

Jeanneney fuit « épouvanté »[1], ÉPOUVANTÉ par le spectacle du logement qu'on lui a attribué. Nous sommes le 14 juin, au zénith de la débâcle. Il y a, sur tout ce qui reste de routes libres, des millions de Français qui fuient épouvantés, pour cause de mitraille et de mort, mais ce qui épouvante le président du Sénat c'est « le long couloir froid, la suite de salons luxueux, démodés, poussiéreux, dépenaillés, les tapis et rideaux suspects, les toilettes sordides » de la résidence où avait habité la reine Amélie du Portugal.

Mme de Crussol, amie de Daladier, se présente à la réception d'un hôtel, comme l'ont fait, avant elle, des milliers d'autres candidats.

— Je veux une chambre.

— Nous n'en avons plus.

— Mais je suis Mme de Crussol...

Paris débarque et s'étonne qu'on ne le reconnaisse pas.

Exigences.

A l'hôtel *Splendid* où, le soir, on papote, minaude, complote et flirte de table à table, une femme s'irrite parce que le petit chien qu'elle a sur les genoux n'est pas encore servi...

M. Chichery, ministre du Commerce, s'irrite à la pensée qu'il a été impossible de réquisitionner un immeuble pour les archives du parti radical, qui arrivent de Paris, escortées par deux attachés de cabinet.

L'ambassadeur de Roumanie s'irrite d'avoir dû, deux nuits de suite, coucher dans sa voiture après avoir successivement frappé à la porte de

1. C'est lui qui l'écrit, bien sûr, dans son journal.

quatre logements, réquisitionnés à son intention, mais déjà occupés.

Des ambassadeurs s'irritent de voir les châteaux, dans lesquels on les a répartis, mieux faits pour accueillir les fêtes des vendanges que pour loger leurs services et leurs personnes.

Et le préfet de la Gironde, M. Bodenan, s'irrite de n'être plus qu'une manière de préposé supérieur au logement.

Il l'écrit à plusieurs reprises mais ses protestations — « J'ai reçu pendant une durée de quatre heures des ambassadeurs et des membres du Parlement jusqu'à une heure avancée de la nuit et il est impossible que je me substitue ainsi à la Place et à la subdivision » — rejoignent le flot énorme des protestations en tous genres.

Comme il n'existe aucune Autorité susceptible d'exercer une autorité quelconque sur une ville et un monde où tout se décompose, les protestations n'ont plus aucune importance.

Lorsque la caravane ministérielle pénètre à Bordeaux à 18 h 30, le 14 juin, elle ne provoque d'ailleurs ni curiosité ni trouble dans une cité où chacun a bien trop à faire pour songer aux autres.

Car Bordeaux, encombrée de réfugiés, vit des heures folles.

Les nouveaux venus, ceux qui arrivent poussiéreux et qui, le plus souvent, ont tout perdu sur les routes de l'exode, se précipitent dans les magasins, Galeries, Uniprix, Prisunic, pour acheter savons, gants de toilette, brosses à dents, mouchoirs, chaussettes. Les magasins de chaussures limitent leurs ventes pour satisfaire le maximum de clients. Chaque jour la population (qui a triplé) consomme 350 000 kilos de pain. Or tous les stocks de farine sont de l'autre côté de l'eau ; il faut leur faire franchir *le* pont, le pont unique par lequel affluent également les réfugiés, les convois militaires filant plein sud, tout ce qui ambitionne de franchir la Garonne après avoir ambitionné de franchir la Seine et la Loire.

Pain moins blanc, moins croustillant que de coutume, car presque toutes les levureries françaises sont situées dans la zone occupée par les Allemands.

Des restaurants ferment et le plus célèbre d'entre eux, le « Chapon Fin », où l'on continue à refaire le monde, comme si le monde d'avant-guerre, celui auquel tous font encore référence, n'avait pas disparu, « en raison des difficultés » supprimera bientôt le service du dîner.

Il y a ceux qui s'écroulent, épuisés de fatigue, heureux de s'installer, chez l'habitant, dans une chambre de fortune, de camper dans un vestibule, de conquérir un fauteuil dans un hall d'hôtel.

Il y a ceux pour qui Bordeaux n'est qu'une halte, qui veulent aller plus loin, qu'ils se sentent menacés ou désirent poursuivre le combat.

Mais, plus loin, désormais, c'est par-delà les frontières, et les barrières demeureront fermées à qui ne présente pas un passeport en règle.

Je feuillette la liste — 731 noms — des autorisations de sortie données, le 18 juin, à la préfecture de la Gironde par l'officier de liaison du Bureau central militaire de circulation. Mme Lazareff a le numéro 1, Pierre Lazareff le n° 2, l'actrice Véra Korène le n° 20, Georges Mandel le 51, Daugen, née Bolchesi, dite Bretty Béatrice le 52, Claude Mandel le 368. Ont également obtenu des « autorisations de visas de sortie » Pierre Bloch, Raoul Bouchara, Mendès France, Lehideux, Jean Giraudoux, Robert Beauvais, la baronne James de Rothschild, Nicole et Monique de Rothschild, Joseph Kessel, M. et Mme Campinchi, Bloch, Abraham, Lévy, Cerf. Au total quelques centaines d'israélites, désireux d'échapper au sort que connaissent les juifs allemands, autrichiens, polonais; quelques dizaines d'hommes politiques, dont beaucoup se retrouveront sur le *Massilia*, des Anglais, des Américains en petit nombre.

Le consulat espagnol est assiégé. Également le consulat britannique de la rue d'Enghien. Dix-huit employés — il y en avait quatre, un mois plus tôt — distribuent de petits tickets aux candidats au départ, sur l'un des dix-sept navires anglais ancrés dans le fleuve.

— Trouvez de la nourriture pour trois ou quatre jours. De l'eau. Emportez deux valises, seulement deux valises.

Grâce à la profession, l'un des axes de toute vie, des univers se sont reconstitués. Postiers, cheminots, instituteurs, qui atteignent Bordeaux, trouvent naturellement auprès de leurs collègues compréhension, aide et sympathie.

Quant aux journalistes ils se sont installés dans les trois quotidiens locaux. A *La Petite Gironde* sont réfugiés ceux du *Temps*, du *Figaro*, du *Journal*, de *Paris-Soir*, des hebdomadaires *Candide* et *Gringoire*.

Eux savent mais ne peuvent rien dire.

La Petite Gironde, dans son numéro du 16 juin, se plaindra d'ailleurs de tous les silences officiels. « Aux heures d'émission chacun se met à l'écoute, et se penche, anxieux, vers la voix qu'il va entendre. Or que nous dit-on ? On nous dit que l'ordre de ne pas défendre Paris a trouvé en Suisse la plus large compréhension. On nous dit que l'aviation alliée a bombardé les ports de Trondheim et de Bergen...

« Eh bien ! Ce n'est pas cela que nous désirons entendre. Ce que nous voulons entendre, ce sont des nouvelles de la France, des nouvelles de notre armée. »

Grands dieux ! Si les communiqués avouaient la vérité ils diraient que les Allemands approchent de Dijon, de Rennes, de Chartres, d'Orléans, qu'ils abordent la Loire, que l'on se bat dans la Beauce. Tout cela le 16 juin.

Et le 17, et le 18, que diraient-ils ?

Que, dans les dix semaines de campagne à l'Ouest, la 7e division de Panzers, celle de Rommel, a capturé 97 648 prisonniers, dont 5 généraux, en perdant 682 tués, 1 646 blessés et 296 disparus ; qu'elle s'est emparée de 277 canons et de 458 chars alors que, seuls, 42 de ses chars ont été frappés à mort. Que le 17 juin, à minuit, Rommel capture, à La Haye-du-Puits, un officier mécanicien français envoyé de Cherbourg — 46 kilomètres — pour hâter une impossible défense et le renvoie d'où il vient. Car il est plus important de jeter le trouble dans les esprits que de se saisir et s'encombrer de prisonniers dont on ne sait que faire. Et, qu'après avoir libérés, on retrouvera toujours.

Que diraient-ils ?

Que le général Charbonneau, qui défend Cherbourg, a 4 bataillons d'infanterie où il en faudrait 45, 10 canons où il en faudrait 300, 6 antichars où 290 seraient nécessaires.

Que diraient-ils ?

Que, le 17, les « bouchons » organisés un peu partout avec le personnel des garnisons et ce qui reste des divisions en retraite, ont sauté. Que, le 18, les Allemands sont le matin à La Flèche, le soir à Saumur. Que la 4e division cuirassée (celle qu'a conduite de Gaulle) n'a plus que 20 chars B et 5 Somua. Qu'il reste 6 000 combattants à la IVe armée, qui se replie sur Clermont-Ferrand, qu'un escadron du 10e cuirassiers, qui se bat dans la région de Reims est réduit à 20 hommes, encadrés par 8 sous-officiers, commandés par un capi-

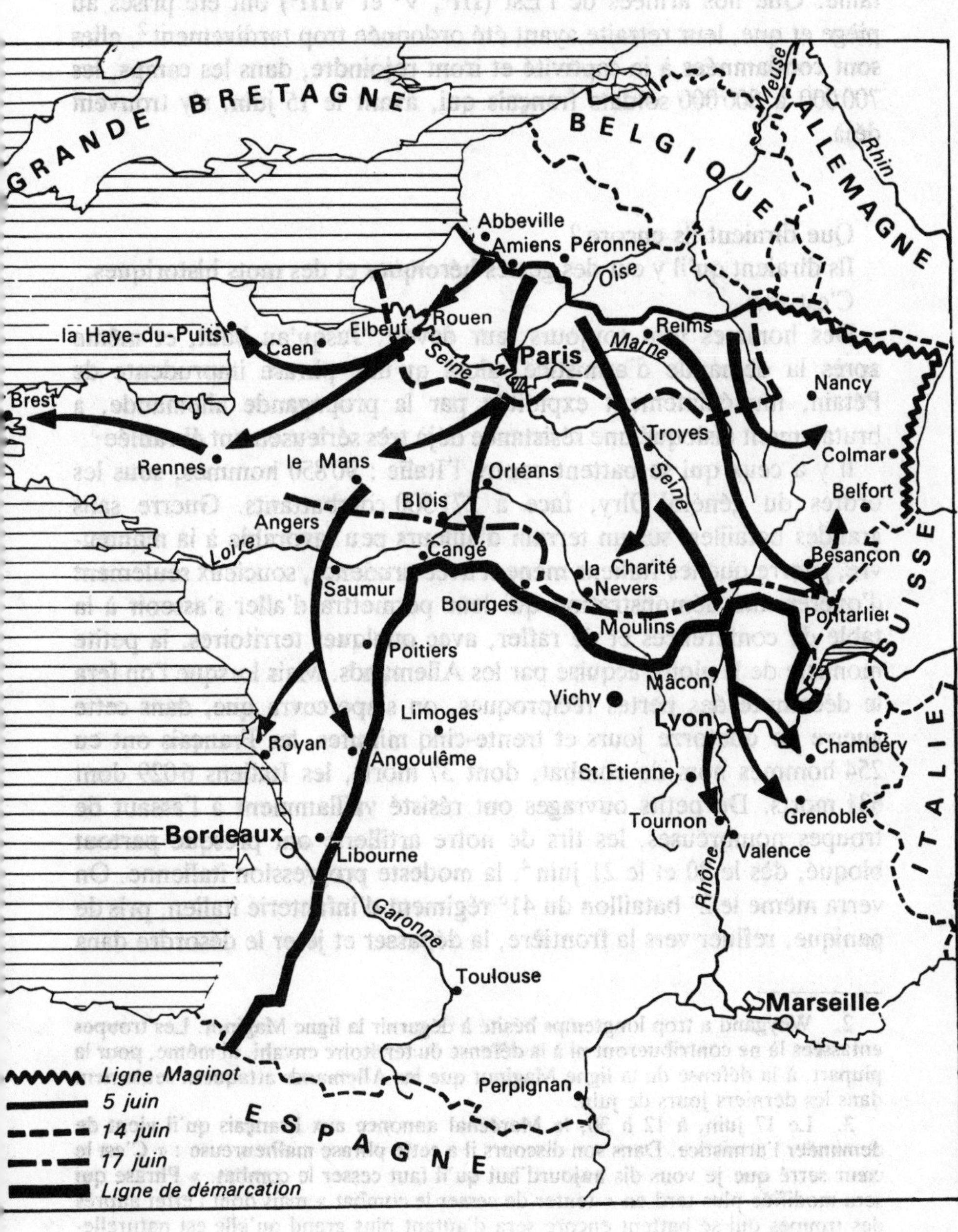
GRANDE BRETAGNE
BELGIQUE
ALLEMAGNE
Meuse
Rhin
Abbeville
Amiens
Péronne
Oise
Rouen
Elbeuf
la Haye-du-Puits
Caen
Paris
Seine
Reims
Marne
Nancy
Brest
Rennes
le Mans
Orléans
Troyes
Colmar
Belfort
Blois
Angers
Loire
Cangé
Besançon
la Charité
Nevers
Saumur
Bourges
Pontarlier
Moulins
SUISSE
Poitiers
Mâcon
Vichy
Lyon
Limoges
Royan
Angoulême
Chambéry
St.Etienne
Tournon
Grenoble
Bordeaux
Libourne
Valence
Rhône
ITALIE
Garonne
Toulouse
Marseille
Perpignan
ESPAGNE
Ligne Maginot
5 juin
14 juin
17 juin
Ligne de démarcation

taine. Que nos armées de l'Est (IIIe, V^e^ et VIIIe) ont été prises au piège et que, leur retraite ayant été ordonnée trop tardivement [2], elles sont condamnées à la captivité et iront rejoindre, dans les camps, les 700 000 à 800 000 soldats français qui, avant le 15 juin, s'y trouvent déjà.

Que diraient-ils encore ?

Ils diraient qu'il y eut des gestes héroïques et des mots historiques.

C'est vrai.

Des hommes font toujours leur devoir. Jusqu'au bout, et même après la demande d'armistice, alors qu'une phrase imprudente de Pétain, immédiatement exploitée par la propagande allemande, a brutalement disloqué une résistance déjà très sérieusement ébranlée [3].

Il y a ceux qui se battent contre l'Italie : 90 850 hommes, sous les ordres du général Olry, face à 271 500 combattants. Guerre sans grandes batailles, sur un terrain d'ailleurs peu favorable à la manœuvre, guerre que les Italiens mènent avec prudence, soucieux seulement d'opérer une démonstration qui leur permettra d'aller s'asseoir à la table de conférences et de rafler, avec quelques territoires, la petite monnaie de la gloire acquise par les Allemands. Mais lorsque l'on fera le décompte des pertes réciproques, on s'apercevra que, dans cette guerre de quatorze jours et trente-cinq minutes, les Français ont eu 254 hommes hors de combat, dont 37 morts, les Italiens 6 029 dont 631 morts. De petits ouvrages ont résisté vaillamment à l'assaut de troupes nombreuses, les tirs de notre artillerie ont presque partout bloqué, dès le 20 et le 21 juin [4], la modeste progression italienne. On verra même le 2e bataillon du 41e régiment d'infanterie italien, pris de panique, refluer vers la frontière, la dépasser et jeter le désordre dans

2. Weygand a trop longtemps hésité à dégarnir la ligne Maginot. Les troupes entassées là ne contribueront ni à la défense du territoire envahi, ni même, pour la plupart, à la défense de la ligne Maginot que les Allemands attaquent seulement dans les derniers jours de juin.

3. Le 17 juin, à 12 h 30, le Maréchal annonce aux Français qu'il vient de demander l'armistice. Dans son discours il a cette phrase malheureuse : « C'est le cœur serré que je vous dis aujourd'hui qu'il faut cesser le combat. » Phrase qui sera modifiée plus tard en « tenter de cesser le combat » mais dont l'effet auprès des troupes qui se battent encore sera d'autant plus grand qu'elle est naturellement utilisée par les Allemands.

4. Jours où l'attaque italienne se développe vraiment.

les formations de l'arrière. Comme si les Français étaient en mesure d'envahir l'Italie !

Il y a ceux qui, rapatriés de Narvik, où sous le commandement de Béthouart, ils ont dominé les Allemands[5], sont jetés en Bretagne le 15 et le 16 juin. Soldats débarqués avec un moral intact mais qui seront engagés par petits paquets, sans artillerie, et, finalement, devront retraiter pour échapper à la capture.

Il y a cette centaine d'hommes qui défend le secteur Saint-Lô-d'Ourville. Saint-Sauveur de Pierrepont ; les 55 soldats derrière la barricade de Beuzeville ; les 50 marins, dont 10 sans armes, de l'enseigne de vaisseau Istria ; la section de l'aspirant Lépargneur où les soldats ne disposent que de 20 cartouches par homme et de 6 chargeurs pour le fusil mitrailleur.

Personnages sacrifiés, roulés par la tempête de juin et dont les coups de feu, la résistance héroïque — celle de l'enseigne de vaisseau Lévy derrière le barrage de Martinvast, où il dispose de deux pièces de 75 contre avions durera vingt-huit heures — dont la mort même n'empêchent nullement Rommel de parcourir, le 17 juin, 300 kilomètres dans la journée dont 150 en trois heures. Plus vite, beaucoup plus vite que n'avaient marché les divisions cuirassées françaises montant à la bataille les 13 et 14 mai. C'est en songeant à ce jour d'enivrante victoire que Rommel écrira à sa femme qu'il effectue un « tour de France éclair ».

Il y a ceux qui vont se battre sur la Loire. Au pont de Jargeau, par exemple. Là 618 hommes, armés de 48 fusils mitrailleurs et de 12 mitrailleuses compenseront leur petit nombre par de multiples actions d'éclat. Des hommes ont fui par centaines de milliers c'est vrai. Mais c'est peut-être en songeant à cette débâcle physique et morale que certains s'entêtent dans une résistance sans autre objet que de prouver que tous les soldats de 40 n'étaient pas des lâches.

Lorsque le lieutenant Gérard de Buffévent, qui participe à cette défense du pont de Saumur, défense dont on fera ensuite des livres, car il faut bien quelques lauriers sur le front de l'armée meurtrie[6], part pour contre-attaquer, il lance à ses camarades :

---

5. Les Allemands ont envahi la Norvège le 9 avril. Sur mer les Anglais sont victorieux, mais sur terre les débarquements franco-anglais tournent vite fort mal. Seul point du territoire où nous réussissons non seulement à nous maintenir mais à vaincre : Narvik à l'extrême nord. Cette fois la distance joue en faveur des Alliés.

6 Si bien que Roger Bruge, historien de la ligne Maginot pourra écrire avec

— Vous le direz, après la guerre, que mes hommes étaient braves.

Ce sont des braves également ceux qui luttent pour interdire aux Allemands le passage du pont de Gien et, cinq fois, les repoussent, ne leur livrant qu'une ville mutilée et fumante.

Ce sont des braves ces hommes du 44e bataillon de chars de combat qui interrompent sans cesse leur retraite ordonnée pour venir garder un pont, rallier quelques fantassins dégoûtés d'une trop longue fuite, et, avec eux, écraser des nids de mitrailleuses, démolir des antichars qui les ont dépassés. « Une seule chose compte ! nous voulons tenir !... nos chars sont sales, meutris, marqués des profonds coups de griffe des antichars ; mais à la première sollicitation du démarreur, le Renault recommence son ronron familier [7]. »

Hommes de courage qu'irrite et scandalise la panique provoquée par le moindre bruit de moteur d'avion. Qui ont vu, dans les bois de Neauphle, près de Paris, une colonne de convoyeurs d'une base aérienne briser, à coups de masse, les moteurs de leurs camions puis s'enfuir entassés dans les machines qui leur semblaient en meilleur état. Qui ont vu le propriétaire d'une Packard foncer sur l'aspirant qui lui interdisait de doubler la file des réfugiés.

Ce sont des braves ceux qui luttent dans les forts de la ligne Maginot soumis, entre Sarreguemines et Saint-Avold, par exemple, à partir du 14 juin, au bombardement de plus d'un millier de canons, la plus forte concentration d'artillerie de toute la campagne de France. Certains d'entre eux résisteront encore l'armistice signé et il faudra que l'état-major français leur donne l'ordre de cesser le feu, pour qu'ils renoncent à leur combat solitaire.

Et ce sont des braves ceux qui s'évadent de ces longues colonnes de prisonniers que les Allemands dirigent vers d'énormes camps où ils les entassent dans la poussière, la saleté, la puanteur. Non par sadisme, mais parce que tout va trop vite et qu'ils ne s'attendaient pas à cueillir en cinq ou six semaines, cette formidable moisson : près de 2 millions d'hommes, captifs vite affamés (50 grammes de pain après trois jours de camp), indisciplinés, épuisés de fatigue, n'ayant plus qu'un seul

---

vraisemblance que la guerre 1939-1940 se résume, pour les Français, en trois noms de villes : Sedan, Dunkerque, Saumur.

Il y a, à Saumur, 786 élèves de l'École de cavalerie et 1 500 fantassins. Les Allemands sont cinq fois plus nombreux et infiniment mieux armés.

7 René BARDEL, *Quelques-uns des chars.*

vœu ; la paix, la paix dont ils croient qu'elle les rendra sans délai à leur travail et à leur foyer.

L'officier allemand, l'écrivain allemand Ernst Jünger, qui est installé à Montmirail dans le château de La Rochefoucault, les a vus ainsi. « Presque tous les prisonniers — il y en a plus de dix mille — étaient abrutis et posaient seulement deux questions : Aurons-nous à manger ? La paix est-elle conclue ? Je leur fis répondre que Pétain avait demandé l'armistice et l'on pouvait voir à leur réaction quel trésor représentait la paix pour eux. »

Dans ces conditions, et alors que l'on peut légitimement croire que tout est fini, s'évader constitue une prouesse morale plus encore que physique.

Mais que dire de ceux qui, obstinément, lorsqu'ils sont dépassés par l'avance allemande marchent pendant des jours ou, le plus souvent, pendant des nuits, pour rejoindre la ligne de feu, la traverser et venir reprendre leur place au combat ?

C'est le cas du maître mécanicien d'aéronautique Adrien Peyrade[8]. Il se trouve à Boulogne le 23 mai 1940 et, avec six volontaires, assure la défense du fort d'Alprech. Fait prisonnier une première fois par les équipages de deux chars allemands, il s'évade et, depuis son refuge, blesse ou tue deux tankistes. Repris quelques heures plus tard — et bien traités d'ailleurs par des soldats qui l'invitent à s'attabler en leur compagnie — il profite de la confusion qui règne dans le convoi pour se dissimuler et fuir. Alors commence un long voyage qui durera quarante et un jours.

Aidé par les uns, menacé de dénonciation par les autres ; vivant de confitures et d'œufs découverts dans des fermes abandonnées ; traversant par des moyens de fortune la Somme, puis la Bresle ; vendant aux habitants de Nesle des paquets de tabac trouvés dans un wagon perdu par l'intendance française ; ayant la chance de découvrir, à Aumale, un vélo sans propriétaire ; hébergé par un adjudant en retraite de Neaufles-Saint-Martin ; le 19 juin, dormant à Dreux et, pour la première fois, dans un lit ; mangeant la soupe populaire des cantines de La Flèche ; évitant Saumur bombardé, puisque les Allemands y raflent les bicyclettes ; questionnant tous ceux à qui il croit pouvoir faire confiance et leur demandant des nouvelles de cette guerre qu'il veut

8 Mort le 10 juillet 1944.

rejoindre, il finit par arriver à Rochefort le 22 juin, deux jours avant la signature de l'armistice.

Il se présente alors au commandant Meaux, adjoint au préfet maritime, qui lui ordonne de rallier Hyères par Saintes, Cognac, Angoulême et Mareuil où, sans difficulté, il franchit la ligne de démarcation qui, depuis quelques jours, sépare la France en deux.

Le récit d'Adrien Peyrade s'achève sur ces mots naïfs, peut-être, mais consolants : « Le 4 [juillet] je me présente à la base où j'ai la joie de retrouver mon commandant et mes camarades rescapés de l'escadrille AB1 après un voyage de quarante et un jours. »

Il y a tous ceux-là.

Il y a ceux qui vont sauver la flotte française, la plus puissante que notre pays ait jamais possédée[9], qui lui feront quitter Brest alors que les Allemands accourent et qui, dans une ville en folie, où lâcheté et héroïsme se côtoient, où glissent des pillards, hurlent des soldats ivres, pleurent des femmes, vont réussir, à force de volonté, un véritable miracle.

83 bâtiments de guerre partiront en effet. Non seulement ceux qui sont parés mais surtout ceux qui sont en réparation, ceux qui sont en voie d'achèvement, les mal fichus, les pas finis, et sur lesquels il faut, jusqu'à la dernière minute, faire travailler les ouvriers de l'arsenal. S'échappera le cuirassé *Richelieu,* de Saint-Nazaire le *Jean-Bart,* dont l'évasion a été racontée bien des fois, car elle témoigne de l'acharnement mis par la Marine à sauver ses navires de la capture. En principe, en effet, le premier allumage des chaudières n'avait pas été envisagé avant la seconde quinzaine de juillet. Il aura lieu les 12, 13 et 16 juin. L'appareil à gouverner sera essayé le 16. Le réseau téléphonique intérieur fonctionnera pour la première fois le 18. Une seule des tourelles de 380 sera à demi achevée et c'est dans l'après-midi du 18 que l'on installera fébrilement une partie de l'artillerie contre avions, livrée le 15 par la fonderie de Ruelle. A 3 h 30 du matin, le 19, par une passe, qui devait être draguée à la cote — 5,20 m et avoir 70 mètres de

9. 4 cuirassés modernes (*Dunkerque, Strasbourg, Richelieu, Jean-Bart*), 5 anciens, un transport d'avions, 7 croiseurs de 10000 hommes, 11 croiseurs de seconde classe, 28 torpilleurs, 39 contre-torpilleurs (après Dunkerque), 78 sous-marins

large mais dont la cote n'est que de — 3,50 m, la largeur de 45 mètres parce que, là aussi, le temps a fait défaut, le *Jean-Bart* s'éloigne enfin à toute petite vitesse.

Et avec la flotte de guerre, partent, de tous les ports menacés, des centaines de navires marchands, des paquebots, des pêcheurs, des caboteurs, des bâteaux-poubelles, des barques de rien, des barques chargées de mille riens, des barques qui portent un morceau du Trésor de la France puisque l'or de la Banque de France, arrivé de Paris à Brest, est embarqué aussi bien sur des paquebots [10], que sur le cuirassé *Richelieu* où le chalutier *Barbue* un dieppois qui fera route, le 19 juin, vers la Gironde, avec 140 millions, dont 40 en or.

La flotte, tout ce qui peut tenir la mer, cuirassé, torpilleur, malle-poste, paquebots pour l'Afrique ou l'Asie, thonier crasseux, tout s'en va, parce que tout est objet de convoitise.

Convoitise allemande, convoitise anglaise.

Que la Wehrmacht s'empare, dans les ports de l'Atlantique, d'une importante partie de la flotte française et le sort de la guerre peut être modifié puisque l'Allemagne obtiendra ainsi la possibilité de tenter l'invasion de l'Angleterre [11].

Que l'Angleterre arrive à convaincre Darlan, ou, individuellement, quelques-uns de ceux qui commandent les plus importants de nos vaisseaux de se rallier à sa cause, et le sort de la guerre peut être modifié à un moment où l'île désarmée, offerte à presque tous les coups, manquant cruellement de tonnage, met son dernier espoir dans la marine pour disperser, décourager et détruire ces navires, capturés un peu partout, rassemblés bientôt sous le pavillon nazi et qu'Hitler poussera peut-être un jour à franchir le pas de Calais.

10. Quatre paquebots : *El Djezaïr* qui embarquera 3 658 caisses d'or et 9 sacoches ; *Ville d'Alger*, 4 107 caisses et 9 sacoches ; *El-Mansour*, 194 caisses et 241 sacoches ; *El-Kantara*, 1 227 caisses et 1 210 sacoches. Chaque caisse (40 centimètres de long, 20 de large et 10 de haut) pèse 60 kilos et contient 50 kilos d'or en lingots. Sur le *Ville d'Alger* 5 matelots voleront un sac de 10 000 pièces d'or en le remplaçant par un sac d'avoine.

11. Il importe d'ailleurs à l'Allemagne et à l'Italie victorieuse que la flotte française, qui ne souffre d'aucun traumatisme moral, puisqu'elle n'a pas été vaincue, à défaut d'être saisie, soit sérieusement neutralisée. C'est pourquoi, au moment des négociations d'armistice, les Allemands éviteront tout ce qui pourrait blesser ou révolter la marine française et l'amiral Darlan

Songeant, bien plus tard, aux périls qu'avait alors courus son pays — lorsque presque tout le monde le croyait perdu [12] — Churchill écrira que Darlan, venu avec la flotte et les colonies et l'or de la France eût été reçu en sauveur. « Il ne se serait pas présenté comme le fit le général de Gaulle avec seulement une âme indomptable et quelques hommes animés du même esprit... Rien n'eût pu l'empêcher de devenir le libérateur de la France. La gloire et la puissance qu'il avait tant désirées étaient à portée de la main. »

Le 11 juin, déjà, en Touraine, le Premier ministre britannique a interrogé Darlan.

— Darlan, si vous demandez l'armistice, il ne faut pas rendre la flotte aux Allemands.

— Il n'en est pas question. Nous coulerons la flotte plutôt que de la livrer.

Oui, l'assurance est formelle. Darlan la répétera à plusieurs reprises, affirmera qu'en « aucun cas » la flotte ne sera livrée, donnera des consignes de sabordage immédiat si un étranger menace nos vaisseaux, et on verra bien, par la suite des événements, qu'il ne s'agit nullement de paroles en l'air, mais d'ordres faits pour être respectés et qui seront respectés.

Cependant Churchill, déçu par cette armée française en qui il avait mis une si grande confiance, par ces politiciens dont les belles phrases et les promesses restent du domaine du bavardage, craint que les Allemands, par force ou par ruse, ne s'emparent finalement de la flotte et, grâce à elle, ne puissent tenter ce débarquement qui hante l'esprit des Anglais.

La méfiance, la peur, l'imagination débridée de Churchill le pousseront aux extrêmités les plus graves puisque le 3 juillet il donnera l'ordre de bombarder et couler la flotte française ancrée à Mers el-Kébir. Si l'Angleterre ne peut l'utiliser, au moins, que nul n'en dispose. C'est à travers Mers el-Kébir — témoignage d'une angoisse affreuse mais aussi d'un mépris total pour la parole des Français — que l'on comprendra mieux (rétrospectivement) ce qui s'est passé, à Bordeaux, dans les deux derniers jours du ministère Reynaud.

12. Au moment de la chute de la France un sondage réalisé aux États-Unis montre que 35 % des Américains estiment que l'Allemagne gagnera la guerre Les chances anglaises n'ont plus que 32 % de partisans.

Bordeaux.

Le 15 et le 16 juin, dans une ville encombrée de réfugiés en quête de logement plus que de pain, mais également de politiciens qui se partagent en clans farouchement opposés et refont, dans quelques salles de classe et dans un cinéma, un petit parlement avec des haines recuites et des querelles neuves, Paul Reynaud, à chaque heure continue à perdre des alliés. Il les perd d'autant plus rapidement qu'il se montre sans fermeté autre que verbale, girouette tournant aux vents des mauvaises nouvelles, cependant que Pétain et Weygand se font toujours plus catégoriques.

Étrange Paul Reynaud. Il faut toujours en revenir à lui. Son caractère n'étant plus à la mesure de son ambition et de son intelligence, il se laisse conduire par son entourage, mais son entourage est disparate, divisé, si bien qu'il va et vient, de résistance en abandon, d'abandon en résistance, prêtant l'oreille à Villelume qui lui dit (le 15 encore) qu'il faut arrêter sans tarder les hostilités, écoutant de Gaulle qu'il vient d'envoyer à Londres pour obtenir les concours qui permettraient peut-être de poursuivre le combat en Afrique du Nord, écoutant Jeanneney, Herriot, Mandel, qui appartiennent au clan des jusqu'au-boutistes, songeant (à nouveau) à limoger Weygand parce que le général en chef rejette l'idée d'une capitulation contraire à l'honneur militaire et veut un armistice, acte politique dépendant du seul gouvernement, puis renonçant à son idée ; admettant enfin que Mme de Portes s'entremette auprès de Pétain, suggère au Maréchal de prendre la tête d'un gouvernement où Paul Reynaud serait vice-président du Conseil.

Et comme, au soir du 15 juin, sa maîtresse, exaspérée de ne pas le rallier à ses vues lui dit, faisant allusion aux bruits qui courent sur sa naissance... mexicaine, bruits accrédités par son visage aux yeux bridés, aux pommettes saillantes.

— D'ailleurs mon pauvre Paul, vous n'êtes même pas français et vous ne pouvez donc pas penser en Français...

il se contente de lui envoyer au visage, après une succession de « Chiche... chiche » qui donnent à la tragédie, allure de gaminerie, le contenu de deux verres d'eau...

Depuis son arrivée à Bordeaux Reynaud n'influence plus le Conseil des ministres mais est influencé par les ministres qui estiment que les

Anglais ont trop peu agi. trop peu payé, trop peu souffert, pour avoir le droit, aujourd'hui que la France est à terre, de se montrer exigeants.

Si selon le mot de Chautemps, vice-président du Conseil, la journée du 16 juin est « la moins claire des journées qui ont mené à l'armistice », il ne faut pas accuser seulement le caractère mobile de Reynaud. Il faut songer également qu'aucun procès-verbal n'est tenu. Ce n'est pas la tradition et l'on ne rompt pas la tradition, même pour enregistrer l'agonie de la France. Qu'aucun vote n'aura lieu : ce n'est pas la tradition non plus. On ignorera donc toujours qui a dit quoi, qui a pris tel parti ou tel autre. Reynaud, à l'instant où tout se joue, est conduit à interpréter les mouvements de visage, plissements d'yeux, hochements de tête pour savoir dans quel camp tel silencieux se range. Au moment où tout devrait être clair, lumineux, rapide, la politique ressemble à la paléontologie.

Les années passant, les victoires alliées aidant, beaucoup d'acteurs de ces jours dramatiques, assurés de n'être jamais démentis par un document soudain produit ou découvert, ont d'ailleurs modifié leurs positions pour améliorer leur statue, si bien que les voiles se sont épaissis encore.

Quoi qu'il en soit, le samedi 15 juin, Reynaud, au cours du Conseil des ministres, prend, exceptionnellement, quelques notes.

Sur une feuille de papier il marque, en effet, les noms des six ministres — six seulement — qui se sont, lui semble-t-il, puisqu'il en est réduit à lire sur les visages, opposés à une proposition faite par le vice-président du Conseil Camille Chautemps. De quoi s'agit-il ? Pour « en sortir », pour rétablir la cohésion du ministère, Chautemps propose une transaction qui est dans sa ligne d'homme, habile à manier la conciliation[13] dans les jours où la tempête n'est que parlementaire, mais impuissant à trouver « un joint » — suivant son expression — lorsque parlent les armes.

Car, adoptée, sa proposition briserait les ressorts qui soutiennent encore la fragile mécanique française. Chautemps suggère, en effet.

---

13. « Vous savez mieux que personne, écrira-t-il à Lebrun, en 1945, que c'est ce que j'ai toujours fait [concilier] dans tous les Conseils difficiles au cours de ma carrière, que c'est en raison de cette ductilité d'esprit que l'on me reconnaissait, qu'on jugeait ma présence utile au gouvernement dans les moments de crise. »

que l'on demande secrètement aux Allemands leurs conditions d'armistice.

— Si, dit-il, contrairement à notre attente, ces conditions apparaissaient modérées, nos amis anglais seraient sans doute d'accord avec nous pour les étudier. Si au contraire... elles sont catastrophiques ou déshonorantes, j'espère que le Maréchal, éclairé sur son illusion, sera désormais d'accord avec nous pour la continuation de la lutte. Ainsi, la division et la dissociation de notre gouvernement seront évitées.

Aux côtés de Paul Reynaud, qui voit immédiatement le danger de la « transaction » Chautemps, six ministres seulement : Rio, Marin, Delbos, Georges Monnet, Rollin, Serol. Sur son papier le président du Conseil n'inscrit ni le nom de Dautry, ni celui de Campinchi, ni celui de Georges Mandel qui comptent cependant, même s'ils n'ont pas demandé la parole au cours de ce Conseil des ministres, parmi les adversaires les plus déterminés de l'armistice. C'est à n'y rien comprendre. Et d'ailleurs ces deux journées demeurent pleines de mystères si l'on oublie l'état de confusion où la défaite a jeté la France. Pour la proposition Chautemps donc treize noms mais, là encore, comme aucun vote n'a eu lieu Reynaud en est réduit à des suppositions, des interprétations qui, plus tard, lui seront vivement reprochées.

Se sentant désavoué le président du Conseil menace de donner sa démission... puis, faisant marche arrière, se contente d'adresser au gouvernement anglais un télégramme dans lequel il explique que le Conseil a décidé d'approcher le gouvernement de sa Majesté pour lui demander l'autorisation [14] de s'enquérir, par l'entremise du gouvernement des États-Unis, des conditions d'armistice qui pourraient être offertes à la France par les gouvernements allemand et italien.

« Si le gouvernement de Sa Majesté autorise le gouvernement français à entreprendre cette démarche, le président du Conseil est autorisé à déclarer, de son côté, que la reddition de la flotte sera jugée une condition inacceptable. »

Reynaud ajoute que si le gouvernement anglais n'accorde pas l'autorisation sollicitée il sera vraisemblablement amené à se retirer et il exprime le vœu de rencontrer sans plus tarder Winston Churchill.

---

14. Toujours, on le voit, le poids de l'accord du 28 mars.

Le 15 juin, Reynaud songeait à démissionner. Le 16 c'est au tour du maréchal Pétain de jeter sa démission dans la balance. Il le fait après avoir entendu le président du Conseil dire aux ministres réunis, à 11 heures, que la réponse des Anglais à son télégramme de la veille n'est pas encore parvenue [15] mais qu'il lui semble que le cabinet britannique se montrera moins conciliant que Churchill ne l'a été jusqu'alors.

L'annonce de cette intransigeance supposée, intransigeance dont Reynaud se sert dans l'espoir de prolonger encore la lutte et de durcir les volontés, va tout au contraire du but recherché. On le comprend. La veille, le général Georges a reçu, en effet, de sir John Dill, chef de l'état-major impérial britannique un message mettant un terme à la collaboration militaire franco-britannique puisque le général Brooke, qui commande les troupes anglaises encore stationnées en France, est délié de tout devoir envers le haut commandement français. La division canadienne, envoyée par Churchill en renfort rembarque sans avoir combattu, les troupes britanniques se replient vers Cherbourg, et l'état-major du général Brooke est réduit à quatre officiers et deux secrétaires. Le 16 au soir, 47000 soldats anglais sont déjà en route pour la mère patrie.

Et c'est au moment où les Anglais nous retirent décidément tous leurs concours qu'ils se montreraient intraitables !

Le maréchal Pétain, exaspéré, se lève et déclare que le temps qui passe ajoute à la désagrégation de nos armées dont la lutte n'est plus coordonnée et qui se révèlent désormais impuissantes à contrarier l'avance allemande vers la Loire comme vers Lyon.

— L'inévitable solution n'a été que trop retardée. Je ne veux pas m'associer à ce retard dont la France tout entière paye les conséquences.

Il va partir. On le retient. Mais s'il accepte de ne pas démissionner « à condition que l'on se hâte de prendre une décision », il refuse de se rasseoir. Pour détendre un climat passionné, et dont il devine que peut surgir le pire, Reynaud propose alors un nouvelle réunion à 15 heu-

15. C'est exact mais l'ambassadeur de Grande-Bretagne et le général Spears ont dit à Reynaud que le gouvernement britannique acceptait sans doute de relever la France de son engagement à condition que la flotte française gagne les eaux anglaises. Reynaud ne souffle mot de cet entretien aux ministres réunis

res, heure à laquelle il espère pouvoir donner connaissance de la réponse de Churchill.

Le télégramme anglais arrive en effet peu après 13 h 30. Mais il ne satisfait pas le général Spears qui songe à le soustraire provisoirement aux Français dont il devine qu'il brisera le peu d'énergie qui leur reste encore. Il s'agit en effet d'une autorisation « à une enquête du gouvernement français en vue de connaître les conditions d'un armistice pour la France *à condition que la flotte française soit dirigée aussitôt sur les ports britanniques en attendant l'ouverture des négociations* ».

Spears et Reynaud n'ont donc pas grand mal à décider que ce fâcheux télégramme, qui renforcerait la position de Pétain, de Chautemps, de tous ceux qui veulent l'armistice, ne sera pas évoqué par le président du Conseil au cours du Conseil des ministres qui s'ouvrira tout à l'heure. Pour parler de l'autorisation anglaise, Reynaud attendra d'avoir rencontré Churchill à qui il fait proposer, pour le lendemain, un rendez-vous à Concarneau.

Il attendra également de connaître les propositions nouvelles sur lesquelles le cabinet britannique est en train de se prononcer, propositions dont de Gaulle, qui se trouve « officiellement » à Londres pour préparer l'envoi des navires anglais capables d'évacuer nos troupes vers l'Afrique du Nord, lui a téléphoniquement fait miroiter l'importance sans lui dire encore tout l'objet.

— Quelque chose de très important se prépare du côté anglais pour aider la France. Je ne peux être plus précis mais sans doute voudrez-vous ne prendre aucune décision grave avant de connaître la teneur du message du gouvernement anglais.

— Chaque minute compte, répond Reynaud, nous aurons un Conseil des ministres décisif cet après-midi. Je peux le repousser un peu, mais en aucun cas après 17 heures. Faites vite et faites fort. Il faudrait que ce geste fût d'une portée considérable pour arrêter le courant en faveur d'une négociation immédiate avec les Allemands.

— Il l'est, assure de Gaulle.

Il l'est en effet.

Il l'est même tellement que sa nouveauté révolutionnaire contribuera considérablement à son échec.

A 16 h 30 de Gaulle téléphone à nouveau. Cette fois il peut parler.

C'est pour annoncer à Paul Reynaud que les ministres anglais viennent d'accepter le principe d'une union intime franco-britannique qui ferait de chaque Français, un citoyen britannique, de chaque Anglais un citoyen français. Les deux nations mettraient en commun leurs armées, leurs parlements, leurs ressources, leurs territoires. A la surprise allemande des blindés et des avions, les alliés, à la veille du désastre, répondraient par la naissance d'une nation tentaculaire, installée sur tous les continents et dont Hitler ne pourrait jamais venir à bout puisque ses armées, sous commandement unique, seraient partout dans le monde et qu'une défaite ne pourrait être que locale et provisoire.

L'idée n'est pas de De Gaulle mais de Jean Monnet qui, en poste à Londres, où il préside le Comité de coordination franco-britannique, est bien placé pour juger les fragilités de la coalition, dont les forces ne représentent jamais une addition parfaite mais, dispersées, mal employées, souffrent d'une tragique déperdition de puissance. Après avoir suggéré que l'on « unisse » véritablement les deux aviations, Monnet, le 13 juin, saute le pas et rédige une note de cinq pages qui aurait pu devenir l'un des textes les plus importants de l'histoire du monde et qui connaîtra le sort des projets avortés [16].

Ce document, dont la seule chance réside dans l'ampleur du drame, a assez vite convaincu Churchill et les ministres britanniques malgré (ou à cause de) tout ce qu'il comporte de flou, de naturellement imprécis. Va-t-il séduire Paul Reynaud ? Et les ministres français ? Reynaud, oui. Sous la dictée de De Gaulle [17] il prend en note et, répète chaque mot de ces phrases qui le stupéfient d'abord puis l'enthousiasment, comme elles stupéfient et enthousiasment le général Spears qui, avec l'ambassadeur Campbell, se trouve aux côtés du président du Conseil français.

« A l'heure du péril où se décide la destinée du monde moderne... », dit la voix sourde de De Gaulle. « A l'heure du péril, répète la voix aigre de Reynaud, où se décide la destinée du monde moderne, les gouvernements de la République Française et du Royaume-Uni, dans l'inébranlable résolution de continuer à défendre

---

16. Jean Monnet consacre les premières pages de ses Mémoires au récit de cette tentative d'union

17 De Gaulle lui a d'abord dit qu'il lui apporterait le texte par avion

— Ce sera trop tard, réplique Reynaud. La situation s'est beaucoup aggravée depuis tout à l'heure Il y a eu des événements imprévus

la liberté contre l'asservissement aux régimes qui réduisent l'homme à vivre d'une vie d'automate et d'esclave, déclarent : « Désormais, la France et la Grande-Bretagne ne sont plus deux nations mais une nation franco-britannique indissoluble... ».

Les mêmes mots n'ont pas le même poids.

Lorsque Paul Reynaud lit, aux ministres assemblés, à partir de 17 h 15, dans l'hôtel du préfet de la Gironde, pour ce qui sera le dernier Conseil des ministres de la IIIe République : « Une Constitution de l'Union sera rédigée, prévoyant des organes communs chargés de la politique économique et financière et de la défense de l'Union » et encore « chaque citoyen français jouira immédiatement de la nationalité anglaise. Chaque citoyen britannique devient un citoyen français... Durant la guerre, il n'y aura qu'un seul cabinet de guerre pour la direction suprême de la guerre [18]... Les deux Parlements seront associés... La Grande-Bretagne forme immédiatement de nouvelles armées. La France maintiendra ses forces disponibles », toutes ces formules, toutes ces propositions révolutionnaires tombent à plat.

Pire, elles sont reçues avec quelque hostilité par des ministres qui se laissent gagner par l'anglophobie populaire. Après tant de manquements à l'alliance, de la part d'un pays qui a contribué à nous engager dans la guerre et nous y a laissés seuls, après certains épisodes choquants de la retraite de Dunkerque, après notre quête quotidienne et vaine de ces avions anglais qui auraient rassuré nos troupes en fuite, la proposition Monnet-Churchill-de Gaulle apparaît à presque tous les ministres comme un grossier subterfuge pour enchaîner la France accablée, hors d'état de traiter sur un pied d'égalité avec une Angleterre dont la puissance demeure intacte.

C'est l'urgence qui donne à la proposition d'union franco-britannique ses chances. C'est l'urgence qui les lui retire, car tout va trop vite et il était illusoire de penser faire adopter par vingt-cinq ministres, *sans examen, sans consultation du Parlement, comme à l'esbroufe*, l'un des projets les plus importants de toute l'histoire de France, projet dont le romantisme peut séduire des esprits romanti-

18. De Gaulle a laissé espérer à Reynaud qu'il pourrait en être le premier président. Ce qui a fait dire à Villelume — hostile au projet — qu'il serait très vite renversé.

ques, des hommes d'imagination capables de faire entrer dans leur jeu les grands espaces et les idées révolutionnaires mais non des hommes de raison, rivés au présent, soucieux d'arrêter un massacre dont ils pensent qu'il ne se poursuit plus qu'au seul bénéfice de l'Angleterre.

Que la phrase « La France ne peut devenir un dominion » ait été prononcée par Chautemps ou par Ybarnégaray n'a aucune importance. Il est surtout important de savoir qu'elle traduit l'état d'esprit de la majorité, et sans doute de la quasi-totalité des ministres[19]. Après la guerre, après la victoire, quelques survivants prétendront avoir défendu le projet, mais Reynaud écrira « Personne, dans le Conseil, ne prend la parole pour me soutenir. Ni Campinchi, ni Mandel, ni Louis Marin ! Je suis rigoureusement seul à accepter l'offre imprévue d'une incroyable générosité de M. Churchill. »

« Rigoureusement seul »... Pendant la discussion, un huissier a entrouvert la porte et glissé au président du Conseil un mot de sa maîtresse. « J'espère, écrit Mme de Portes, que vous n'allez pas jouer les Isabeau de Bavière. » L'allusion à cette reine de France qui, par le traité de Troyes, remit la France au roi Henri V d'Angleterre, constitue la plus grave injure qui puisse atteindre ce Paul Reynaud à la psychologie aussi attachante que déconcertante.

Pour la plupart des ministres d'ailleurs, le projet d'union n'est qu'un nouveau moyen inventé par Reynaud et Churchill pour gagner du temps. Ils se souviennent que le président du Conseil a joué, pour les faire patienter, de l'aide anglaise dont il grossissait l'importance, puis de l'aide américaine dont il faisait miroiter l'imminence. Ils le soupçonnent maintenant de farder la vérité, sinon de la masquer[20] et pensent qu'il chevauche toujours des chimères cependant, qu'à coups redoublés, la guerre frappe à la porte.

Paul Reynaud n'a pas achevé de parler en faveur de « l'union

---

19. Weygand évoque au sujet du projet d'union « les conditions d'infériorité matérielle dans lesquelles son sacrifice à la cause alliée avait placé la France [qui] l'auraient située, en cas d'acceptation, dans un état de vassalité impossible à concevoir ».

20. Ce qui est exact. Reynaud a toujours caché aux ministres la véritable position de Churchill. A Bordeaux il ne fait pas mention du télégramme envoyé par le Cabinet britannique, télégramme qui nous donne l'autorisation d'entreprendre des négociations d'armistice.

intime » que le général Lafont, qui commande la région militaire, paraît avec son lot de mauvaises nouvelles : les Allemands ont atteint Dijon, la forêt de Fontainebleau est occupée. Le texte de la dépêche du général Georges, lue par Lafont, se termine ainsi : « GRAVE SITUATION DE RAVITAILLEMENT POUR TROUPES ET POPULATION CIVILE REPLIÉES. MANŒUVRES DIFFICILES EN RAISON EMBOUTEILLEMENT DES ROUTES ET BOMBARDEMENT DES VOIES FERRÉES ET DES PONTS. NÉCESSITÉ ABSOLUE PRENDRE DÉCISION. »

Tous les grands projets (union franco-britannique — départ pour l'Afrique du Nord) s'effondrent sous la poussée du drame.

« Nécessité absolue prendre décision »

C'est le « Mane, thecel, pharès » d'un régime.

— Si nous ne faisons pas l'armistice, déclare Pétain, la France sera soumise à un régime effroyable, car rien ne pourra la défendre contre les actes des Allemands.

— Vous avez élevé, place de la Concorde, réplique Reynaud, une statue à Albert Ier, en raison de sa fidélité à ses alliés. Aujourd'hui, vous avez le choix : Albert Ier ou Léopold III !

Le duel Pétain-Reynaud reprend au moment où tout s'achève.

Choc de deux personnalités, de deux sentimentalités, de deux conceptions de la réalité, de deux visions de l'avenir. Autour de chaque leader mais, avec des nuances, car on ne s'affronte pas dans un Conseil des ministres comme sur un terrain de rugby, des hommes qui prononcent quelques paroles que l'Histoire, faute de secrétaire impartial, ne retiendra pas.

Combien d'adversaires, combien de partisans de l'armistice ? Nul ne pourra jamais le dire. Un ministre, sans doute l'un de ces non-parlementaires naïfs qui aiment les idées claires et les situations nettes, a bien proposé que l'on vote, mais Reynaud a refusé, se contentant, une fois encore, de scruter les visages, de tenter de deviner, à travers des mots avancés souvent avec une infinie prudence, les hésitations des uns, les scrupules des autres.

A la Libération, des rescapés du ministère Reynaud affirmeront que si Reynaud, faisant fi des traditions (il en avait bousculé bien d'autres) avait demandé : « Quels sont ceux d'entre vous qui sont pour, quels sont ceux qui sont contre l'armistice ? » et fait voter, l'armistice aurait été repoussé. Par 14 ou 15 voix contre 10 ou 9, affirmeront-ils, tandis que Paul Reynaud, s'enfermant dans la logique de sa vérité, n'allait cesser de répéter que, le 16 au soir, il était minoritaire et que les deux vice-présidents du Conseil — Pétain et Chautemps — avaient rallié assez de ministres pour désormais l'empêcher de gouverner.

Pétain ? Chautemps ? Oui. Et Mme de Portes. Et la fatigue qui pèse sur Reynaud, fatigue énorme, intense, si grande qu'après sa démission il apparaîtra brutalement à tous les témoins, comme soulagé et rajeuni. Et les chars allemands qui ne sont qu'à quelques heures de route de la ville, de cette fausse capitale où la France se réfugie pour toutes les tragédies de son histoire.

C'est fini.

Reynaud ne tentera pas l'épreuve de force. Sans doute pourrait-il remanier son ministère pour en faire le ministère de la Résistance. Ou si, trop épuisé, il veut « passer la main », pourrait-il conseiller à Lebrun, d'appeler Mandel ? Ou encore, se séparant de tous et de tout, partir pour l'Afrique du Nord, pour l'Angleterre.

Il ne fera rien de tout cela. Il annonce simplement qu'à son avis, la majorité des ministres paraît favorable à la proposition Chautemps et qu'il ne saurait lui, lui Reynaud, qui s'estime toujours engagé par l'accord signé avec les Anglais le 28 mars, demander aux Allemands leurs conditions d'armistice.

Le gouvernement se réunira donc à nouveau à 22 heures pour enregistrer la démission du président du Conseil.

Entre-temps (moins de deux heures trente) peut-être trouvera-t-on une solution miracle...

15

LE PEUPLE DANS LE DÉSASTRE

Naturellement aucune solution miracle n'interviendra.

Le général Spears, que la nouvelle de la prochaine démission de Reynaud atteint cruellement, se précipite en vain pour remonter et, presque, « remettre en selle » le président du Conseil français, le forcer à se surpasser, lui insuffler cette volonté qui lui fait défaut à l'instant décisif.

En vain essaie-t-il d'entraîner Mandel en Angleterre. Mandel est opposé à l'armistice, la chose est certaine, mais le voilà ligoté par sa naissance. Un départ pour l'Angleterre le ferait immédiatement suspecter d'avoir rejoint le camp des apatrides, des fuyards, des grands banquiers internationaux juifs, de tous ceux pour qui la patrie se confond, non avec le sol et la légende, mais avec l'argent ou les idées. Il partira bien, prochainement. Oui, mais vers l'Afrique du Nord, terre française, afin que son geste ne l'isole pas de la communauté nationale.

En vain Jeanneney et Herriot tentent-ils discrètement, vers 21 heures, de conseiller au président Lebrun de conserver (ou de reprendre) Paul Reynaud, ils battent en retraite dès lors que le président de la République leur rappelle qu'il s'agit, pour le nouveau ministère, de demander les conditions d'armistice.

C'est Pétain qui s'impose.

Et c'est Pétain qui arrive [1].

1. Dans mon prochain ouvrage *Quarante millions de Pétainistes*, j'étudierai les conditions d'ascension et de prise du pouvoir, tant à Bordeaux qu'à Vichy, du maréchal Pétain.

Dans un mémorandum, en date du 1er juillet 1940, consacré à la chute de la France, l'ambassadeur américain Biddle écrira « On reconnaissait d'une manière générale dans les milieux officiels comme dans les milieux officieux, que le maréchal Pétain avait été choisi comme chef du nouveau gouvernement parce qu'il passait pour le seul homme qui pût amener le peuple à accepter des conditions d'armistice que l'on prévoyait rigoureuses, et qui pût empêcher une révolution. »

Quelle révolution ? Le peuple est brisé, affamé de paix, de nouvelles, de pain. Je sais bien que Mandel, ministre de l'Intérieur, a demandé, dès le 25 mai, trois régiments pour maintenir l'ordre à Paris ; que Bullitt a suggéré à Roosevelt l'envoi d'un croiseur qui apporterait à Bordeaux, en prévision de troubles, 5 000 à 10 000 mitraillettes ; que le général Weygand, le 13 juin, a été victime d'une fausse information, crue un instant, parce que tout est crédible aujourd'hui, lui annonçant l'installation de Maurice Thorez à l'Élysée ; qu'Alibert, chef du cabinet civil du Maréchal, postera quelques officiers aviateurs près du domicile de Pétain, et exploitera des rumeurs de complot pour faire arrêter Mandel ; qu'au moment des négociations d'armistice le général Huntziger évoquera le péril de révolution communiste pour arracher des troupes supplémentaires aux allemands, mais la révolution, vraiment, non.

Pétain fait en quelques minutes son gouvernement (il le sort de sa poche, dira plus tard Albert Lebrun surpris, agréablement surpris, de tant de célérité après tant de tergiversations) et immédiatement entame les négociations qui conduiront à l'armistice.

Lorsque, le 17 au matin, les Français apprennent la composition du nouveau ministère ils s'intéresseront moins aux dosages (prêteront-ils attention à la présence de deux socialistes ?), au fait que, sur dix-sept ministres, onze ont appartenu au Cabinet Reynaud, qu'aux intentions du nouveau Président du Conseil.

Aux intentions ?

A l'Intention.

Dans la nuit du 16 au 17 juin, Paul Baudouin, ministre des Affaires étrangères depuis quelques heures, prie l'ambassadeur d'Espagne, M. de Lequerica, de faire interroger Berlin sur les conditions d'un armistice. Il demande au nonce apostolique d'effectuer la même démarche auprès de Rome et fait part à l'ambassadeur de Grande-

Bretagne, comme à celui des États-Unis, de la décision qui a été adoptée, pratiquement sans débat, puisque tout a été dit dans les jours qui ont précédé, par les ministres réunis autour d'Albert Lebrun et du maréchal Pétain pour un Conseil dont la durée n'a pas dépassé trente minutes.

C'est au Maréchal qu'il appartient désormais de faire savoir aux Français, non point la gravité des problèmes, ils la connaissent. mais les solutions adoptées.

Il le fait à 12 h 30 après que, sur proposition du Conseil des ministres, Baudouin eut adressé à M. Cordell Hull, secrétaire d'État à la Maison-Blanche, une note précisant que le gouvernement français ne consentirait « à aucune condition contraire à l'honneur, à la dignité ou à l'indépendance nationale ».

Cependant qu'un orage gronde sur Bordeaux, hasard du ciel où de nombreux Français verront un signe, Philippe Pétain, installé dans un studio, devant une petite table de bois blanc, parle d'une voix chevrotante et bouleversée, d'une voix qu'aucun de ceux qui l'ont entendu ne pourra oublier, tant, dans la mémoire du cœur, elle demeure liée aux malheurs de la patrie.

« Français !

« A l'appel de M. le Président de la République, j'assume à partir d'aujourd'hui la direction du gouvernement de la France.

« Sûr de l'affection de notre admirable armée, qui lutte avec un héroïsme digne de ses longues traditions militaires contre un ennemi supérieur en nombre et en armes ; sûr que, par sa magnifique résistance, elle a rempli ses devoirs vis-à-vis de nos alliés ; sûr de l'appui des anciens combattants que j'ai eu la fierté de commander, je fais à la France le don de ma personne pour atténuer son malheur

« En ces heures douloureuses, je pense aux malheureux réfugiés qui, dans un dénuement extrême, sillonnent nos routes. Je leur exprime ma compassion et ma sollicitude. C'est le cœur serré que je vous dis aujourd'hui qu'il faut cesser le combat.

« Je me suis adressé cette nuit à l'adversaire, pour lui demander s'il est prêt à rechercher avec nous entre soldats, après la lutte et dans l'honneur, les moyens de mettre un terme aux hostilités.

« Que tous les Français se groupent autour du gouvernement que je préside pendant ces dures épreuves et fassent taire leurs angoisses pour n'écouter que leur Foi dans le destin de la Patrie. »

Mots qui crucifient et libèrent.

Mots espérés, attendus, mais qui déchirent l'âme.

Mots qui soulagent mais qui disloquent tout ce qui reste encore de solide (si peu, il est vrai) dans l'armature sociale et militaire de la France.

Parfois c'est à qui se battra pour ne pas se battre.

Exagération ? Non.

Les mots « C'est le cœur serré que je vous dis aujourd'hui qu'il faut cesser le combat » — même rectifiés par la suite — ont causé des ravages dans un peuple de civils et de soldats lassés par une incompréhensible guerre, une guerre psychologiquement mal préparée, techniquement mal menée, apparaissant, depuis son origine, comme déclenchée, sans le consentement sentimental des masses mais par quelque fatalité où les erreurs et les maladresses des gouvernements entrent pour une large part.

Les Allemands exploitent d'ailleurs les paroles de Pétain. S'en servent pour achever de démoraliser les troupes et pour dresser la population contre les quelques soldats qui voudraient se battre encore.

Car on verra cela [2].

Des maires, des conseillers municipaux se substituant aux autorités militaires, disant « ceci est bon », « ceci est mauvais », menaçant d'envoyer des femmes en médiatrices auprès des troupes allemandes, faisant détruire des barricades, réclamant parfois le concours des avant-gardes ennemies pour ramener à la raison les obstinés, les fous, les dangereux courageux qui veulent toujours et toujours faire sauter des ponts alors que la Werhrmacht a prouvé, depuis longtemps, qu'elle n'avait nullement besoin de ponts intacts pour gagner la guerre.

Lorsque le Conseil des ministres du 18 décide que les villes de plus de 20000 habitants ne seront plus défendues (décision qui a été prise après qu'Édouard Herriot eut obtenu l'abandon de Lyon), chaque maire fait ses comptes. Les réfugiés dont on ne voulait pas, soudain, on les appelle à hauts cris. En juin 1940, l'annuaire des communes ne saurait déterminer l'importance exacte des villes françaises alors que, dans le sablier géant du pays, toute la population a coulé du Nord au Sud. Ce qui importe d'ailleurs c'est ce que veulent des Français et, ils veulent la paix.

Lâcheté ? Il est difficile de juger, tant d'années après le drame, alors

2. Pages 428 et 429 j'ai déjà évoqué ce problème.

que le sentiment qui guide nos compatriotes accablés est d'abord celui de l'inutilité de toute résistance.

Peut-être, en d'autres temps, auraient-ils pu se conduire en héros le sous-préfet d'Avranches et l'adjoint au maire de La Bazoge. Mais, pour l'heure, ils intiment l'ordre au général de Camas, qui s'est réfugié avec quelques troupes dans la région de Mortain, de déguerpir sans tarder.

« Les troupes qui sont sur le territoire de la commune, ainsi que celles des communes voisines sont dans un état d'irrégularité envers le gouvernement français, ainsi qu'envers le gouvernement allemand, elles doivent soit se rendre aux autorités allemandes, soit s'en aller chez elles comme elles le pourront.

« La situation actuelle peut nous créer de sérieux ennuis, qui peuvent aller jusqu'à la dénonciation de l'armistice ou bien aussi des représailles.

« Il est absolument interdit de faire aucune réquisition, ces dernières ne seront pas payées. »

Document postérieur de quelques jours, certes, à la signature de l'armistice mais qui, dans un domaine où il n'y a pas génération spontanée, mais lente gestation des sentiments, montre le point atteint par l'opinion publique, une opinion publique lassée des discours toujours optimistes, toujours démentis de Reynaud, du vide des communiqués contrastant avec la réalité de l'avance allemande, marée que rien ne peut, semble-t-il, arrêter, ni ponts sautés, ni routes barrées, ni villes détruites. Alors à quoi bon, le 18 juin, préparer la défense de Sanary, dans le Var, en abattant un platane au coin d'une boulangerie ? A quoi bon le platane ? A quoi bon ?

A Vienne, les pouvoirs civils, militaires et religieux (sous-préfet, colonel en retraite, curé-doyen), s'associent pour une ambassade auprès des capitaines Luguet et Delegorgue, qui ont la prétention de défendre la ville.

— Ne tirez pas et vous rendrez compte que vos mitrailleuses se sont enrayées.

Mots dont la crudité scandalise. Mots qui seront niés plus tard, que leurs auteurs voudront « rattraper » et « gommer » pour donner d'eux, de leurs concitoyens et de leur ville, l'image héroïque seule digne de passer à l'histoire. Mais, dans les derniers jours de juin, combien de villes françaises souhaitent, admettent le destin de Varsovie engloutie vivante dans les flammes d'août 39 ?

La guerre, d'ailleurs, est une idée neuve pour toutes ces petites cités du Midi, qui ont enfoui, au cœur de la mémoire collective, le souvenir des vieilles guerres civiles, et blotties autour du Monument aux Morts, témoignage du sacrifice naturel des adolescents, s'imaginaient n'être jamais directement concernées.

Mais lorsque la guerre retrouve son terrain de chasse habituel, l'Est aux grands horizons couronnés de cimetières et de forêts hachées, le sentiment est-il différent ? Non. Dans la seconde quinzaine de juin, Verdun n'est plus qu'un mot, l'écho d'une très ancienne histoire, de quelque fable vécue loin dans le temps, par des Français étrangers aux Français de 1940.

A Metz le préfet Charles Bourrat, croix de guerre, Légion d'honneur à titre militaire, s'oppose, le 16 juin, à la mission du caporal-chef Lamourelle, chargé de faire sauter les ponts sur la Moselle.

— Je n'ai trouvé aucun officier, dit le petit caporal qui présente son ordre au préfet, alors je suis venu directement ici.

Le caporal Lamourelle et le préfet Bourrat défendent ainsi deux conceptions du devoir vis-à-vis de la France, cette France qui, n'ayant pu vaincre, doit survivre aux péripéties d'une bataille perdue.

… En supposant que le caporal Lamourelle ne soit pas soulagé par le contrordre de Bourrat et ne juge pas préférable de retirer ses explosifs [3].

Juin 40.

Les soldats se préoccupent moins de la guerre que de leurs familles dispersées aux quatre vents.

Et voici le soldat sur la route
Il recherche les siens
(Et marche et marche, use-toi les pieds !)
Il regarde et à gauche et à droite
Et ne voit toujours rien
(A droite, à gauche, ouvre bien les yeux)
Ohé, bonnes gens du village
Les avez donc pas vu passer ?
Une femme et deux gosses en bas âge
Finirai-je par les rencontrer ?

3. C'est lui, en tout cas, qui expliquera au préfet que si un obus atteint les ponts ils peuvent tout de même sauter et qu'il est donc nécessaire de désamorcer les charges. Ce qu'il fera.

Ce qui allait devenir *La Ballade du pont de Gien* fut conçu, le 17 juin, par le compositeur André Jolivet, soldat d'une armée en retraite et qui aspirait à regagner ses foyers.

Hélas ! le mirage sera de courte durée. Les Allemands font croire — et peut-être le croient-ils — au retour d'une paix rapide qui ramènerait chacun à la maison. « *Krieg fertig. Krieg fertig.* La guerre est finie. » Mots magiques qui précipitent les captures en transformant l'armée française en un immense et docile troupeau, rangé dans des casernes, où il attend le berger.

Le rapport de la Commision d'enquête sur les redditions suspectes, rédigé en août 1940 ne sera, sans doute, jamais publié. Mais les autorités supérieures ont leur large part de responsabilité dans des attitudes incompréhensibles et qui conduiront, par respect d'ordres absurdes ou mal interprétés, certains chefs à livrer leur bataillon ou leur régiment.

Un télégramme officiel du 17 juin a interdit aux généraux, commandant les régions, tout repli des autorités civiles et militaires, « même en cas d'arrivée de ''ennemi », et ce texte peu clair, fait en réalité pour stopper l'exode, servira de prétexte et d'excuse à tous ceux qui n'ont envie ni de se battre ni même de fuir.

Ordres et contrordres se succèdent d'ailleurs jusqu'à l'arrivée des Allemands. A La Ferté-Saint-Aubin les troupes françaises qui « défendent » la ville laissent passer, sans tirer un seul coup de feu, une colonne motorisée allemande forte de plus de cent véhicules. Près de Caen, Allemands et Français fraternisent dans les bistrots. A Pontivy, le commandant d'armes, qui jusqu'à 18 heures a soigneusement préparé la défense, est appelé au téléphone par le colonel commandant la subdivision de Lorient qui lui ordonne de ramener les troupes au quartier et de déposer les munitions dans un local fermé à clef...

Le commandant de Rémusat, qui arrive à Rennes avec douze automitrailleuses, trouve tout un état-major silencieux rangé derrière une table garnie d'étuis de revolvers.

Un colonel se précipite.

— Donnez-moi votre revolver !

— Il n'en est pas question.

— L'ordre est de se constituer prisonnier.

— Cet ordre je ne l'ai pas reçu.

— Il est fou !

« Il est fou ! » Le mot sera repris, quelques minutes plus tard, par un autre colonel, qui veut interdire à Rémusat de conduire ses auto-mitrailleuses loin de la caserne où elles seront stockées en attendant l'arrivée des Allemands.

— Vous ne sortirez pas.

— Je sortirai de gré ou de force.

— Il est fou, ouvrez les portes, laissez-les partir.

Comment s'étonner, dans ces conditions, que les Allemands « capturent » 200 000 soldats le 19 juin, encore 200 000 le 22 et 500 000 le 23 ? Il leur suffit de se montrer. A dix ou douze ils réussirent de formidables cueillettes d'hommes. Des hommes qui croyaient avoir affaire à des sergents démobilisateurs et ne tardent pas à découvrir leur tragique erreur lorsqu'ils se retrouvent enfermés dans des camps qui ne sont plus qu'un océan de misère et d'odeurs. En attendant, 100 par wagons faits pour 40, de partir en direction de l'Allemagne.

Effondrement d'un peuple.

Effondrement d'une armée.

Effondrement des hommes politiques.

Dans la soirée du 16 juin, à Bordeaux, le général Spears et l'ambassadeur Campbell arrivent à l'hôtel de la préfecture, désert, sombre et silencieux comme « une salle de théâtre, écrira Benoist-Méchin, où le rideau vient de tomber ».

Spears et Campbell cherchent désespérément le Français qui, les accompagnant en Angleterre, dira enfin que le combat continue. Ils interrogent d'abord Paul Reynaud, l'ami des bons et des mauvais jours.

— Viendrez-vous en Angleterre ?

— Non, répond Reynaud qui expliquera plus tard son refus, un refus qu'il a dû regretter très vite, par l'espoir qu'il gardait de reprendre le pouvoir si le maréchal Pétain échouait dans ses négociations avec l'Allemagne et si, soulevés par quelque sursaut d'indignation patriotique, les Français décidaient de reprendre la lutte.

Deux heures plus tard, ils se tournent vers Mandel.

— On croirait que je me sauve, que je cède à la panique. Dans deux ou trois jours, je ne dis pas non.

— Ne sera-t-il pas trop tard ?

Bien sûr il sera trop tard et Mandel sera arrêté, embastillé, livre, assassiné.

Le 18 juin, Monnet, Pleven et Monick quittent Londres pour Bordeaux. Ils ont convaincu Churchill de leur pouvoir de persuasion. Qu'on leur donne un avion assez grand. Ils se font fort d'arracher à la mélancolie de la défaite plusieurs personnalités politiques de qualité et de renom dont la décision et la voix contribueront ensuite, depuis Londres, à influencer le cours de l'histoire.

Ils sont quatre. Churchill leur affecte un hydravion de trente places. Les voici à Bordeaux, rencontrant Baudouin, Herriot, Blum, d'autres, à tous disant les mêmes mots, à tous proposant de gagner Londres pour échapper à l'inévitable servitude et poursuivre le combat, de tous recevant les mêmes réponses fuyantes.

Ils se déplacent d'ailleurs dans un monde étrange où les malheurs de la patrie ne troublent pas, en apparence, les importants du petit royaume de Bordeaux. Emmanuel Monick a férocement peint l'une des vedettes du désastre, le Président Édouard Herriot, installé dans un hôtel particulier dont ses familiers ont fait une mauvaise caricature de Versailles.

« On montait à l'étage par un large escalier de pierre. Là, se pressait une foule de courtisans, c'est-à-dire des parlementaires venus aux nouvelles. Ne sachant que faire, ils se tenaient tout le jour debout ou assis sur les marches. Ils s'interrogeaient, échangeaient les rumeurs les plus folles, fumaient d'innombrables cigarettes dont on écrasait partout les mégots.

« Lorsqu'on avait traversé à grand-peine cette cohue dans un nuage de tabagie, on pénétrait dans l'antichambre, assez vaste, du premier étage. Ici, avaient droit de se tenir des personnages déjà plus importants : parlementaires chevronnés, anciens ministres. C'était, en quelque sorte, le salon de l'Œil-de-Bœuf, réservé aux familiers du roi. Ils devisaient entre eux, mornes, abattus. Nous fûmes enfin introduits dans la salle à manger. C'était l'heure du dîner. Seul, à une immense table, la serviette accrochée à son gilet, Herriot, tel le roi, mangeait en public un carré de veau à l'oseille. Rangés sur des chaises, tout autour de la pièce, mais non tout autour de la table, étaient assis, silencieux, les hauts dignitaires du régime ; le président du Sénat, d'anciens présidents du Conseil, d'anciens ministres. Ils regardaient le vieux lion se nourrir. »

A l'heure du repas les vieux lions n'aiment guère être dérangés. Herriot n'abandonnera donc pas son carré de veau à l'oseille pour suivre Jean Monnet et ses amis, qui, tous restaurants complets, iront mélancoliquement manger un sandwich sur un banc des allées de Tourny, avant de reprendre l'hydravion qui les a amenés. Appareil presque aussi vide au retour qu'à l'aller[4].

Seul de Gaulle et avec lui, ayant ou non, entendu son appel, répondant à sa logique ou répondant à la fureur qui les saisit, quelques anonymes, aviateurs, marins, fantassins évadés de tant de colonnes résignées, rompent le charme malsain d'une défaite totale, si totale que tout un peuple acceptera bientôt, sans sourire, d'y voir la vengeance du ciel.

Effondrement du système politique.
Effondrement du système militaire.
Effondrement des âmes.

A Bordeaux, le romancier Roland Dorgelès assiste involontairement à l'arrivée des premiers soldats ennemis.

Apercevant un intervalle dans la colonne qui défile, voulant fuir les badauds curieux, puis déjà admiratifs, Dorgelès klaxonne et se penche à la portière.

— Eh bien, quoi ! lance-t-il à l'agent, gonflé d'importance, eh bien, quoi ! est-ce qu'on avance, nom de Dieu !

L'homme, l'homme en uniforme, lui aussi, et qui se donne l'illusion de canaliser toute l'armée victorieuse, se retourne, toise l'impertinent et laisse tomber :

— Pas d'histoires, hein, les Allemands d'abord !

---

4. Pleven a retrouvé sa femme et ses enfants. Ils l'accompagnent en Angleterre. Suivent Monnet deux amis personnels : Henri et Hellé Bonnet.

NOTE SUR LES PRIX ET SALAIRES

Il est particulièrement difficile de comparer prix et salaires entre 1939 ou 1940 et 1976. Sans doute n'est-on pas très éloigné de la vérité en écrivant qu'il faut multiplier par 100 ou 110 les prix de 1939-1940 pour obtenir une comparaison valable avec ceux de 1976.

Mais cette indication n'est pas systématique. Par exemple il est nécessaire de multiplier par 36 seulement le prix des œufs, par 70 celui du pain, par 100 celui du timbre, par 103 celui du beefteack, par 120 celui du lapin ou du café.

UNE DIVISION D'INFANTERIE EN 1940

Pour ceux (et celles) qui l'auraient oublié, ou l'ignoreraient, je rappelle qu'une division d'infanterie type Nord-Est de série A comprenait, en 1940 16000 hommes et 650 officiers répartis :

en 3 régiments d'infanterie à 3 bataillons de 4 compagnies ;

en 2 régiments d'artillerie (1 régiment de 75 à 3 groupes de chacun 3 batteries, chaque groupe comportant 12 pièces. 1 régiment de 155 court à 2 groupes de 3 batteries. Traction hippomobile) ;

en 1 batterie antichar (8 pièces de 47) ;

en 1 groupe de reconnaissance divisionnaire à 4 escadrons dont 1 à cheval et 3 motorisés ;

en 2 compagnies du génie et différents services.

BIBLIOGRAPHIE

Depuis dix-huit ans j'étudie la période 1939-1945 et rassemble une documentation qui m'a servi pour mes œuvres précédentes. Mais la tâche n'est pas achevée. Surtout lorsqu'il s'agit d'une époque aussi dramatique, aussi riche de conséquences et pour laquelle tous les documents sont loin d'avoir vu le jour.

Le peuple du désastre m'a naturellement entraîné dans d'importantes et nouvelles recherches et créé, ce faisant, de nouvelles dettes de reconnaissance. Je tiens à remercier tout particulièrement M. le directeur de la Bibliothèque du Sénat ainsi que tous ses collaborateurs d'une aide très précieuse, mon ami Charles Meyer, M. Petibon, les nombreux archivistes qui on répondu à mes demandes et tous ceux qui m'ont aidé de leurs connaissances et, plus encore, de leur amitié.

ACCART (capitaine) : *Chasseurs du ciel* (Arthaud).
ADREY (Georges) : *Journal d'un replié* (Debresse).
AMBRIÈRE (Francis) : *Les grandes vacances* (Nouvelle France).
AMOUROUX (Henri) : *La vie des Français sous l'occupation* (Fayard).
— *Le 18 juin 1940* (Fayard).
AMYOT et LAVERGNE : *Vuillemin.*
ARLABOSSE (général) : *La Division de fer (IIe D.I.) dans la bataille de France.*
ARON (Robert) : *Histoire de Vichy* (Fayard).
ASTER (Sidney) : *Les Origines de la Seconde Guerre mondiale* (Hachette).
AUBOYNEAU (Robert), VERDIER (Jean) : *La Gamelle dans le dos* (Fayard).
AUPHAN (amiral) et MORDAL (Jacques) : *La Marine française pendant la Seconde Guerre mondiale* (Hachette).
AZEAU (Henri) : *La Guerre franco-italienne* (Presses de la Cité).

BARDEL (René) . *Quelques-uns des chars* (Arthaud).
BARDOUX (Jacques) : *Journal d'un témoin de la Troisième* (Fayard).
BARRES (Philippe) : *Charles de Gaulle* (Plon).
La Bataille de Gien (15 juin-19 juin), (Imprimerie Jeanne d'Arc, Gien).

BAUCHE (Jacques) : *A force de vaincre...* (A. Fleury).
BAUDOUIN (Paul) : *Neuf mois au gouvernement* (La Table Ronde).
BAUMONT (Maurice) : *Les origines de la Deuxième Guerre mondiale.*
BEARN (Pierre) : *De Dunkerque à Liverpool.*
BEAU et GAUBUSSEAU : *Dix erreurs, une défaite* (Presses de la Cité).
BEAU DE LOMÉNIE (Emmanuel) : *Mort de la Troisième République* (Éd. du Conquistador).
— *Les responsabilités des dynasties bourgeoises* (Denoël).
BEAUFRE (général) : *Le drame de 1940* (Plon).
BELOT (contre-amiral R. de) : *La Marine française pendant la campagne 1939-1940* (Plon).
BENOIST-MÉCHIN : *Soixante jours qui ébranlèrent l'Occident,* 3 vol. (Albin Michel).
BENOIT (C.) : *Le Quartier bas dans la tourmente* (Troyes).
BENOIT-GUYOT (Cdt Georges) : *L'invasion de Paris* (Scorpion).
BENTELLI (Marianne) : *Consommation et production cinématographique* (Fondation nationale des Sciences politiques).
BERBEN (Paul), ISELIN (Bernard) : *Les panzers passent la Meuse* (Robert Laffont).
BETEILLE (Pierre), RIMBAUD (Christiane) : *Le Procès de Riom* (Plon).
BERL (Emmanuel) : *La fin de la IIIe République* (Gallimard).
BLOCH (Marc) : *L'Étrange Défaite* (Éd. Franc--Tireur).
BLUM (Léon) : *L'Histoire jugera* (Éd. de l'Arbre).
BONNEFOUS (Édouard) : *Histoire politique de la IIIe République,* tome VII (P.U.F.).
BONNET (Georges) : *Le Quai d'Orsay sous trois républiques* (Fayard).
— *De Munich à la guerre* (Plon).
BONTE (Florimond) : *Le chemin de l'honneur* (Hier et Aujourd'hui).
BOULET (André) : *C'était en juin 40* (Les Cahiers de l'Alpe).
BOURRAT (Charles) : *L'Agonie de Metz* (Éd. Le Lorrain).
BOURRET (général) : *La Tragédie de l'armée française* (La Table Ronde).
BOUTHILLIER (Yves) : *Le drame de Vichy* (Plon).
BRASILLACH (Robert) : *Notre avant-guerre, Journal d'un homme occupé* (Les Sept Couleurs).
BRUGE (Roger) : *Faites sauter la ligne Maginot* (Fayard).

CARBONI (Giacomo) : *Memorie segrete* (Parenti).
CATTAUI : *Charles de Gaulle* (Éd. Universitaires).
CÉRÉ (Roger) et ROUSSEAU (Charles) : *Chronologie du conflit mondial* (Société d'éditions françaises et internationales).
CHANLAINE (Pierre) : *Un régiment régional, le 211e.*
CHARLES-ROUX : *Cinq mois tragiques aux Affaires étrangères.*
CHASTENET (Jacques) : *Winston Churchill* (Fayard).
— *Histoire de la Troisième République* (Hachette).
CHAUTEMPS (Camille) : *Cahiers secrets de l'Armistice.*
CHAUVEL (Jean) : *Commentaire* (t. I), « De Vienne à Alger » (Fayard).
CHAUVIN (E.) : *Nogent sous la botte.*

BIBLIOGRAPHIE

CHEVIGNARD (Marie-Geneviève) et FAURE (Nicole) : *Système de valeur et de références dans la presse féminine* (Fondation nationale des Sciences politiques).
CHOLTITZ (général von) : *Un soldat parmi des soldats* (Aubanel).
CHURCHILL (Winston) : *Mémoires sur la Deuxième Guerre mondiale* (Plon).
COLTON (Joël) : *Léon Blum* (Fayard).
COQUET (James de) : *Le procès de Riom* (Fayard).
COSTON (Henri) : « Les causes cachées de la IIe Guerre mondiale », *Lectures françaises*, nº spécial.
CRAS (médecin en chef de 1re classe, Hervé) : *L'Armistice de juin 1940 et la crise franco-britannique* (Service historique de la Marine nationale).

DALAT (J.) : *Les 66e et 90e R.I. au combat.*
DARLAN (Alain) : *L'Amiral Darlan parle* (Amiot-Dumont).
DASSONVILLE (S.) : *L'Épreuve inhumaine.*
DELAUNAY (Gabriel) : *Toute honte bue* (Nouvelles éditions latines).
DELPERRIE DE BAYAC (Jacques) : *Les brigades internationales* (Fayard).
— *Histoire du Front Populaire* (Fayard).
DESGRAVES (Louis) : *Évocation du vieux Bordeaux* (Éd. de Minuit).
DESTREM (Maja) : *L'Été 39* (Fayard).
DETREZ (Mgr) et CHATELLE (Albert) : *Tragédies en Flandres* (1940-1944).
Documents secrets de l'État-Major général français. Auswärtiges Amt, 1939-1941, nº 6, Berlin, 1941.
DORGELES (Roland) : *La drôle de guerre* (Albin Michel).
DUBREUIL (Richard) : *La visite des souverains britanniques* (Fondation nationale des Sciences politiques).
DUCASSE (André) : *Quand ma ville ne riait plus* (Éd. de l'Olivier).
DUCLOS (Jacques) : *Mémoires* (Fayard).
DUPLESSIS (Gérard) : *Le mariage en France* (Armand Colin).
DUPUY (Ferdinand) : *Quand les Allemands entrèrent à Paris.*

FABRE-LUCE (Alfred) : *Vingt-cinq années de liberté* (Julliard). *Journal de la France* (mars 1939-juillet 1940).
FABRY (J.) : *De la place de la Concorde au cours de l'Intendance* (Éd. de France).
FAUVET (Jacques) : *Histoire du parti communiste français* (Fayard).
FELLER (Jean) : *Le dossier de l'armée française : la guerre de cinquante ans* (Librairie académique Perrin).
FLEMING (Peter) : *Invasion 40.*
FLEURY-SEIVE (général) : *L'Aviation d'assaut.*
FONTAINE (André) : *Histoire de la guerre froide*, t. I (Fayard).
FONVIEILLE-ALQUIER (François) : *Les Français dans la drôle de guerre* (Robert Laffont).
FORELL (Fritz von) : *Mölders und seine Mannen.*
FOVILLE (Jean-Marc de) : *L'entrée des Allemands à Paris* (Calmann-Lévy)
FREEMAN (C. Denis) et COOPER (Douglas) : *The Road to Bordeaux.*

GALLO (Max) : *Cinquième colonne 1939-1940* (Plon).
GALTIER-BOISSIÈRE (Jean) : *Mémoires d'un Parisien*, t. III (La Table Ronde).
GAMELIN (général Maurice) : *Servir* (Plon), 3 volumes.

Garonne est à l'avant-garde (La) : Historique du 77e groupe de Reconnaissance, 7e division d'Infanterie coloniale (Montauban).
GAULLE (Charles de) : *Mémoires de guerre* (Plon).
GÉRARD-DUPLESSIS — LE GUÉLINEL : *Les mariages en France* (A. Colin).
GESCHKE (Günter) : *Die deutsche Frankreichpolitik. 1940 von Compiègne bis Montoire.*
GIDE (André) : *Journal* (Pléiade).
GISCLON (Jean) : *Ils ouvrirent le bal* (France-Empire).
GOGUEL (François) : *Géographie des élections françaises sous la IIIe et la IVe République* (Armand Colin).
GOUTARD (A.) : *1940. La Guerre des occasions perdues* (Hachette).
GRANDSARD (général C.) : *Le 10e Corps d'Armée dans la bataille* (Berger-Levrault).

HAMPT (Werner) : *Victoire sans lauriers* (France-Empire).
HART (Liddell) : *Histoire de la Seconde Guerre mondiale* (Fayard).
HAUTECLOCQUE (Françoise de) : *La Guerre chez nous. En Normandie (1939-1944)* (Éd. Colbert).
HERRIOT (Édouard) : *Épisodes (1940-1944)* (Flammarion).
HILARION (capitaine de vaisseau Philippon) : *S. et G.*
Historique du 65e bataillon de Chasseurs alpins pendant la guerre 1939-1940, d'après le carnet de route d'un officier du bataillon (Marseille).
Hitler parle à ses généraux, présentation de Helmut Heiber (Albin Michel).
ISMAY (Lord) : *Memoirs.*

JACOBSEN (Hans Adolf) : *Dokumente zum Westfeldzug (1940).* Der zweite Weltkrieg in chronik und Dokumenten.
JACOMET (Robert) : *L'armement de la France* (Lajeunesse).
JANON (René) : *J'avais un sabre* (Charlot).
JARRIGEON (André) : *Les Journées historiques de juin 1940 à Blois.*
JEANNENEY (Jules) : *Journal* (A. Colin).
JOUFFRAULT (général P.) : *Les Spahis au feu* (Ch. Lavauzelle).
Journal Officiel : Débats parlementaires.
JUNGER (Ernst) : *Gärten und Strassen.*

KAMMERER (Albert) : *La Vérité sur l'Armistice* (Éd. Médicis).
Keesing's contemporary Archives.
KERILLIS (Henri de) : *De Gaulle, dictateur.*
— *Français, voici la vérité* (La Maison Française).
KIMCHE (Jan) : *1939, la bataille escamotée* (Fayard).

LADOUE (Pierre) : *Et Versailles fut sauvegardé. Souvenirs d'un conservateur (1939-1941)* (Éd. Lefebvre).
LAFFARGUE (André) : *Fantassin de Gascogne* (Flammarion).
LA HIRE (Jean de) : *Le crime des évacuations* (Tallandier).
LANGERON (Roger) : *Paris, juin 1940* (Flammarion).
LAPIE (P. O.) : *La Légion étrangère à Narvik* (Flammarion).

— *Herriot* (Fayard).
— *De Léon Blum à de Gaulle* (Fayard).
La Laurencie (général de) : *Les Opérations du IIIe Corps d'armée (1939-1940)* (Ch. Lavauzelle).
Laplagne (Robert) : *Les Jours maudits.*
Latreille (André) : *La Seconde Guerre mondiale* (Hachette).
Launay (Jacques de) : *Secrets diplomatiques 1939-1945* (Bepols).
Laurent (Jacques), avec la collaboration de Gabriel Jeantet : *Année 40* (La Table Ronde).
Lazareff (Pierre) : *De Munich à Vichy.*
Leautaud (Paul) : *Journal* (Mercure de France).
Lebrun (Albert) : *Témoignage* (Plon).
Leclerc (capitaine) : *9e Régiment d'Infanterie* (Ch. Lavauzelle).
Lecœur (Auguste) : *Le Partisan* (Flammarion).
Le Gentil (René) : *La Tragédie de Dunkerque.*
Le Goyet (Pierre) : *Le Mystère Gamelin* (Presses de la Cité).
Legris (François) : *En écoutant Weygand* (Éditions latines).
Lehmann (Othon) : *Épinal. L'histoire de la guerre 1939-1944* (Imp. coopérative).
Lepotier (amiral) : *La Bataille de l'or* (Éd. France-Empire).
Lhotte (Céline) : *Et pendant six ans...* (Bloud et Gay).
Liss (Ubrich) : *Westfront (1939-1940).*
Lyet (commandant Pierre) : *La Bataille de France* (Payot).

Mahieu (Armand) : *Drôle de guerre.*
Marine nationale. Service historique : *Les Forces maritimes de l'Ouest ; Le Théâtre méditerranéen ; Les Forces maritimes du Nord.*
Martin du Gard (Maurice) : *La Chronique de Vichy (1940-1944)* (Flammarion).
Massis (Henri) : *Maurras et notre temps* (Plon).
— *Chefs* (Plon).
Manstein (maréchal von) : *Victoires perdues* (Plon).
Mémorial de la France. *Faits d'armes de la guerre 1939-1940* (Sequana).
Mendès France : *Liberté. Liberté chérie* (Didier, New York).
Michel (Henri) : *La Seconde Guerre mondiale*, t. I (P.U.F.).
— *La drôle de guerre* (Hachette).
Milliat (Robert) : *Le Dernier Carrousel* (Arthaud).
Ministère des Armées : *Les grandes unités françaises.* Historiques succincts, 5 tomes (Imprimerie nationale).
Moch (Jules) : *Le Front populaire* (Librairie Académique Perrin).
Mois de Juin 1940 (Le) en Franche-Comté et dans le pays de Gex.
Montagne (général A.) : *La Bataille pour Nice et la Provence (11-25 juin 1940)* (Éd. des Arceaux).
Montigny (Jean) : *Toute la vérité sur un mois dramatique de notre histoire* (Éd. Mont-Louis).
Monzie (Anatole de) : *(Ci-devant* (Flammarion).
Mordal (Jacques) : *La Guerre a commencé en Pologne* (Presses de la Cité).
Mouchotte (René) : *Carnets (1940-1943)* (Flammarion et J'ai Lu).

MOULIN (Jean) : *Premier combat.*
MOURIN (Maxime) : *Les Tentatives de paix dans la Seconde Guerre mondiale (1939-1945)* (Payot).
— *Les relations franco-soviétiques* (Payot).
MOUSSINAC (Léon) : *Le Radeau de la Méduse* (Éd. Hier et Aujourd'hui).

NAEGELEN (Marcel) : *L'attente sous les armes 1939-1940* (J. Martineau).
NICOLSON (Harold) : *Journal des années tragiques 1936-1942* (Grasset).
NOBECOURT (Jacques) : *Une histoire politique de l'armée : t. I, « De Pétain à Pétain » (Seuil).*
NOBECOURT (R.-G.) : *Rouen désolée (1939-1944)* (Éd. Médicis).
NOËL (Geneviève) : *La Mort étrange de la IIIe République* (Scorpion).
NOGUÈRES (Henri) : *Munich ou la drôle de paix* (R. Laffont).
NOGUÈRES (Louis) : *Le Véritable procès du maréchal Pétain* (Fayard).

OBERLÉ (Jean) : *Jean Oberlé vous parle.*
OLIVIER (docteur) : *Historique des événements de juin 1940.*
OLLIER (Nicole) : *L'exode sur les routes de l'an 40* (Robert Laffont).

PAILHES (G.) : *Rouen et sa région pendant la guerre (1939-1945)* (Defontaine).
PAILLART (Pierre) : *Les Quarante jours du 2e G.R.C.A. en Hollande, en Belgique et en France.*
PAILLOLE (Paul) : *Services spéciaux* (Robert Laffont).
PASQUIER (Pierre) : *Combats de chasse* (Éd. Colbert).
PERTINAX : *Les Fossoyeurs* (Sagittaire).
PETIT (Marcel) : *L'Occupation et la libération de Versailles* (Éd. de l'Avenir).
PEYREFITTE (Christel) : *Les premiers sondages d'opinion* (Fondation nationale des Sciences politiques).
PLANES (L.-G.) et DUFOURG (R.) : *Bordeaux, capitale tragique* (Éd. Médicis).
PORTHAULT : *L'armée du sacrifice* (Guy Victor).
POULAIN (Jean) : *Amiens, mai-juin 1940* (Imp. Yvert).
PRETELAT (général) : *Le Destin tragique de la ligne Maginot* (Berger-Levrault).
Procès du maréchal Pétain, compte rendu sténographique, t. I et II (Albin Michel).

RAÏSSAC (Guy) : *Un soldat dans la tourmente* (Albin Michel).
REBATET (Lucien) : *Les Décombres* (Denoël).
4e Régiment d'Automitrailleuses. Souvenirs de campagne (1er février 1940-25 juin 1940).
Relations franco-britanniques (Les), de 1935 à 1939. Communications présentées aux colloques tenus à Londres en 1971 et 1975 (C.N.R.S.).
RÉMOND (René) : *Introduction à l'histoire de notre temps,* t. III (Seuil).
REQUIN (général) : *Combats pour l'honneur* (Charles Lavauzelle).
REYNAUD (Paul) : *Le Problème militaire français* (Flammarion).
— *La France a sauvé l'Europe* (Flammarion).
— *Mémoires,* t. II : « Envers et contre tous » (Flammarion)
— *Au cœur de la mêlée* (Flammarion).
ROMMEL (maréchal) : *La Guerre sans haine* (Amiot-Dumont).

RONARC'H (vice-amiral) : *L'Évasion du « Jean-Bart » (juin 1940),* (Flammarion).
ROSSI (A.) : *Les communistes français pendant la drôle de guerre* (Éd. d'histoire et d'art).
ROSSI-LANDI (Guy) : *La drôle de guerre* (Armand Colin).
ROY (Bernard) : *Les Grandes Heures de Nantes et Saint-Nazaire (1939-1945)* (Éd. Ozanne).
RUBY (général) : *Sedan, terre d'épreuve* (Flammarion).
RUDAUX (Ph.) : *Les Croix de feu et le P.S.F.* (France Empire).

SANDAHL (Pierre) : *De Gaulle sans képi* (La Jeune Parque).
SENGER und ETTERLIN (général Fridon von) : *Panzer sur l'Europe* (Éd. du Rocher).
SERRANO-SUNER (Ramon) : *Entre les Pyrénées et Gibraltar* (Le Cheval ailé).
SHIRER (William L.) : « Mon journal à Berlin (1934-1941) », *La Revue moderne.* (Montréal).
— *La chute de la IIIe République* (Stock).
SIEGFRIED (André) : *Visite aux paysans du Centre.*
SIMIOT (Bernard) : *De Lattre* (Flammarion).
SINGER-KEREL (Jeanne) : *Le coût de la vie à Paris de 1840 à 1950* (Armand Colin).
SPEARS (général) : *Témoignage pour une catastrophe* (Presses de la Cité).
SPEARS (sir Edward) : *Pétain-de Gaulle (1917-1940). Deux hommes qui ont sauvé la France* (Presses de la Cité).
SPENS (Willy de) : *Derniers étés* (Table ronde).
STEIN (Gertrude) : *Paris, France* (Edmond Charlot).

TAYLOR (Telford) : *Comme une faux gigantesque* (Robert Laffont).
TOESCA (Maurice) : *Cinq ans de patience* (Émile Paul).
TORRIS (M.-J.) : *Narvik* (Flammarion).
TRUCHET (André) : *L'Armistice de 1940 et l'Afrique du Nord* (P.U.F.).

Un témoin : *La Capitulation de Bordeaux. — Les Dessous de l'armistice.*

VARENNE (Francisque) : *Georges Mandel, mon patron* (Éd. Défense de la France).
VASSELLE (Pierre) : *La Tragédie d'Amiens (mai-juin 1940)* (Léveillard).
VIDALENC (Jean) : *L'Exode de mai-juin 1940* (P.U.F.).
— *Le second conflit mondial* (S.E.D.E.S.).
VILLELUME (général de) : *Journal d'une défaite* (Fayard).
VILLEROY (L.-G.) : *Comme l'an 40 !...* Souvenirs et croquis sur la « drôle de guerre » et la captivité.
VULLIEZ (Albert) : *Brest au combat (1939-1944)* (Ozanne).

WALLE (A.-V. de) : *Évreux et l'Eure pendant la guerre 39-45* (Hérissey, Évreux)
WEYGANG (général M.) : *Mémoires*, t. III : « Rappelé au service » (Flammarion).
— *En lisant les « Mémoires » du général de Gaulle* (Flammarion).
WEYGAND (Jacques) : *Weygand, mon père* (Flammarion).

ZINCONE (Vittorio) : *Hitler e Mussolini.* Lettere e documenti (Rizzoli)
ZOLA (Émile) : *La débâcle.*

Les quotidiens et hebdomadaires de l'époque sont — malgré la censure — particulièrement intéressants.

J'ai principalement consulté et utilisé : *L'Action française, L'Époque, Le Figaro, Le Journal, l'Humanité, Paris-Soir, La Petite Gironde, Le Petit Parisien, Le Progrès, Le Populaire, Ce soir, Le Temps.*

Et parmi les hebdomadaires : *Candide, Confidences, France Magazine, Gringoire, L'Illustration, Je suis partout, Match, Marianne, Le Miroir illustré, Regards, Vu.*

Enfin la revue *Icare,* plusieurs numéros du *Crapouillot,* de la *Revue de la défense nationale,* et les publications du Comité d'Histoire de la Deuxième Guerre mondiale m'ont été de la plus grande utilité.

Ayant dirigé *Le Journal de la France les années 40* (éditions Tallandier) auquel, répondant à mon appel, des milliers de lecteurs ont collaboré, j'ai naturellement relu avec intérêt et profit les seize premiers fascicules.

CHRONOLOGIE

1939

23 août	Allemands et Soviétiques signent à Moscou un pacte de non-agression.
24 août	Saisie de *L'Humanité* et de *Ce Soir*.
31 août	Les Italiens proposent, vainement, une conférence de paix.
1er septembre	Les troupes allemandes envahissent la Pologne. En France, le Conseil des ministres décide la mobilisation générale et la convocation du Parlement.
2 septembre	Les Chambres françaises votent les crédits militaires (69 milliards).
3 septembre	La Grande-Bretagne (à 11 heures), la France (à 17 heures) déclarent la guerre à l'Allemagne. Winston Churchill devient premier lord de l'Amirauté.
6 septembre	Débuts de « l'offensive » française en Sarre. En Pologne, la situation militaire se détériore.
10 septembre	Entrée en guerre du Canada.
17 septembre	Les troupes soviétiques pénètrent en Pologne.
18 septembre	Le bureau de la C.G.T. rompt avec le Parti communiste.
26 septembre	Dissolution du Parti communiste.
28 septembre	A Moscou, Molotov et Ribbentrop signent un traité qui officialise le partage de la Pologne. Ils laissent prévoir une prochaine offensive de paix.
29 septembre	Les Allemands prennent Varsovie après un siège de plusieurs jours. A la Chambre des Députés, les communistes forment le groupe « ouvrier et paysan » (43 membres).
30 septembre	En Sarre, nos unités avancées se replient volontairement.

1er octobre — Florimond Bonte et Arthur Ramette adressent au nom du Groupe ouvrier et paysan, une lettre à Édouard Herriot, président de la Chambre des Députés, lettre demandant la réunion des assemblées en vue de l'examen des propositions de paix qui vont être faites par l'Allemagne.

4 octobre — Désertion de Maurice Thorez.

5 octobre — Perquisition chez les députés communistes.

6 octobre — Hitler propose la réunion d'une conférence de paix.

8 octobre — Arrestation de 35 députés communistes, officiellement pour reconstitution d'un parti dissous.

10 octobre — Édouard Daladier repousse les propositions de paix allemandes.

12 octobre — Le Premier ministre anglais (Neville Chamberlain) adopte la même attitude.

7 novembre — La reine Wilhelmine de Hollande et le roi Léopold de Belgique, offrent à tous les belligérants leurs bons offices en faveur de la paix.

8 novembre — A Munich, une bombe explose après un discours d'Hitler.

30 novembre — Attaque de la Finlande par l'Union Soviétique.

14 décembre — L'U.R.S.S. est exclue de la Société des Nations.

17 décembre — Le cuirassé allemand *Admiral Graf-Spee*, poursuivi par la flotte anglaise, se saborde au large de Montevideo.

22 décembre — A la Chambre des Députés, vote unanime des crédits militaires pour le premier semestre de 1940.

1940

10 janvier — Un avion allemand fait un atterrissage forcé en Belgique. Sur le pilote, on trouve les plans d'invasion de la Belgique. Spaak (Premier ministre belge) demande l'aide éventuelle de l'Angleterre

15 janvier — Le Conseil des ministres belge décide de ne pas faire appel à l'armée française.

16 janvier — Nos troupes, massées à la frontière belge, rompent leur dispositif.

30 janvier — Le député communiste André Marty, qui se trouve en U.R.S.S., est déchu de la nationalité française. Thorez le sera le 21 février.

20 février — La Chambre des députés vote la déchéance des députés communistes.

22 février — Gamelin adresse au Quai d'Orsay une étude sur nos possibilités d'action au Caucase. Le plan de guerre français pour 1940 préconise une attitude passive sur le front occidental

25 février	Le gouvernement soviétique adresse des propositions de paix à la Finlande. Français et Anglais étudient la possibilité d'occuper des ports norvégiens pour venir en aide à la Finlande.
12 mars	A Moscou, les Finlandais, dont la ligne de résistance principale a craqué, signent un traité de paix avec les Russes.
19-20 mars	La Chambre des députés se réunit en comité secret. A la suite de onze interpellations, et à trois heures du matin, le gouvernement Daladier obtient 239 voix contre 1 et 300 abstentions. Daladier offre sa démission au président Lebrun qui fait appel à Paul Reynaud. Ouverture du procès des députés communistes.
22 mars	Le cabinet Reynaud obtient de justesse la confiance par 268 voix contre 156 et 111 abstentions.
28 mars	A Londres, au cours d'une réunion du Conseil suprême, Paul Reynaud signe l'accord franco-britannique prévoyant que les deux pays s'engagent à ne pas conclure de paix séparée.
9 avril	Le Danemark et la Norvège sont envahis.
13 avril	Bataille navale de Narvik.
16 avril	La Chambre des députés accorde, à l'unanimité, sa confiance au cabinet Reynaud. En Norvège, la situation des troupes anglo-franco-norvégiennes se détériore.
9 mai	Conseil de cabinet et très violent réquisitoire de Paul Reynaud contre Gamelin que Daladier, ministre de la Guerre, défend et veut conserver au poste de commandant en chef. Reynaud décide que le gouvernement est démissionnaire. En Allemagne, Hitler et Keitel lancent l'ordre d'attaquer. En Angleterre, Chamberlain abandonne le pouvoir.
10 mai	Les Allemands attaquent la Belgique, le Luxembourg et la Hollande. La Luftwaffe bombarde, dès l'aube, les gares et terrains d'aviation alliés. Paul Reynaud reste au pouvoir. Winston Churchill devient Premier ministre.
11 mai	Un commando allemand prend le fort d'Eben-Emael.
12 mai	Repli général des troupes belges et des troupes hollandaises.
13 mai	Capitulation de Rotterdam. Les Allemands franchissent la Meuse à Dinant et à Sedan : c'est la percée.
14 mai	Près de 2000 chars allemands disloquent sur la Meuse et au-delà le dispositif français.
15 mai	Capitulation de l'armée hollandaise. Les Allemands élargissent toujours les brèches créées l'avant-veille sur la Meuse ; nos divisions cuirassées sont incapables de les arrêter Le général

	Gamelin téléphone à Daladier que la bataille est perdue, la route de Paris ouverte. Paul Reynaud demande au maréchal Pétain, ambassadeur en Espagne, de revenir d'urgence à Paris.
16 mai	Le général Gamelin ordonne à nos armées, avancées en Belgique, de se replier. Paris est menacé. Paul Reynaud rappelle le général Weygand qui se trouve à Beyrouth. Au quai d'Orsay, les archives sont brûlées. Churchill arrive à Paris, les Français sollicitent, avec plus d'insistance encore, l'aide de la R.A.F.
17 mai	Les blindés allemands franchissent la Sambre et atteignent l'Oise.
18 mai	Le maréchal Pétain accepte la vice-présidence du Conseil. Remaniement du cabinet Reynaud. Churchill envisage de retirer le corps expéditionnaire britannique.
19 mai	Les blindés allemands, qui ont fait leur jonction à Saint-Quentin, foncent vers la mer. Weygand est nommé généralissime. Le général Gamelin est destitué.
20 mai	Les Allemands sont à Cambrai, Abbeville, Amiens, Péronne et arrivent à la mer. Reynaud réclame l'aide de l'Amérique.
21 mai	Attaque anglaise au sud d'Arras. Voyage de Weygand dans le Nord. Conférence avec Léopold III et le général Billotte, qui sera blessé mortellement quelques heures plus tard. Discours de Paul Reynaud au Sénat.
22 mai	Les troupes belges retraitent sur l'Yser. Conseil de guerre interallié à Vincennes.
23 mai	Dans le Nord, le manque de liaisons entre Français et Anglais compromet l'exécution du plan Weygand. Reynaud donne l'ordre de faire venir des troupes d'Afrique du Nord.
24 mai	Les Britanniques évacuent Arras et leur état-major prépare un repli sur Dunkerque. Contre-attaques françaises en direction de Péronne, d'Amiens, de Bapaume. Elles échouent toutes. Violentes attaques contre l'armée belge. Hitler arrête les blindés allemands et décide que l'aviation et l'infanterie termineront seules la bataille de Dunkerque.
25 mai	Rupture du front belge. Les Anglais décident de ne plus participer aux offensives prévues dans le cadre du plan Weygand qui est donc abandonné. La création d'une tête de pont autour de Calais, Dunkerque et Ostende est envisagée. Réunion du Comité de guerre à l'Élysée La situation est désespérée et Paul Reynaud évoque la possibilité d'un armistice.

26 mai — L'armée belge dans une position de plus en plus critique. Les Anglais se replient vers la côte. Paul Reynaud, en voyage à Londres, ne prévient pas les Anglais de la nécessité où nous nous trouvons d'arrêter prochainement le combat.

27 mai — Les Allemands à sept kilomètres de Dunkerque. Le roi Léopold décide de capituler. Nouvel appel de Paul Reynaud à Roosevelt.

28 mai — Échec de la percée tentée par sept divisions françaises encerclées autour de Lille. Organisation du camp retranché de Dunkerque où les embarquements se multiplient.

29 mai — Weygand informe Reynaud de la gravité de la situation militaire.

30 mai — Très vives discussions entre Français et Anglais à propos des évacuations de Dunkerque où la proportion, entre les deux armées, n'est pas respectée. Échec définitif de la contre-attaque de la IVe D.C.R. (de Gaulle) dans la région d'Abbeville.

31 mai — A Dunkerque, les embarquements sont de plus en plus difficiles. Churchill à Paris. Il s'efforce de relever le courage des Français et annonce que l'Angleterre ne capitulera pas.

1er juin — Nouvelles querelles franco-anglaises à propos de la situation à Dunkerque. Mussolini décide d'entrer en guerre le 11 juin.

2 juin — A Dunkerque, les Français restent seuls en face des Allemands ; vives protestations de Reynaud, de Weygand et de Darlan auprès des Anglais.

3 juin — Des navires anglais procèdent à l'évacuation des troupes françaises de Dunkerque. Raid de l'aviation allemande sur Paris.

4 juin — Les Allemands entrent dans Dunkerque. Français et Anglais attaquent à nouveau, sans pouvoir la réduire, la tête de pont d'Abbeville. Nouvel appel de Reynaud au président Roosevelt.

5 juin — Offensive allemande. La bataille de France commence. Rommel franchit la Somme. Reynaud remanie son cabinet, de Gaulle, nommé sous-secrétaire d'État à la guerre.

6 juin — Recrudescence des attaques allemandes. Sur l'Ailette, la Bresle, vers Péronne, la situation de nos troupes s'aggrave. Reynaud évoque la possibilité du réduit breton et de la poursuite de la guerre en Afrique du Nord.

7 juin — Les Allemands enfoncent la ligne Weygand.

8 juin — Le G.Q.G. français ordonne le repli général des troupes. Nos armées ont ordre de s'établir sur la Basse-Seine, devant Paris et sur l'Ourcq.

9 juin — L'Oise est franchie par les Allemands. Voyage du général de Gaulle à Londres et rencontre avec Churchill.

10 juin — L'Italie déclare la guerre à la France et à l'Angleterre. Le gouvernement quitte Paris.

1¹ juin — Paris déclaré « ville ouverte ». Nouvelle retraite des forces françaises : Dieppe, Reims, Épernay sont pris. Installation du gouvernement en Touraine. Réunion du Conseil suprême en présence de Churchill. Weygand déclare que « nous sommes sur la lame du couteau ».

12 juin — Encerclement de Paris. Menace sur nos armées de l'Est. Dissensions entre Churchill, Reynaud, Pétain, Weygand et de Gaulle sur les décisions à prendre.

13 juin — Reynaud décide de transférer le gouvernement à Bordeaux et demande à Churchill de délier la France de ses engagements. Conseil des ministres orageux, Weygand insiste pour qu'il soit mis fin aux combats.

14 juin — Les Allemands entrent dans Paris, ils prennent Le Havre et menacent Caen et Alençon. Le gouvernement s'installe à Bordeaux. De Gaulle part pour Londres où il doit préparer l'évacuation de troupes vers l'Afrique du Nord.

15 juin — Les troupes anglaises, encore en France, ne seront plus aux ordres du général Georges. Le Q.G. français transporté à Vichy. De Gaulle à Rennes pour organiser le réduit breton, puis en Angleterre. Weygand refuse de capituler comme le lui demande Reynaud. Conseil des ministres houleux où Reynaud et Weygand s'affrontent autour de l'idée d'armistice. Proposition transactionnelle de Chautemps. Reynaud (et Lebrun) menacent de démissionner.

16 juin — Les Allemands franchissent la Loire. Prise de Besançon; nos armées de l'Est dans une situation désespérée. Jeanneney et Herriot donnent leur accord à un transfert du gouvernement en Afrique du Nord. Conseil des ministres, le Maréchal veut démissionner. A Londres, Monnet soumet à de Gaulle le plan de l'Union franco-britannique auquel Churchill se rallie. Télégrammes anglais envoyés à Reynaud concernant le sort de la flotte française. De Gaulle téléphone à Reynaud le texte du projet d'union. Les télégrammes anglais sont retirés. Conseil des ministres, Reynaud lit le texte du projet d'union qui ne soulève que désapprobation. Aggravation de la situation militaire. La proposition Chautemps (de consulter les Allemands) paraît l'emporter. Reynaud donne sa démission. Lebrun charge Pétain de constituer un gouvernement. De Gaulle arrive à Bordeaux. Le nouveau gouvernement (auquel Laval n'appartient pas) fait demander leurs conditions aux Allemands.

17 juin — Les Allemands avancent partout à une rapidité prodigieuse Prévenu de la démarche française, Hitler demande à Mussolini de venir s'entretenir avec lui à Munich.
De Gaulle s'envole pour Londres dans l'avion de Spears Appel

du Maréchal aux Français, il annonce qu'il a demandé l'armistice et qu'il faut cesser le combat.
Décision de déclarer « villes ouvertes » toutes les villes de plus de 20 000 habitants, ce qui entraîne un effondrement de la résistance. Dans tous les ports de l'Atlantique encore libres, les préparatifs de départ de la flotte française sont accélérés

TABLE DES MATIÈRES

II. LA DRÔLE DE GUERRE

Achevé d'imprimer le 17 janvier 1980
sur presse CAMERON,
dans les ateliers de la S.E.P.C.
à Saint-Amand-Montrond (Cher)
pour le compte des éditions Robert Laffont